afgeschreven

DE DRAKEN

Julia Conrad

De draken

Oorspronkelijke titel: *Die Drachen*
Vertaling: George Bruynzeels, Rinkse Schultz, Marion Steur, Wil Steyling
Omslagontwerp: DPS design & prepress services, Amsterdam

Eerste druk september 2008

ISBN 978-90-225-4869-1 / NUR 334

© 2005 by Piper Verlag GmbH, München
© 2008 voor de Nederlandse taal: De Boekerij bv, Amsterdam
Mynx is een imprint van De Boekerij bv, Amsterdam

Opgedragen aan de moeder van mijn vader

'Kijk, in de donkere nacht van chaotische tijden
Ontbrandde de Driester aan de hemel, schitterende ogen
Vol weemoed en vreugde: ontstaan uit Bûl, de chaos,
Die deinde en borrelde en voordat de tijden aanbraken...'

Uit de gezangen van draak Vauvenal

Diamantzee

Bergen van Carrachon
(Noordpool)

Rijk van
Kadavervorst
IJsdraak

Luifinlas

Toar Kadenach

Toarch kin Mur

Zorgh

Bergen van Luris

Dundris

Volk van de
Ka-Ne

Mesquit

Chiritai

Klagende Woestijn

Aswoestijn

Blauwe Woestijn

Fort Timlach

Keizerrijk van de Sundaris

Saffierzee

Thurazim

Kysch

Saffierzee

Toar Yul

Thamaz

Helbedwingers
en Purperdraken

Rijk van de Mokabiters

Vulkaaneilanden

Rijk van de Makakau

Macrecourt

Jadezee

Chatundra

Diamantzee

Bergen van Carrachon
(Noordpool)

Rijk van Muden Gamul

Luifinlas

Toar Kadenach

Zorgh

Dundris

Toarch kin Mur

Bergen van Luris

Drakenrijk Zorgh

Rijk Dundris van
de Indigoleeuwen

Drakenrijk Sulis

Saffierzee

Drakenrijk Carthula

Saffierzee

Toar Yul

Drakenrijk Rachmibon
Rachmanzai

Thamaz

Vulkaaneilanden

Macrecourt

Jadezee

Tetyszee
Parelkasteel van Waterdraak Drydd
(Zuidpool)

Murchmaros

Drakenschemering

De aanval vanuit de diepte

Op het hoge plateau in het zuiden van het Drakenrijk Rachmibon lag een prachtig wezen languit in het gras te rusten. Het gras rook naar tijm en salie. De draak kwam uit de hoge orde van de Mirminay, de Rozenvuurdraken. Het uiterlijk liet zich moeilijk beschrijven want deze wezens, die in alle dimensies tegelijkertijd leven en hun uiterlijk naar believen konden aanpassen, waren vluchtig als wolken in een storm.

Vaak verschenen ze als scharlakenrode, oranje of blauwe dieren met vleermuisvleugels, leeuwenpoten, met schubben op het lijf en een slangachtige staart, maar dit waren maar een paar richtlijnen. Rozenvuurdraken waren er in alle kleuren, zwart, turkoois, kaneelbruin en nog veel meer. Een groot aantal draken kon als een kameleon van kleur veranderen en de ijdele draken gebruikten dat om zo indrukwekkend mogelijk op te stijgen. Doorgaans konden ze vuurspuwen maar er waren ook veel draken die dat niet konden en alleen stoom en rook uit hun keel lieten opwellen. Vaak lagen de Mirminay ontspannen te rusten, met lichamen die hun vaste vorm hadden verloren en in glinsterende etherische bouwsels waren veranderd.

Deze keer zorgde Vauvenal – dat was zijn naam – dat hij het bij één gestalte liet want er leunde een mens tegen zijn zij die mompelend versregels aan het rijmen was. De Hemelbestormer wilde hem bij deze belangrijke bezigheid niet storen.

Het was een kleine man met kromme benen, hij leek op een dwerg en zat in de schaduw van de drakenvleugel op zijn hurken. Hij was net zo bruin als de stenen op het plateau, had een buik als een ketel en grijs viltig haar dat tot zijn knieën kwam. Vauvenal toonde een levendige belangstelling voor deze vleugelloze wezens die sinds kort in Murchmaros verschenen. Ze hielden hem bezig, vooral hun dichters, profeten en zangers. De Hemelbestormer had verre reizen gemaakt en wist dat er mensen waren met verschillende kleuren, antraciet, wit en grijsgroen – maar de bruinen die zich Makakau noemden, bevielen hem het best want onder hen bevonden zich uitzonderlijk veel dichters. Het waren grote bewonderaars van draken, want die brachten hen met de wolken in verbinding en ze waren ervan overtuigd dat het regenmakers waren. Wat konden de donder en bliksem anders zijn dan het stampen en vuurspuwen van draken? Ze verkeerden in de stellige overtuiging dat de goede draken – waartoe de Rozenvuurdraken vast en zeker behoorden – de mensen tegen boze geesten beschermden en nachtmerries konden opeten nog voor ze door de kieren van hun bamboehutten kropen om slapende mensen lastig te vallen. Draken waren voor de Makakau het toonbeeld van vruchtbaarheid, kracht en snelheid in de strijd, van levensvreugde en blakende gezondheid; daarom werden veel lofgezangen en vreugdedansen aan hen opgedragen.

De drie Scheppende Draken Mandora, Plotho en Cuifín hadden een wereld geschapen waar het een lust was om te leven en daarom brachten de drakenpriesters van de Makakau met veel plezier en oprechte dankbaarheid offers aan de Hemelbestormers. Er heerste vrede want de Sterrendraken Phuram en Datura – zon en maan, broer en zus – de mooiste creaties van de Draakgodinnen, liepen hand in hand. Overdag en 's nachts verspreidden ze een mild licht en omdat er zo nu en dan regen op de aarde viel, kon alles er bloeien en groeien, van de mangroven in het zuiden tot de cycadeeënbossen in het noorden. Erboven hing de Driester die als enige van alle sterrenconstellaties niet van plaats veranderde maar onwrikbaar op dezelfde plek bleef schijnen, 's nachts zilverkleurig, overdag in de kleur van barnsteen.

Alles was goed, alles was zoals het moest zijn…

Maar Vauvenal wist dat de Makakau de dingen te rooskleurig zagen. Onder de lichte oppervlakte loerden donkere en geheimzinnige dingen en soms rilde hij bij de angstige gedachte aan het moment dat ze tevoorschijn zouden komen. En dat ogenblik kwam steeds dichterbij. Hij vond het ongepast om zijn zorgen met de zwakke Makakau te delen dus bleef hij stil liggen met zijn ene reusachtige kobaltblauwe puntvleugel uitgespreid over het mens om hem tegen de stekende zon te beschermen. Hij bewoog voorzichtig zijn kop want hij droeg een kroon, een leliewit gewei.

'En, mens Ion-ka…,' vroeg hij met een stem die zo mooi en melodieus was dat hij er in heel Rachmibon en ver buiten de grenzen van het drakenrijk bekend om stond, 'wil het lukken met je heldendicht?'

'Het wordt steeds beter. Wilt u het horen?,' vroeg de mensenman.

'Maar natuurlijk, graag,' antwoordde Vauvenal, 'niets liever dan dat.'

De man begon te spreken op de plechtige toon van een profeet.

'Wat mij in dromen en visioenen wordt geopenbaard wil ik, Ion-ka, doorgeven. Ik breng mijn dagen als kluizenaar door in de nevelige dalen en luister naar de gedachten en de liederen van de draken. Op een midzomernacht lag ik op mijn rug op de grond en keek omhoog naar de sterrenhemel: Ik zag de Driester schijnen maar ik zag ook het inktvissenoog van het zeemonster en dacht na over hoe de wereld was ontstaan.

"Stijg op!" sprak een fluisterende stem me toe, niet in menselijke klanken en niet in een menselijke taal. "En zie!" Daarna leek het of ik de hoogte inging en werd gedragen door wezens die op witte mistflarden leken. Deze geesten brachten mij naar het hoogste punt van de nachtelijke hemel en verder, tot ik door de sterrenleegte vloog en onder mij een vurige bal ontwaarde die er overweldigend uitzag. Hij draaide wervelend om zijn eigen as, waar de gloed door het draaien afkoelde was het bronskleurig gestreept, waar het heet was wierp het lange vlammen voor zich uit. Zoals een danseres haar sluier omslaat als ze in extase in de rondte draait, zo sloeg de planeet de sluier van vuur om zich heen terwijl hij gloeiend stof spuwde en in zijn draaiingen de klanken van een bromtol uitstootte. Dit verschrikkelijke schouwspel bleef lange tijd zo doorgaan.

Majdanmajakakis, de wereldslang die het universum in haar omarming draagt, baarde de Driester, de Moedermaagden Plotho, Cuifín en Mandora en hun broer, de Waterdraak Drydd. Ze gaf hun de opdracht om de wereld Murchmaros te scheppen.

Ik wist dat ik getuige werd van de geboorte van Aarde-Wind-Vuur-Land toen de elementen scheidden. Er trok een ijzige kou op, er ontstonden kraters die zich met water vulden en uitgroeiden tot de Tetyszee met loden water. De Barnsteendraken die zo prachtig zijn dat niemand ze kan zien of omschrijven, schiepen uit de andere drie elementen eerst de drie Sterrendraken – de Zonnedraak Phurham, de Maandraak Datura en het Drakenei – en vervolgens de machtige Draken van de Elementen. Ik zag hoe uit fijne lichtgevende ether de Mirnimay, de Rozenvuurdraken, ontstonden. Daarna kwamen de Bulemay, de Purperdraken, die kleiner waren maar nog altijd mateloos groot. En ten slotte kwamen uit de handen van de Moeder alle kinderen van de elementen tevoorschijn, de Vuursalamanders, de Aarddraken en de Hemelbestormers, van groot tot klein.'

Hij pauzeerde even en zei toen: 'Zover ben ik tot nu toe gekomen. Wat vindt u ervan?'

'Over het algemeen niet slecht,' antwoordde de draak die heel beleefd was en altijd probeerde om de dichters op te monteren.

'Maar je zou het epos kunnen bewerken door er meer een gedicht van maken, bijvoorbeeld…'

En hij declameerde half zingend, half sprekend met een stem die klonk als een windharp:

Kijk, in de donkerste nacht van chaotische tijden
Ontbrandde de Driester aan de hemel, schitterende ogen
Vol weemoed en vreugde: ontstaan uit Bûl, de chaos,
Die deinde en borrelde en voordat de tijden aanbraken,
Verrezen de zusters, de vuurgeboren schonen.
De Barnsteendraken schiepen de pilaren van de hemel,
Ze gaven de aarde vorm en schonken haar
De zon, de maan en de zwavelig schijnende sterren,
Om samen met haar door de nacht te trekken en om
Licht te geven in het donker.
Ze schiepen de Mirnimay, en toen de mensen en allen
Die als levende adem wandelen op aarde – de volkeren
Van het zwarte zuiden tot de afmattende kou in het noorden.
Ze hadden…

Hij hield midden in de zin op en ging met een zodanige ruk op zijn achterpoten zitten, dat de dichter opzij werd geduwd en een eind over het gras rolde voordat hij weer op zijn beide benen stond. Vauvenals ogen waren scherper dan die van een adelaar en hadden ver beneden in zee aan de voet van de klip een beweging opgemerkt. Het was nauwelijks meer dan een schaduw maar de draak wist waarvan de schaduw was en zijn krachtige lijf spande zich aan. Daar beneden zwom een platte, gekerfde Waterworm van ongeveer honderd mensenpassen lang, met zes armen en aan elke arm levensgevaarlijke scharen. Dit was slechts een van de vele afschuwelijke gewrochten die het Rijk van de Waterdraak bevolkten.

Ion-ka beging een grote vergissing als hij dacht dat alle draken goed waren. De pasgeboren mensen wisten nog niets van de afgunst en wrok waardoor Drydd, de koning van de zoute zee, werd verteerd. En ze hadden geen weet van zijn haat tegen de Drie Zusters en de schepselen die zij hadden voortgebracht. Drievierde van Murchmaros – de mensen noemden het Chatundra – lag onder de zee en in de diepte wemelde het van de vijandelijke creaturen. Tot nu toe was het niet tot confrontaties gekomen omdat de rijken strikt gescheiden waren. De landbewoners konden niet in het water leven en Drydds onderdanen konden niet aan land komen, afgezien van de krabben die houterig in het natte zand rondscharrelden.

Een schaduw viel over de wereld toen de donkere verderfelijke geest zich vanuit de diepte oprichtte. Van het ene op het andere moment werd alles anders. Het was licht noch donker, koud noch warm. Aan de door nevel gesluierde hemel stond geen zon en ook geen maan of sterren. Er scheen een troosteloos schemerlicht dat ieder detail liet zien en niets accentueerde. Alles was star en onbeweeglijk alsof de tijd stil was blijven staan.

De zee golfde hoog op en honderden ongerepte wezens kletterden op het zand als schepen die door de branding aan land werden gesmeten. De stank van rotte vissen bedierf de lucht toen de warrige menigte zich met duizenden tegelijk naar voren drong. Sommige waterwezens waren klein, sommige gigantisch, sommige waren van hoorn zoals de zeespinnen, weer andere waren zacht en bestonden uit een slappe massa die zonder gebeente voortrolde, maar ze hadden allemaal een ding gemeen: ze kropen verder het land op in de richting van de eenvoudige hutten van bamboe en palmbladeren waar de Makakau woonden en werden door een blinde woede voortgedreven. Opengesperde kelen met messcherpe tanden, tentakels en klepperende krabscharen bedreigden de mensen die de rampspoed zagen aankomen. Schril geschreeuw en een paniekerig kabaal vulden het zo-even nog zo stille dal. Vauvenal spreidde moedig zijn machtige vleugels uit en stormde op de aanvallers af.

Ook andere draken die op de nabijgelegen heuvels in de zon lagen hadden de zeegewrochten opgemerkt en een tiental Hemelbestormers stortte zich in de strijd. Maar ze hielden het vuur in hun kelen tegen zodat ze het bos met de mensenhutten niet in brand staken. De vliegende draken leken in het voordeel te zijn. De meeste zeemonsters waren zacht als kwallen en konden aan de scherpe klauwen en de zwiepende staarten geen weerstand bieden. Maar sommige hadden tanden zoals de lelijke springende vissen, die zich ver op het natte zand in alles vastbeten wat ze maar te pakken konden krijgen. De drakenstaarten sloegen tegen de krabschilden, leeuwachtige klauwen hakten in op de veerkrachtige horde enorme zeevoeters die geel en stuiptrekkend de golven ontweken. Parelmoeren drakenklauwen reten de pantsers van de beesten open en legden hun slijmerige ingewanden bloot. Reusachtige gestalten vlogen met het zeegebroed in de klauwen de lucht in en slingerden de gedrochten van Drydd vanaf grote hoogte op de grond waar ze uiteenspatten. Wieken scheerden over de schuimende golven waaruit de een na de andere grijze schedel opdook. Hun lege geleiachtige ogen staarden in de lucht.

Onverwacht vlogen de Hemelbestormers in een gifwolk. Iedere aanraking met de lijkachtig koude, kleverig vochtige tentakels en klauwen trof ze als een schorpioensteek maar het was niet de lichamelijke pijn die ze kwelde. Het zachte weefsel van hun ziel scheurde en de kadaverwalm trok al door hun harten als de duisternis van een naderende dood. Ze wankelden en tuimelden, overmand door twijfel en wanhoop die zich met kracht over hen uitstortte.

Vauvenal voelde zijn vleugels lam worden en zijn klauwen verstijven, een onzichtbare verderfelijke adem besmette zijn geest en lichaam. Met zijn laatste kracht stootte hij een wilde kreet uit om de andere te waarschuwen. Hij vloog met alle kracht die hij in zich had recht de lucht in en ontweek op het nippertje een netelige zweepslag van een vrijwel onzichtbare reuzenkwal die gezwollen over het zand zwalkte.

Hij zond een gedachte uit naar de andere draken om ze te waarschuwen: 'Houd ze op afstand, hun aanraking is dodelijk! Ga de bergen in, verzamel rotsblokken en gooi ze op het gebroed!'

Terwijl de mensen beneden in het dal als opgeschrikte mieren door elkaar heen krioelden en de beboste hellingen opkrabbelden om zich in het regenwoud te verstoppen, zwermden de draken in alle richtingen uit. Elke draak raapte de grootst mogelijke keien op die hij maar kon dragen. Ze vlogen op veilige hoogte boven de zeegewrochten en gooiden de stenen op Drydds creaturen. Het strand bood al gauw een gruwelijke aanblik, overal lagen slijmerige, brijachtige kadavers. Toen de Hemelbestormers met opengesperde kelen vuurgolven naar de grond spuugden, vluchtten de waterwezens die het hadden overleefd naar hun element.

Vauvenal nam geen tijd om met de mensen te praten. Ze zaten stijf van schrik in de struiken of renden wanhopig in het rond. Een dreigend gevoel overviel hem, hij maakte een zwaai door de lucht en vloog naar de kust van Murchmaros. Zijn voorgevoel zou maar al te snel uitkomen.

De aanval op de vissers van Rachmibon stond niet op zichzelf. Overal waar zijn kobaltblauwe vleugels hem konden dragen zag de Hemelbestormer hetzelfde afschuwelijke tafereel. Drydds onderdanen hadden vanuit het water de hele kust van het uitgestrekte continent bestormd, van de warme Jadezee via de Saffierzee tot in de ijzige Diamantzee in het noorden. En overal hadden ze de drakennesten, de schuilplekken van de dieren op het land en de huizen van de mensen in de buurt van de kust geplunderd.

Vanuit de lucht zag Vauvenal overal dezelfde stinkende slijmmassa's op het zand en in de branding. Hij zag de kadavers van draken en dieren die in aanraking waren gekomen met het gif en de lijken van mensen tussen het puin van de stenen hutten. Overal zag hij het weerzinwekkende wrakgoed dat de borrelende zee op het strand had gespoeld. De zee en het strand dat de olieachtige vloed omrandde, vormde samen een grote verschrikkelijke vlakte vol met lijken.

Vauvenal keek met stomme verbazing naar de overblijfselen van mensen en dieren die door de blauwe doodgraverkevers al gedeeltelijk waren aangevreten. Sommige lagen verdwaasd in shock op het strand. De kadavers van vissen en zeedieren lagen op een hoop met de overblijfselen van kleine wilde dieren en vogels. Tussen de resten bewoog iets –

hoornachtig, glinsterend en glimmend, lange kronkelende tentakels en schorpioenstaarten met kromme nagels – of waren het angels – aan vingerachtige uiteinden.

Het was de monsters in ieder geval niet gelukt om hun thuisfront ver achter zich te laten. Toen Vauvenal voorzichtig lager ging vliegen en vlak boven de grond scheerde, zag hij de overblijfselen van ontelbare kwallen die op nog geen twee meter van de kustlijn als kleverige slijmzakken in elkaar waren gezakt. Sommige was het niet gelukt om in het losse zand en op het harde grind langs de kust vooruit te komen en waren blijven steken als karren in de modder. Maar de snelle meerpotige krabben hadden in hun onrust grote afstanden weten af te leggen, net als de springende vissen die met grote sprongen hun slachtoffers hadden aangevallen en zich met ronde muilen vol met tanden in ze hadden vastgebeten.

De dode draken die Vauvenal hier en daar op het zand zag liggen, waren geen Mirminay want Rozenvuurdraken waren onsterfelijk. Het waren de Bulemay, draken uit de periode van de tweede schepping, die in vele gedaanten voorkwamen maar in tegenstelling tot de Rozenvuurdraken een vast uiterlijk hadden. Daarnaast waren er nog de Geringsten, Slangendraken en Tunneldraken die in hun grotten in de branding en in de mijnen door de aanval waren verrast.

Met woede en wanhoop in het hart staarde Vauvenal naar beneden. Hij ging op een overhellende rots zitten, strekte zijn nek uit en liet een vreselijke, lange klagende schreeuw horen. De andere draken hoorden de schreeuw en gaven het door tot het hele Aarde-Wind-Vuur-Land ervan schalde.

Van nu af aan wist iedereen dat er oorlog was tussen de Barnsteendraken en de gedrochten in de ijskoude diepte. Vauvenal dacht aan de dichter van de Makakau, nooit zou zijn volk de onschuldige vrolijke liederen meer zingen. Een nieuw tijdperk was aangebroken, donker en gevaarlijk, en alleen Majdanmajakakis, de Moeder, wist hoe het afliep.

De samenzwering op het Parelkasteel

Tussen de verste Vulkaaneilanden en het ijs van de zuidpool doemde vanaf de zeebodem midden tussen de loden golven van de Tetyszee een eiland op tot bijna in de wolken. Het bestond van top tot teen uit grijze koralen en bleke parels. Het water stroomde onophoudelijk langs zijn kantelen en torens. Binnen stroomde het in stralen door de gangen en droop het van de plafonds. Dit eiland was het Parelkasteel van Waterdraak Drydd. Hier woonde hij met zijn twee zonen, Zarzunamit die de gedaante van een mens had en de huiveringwekkende Tarasque die de gestalte van een schildpad met drie mannenhoofden had en op vier kromme zuilpoten wankelend rondliep. De vissers van Rachmibon en de andere mensen werden vast en zeker door angst overmand als ze wisten wat zich in het donker onder de grijs glazige oppervlakte van de zee schuilhield.

Onder de gedrochten bevond zich een schraal, ellenlang, glibberig en kleurloos creatuur dat Luind heette. Hij was een nietsnut en werd daarom zelden bij zijn eigen naam genoemd maar noemde men hem eenvoudig Onnut. Onnut was een Watersalamander – de kleinste onder de Waterdraken, ook wel Mensenvissen genoemd – en kreeg alleen de simpelste karweitjes te doen, maar zelfs die deed hij meestal maar half. Hij lag liever verscholen in een van de vele hoeken van de torentjes en balustraden, die door de wonderlijke koralen waren gevormd en boven het wateroppervlak uitstaken, om met zijn uitpuilende gouden ogen over het land te turen.

Hij verlangde er al zolang als hij het zich kon herinneren naar om aan land te gaan en daar te wonen. Soms droomde hij dat hij dit verlangen had omdat hij menselijk bloed in zich had, net zoals drakenzoon Zarzunabas die Drydd bij een mensenkoningin had verwekt. Hij verbeeldde zich dat hij helemaal aan het begin van zijn leven op het vaste land had geleefd, want er spookten schaduwachtige beelden door zijn hoofd van het licht van een olielamp, van menselijke gedaanten en een enorm grote vrouw, grijs als een klomp leem die geschrokken gilde, hem oppakte en in het vuur wilde gooien. Er was ook nog een andere vrouw die dat niet toestond en hem tegen zich aan drukte. Haar lichaam was zo warm en zacht... Later had ze hem naar het strand gebracht en in het water gezet en hij had begrepen dat hij voor het water moest kiezen als hij tenminste niet in het vuur wilde belanden. En dus had hij zich bij Drydds gedrochten gevoegd, maar gelukkig was hij er niet.

Hij had zo lang naar zijn moeder verlangd en nu was ze in zijn droom verschenen. Ze zag er anders uit dan hij zich herinnerde, niet grijsgroen maar goudbruin en haar benen waren anders – vanaf haar heupen leek ze op een rechtopstaande leeuw. Ook had ze kleine vleugels op haar rug die niet gebruikt konden worden om te vliegen en ze had nog dezelfde prachtige zware borsten en dezelfde zachte ronde buik. Zij noemde hem niet Onnut maar bij zijn echte naam: Luind.

'Mijn liefste,' had ze tegen hem gezegd, 'ik zou graag willen dat je weer bij me was. Je moet iets voor me doen – je bent zo handig en kan je zo goed vermommen...'

Natuurlijk had hij toegestemd en daarom was hij deze keer niet in de erker geklommen om te dromen maar om een geheime vergadering af te luisteren. Drydd had zijn zonen en bijna al zijn belangrijke hofdienaren bij zich geroepen in de centrale koepeltoren van waaruit ovalen medaillonramen in alle richtingen uitkeken over zee. Onder het gevolg ging het gerucht dat ze opnieuw een grote oorlog tegen de draken aan het voorbereiden waren. Luind beleefde geen vreugde aan oorlogen – hij was er zelfs erg bang voor. Hij wilde alleen maar terug naar de grote, warme, zachte vrouw die hem tegen zijn borst had gedrukt en ervoor had gezorgd dat hij niet in het vuur werd gegooid.

Het was een donkere, sombere dag en de ijsschotsen op de golven kletsten tegen de muren van het Parelkasteel toen Luind als een schaduw over de bruggen en via de gaten in het sieraad van de toren kroop. Toen hij de hoogste koepel had bereikt, sloop hij naar een van de ovalen ramen hoog boven op het koepeldak zodat hij in de geheime raadzaal kon kijken. Voorzichtig zette hij het raam wat verder open. Het was een gevaarlijke onderneming want Drydd was onverzadigbaar en alle dienaren die hij op een overtreding betrapte verdwenen onbarmhartig in zijn slappe, met rode hoornachtige stekels omrande, grote bek. Luind rilde toen hij zijn halfmenselijke gezicht tegen het raam drukte en naar beneden keek. Maar zijn nieuwsgierigheid – en zijn brandende verlangen naar de vrouw – woog zwaarder dan zijn angst.

Beneden in de schemerige koepelzaal waar het water in glinsterende stralen van de prachtige met schelpen en koralen versierde muren liep, troonde de machtige Draak van de Elementen op zijn stenen zetel. De machtigste waterwezens van adellijk geslacht zaten in verschillende afgrijselijke gedaanten om hem heen. Drydd – die in de rangorde op gelijke hoogte stond met de Drie Zusters Mandora, Plotho en Cuifín – bezat hetzelfde vermogen als de Rozenvuurdraken om elke gewenste gedaante aan te nemen. Als mooie jongeling met een vinnenkam op zijn hoofd en schubben die fonkelden als smaragden had hij toenadering gezocht tot Athahatis, de mensenkoningin, en zo had hij haar misleid. Op dit ogenblik had hij zijn gewone gestalte aangenomen, een immense drakenvis die leek op een reusachtige, gedraaide, puntige schelp, prachtig glinsterend van kleur en met ontelbare stekels die dodelijk giftig waren. Zijn vlakke, rood glimmende ogen keken als een basilisk.

Naast hem zaten zijn zonen, daarnaast Chton, de Vorst van de Moerassen. Zijn gedaante deed denken aan een krokodil en hij was van onder tot boven bedekt met wier en waterlelies. Hij bezat de macht om rivieren buiten hun oevers te laten treden en om ellende en ongeluk over al het leven op het land te brengen. Vaak zwom hij een eind de riviermonding of een baai in om op mensen te jagen en vervolgens hun vlees op te vreten. Aan de andere kant van de troon kronkelde de Zeeslang, Nuzra, met haar logge vinnen en schubbenstaart, die met een slag een heel schip kon verpletteren. De slang was een simpel wezen, kortzichtig en gemakkelijk in de war te brengen. Het was al eens gebeurd dat ze zich ziedend van woede op haar eigen schaduw had geworpen en ermee vocht tot totale uitputting erop volgde.

De meeste gedrochten waren aan hun element gebonden maar er waren enkele die – zoals Luind – zowel in het water als op het land konden leven. De afschrikwekkendste amfibieën waren de Tarasquen of Basilisken waarvan de drie hoogste koningen aan de raadsvergadering deelnamen. Het waren zonen van Tarasque en hoewel ze naast de druipende bergen van vaal en sponzig vlees maar klein leken – ze waren niet groter dan een pas, een mensenstap – waren ze gevaarlijker dan de meeste zeemonsters. Ze hadden net als de doodskikkers op de Vulkaaneilanden felle kleuren en waren even giftig en verderfelijk. Kju, de Gouden Tarasque, kon met zijn blik land, lucht en water vergiftigen. Zijn broer Zau had een derde oog op zijn goudgeschubde kop. Met zijn kwade oogopslag kon hij elk levend wezen in angst doen verstarren en dood doen neervallen. Roc, de Bloedige, had aan het eind van zijn staart een verborgen giftige angel waarmee hij zijn slachtoffers het vlees van de botten kon laten vallen. Deze drie werden 'de Zwemen' genoemd omdat een vleugje van hun adem alle leven kon verdorren en rotsen kon splijten. Net als hun schepper haatten ze het licht van de zon evenzeer als dat van de maan en droomden ze van de dag dat ze hen alle twee konden verslinden en de eeuwige zonsverduistering zich over het land zou uitspreidden.

Het was een merkwaardig gezicht om tussen al dit gebroed een slanke, lieftallige jonge man met blond haar te zien zitten: Zarzunabas. Hij was onsterfelijk, net als zijn vader, hoewel hij voor de helft mens was. Hij had een lang groen gewaad aan dat losjes om zijn voeten viel. Ze noemden hem de Kadavervorst, want hij maakte alles wat dood en vergaan was tot zijn onderdanen.

Natuurlijk bespraken ze de jammerlijke mislukking van de eerste poging om het land te veroveren. De ongelukkige generaals die het bevel hadden gegeven om aan te vallen werden direct met knoestige tentakels aan de muren van de raadzaal vastgezet en door hun soortgenoten levend in stukken gescheurd en opgevreten, maar deze straf was voor mislukkelingen een schrale troost in vergelijking met de verliezen die de zeebewoners hadden moeten dragen. Ze hadden duizenden krijgers verloren en het enige wat ze ermee hadden bereikt, was dat de smeulende ergernis tussen de Drie Zusters en hun broer oplaaide tot openlijke vijandigheid die gemakkelijk tot een bloedige strijd had kunnen leiden als ze bij elkaar hadden kunnen komen. De draken op het land konden niet meer doen dan haastig vestingen bouwen die uitzicht boden op de kust en streng de wacht houden terwijl Drydd zijn legers in de koude diepten van de Tetyszee rond de zuidpool terugtrok.

Maar de zeegewrochten waren vastbesloten om bij de eerste gelegenheid die zich aandiende opnieuw de strijd met ze aan te binden. Ze wilden het hele land verdrinken en de Sterrendraken verslinden om het sombere grijze schemerlicht van hun rijk over heel Murchmaris te laten schijnen.

Het ene na het andere voorstel werd gedaan om dit te kunnen bewerkstelligen maar er was geen enkel voorstel dat bijval vond totdat Zarzunabas uiteindelijk het woord nam.

'We beginnen verkeerd,' zei hij. 'Wanneer onze krijgsmacht opnieuw het vaste land probeert te bestormen dan stoten we weer ons hoofd. En we hebben er niets aan als de een ergens een meer verovert en de omgeving terroriseert terwijl de ander in een rivier op de loer gaat liggen om de wasvrouwen op te eten. We moeten het groot aanpakken en daarvoor hebben we hulp nodig.'

'Wie zou ons moeten helpen?' gromde Chton nors.

'Phuram,' antwoordde Zarzunabas met een glimlach. Een golf van verbluft en verontwaardigd gefluister trok door de menigte. Drydd vroeg fel of zijn zoon een grap maakte. Maar de jonge man schudde zijn hoofd. 'Nee, eerbiedwaardige vader, ik maakte geen grap. Niet met u, noch met de adel die hier bijeen is gekomen. Ik meen het serieus. Phuram zal ons helpen maar zonder het te weten.' Hij ging verder: 'Phuram is trots en verzot op macht. Heimelijk is hij kwaad op de Draakgodinnen omdat hij slechts hun creatie is en niet dezelfde rang heeft als zij. Als wij zijn woede voeden, stemt hij er vast in toe om de Driester omver te werpen.'

De met zeewier behaarde Chton snoof afkeurend.

'Eerst wil ik weten hoe hij dat voor elkaar wil krijgen en ten tweede: zelfs als het hem lukt, wat hebben wij eraan? Phuram is ons niet goed gezind en zal geen poot uitsteken, hij zal ons niet steunen.' Er gingen meer soortgelijke Stygische stemmen op, maar Zarzunabas zat helemaal niet om een antwoord verlegen.

'Wat wij er aan hebben? Phuram heeft iets dat wij niet hebben: vrije toegang tot het paleis tussen hemel en aarde. De Drie Zusters wantrouwen hem niet want hij ziet er goed uit in zijn gouden uitrusting met de stralenkrans om zijn hoofd. Ze houden van hem, de zon, hun prachtigste schepsel en ontvangen hem met open armen zonder te weten wat voor trots en hoogmoed er in hem omgaan. Als hij eenmaal in hun huis is, zullen ze te laat ontdekken wat voor dodelijke wapens hij bij zich heeft.'

'Er zijn op Murchmaros geen wapens die de Drie Zusters kunnen doden,' bromde de Zeeslang.

'Op Murchmaros niet, dat klopt, lange worm,' zei Zarzunabas. En terwijl de Zeeslang haar kleine beetje verstand tot het uiterste inspande om te begrijpen of ze daarnet beledigd werd, ging de Kadavervorst verder: 'Maar ze bestaan wel en ik weet hoe ik er aan kan komen. Phurams hand zal ze brengen. Als het hem niet lukt dan is hij degene die in de afgrond wordt gestort en heeft het niets met ons te maken. Maar als hij er wel in slaagt dan zal hij zichzelf tot heerser uitroepen en dan zullen wij hem vernietigen want hij is een minder grote vijand dan Mandora, Plotho en Cuifín.'

'Ga je hem met water spuiten tot hij is uitgedoofd?' hoonde een enge, afgrijselijke zeespin in een hoek, die met haar kolossale beenderen boven de Parelzaal uittorende. Ze was zo hoog dat ze een onderdeel van de bizarre architectuur leek.

'Nee,' antwoordde Zarzunabas. 'Ik wacht tot hij wordt versluierd en in de tijd dat jij in de modder naar dode vissen hebt zitten zoeken, heb ik de sterrenconstellaties bekeken en gelezen wat maar weinig anderen weten.'

Drydd had aandachtig geluisterd. Hij wist hoe slim zijn halfmenselijke zoon was in tegenstelling tot Tarasque die het verstand van een schildpad had. Daarom beval hij de mopperende hofdienaren te zwijgen en spoorde hij Zarzunabas aan om zijn plan uit de doeken te doen. De jongeling gehoorzaamde.

Luind had zich tegen de koepel aangedrukt en zat ingespannen te luisteren. Hij rilde van afschuw toen hij hem hoorde praten. Want wat Zarzunabas de uitverkorenen vertelde was ongelofelijk: Hij beweerde dat Murchmaros niet de enige wereld was die bestond. Er waren ook andere werelden met andere goden en schepselen. En op een dag was er van een wereld – die zo ver weg lag dat je hem alleen als een kleine ster aan de hemel kon zien staan – een berg afgevallen en in de Tetyszee gestort waar hij nu nog ligt. Op de bodem van mijlendiepe kloof kolkten uit onderaardse kraterpijpen zwarte, giftige walmen omhoog die het water bedierven. De berg was van ijzer en degene die het lukte om er drie zwaarden uit te smeden kon de Zusters er niet mee doden maar wel verlammen, zoals een schorpioen zijn slachtoffers met een steek verlamt, zodat ze voor eeuwig onbeweeglijk en zonder bewustzijn in hun graven liggen.

Het onderaardse ijzer alleen was niet voldoende, het moest door rituelen en bezweringen de meest duistere en ondoorgrondelijke krachten krijgen. Zarzunabas zag in dat Phuram met al zijn macht waarschijnlijk niet bereid was om ook maar een van de riten uit te voeren, maar dat was ook niet nodig. Drydds creaturen zouden de zwaarden smeden en de zwarte ceremonie voltrekken en Phuram hoefde alleen maar te weten dat hij met deze drie wapens zijn wens in vervulling kon laten gaan. Ze moesten in goud worden gedoopt zodra de klaar waren. Dat volstond om de Zonnedraak om de tuin te leiden.

'Phuram denkt slim te zijn maar hij is dom en hoogmoedig; hij zal nooit doorhebben hoe hij is bedrogen,' eindigde Zarzunabas zijn betoog.

De hovelingen hadden geduldig geluisterd ondanks dat de meeste er net zo over dachten als Luind op zijn verstopplaats en het verhaal hoogst ongeloofwaardig vonden. Meer werelden dan Murchmaros! IJzeren bergen die uit de hemel vielen! Hoe kon er om te beginnen een berg op een ster staan die niet eens groter was dan het oog van een vis? Het was inderdaad erg moeilijk om dit te geloven.

'Stel dat het klopt, hoe komen we dan achteraf van Phuram af?' waagde een glimmende duizendpoot te vragen.

Zarzunabas zat ook deze keer niet om een antwoord verlegen. 'We hoeven alleen maar het juiste ogenblik af te wachten. Degene die de kunst verstaat om het uur van de sterren te berekenen kan de dag zien waarop Phurams macht door Majdanmajakakis gebroken wordt, en als hij niet gebroken wordt dan is hij in elk geval zeven dagen verlamd. Want de Moeder zal het hem kwalijk nemen dat hij zich tegen zijn scheppers heeft gekeerd en hem neerhalen door zijn gezicht te bedekken. Als wij daarna klaarstaan om ten strijde te trekken, is de wereld van ons!'

Luind luisterde en keek met al zijn zintuigen en werd volledig overrompeld toen er in het medaillonraam plotseling een gezicht verscheen dat slechts uit botten en kieuwen bestond. Een stem kraste: 'Hé kleine nutteloze luistervink, wat heb je hier te zoeken?' Hetzelfde ogenblik greep een gruwelijke hand zonder vlees door de kier van het halfopen raam.

De voorspellingen van Wyvern

De meeste draken waren niet erg sociaal van aard en veel van de Geringsten leidden een iezegrimmig kluizenaarsbestaan, maar Vauvenal was een uitzondering. Vrolijk, onbevreesd en altijd nieuwsgierig kende hij alle schepselen op Murchmaros, van de draken in Makakau tot de heersers in Zorgh in de koude Bergen van Luris. Ook kende hij de Indigoleeuwen in Dundris, het rijk dat midden in een eindeloos regenwoud aan de voet lag van de Toarch kin Mur, de 'Huilende Bergen'. Vauvenal was hiernaartoe op weg voor een belangrijk gesprek.

Dundris was een stad van overweldigende schoonheid. De huizen waren heel eenvoudig gehouden en hadden meestal de vorm van een piramide of trappentoren, maar ze lagen in betoverende tuinen en bezaten de beste archieven van de hele, jonge wereld. De gigantische Indigoleeuwen – draken van de Orde van de Bulumay – waren kunstenaars en geleerden. Ze brachten veel tijd door met het maken van ontelbare in klei gebrande en geglazuurde kleien friezen, waarmee ze hun geschiedenis vertelden en hun gedachten vastlegden. En aan lange filosofische disputen besteedden ze zo mogelijk nog meer tijd.

Toen Vauvenal moe van de vlucht over de jungle op een van de platte daken neerstreek, zag hij aan de overkant een grote groep draken zitten. Ze werden Indigoleeuwen genoemd vanwege de schitterende indigokleurige manen die hun kop omlijstten en over de rug tot aan de staart van het ivoorwit geschubde drakenlichaam doorliepen. Ze leken eigenlijk veel meer op gevleugelde paarden dan op leeuwen maar in Aarde-Wind-Vuur-Land waren er in dit tijdperk haast geen paarden maar overal leeuwen te vinden, vandaar dat hun naam van deze bekende diersoort was afgeleid. Ondanks hun imposante verschijning waren het vreedzame, bedaarde wezens die een afschuw hadden van vlees en zich voedden met verse scheuten. Ze begroetten de gast vriendelijk omdat ze al wisten wat hem naar Dundris bracht en sommige liepen met hem mee naar het huis van Wyvern.

Zelfs Vauvenal, die een voorname en wereldwijze draak was, voelde zich altijd een beetje klein als hij tegenover dit grootse wezen stond. Wyvern kwam van oorsprong niet uit Dundris. Ze had haar intrek genomen bij de vreedzame Indigoleeuwen omdat ze rekening hielden met haar teruggetrokken manier van leven en omdat ze samenleefden in rust en bezinning.

Het schemerde al en terwijl Vauvenal en zijn begeleiders door geurige, zwart met turkoois gespikkelde lanen naar Wyverns huis liepen, verscheen Datura, de Maandraak, in al haar pracht in het zilveren spinnenweb waarin ze elke nacht boven aan de hemel stond. De uiteinden van het web werden gedragen door twaalf Fallum Fey, sierlijke half doorzichtige Rozenvuurdraken in de gedaante van gevleugelde zeepaardjes en eromheen zweefde een groep kleine glinsterende schepselen die door de mensen vallende sterren werden genoemd.

Wyvern woonde in een grijze stenen toren. Toen Vauvenal de sobere kamer hoog boven de toppen van de paardenstaartbomen binnenging, kwam er een vrouwelijke draak van ongeveer twee passen hoog naar het raam. Ze was half vrouw, half roofdier. Ze stond op twee benen die eruitzagen als leeuwenpoten maar vanaf de taille was het een weelderige kaneelbruine jonge vrouw met ronde borsten en glanzend bruin haar dat tot haar knieholten reikte. Haar gezicht was edel maar ongewoon en melancholiek want Wyvern was een zieneres en veel van wat ze zag stemde haar gemoed somber. Op haar borst hing een apart sieraad in de vorm van een lange glazen mensenvis die zo doorzichtig was dat haar bruine huid erdoorheen scheen.

Vauvenal wilde juist het kunstwerk bewonderen toen het plotseling bewoog, hem met goudkleurige ogen aankeek en gaapte. Wyvern bedekte het met een hand, streelde het voorzichtig en stak het onder haar lange haar waar hij zich oprolde.

Wat vrouwen al niet deden om zich mooi te maken! Vauvenal zette die gedachte gauw van zich af, begroette de zieneres en nam daarbij alle beleefdheidregels in acht. Daarna gingen ze alle twee op het vloerkleed zitten en vertelde de bezoeker waar hij voor kwam.

'Ik voel dat de Waterdraken niet van hun plannen afstappen en dat ze nieuwe kwade plannen aan het smeden zijn waartegen geen citadel of bewaker kan helpen.

Wanneer ik Phuram zie, komt er een wolk over me heen, ik voel in iedere vezel, dat er iets naars gaat gebeuren. Kan je mij daar meer over vertellen?'

'Ja,' antwoordde Wyvern. 'Ik zal je vertellen wat er gaat gebeuren, precies zoals ik het Mandora en haar Zusters heb verteld, maar je kent de vloek die op zieneressen en zieners ligt: Al zeg ik de waarheid, niemand zal het geloven. Ik heb Mandora gewaarschuwd dat Phuram haar vijand is maar de mooie Gouden Tarasque heeft haar ingepalmd en Plotho en Cuifín willen ook niets slechts over hem horen.'

Mandora is verliefd op haar eigen creaties en vond het niet verdacht dat Phuram steeds vaker bij Zarzunabas in zijn ijspaleis op de zuidpool op bezoek kwam en lange gesprekken met hem voerde, vertelde Wyvern aan haar bezoek. Ze was ervan overtuigd dat Phuram werkelijk deed wat hij beweerde: dit was een diplomatieke missie en hij probeerde met de zoon van de watervorst te onderhandelen om een duurzame vrede tussen de beide rijken tot stand te brengen. Ze hoefden toch niet eeuwig op wachttorens op de uitkijk te staan en zich op elke krab te storten die aan land krabbelde om in het zand naar wormen te zoeken? Waren ze niet allemaal schepselen van een hoge orde? Het was gepast om zich boven het gekibbel van het mensgeslacht te verheffen! Moesten de draken elkaar in de haren gaan vliegen zoals het de gewoonte was bij dat nieuwe krioelende geslacht, een gewoonte die zich steeds verder over Murchmaros uitbreidde?

'Ik vrees het ergste,' mompelde Wyvern bedrukt.

'Als ik in de toekomst kijk, zie ik dood en verderf, verraad en vernietiging. Ik zie Moeder Majdanmajakakis boos worden en een vloek over de draken uitspreken. Ik weet dat Drydd geheime wapens smeedt van metaal dat uit een andere wereld komt, want er is op Murchmaros geen enkel zwaard en geen enkele dolk die de Driester in gevaar kan brengen. Mijn hart zegt me dat het ergste gaat gebeuren: Phuram wil de Drie Zusters doden en hun plaats innemen.'

Vauvenal schoot overeind. 'Ik geloof er niets van! Nee, niet dit! Als je me had verteld dat Drydd zijn Zusters wilde doden dan had ik er nog aan getwijfeld, maar Phuram – nee! Nooit! Hij is een Sterrendraak, hoger en edeler dan de Mirminay, hoe kan een draak een dergelijke gruweldaad begaan? Je visioenen moeten je bedriegen!'

Wyvern glimlachte nijdig. 'Zie je wel? Zo reageert iedereen die ik waarschuw. Ze zijn geschokt en kwaad en verwijten het me terwijl ik niets anders ben dan een spiegel van het lot. Maak me maar bozer want ik wil je nog meer vertellen.' Ze sloot haar ogen, zweeg een tijdje en begon met zachte stem het lied van de Barnsteendraken te zingen, een gedicht dat Vauvenal eens had geschreven:

Kijk, in de diepte van het water van de loodgrijze Tetys,
Verscholen in de krochten door geen oog ooit gezien,
Daar heerste de vierde van de draken die alles maakte,
De meester van de kou, van het donker, van het
*   onvruchtbare zoute water:*
Drydd was zijn naam, de vorst van de verschrikking.
Hij haatte de Moedermaagden en haatte
Het vuur, de lucht en de zachte barende aarde.
Dat lelijke gebroed wilde alles verzwelgen.

In haar lied vertelde ze over Plotho, Cuifín en Mandorra, de moeders van de elementen vuur, lucht en aarde, mooier dan alle andere wezens die mensen ooit hadden gezien. Er bestonden geen woorden die de zachte glans van hun etherische lichamen konden omschrijven. Ze bruisten en deinden door de prehistorische ether als een zee die golf na golf goudbruin schitterde van schoonheid. Uit hun vleugels streek 's avonds de milde schemering neer en 's morgens wakkerden ze de windvlaag aan die het licht van de dag aankondigde, ze verdreven de duisternis. Hun ogen straalden van wijsheid en kennis.

Maar toen veranderde er iets in de manier waarop Wyvern zong, haar stem werd kwaad en vol pijn want ze hief een lijkdicht aan. Hoewel de Drie Zusters onsterfelijk waren, zou het Phuram lukken om ze naar de diepste afgrond van de aarde te verbannen en ze daar in dodelijke starheid gevangen te houden. De wereld zou veranderen en niet ten goede want de Moeder was boos op de rebellen en ze was ook boos op de drie Scheppende Draken die zo stom waren geweest om hun ongelijk niet in te zien. Voortaan zou Tidha tan Techta, verwarring, op de draken en mensen neerdalen en ze omgeven als een web zodat ze noch zichzelf noch anderen konden zien.

'Zal het zo blijven?' vroeg Vauvenal met hese stem toen Wyvern haar lied had beëindigd.

'Misschien. Maar misschien komen de woorden uit die ik ook in mijn visioen heb gehoord:

> *Zwart kookt het Bûl, de materie van het leven.*
> *Draken ontstijgen aan de vurige kraterpijpen, de kinderen*
> *   van de chaos.*
> *Zarzunabas keert terug.*
> *Goud vecht tegen goud, ijs tegen ijs.*
> *Maar vergeefs.*
> *Wie kunnen ze helpen?*
> *Dertien zijn er geroepen.*
> *Takken zonder stam, zonder wortels,*
> *Geboren onder de volle maan, getekend*
> *Door de klauw van een draak.*
> *Mannen en vrouwen, precies de helft.*
> *Als het goud sterft en wordt verslonden,*
> *Is de hoop nabij, maar enkelen zullen het zien.'*

Vauvenal luisterde aandachtig maar schudde ten slotte zijn kop. 'De versregels zeggen mij niets. Misschien krijgen ze pas betekenis als het werkelijk gebeurt. Kan je me zeggen wanneer de voorspelling uitkomt?'

Ze liep naar het raam en wees naar de hemel. Rond het gevolg van de Maandraak draaide een indrukwekkende kleine rode ster die Nachtzon of Slangenei werd genoemd. Hij leek op een doorschijnende, parelmoeren huls waarin je een vrouwelijke vrucht – de Slangendochter – zag groeien. Als een granaatappel naast een honingmeloen volgde de Nachtzon de Maangodin trouw op al haar wegen door de nacht.

'Zie je het kind in haar buik?' vroeg Wyvern. 'Het is nu nog maar een kleine slang en een gevangene in het Slangenei maar over zeven keer zeventig keer zevenhonderd manen zal ze rijp zijn en het ei breken en haar vleugels uitslaan. Als de Slangendochter wordt geboren, valt er een sluier over Phurams gezicht, zeven dagen lang zal op zijn macht beslag worden gelegd en de draken zullen in oorlog zijn met de mensen. Als de Dertien hun taak op tijd volbrengen en Mandorra wakker maken, zal de rust terugkeren. De Slangendochter zal door de hemelpoort gaan, de Driester zal weer schijnen en het oog van het zeemonster zal verbleken. Maar als het niet lukt dan zal er een verschrikkelijke oorlog uitbreken – de laatste oorlog want daarna zal cr niemand meer zijn om te vechten.'

'Ik kan het niet geloven,' fluisterde Vauvenal. 'Dit moet een vergissing zijn. Is het niet zo dat een ziener alles wat onder water gebeurt alleen maar wazig waar kan nemen? Is het mogelijk dat je de plannen van Drydd verkeerd hebt begrepen?'

'Je twijfelt eraan? Ik zal de naam van een getuige noemen die alles met eigen ogen en oren heeft gezien maar je zult hem net zo min geloven als mij,' antwoordde Wyvern. Ze haalde vanonder haar haren met een teder gebaar de mensenvis te voorschijn. 'Dit is mijn zoon, Luind,' zei ze. 'Hij heeft onbevreesd zijn leven op het spel gezet om Drydd af te luisteren en om de samenzweerders te ontmaskeren. Hij is bijna gevangengenomen, maar ik zond een albatros die hem wegbracht voordat ze hem konden grijpen. Mijn zoon is liefdevol en dapper, daarom ligt hij me zo na aan het hart.' Het broze wezen vlijde zich neer in haar hand en zuchtte.

In opperste verwarring verliet Vauvenal de zieneres. De mensenvis had herhaald wat er in de raadsvergadering in het geheim besproken was maar het leek hem zeer onwaarschijnlijk.

Toen de Indigoleeuwen hem voor de deur begroetten kon hij zich niet inhouden en vroeg wat er met dat kleine wezen, Luind, aan de hand was. 'Dat is toch niet echt haar zoon?' informeerde hij. Hij kreeg het antwoord dat hij al verwachtte.

'Nee. Het is een halfmenselijk wezen van het hermafrodietenvolk van koningin Athahatis die op de eilanden bij de zuidpool over een volk van grijsgroene wezens heerst want hij is tegelijk een jongen en een meisje. Toen Wyvern haar geest liet vliegen, werd hij door een groot verlangen bevangen, het was zo hartstochtelijk en brandend naar haar dat ze stil hield en zijn spoor volgde. Ze las het hart van dit wezen en werd door list en erbarmen in beweging gezet. Ze kreeg een spion in Drydds paleis toegewezen en de kleine Luind zag zijn droom in vervulling gaan en vond zijn moeder terug. Overdag zit hij op haar vleugels en 's nachts slaapt hij tussen haar borsten en zij noemt hem haar zoon. Zoals u weet' – en de spreker dempte voorzichtig zijn stem – 'is Wyvern onvruchtbaar en ze treurt om dit gemis.'

'Merkwaardig,' mompelde Vauvenal en een treurige klank kwam in zijn stem want hoe sociaal hij ook was, hij had nog nooit een vrouwelijk wezen gevonden dat met heel haar hart van hem had gehouden.

Phurams zonnestorm

In een grot in de ijskoude bergen hoog in het noorden leefde een Holendraak. Zijn naam was Knucker en hij was een bescheiden kluizenaar die weinig wist van wat er in de wereld gebeurde. Daarom begreep hij ook helemaal niet wat hij zag toen hij op een dag vlak bij een van de bergtoppen waar de storm omheen raasde op een aangenaam windstille vooruitstekende rots lag en vanuit dit uitkijkpunt zijn blik over de wereld liet glijden.

Het was een vriendelijke, zonnige dag. De Driester scheen zilverachtig aan de hemel die rond het middaguur Phurams glans en luister weerspiegelde. De zee strekte zich zo glad als een zilveren bord uit tot aan de horizon. Knucker was er allerminst op voorbereid dat er iets ongewoons kon gebeuren toen plotseling de aarde begon te beven – niet alleen de bergen waar Knucker woonde, maar heel Murchmaros. Het voelde alsof de hele planeet in twee stukken werd gescheurd. Er ontstond een gapende kloof vanaf het aardoppervlak tot in de verste gloeiende diepten. Daarna verscheen er een licht aan de hemel zoals nog nooit iemand had gezien. Phuram en de Driester versmolten tot een flitsende donderende reuzenzon die binnen een paar tellen de zee aan het koken bracht. Dichte stoom steeg op en viel ogenblikkelijk als gloeiend hete regen op de aarde neer zodat scholen dode zeedieren in het water en op het land neerkletterden. Een grote trechtervormige wolk stapelde zich boven de hete zee op en groeide bij elke draaiing, een pikzwarte draaitol van razende wolken met staalblauwe randen. Er joeg een orkaan over het land die alles met zich meesleurde wat hij maar kon raken. De Bergdraak was aan storm gewend maar zelfs hij trok zich doodgeschrokken terug in zijn stulp. Door een kier keek hij naar de fantastische kolk van zon, water en wind die alles wat bewoog ondersteboven zette.

De hemel was met vurige wolken bedekt maar straalde een witte glans uit. Er gebeurde daarboven iets vreselijks, een woedende strijd die heel Murchmaros in zijn greep had. Stromen hete regen sloegen tegen de aarde en waar ze op rotsen kletterden verdampten ze sissend zodat het duizenden jaren oude cycadeeënbos op de hellingen van de Toarch kin Mur onder dampende sluiers verdween.

Toen hield het op, net zo plotseling als het begonnen was. Er klonk een schreeuw over de hele wereld, een vreselijke jammerklacht en in een klap loste de hemelse woede op. Tussen de uiteenstuivende wolken verscheen Phuram weer, maar hij was zo verschrikkelijk groot geworden dat de zee kookte en de bossen en velden verbrandden. Toen Knucker, die buiten zichzelf van angst door de tunnels in zijn labyrint heen en weer denderde, bij een doorkijk op het noorden uitkwam, zag hij hoe het ijs dat mijlenver boven het vergeten dal van Luifinlas lag opgestapeld, smolt. En hij zag dat de gedoofde Toar Kadenach midden in het dal in brand stond. Stromen lava gleden over zijn flanken naar beneden en vermengden zich met de ijsmassa's tot sissende beken.

Ondanks de felle reuzenzon aan de hemel kwam er een duisternis over de hele wereld, donkerder dan de zwartste nacht want de Driester was verbleekt en het licht van de Draakgodinnen was gedoofd.

Ion-ka, de dichter van de Makakau, werkte verder aan zijn epos. Deze keer zat hij niet op het zonnige plateau, maar was hij in een koele grot in de rotswand gekropen. Mompelend herhaalde hij de woorden om ze voor altijd te onthouden want de toenmalige eilandbewoners kenden het schrift nog niet.

'Mijn trouwe vriend, draak Vauvenal, vertelde me alles wat hij zelf had meegemaakt. Drydd, dat monster, vond begrip bij Phuram en druppelde gif in zijn hart tot hij hem zover had opgehitst dat Phuram de Verblindende, Hemeldraak van de Zonnester, zo kwaad werd dat hij met het vergiftigde wapen de Driester van de Barnsteendraken ten val bracht. Stiekem stootte hij de Zusters van de troon en ging er zelf zitten.'

Ion-ka stopte en sloot zijn ogen. Er trok een rilling door zijn lichaam toen hij aan de dag van het onheil dacht – aan de Driester die ineens uitdoofde, aan de bloedrode kolken van de wolken die in één klap aan het helderblauwe firmament verschenen en de wereld in een ziekelijk schemerlicht doopte. De mensen staarden met ingehouden adem naar boven maar niet lang want er brak een gierende storm los die rotspuin meevoerde en palmen neersloeg alsof het varens waren en met de storm stortte een donkere, bloedachtige regen op de aarde neer. Gillend van angst voor de akelige druppels vluchtten de Makakau in hun palmhutten. Taifun hakte de tere windschermen om en slingerde ze in de lucht zodat ze naar de grotten in de bergen moesten vluchten. Veel mensen waren van pure angst bewusteloos blijven liggen en degenen die niet door vrienden en familie in veiligheid werden gebracht, verdronken in de aanstormende golven van de zee of werden door omvallende bomen gedood.

Nooit zou Ion-ka de dag vergeten waarop de schreeuw door de hele wereld schalde. Het was alsof deze van het ene uiteinde tot aan het andere helemaal uit elkaar werd getrokken. Uit de kraters van de vulkanen stegen donderende vuurzuilen op. Gloeiende stromen, rood-zwart gevlekt als de huid van een luipaard, rolden door bossen met schubbomen en reuzenvarens en brandden alles af. Het land kwam onder een laag as te liggen die zich met de bloedregen tot een vieze brij vermengde.

Ion-ka had er ternauwernood aan kunnen ontsnappen en vertelde verder: 'De ontzettende storm en de rode duisternis duurden niet lang. De wolken vervlogen en Phuram verscheen weer aan de hemel. Maar mijn hart verstarde en mijn ogen brandden als gloeiende kooltjes toen ik zag hoe hij was veranderd. Nauwelijks had hij de macht naar zich toegetrokken of hij zwol op tot enorme hoogten en zijn hitte vernietigde alles, de velden verdorden, de bomen vergeelden, kruiden werden droog en broos en verschrompelden tot bruinige korstmossen zover het oog reikte.'

Ion-ka had in zijn visioen nog iets gezien.

'In de diepten van het al liep Majdanmajakakis, de Rode Keizerin, de machtige slang die zichzelf vanaf de staart opeet en uit haar mond opnieuw wordt geboren. Haar woede richtte zich op Phuram, de rebel, maar ook op de drie Moedermaagden omdat ze zo dwaas waren om zich te laten strikken door degene die ze zelf hadden geschapen. In haar woede sprak de Moeder: "De dwaze zusters krijgen een periode van straf, de rebelse Phuram krijgt straf en alle draken zullen een vernedering ondergaan. Het zullen niet de Schonen, Machtigen en Wijzen zijn die de Moedermaagden verlossen, maar ik zal uit de mensenstam dertien mensen kiezen die geroepen worden om hun zwaard te trekken. Ik eis dat een van hen zijn leven voor de Driester opoffert, vrijwillig en zonder dwang, opdat de mensen niet door deze vernedering tegen de draken in opstand komen."

Ze ging de Hal van de Zielen binnen waar alle wezens leven voordat ze geboren worden en liep om hen heen of het scholen kleine kwallen waren. Er zweefden tienduizenden zielen, de een nog doorzichtiger en gelaatlozer dan de ander. De keizerin hield een kruik omhoog en toen uit de krioelende menigte de eerste dertien menselijke zielen zich losmaakten en erin waren gegleden, zette ze het Teken van de Klauw erop: drie rode merktekens die leken op granaatappelpitten in de vorm van een gelijkzijdige driehoek. Ze sloot de kruik met een deksel af en zei: "Ik zal jullie apart bewaren, jullie worden op de juiste tijd en de juiste plaats geboren om jullie opdracht ten uitvoer te brengen.""

Ion-ka vertelde zijn visioen aan de draken van Makakau en het verhaal deed al gauw de ronde, van Rachmibon tot Zorgh. Niet alle draken geloofden in zijn visioen, want de Hemelbestormers vonden de mensen in dit tijdperk zo zwak en hulpeloos dat ze niet erg hoge verwachtingen van hen hadden.

Het concilie van de drakenvorsten

Luind was diep onder de indruk toen zijn moeder hem had meegenomen naar de grote drakenraad die direct na de catastrofe bijeen werd geroepen, want hij had nog niet veel van het vaste land gezien. Van alle kanten stroomden de door schrik bevangen draken toe en ze verzamelden zich naar de gigantische citadel.

Luind was blij dat zijn moeder hem dichtbij zich in haar jas had gestopt, want de nachtelijke vlucht op de Indigoleeuw dwars over Murchmaros en de onoverzichtelijke drukte in de citadel, het Huis van de Duizend Torens, hadden zijn eenvoudige geest in de war gebracht.

Ze vlogen onder de sterren door tot de vliegende draak boven een plek vloog waar ontelbare vuren brandden. Wyvern steeg af van zijn rug en baande zich een weg door de draken die al waren gearriveerd en opgewonden door elkaar heen liepen. Luind tuurde geschrokken vanuit de plooien in de jas naar de kolossale Tschintan, de vorst van alle Zoetwaterdraken, bloedrood en met vurige manen. Naast hem stond zijn broer Suztan, meester van de beken en vijvers, die reusachtige vleugels had waarover een zacht turkoois waas lag. Hij zag kleine Grolmen met bruin en groen gestippelde schubben die dienden ter camouflage, kleurloze Tunneldraken die onbehaaglijk met hun ogen tegen het licht knipperden en Wyrmen zonder vleugels en poten maar met een huid die van top tot teen fonkelde als juwelen. Tweepotige draken met vleugels, een slangenkop en adelaarsklauwen, meestal met een kroon op het hoofd, renden doelloos in het rond. Grote Purperdraken draafden door de menigte en de witte IJshoorns bliezen sneeuw en hagel door hun roze neusgaten wanneer een vlam te dichtbij kwam.

Luind was opgelucht toen hij een bekend gezicht ontdekte, de Rozenvuurdraak met zijn kobaltblauwe vleugels en ivoren kroon die onlangs bij zijn moeder op bezoek was geweest. Hij zwaaide van achter de plooi in de jas en inderdaad, Vauvenal zag het en haastte zich naar hem toe.

'En?' vroeg Wyvern met de sombere voldoening van een zieneres van wie de voorspellingen waren uitgekomen. 'Geloof je me nu?'

Vauvenal zuchtte en zei: 'Laten we naar binnen gaan.'

De grote menigte stroomde een reusachtig gebouw van wijnrood marmer binnen, een labyrint van crypten die alleen door de glans van de draken verlicht werden, van gangen en stenen podia die in eindeloze spiralen naar de vele torens omhoog voeren. De groep kwam ten slotte tot stilstand in een ruim amfitheater zonder ramen waar alle afgezanten gingen zitten. De machtige draken gingen op de grond zitten, de kleinste op de trappen en de meeste vliegende draken vonden een plaats op de dwarsbalken en reliëfs in het gewelf. In de korf in het midden van het amfitheater was een vuur aangestoken waarboven Vuursalamanders dansten. Luind vond ze fascinerend. Ze zagen eruit als mooie mensenvrouwen en -mannen met vuurkleurig haar en gloeiende ogen en ze vlogen en speelden in de vlammen als vogels in de lucht en vissen in het water. Hun vleugels zagen eruit als heel grote vlindervleugels, zo fijn dat je er doorheen kon kijken, ze fonkelden en schitterden als vonken in de luchtpijp van de schoorsteen.

De machtige Tschintan gaf uiteindelijk het signaal dat de vergadering was geopend en stelde de vraag die iedereen bezighield: 'Wat gaat er met ons gebeuren?'

Luind luisterde aandachtig naar de gedachten op de raadsvergadering. Draken spraken meestal met elkaar via hun gedachten, net als stemmen en niet altijd en overal waarneembaar, maar wel vanaf een zekere afstand en Luind moest zich soms vreselijk inspannen om ze te verstaan.

Hij hoorde wat er na het hoogverraad en de moord in het Hemelpaleis was gebeurd. Phuram was ineens vergeten dat hij maar een schepsel van de Barnsteendraken was en noemde zichzelf Zonnevorst. Er brak een vete uit tussen hem en Maandraak Datura, want ze wilde niets met zijn kwade daden te maken hebben en bleef de Drie Zusters trouw. Veel Rozenvuurdraken waren van de vervloekte aarde naar andere, zuiverder dimensies gevlucht, daarom waren maar weinig van hen op het concilie aanwezig. De twee grootste volken van de Purperdraken hadden zich ver in hun rijk teruggetrokken: de Rachmanzai op de Vulkaaneilanden in het zuiden, de Muden Gamul achter de ringvormige Bergen van Carrachon op de noordpool. De eenvoudige drakenvolken wisten niet of ze moesten blijven of vluchten, maar de Tunneldraken twijfelden niet. Voor hen maakte het niet uit of de zon die ze toch al nooit zagen klein of groot was.

Luind moest terugdenken aan de keer dat hij de raadsvergadering in het Parelkasteel had afgeluisterd vooral toen Drydd ter sprake kwam. De Waterdraken, hoorde hij van de verkenners en spionnen, waren allesbehalve gelukkig met het plan dat Zarzunabas had bedacht. Hij was er in zoverre in geslaagd dat hij de Zusters werkelijk naar de diepten van de aarde had verbannen waar de zwarte magische zwaarden ze gevangenhielden. Maar niemand in het Waterrijk had rekening gehouden met het ongeluk dat Drydd en zijn onderdanen daarmee over zichzelf hadden afgeroepen. De bovenste lagen zee waren verdampt en daarmee was alles wat in het ondiepe leefde verdwenen, het kleine gedierte was door de wervelstorm de lucht in geblazen en ver op het land neergegooid zodat de grote zeegewrochten opeens amper voedsel konden vinden en van pure honger elkaar begonnen aan te vallen. Purham toonde geen enkele dankbaarheid voor de hulp van de Waterdraken. Hij trok alle macht naar zich toe en was ieders vijand geworden. Op het land en onder water vluchtten de Geringsten voor hem weg als hij pijlen met gloeiend goud op iedereen afvuurde die zwakker was dan hij. Het land werd een woestijn. Binnen afzienbare tijd zouden de draken door de honger en het vuur van de nieuwe, vleesetende zon uit hun rijken worden verdreven.

Een paar heethoofden stelde voor om samen Phuram van de troon te stoten en te vernietigen, maar de wijze Indigoleeuwen herinnerden hun eraan dat ze dan ook geen zon meer zouden hebben – en een wereld zonder zon was nog altijd erger dan een met een woeste zon. Er werden andere voorstellen gedaan en weer verworpen tot Wyvern opstond en het woord vroeg.

'Wat ik te zeggen heb, zal jullie niet bevallen,' zei ze. 'En je kunt me geloven of niet maar ik zeg de waarheid, want ik heb hetzelfde visioen gehad als de Makakau Ion-ka en andere zieners. Majdanmajakaki, onze Moeder, is boos op de Driester omdat ze zwak waren en zich door hun eigen creatie hebben laten misleiden. Ze heeft de duur van hun straf bepaald. Hun heerschappij is voorbij en zal pas terugkeren als er zeven keer zeventig keer zevenhonderd keer van maan is gewisseld. Dan zal het Slangenei uitkomen. Majdanmajakakis zal een zwarte sluier over Phuram gooien en ons lot zal worden beschikt. Het ligt in de handen van de mensen wat er gedaan moet worden. Ik kan jullie voor nu alleen maar zeggen: vlucht waarheen je maar vluchten kunt en verberg je waar je je maar kunt verbergen want Phuram krijgt veel macht in deze wereld en zijn aanhangers zullen een groot rijk vormen. Er zijn nog genoeg toevluchtsoorden – maak er gebruik van en kijk naar de hemel. Dat zijn mijn woorden, neem ze aan of verwerp ze.'

Ze keerde naar haar plaats terug en er heerste een doodse stilte in de zaal die meer door het hart sneed dan alle jammerklachten bij elkaar.

Het kasteel in het ijs

Drydd was zo verschrikkelijk kwaad dat het plan mislukt was dat hij het liefst Zarzunabas had verslonden maar omdat dat onmogelijk was, vrat hij maar zijn moeder Athahatis op die ten slotte van alles de schuld kreeg omdat ze de boosdoener op de wereld had gezet. Hij at ook het grootste gedeelte van het volk op zodat er sindsdien nog maar heel weinig hermafrodieten op Murchmaros waren.

Zarzunabas was voor de woede van zijn vader naar het kasteel op de noordpool gevlucht, achter de Bergen van Carrachon waar hij zich met zijn gevolg van ondoden en spoken achter de muren terugtrok en zich koest hield.

Drydd jaagde niet verder achter hem aan, want hij had al genoeg te stellen met zijn rijk dat voor de helft verwoest was en weer opgebouwd moest worden. Zijn woede had zijn zoon naar de plek verbannen waar alle vier windrichtingen een werden. Daar, binnen de ring van het vreselijke Toarch kin Carrachon, voor een deel in de wereld, voor een deel erbuiten, leefde Zarzunabas in een kasteel van ijs, wit als albast – gevangen in een voortdurende wervelwind die met volle kracht driftig om zijn eigen as draaide zoals de vloek van zijn vader voorspelde:

> *Een gekwelde worm die in zichzelf woelt*
> *Een smeulend vuur dat geen water verkoelt*
> *Een ziekelijk leed dat geen middel bestrijdt*
> *Een bittere kies die in zichzelf bijt*
> *Ben ik, ondood, de laatste hoop in as*
> *Daar is geen dood, waar nooit leven was.*

Zijn meest vertrouwde metgezellen waren de Basiliskenkoningen, de zonen van zijn broer die hij hoger achtte dan hun vader omdat ze veel slimmer en listiger waren dan de stompzinnige gedrochten. Hij zat vaak met ze in de witte kamer waar nevelflarden hingen die geheimzinnige figuren en arabesken vormden. De vloer in de kamer was als ijs half doorzichtig en wanneer Zarzunabas zijn lange witte wijsvinger uitstak, verschenen er onder het oppervlak gekrulde getallen, tekens en diagrammen. Voor iemand die er geen verstand van had, leken ze wanordelijk en zinloos maar ze gaven een kenner de mogelijkheid om sterrenconstellaties te lezen en er verborgen boodschappen mee te ontcijferen.

'Drydd is erg boos op u, vaderbroer,' zei Kju, de oudste van de drie Basilisken. 'Het verbaast me dat u zo tevreden bent ondanks uw wrede gevangenschap.'

Zarzunabas die met zijn innemende uiterlijk van de drie het minst op een misbaksel leek, glimlachte en zweeg. Hij had van het begin af aan zijn eigen plan getrokken – en dat ging prima. Het was hem er nooit om gegaan Phuram aan de macht te helpen of om Drydds veroveringsplannen te ondermijnen. Het was hem om niets anders gegaan dan de ene heerschappij tegen de andere op te zetten en de hele wereld ten onder te laten gaan, de rijken van het hemelse en het aardse, van de draken en de mensen te verwoesten om uiteindelijk als enige over een wereld vol lijken te kunnen heersen.

Hij wilde alleen maar de enige overlevende zijn, onsterfelijk temidden van duizenden doden – en het was voor hem niet genoeg dat ze dood wilden, ze moesten ondood zijn, het weten en eraan lijden, dat geen ander dan hun meester de gave van leven bezat die hun was ontnomen.

Tegen de tijd dat zijn plannen vorm hadden gekregen, zou Chatundra een graf vol met lijken zijn. Zarzunabas brandde van genot bij de gedachte aan de dag dat hij alle ellendige kadavers weer zover tot leven ging wekken dat ze hun leed en pijn goed konden voelen.

Het enige dat zijn plannen nog in de weg stond was dat Majdanmakakis ondanks haar wrok de Drie Zusters had toegestaan om nog een vuurproef te doen. Ook de Kadavervorst kende de voorspelling dat na zeven keer zeventig keer zevenhonderd manen Dertien geroepen zouden worden. Allemaal mensen die bij volle maan waren geboren en het teken van de drakenklauw op hun lichaam droegen. Ze zouden naar de dode stad Luifinlas in de Bergen van Mur trekken waar de Drie Zusters die door Phurams zwaarden in drie stukken waren gehakt in de diepten van Toar Kadenach lagen. Ze moesten proberen hen weer tot leven te wekken en er stonden al veel grote draken klaar om ze te helpen.

Zarzunabas hield zijn oorspronkelijke plan zorgvuldig geheim maar wat dat betreft kon hij open met de Basiliskenkoningen praten want de Drie Zusters mochten niet terugkeren, daarover waren de waterdieren, de boze draken en de ondoden het eens.

'We moeten in geen geval toelaten dat de Dertien Luifinlas bereiken,' zei hij. 'Hebben jullie een plan om dat te verhinderen? Zeg niet dat de Bergen van Mur voldoende bescherming bieden! Want al zijn ze zo hoog dat er geen mens en haast geen enkele draak overheen kan, dat alleen is niet genoeg.'

De hemelhoge Toarch kin Mur lagen in een halve cirkel om het uiterste noorden op het vaste land van Chatundra. Er waren maar twee wegen die naar het dal van Luifinlas en de verder naar achteren gelegen Bergen van Carrachon leidden: of je moest over de bergen of je moest om de uitlopers heen via het water waar altijd mist hing en het wemelde van de gedrochten. En dit waren geen levende wangedrochten, machtige zeemonsters, zeeslangen en zeespinnen uit de andere zeeën maar nog veel ergere creaturen, namelijk hun ondode kadavers. Beide wegen waren even dodelijk, maar voor Zarzunabas waren ze nog niet dodelijk genoeg.'

Kju, de Gouden Tarasque die met zijn blik land, lucht en water bedierf, siste: 'Ik zal mijn blik laten dwalen en mijn adem laten waaien en de bossen en struiken verwoesten zodat niemand de bergen in kan om beschutting te zoeken.'

Zijn broer Zan knikte. 'Ik help je, mijn derde oog zal alles wat leeft laten instorten.'

Ook Roc, die met zijn gifstekel zijn slachtoffers het vlees van de botten liet vallen, stemde toe en sloot zich vol razernij bij ze aan.

Zo gingen ze gezamenlijk op weg naar de immens grote Klagende Woestijn tussen de Bergen van Luris en de kust langs de uitlopers van de Bergen van Mur, waar de prachtige cycadeeënbossen van Zorgh lagen.

Hun blik verwelkte de bladeren, de stammen van de cycadeeën verdorden en verbrandden, de grond scheurde open en verkruimelde door hitte tot zand. Rocs angel doodde veel dieren die in het bos tegen Phurams brandende gezicht beschutting hadden gevonden en injecteerde een besmettelijke ziekte die de edele Mlokisai, de Indigoleeuwen, uitroeide. Zan opende zijn vuurgloeiende oog en doodde met de kracht van zijn geheime blik alle kleine dieren tot er geen mier meer in leven was.

Zarzunabas was tevreden met hun werk maar hij was ook nog iets anders van plan. Hij wist dat de nieuwe woestijn voor een draak geen enkele hindernis betekende en er was ongetwijfeld wel een Hemelbestormer te vinden die de Dertien door de droge woestenij wilde dragen – waarbij hij vooral aan Vauvenal dacht die een trouwe vazal van de drie Draakgodinnen was en zich graag onder de mensen begaf. Hij dacht er lang over na hoe hij dat kon voorkomen en uiteindelijk verzon hij een list om de draken met hun eigen wapens te verslaan.

Hij beval de drie koningen om kriskras door de woestijn een web van verdorvenheid te spinnen en stuurde troepen ondode creaturen naar het ver afgelegen land om zich erin te nestelen. De mensen met hun grove zintuigen zouden het web amper waarnemen maar draken zouden dezelfde zwarte adem voelen die ze bij de eerste aanval van de zeegewrochten ook hadden gevoeld. Hoe fijnzinniger en edeler de draken waren, hoe meer ze voelden. Als een van hen de woestijn probeerde over te steken, hetzij over land hetzij door de lucht, dan zouden de dampen een onzichtbare pest over hun bewustzijn leggen, hun denkvermogen verminderen en hun hart met volslagen wanhoop vullen zodat ze al hun kracht verloren en instortten alsof ze door duizend gifpijlen waren getroffen.

Omdat Zarzunabas toegang tot de uiterlijke werelden had, spande hij ook daar een web zodat het de Rozenvuurdraken niet zou lukken om zich via andere dimensies een weg te banen. Maar langs de rand van het vergiftigde land stroomde een rivier, bitter als gal en koud als ijs, die alleen af en toe zichtbaar was.

De Kadavervorst stuurde zoveel ondoden als hij maar missen kon naar Toarch kin Mur en de Klagende Woestijn en beval ze het gebied te doorzoeken en uit te kijken naar mensen. De bergen en de woestijn werden zo'n afgrijselijk schrikbeeld dat het de mensen ver naar het zuiden terugdreef.

Duizenden jaren gaan voorbij

Alle zeven keer zeventig keer zevenhonderd manen gingen voorbij dat was voor de draken van de hoogste orde geen lange periode maar wel voor de mensen die zichzelf steeds meer gingen zien als de rechtmatige heersers over de planeet. De draken waren getuige van hun verbazingwekkende ontwikkeling. Ze woonden nu in hoge stenen torens in plaats van achter gevlochten windschermen van bamboe, verplaatsten zich op vliegende hagedissen door de lucht en droegen huiden in alle kleuren die ze een paar keer per dag verwisselden. Ze werden zienderogen slimmer en gewiekster, breidden hun rijken uit, drilden soldaten en trokken ridders aan die voor een alleen levende nietsvermoedende draak een bedreiging konden vormen.

Ion-ka, de Makakau-priester, was lang geleden overleden en ook de kleine Luind was heengegaan. Hij had voor een mensenvis de ongewoon hoge leeftijd van vijftig jaar bereikt, vijftig gelukkige jaren. Hij leefde in de herinnering voort maar ook nog op een substantiëlere manier: tweeslachtig als hij was, had hij zichzelf voortgeplant en zijn gave op zijn nakomelingen over laten gaan. Vele generaties later werd er uit zijn nageslacht een wezen geboren dat door de onsterfelijke Wyvern – die waakte over de kinderen en kleinkinderen van haar 'zoon' – in hoogsteigen persoon werd opgeleid want het kind had een grote opdracht te vervullen.

Phuram en Datura, zon en maan, waren ondertussen vijanden geworden en de mensen die tot nu toe alle twee evenzeer hadden vereerd, deelden zich op in twee partijen. In het Middenrijk waar de keizer regeerde, ontstonden langzamaan twee groepen. De Sundaris die voor

Phuram kozen, waren bang voor de duisternis en dachten dat de stralen van de maan ze waanzinnig konden maken en de Maanschijners (of Nachtmensen), die Datura vereerden, durfden niet meer in het daglicht te komen omdat Phuram in al zijn hoogmoed zijn gouden pijlen richtte op iedereen die niet voor hem door de knieën ging. Omdat de keizer als een incarnatie van de Zonnegod werd gezien en de voorkeur gaf aan de Sundaris, hadden de Maanschijners een zwaar leven maar ze bleven Datura volhardend vereren.

En ook de draken leefden niet meer vreedzaam met elkaar samen, want de een probeerde de ander te overheersen. Toen de bloeiperiode van de mensen opkwam, waren de meeste Hemelbestormers niet veel meer dan wilde beesten. Het waren Tunneldraken in koude berggrotten, Vuursalamanders in de kratergangen van de vulkanen, gevleugelde nachtdieren in de woestijn en wegschietende reuzenhagedissen. Maar een paar had hun oorspronkelijke wijsheid en edelmoedigheid behouden en veel draken waren met elkaar verwikkeld in een onderlinge strijd.

Vooral de opvliegende Rachmanzai in het zuiden en de kille Muden Gamul in het hoge noorden, de Purperdraken en de IJshoorns haatten en verafschuwden elkaar. De Muden Gamul heulden samen met de Zarzunabas en waren zijn vazallen terwijl de Rachmanzai nauwe vriendschappelijke betrekkingen onderhielden met een volk van witte mensen in het zuiden. Die waren zo slim, slecht en goed thuis in de zwarte magie dat ze Helbedwingers werden genoemd. In de verlaten stad van de Indigoleeuwen waren merkwaardige wezens komen te wonen die er gedurende een lange periode leefden totdat de adem van de Zwemen ook hen te gronde richtte en de stad in puin viel. In het Rijk van de Makakau leefden nog veel draken in de grotten van het plateau en de ontoegankelijke, dicht beboste kloven. De bruine mensen konden goed met ze opschieten, maar Zarzunabas was er zeker van dat hij vroeg of laat een manier zou vinden om ook dit euvel uit de weg te ruimen.

Hij hitste de draken tegen elkaar op waar hij maar kon en had graag gezien dat de drakenlegers een bloedige oorlog tegen elkaar waren begonnen. Maar Phuram stond hem in de weg. Hij beschermde het Keizerrijk in het midden van Chatundra – zo werd Murchmaros door de mensen genoemd – en werd door velen vereerd. Zijn gloeiende gezicht en felle stralen verdreven de Rachmanzai naar hun kraterpijpen in de vulkanen en de IJshoorns naar de grote muur van de Bergen van Carrachon. Maar zijn macht was tanende. Want als Zarzunabas de sterrenkijker raadpleegde die de wijzen en deskundigen veel over de toekomst vertelde, zag hij vanuit het oosten een kosmische nevel opstijgen, zo zwart als roet die Phurams gezicht bedekte. En in die zeven zonloze dagen zouden alle krachten die de Zonnevorst nu nog onder controle had, zonder remmingen losbreken…

DEEL EEN

Het tijdperk van de mensen

Over draken en hun dienaren

Dochterzoon

Op de hoge met sneeuw bedekte Bergen van Luris vlak bij de kust in het noordwesten trokken een oude priester van de Rozenvuurdraken en een kind naar boven, de door de storm kaal gewaaide toppen tegemoet. Ze droegen vossenpelzen en wolfshuiden want de lucht was zo snijdend koud dat het vocht op hun huid bevroor. De eenzame wandelaars liepen met knoestige stokken in hun hand. Ze gleden vaak uit en struikelden terwijl ze moeizaam maar onverstoorbaar op het steile pad omhooggingen. Bij het zwakke, donkerrode schijnsel van de lavameren die in hun kraters borrelden, konden ze het oeroude pad zien dat zich voor hen uitstrekte. Hier hadden ooit machtige wijze en goede draken gewoond en de dienaren van de draken hadden op deze hoogten straten en vestingen gebouwd.

Op de plek waar de Bergen van Luris in een rechte hoek op de enorme stenen wal van de Bergen van Mur stootten, strekte zich vroeger een geweldige stad uit, Zorgh, maar van het imperium van de Rozenvuurdraken waren alleen nog maar ruïnes over die nog vrijwel nooit door mensenogen waren opgemerkt.

De bejaarde Suramal bleef af en toe staan en wees met zijn knoestige stok naar de gigantische bas-reliëfs op de rotswanden die de ruwe wind tot het onherkenbare had afgeslepen. Sommige waren onleesbaar geworden, andere hadden een archaïsche afbeelding van een mooie, gevleugelde vrouw met drie gezichten en weer andere een vrouwengezicht met grote, wijd opengesperde ogen waaruit stralen licht vielen. En waar de verre gloed van de krater de rotswanden verlichtte, leken ze door het flikkerende licht tot leven te komen.

De grijsaard zuchtte weemoedig en gleed met een knokige hand zacht over de godenbeelden aan wie al duizenden jaren geen offers van vreugde en dankbaarheid meer waren gebracht. Ze hadden alleen maar kunnen overleven omdat ze op vele dagen reizen van de keizerstad Thurazim lagen en geen enkele keizerlijke inquisiteur de moeite had genomen om de Toarch kin Luris, de Gloeiende Bergen, op te klimmen om een beeld van Mandora uit te wissen.

'Dochterzoon,' zei Suramal tegen het kind met de groene ogen aan zijn zij, 'kun je je voorstellen dat er een tijd is geweest dat deze altaren over wuivende palmenbossen uitkeken en lange stoeten van blije pelgrims zagen de die steile paden beklommen? Ze dansten en zongen en hun tamboerijnen rinkelden want de wereld was toen goed. Tegenwoordig overheerst Tidha tan Techta, verwarring, en is de wereld veranderd. De mensen liegen tegen elkaar en zichzelf en laten zich foppen door schaduwen en hersenspinsels alsof ze bedwelmd zijn. De Sundaris verspreiden de vreselijkste leugens. Ze beweren dat Mandora een monster was met een nest giftige otters in plaats van haar en met een slangenlijf. Ze noemen zelfs de meest voorname en edele draken Basilisken en denken dat ze uit eieren kwamen die door een haan werden gelegd en door een pad werden uitgebroed – de dwazen! In hun angst voor de woeste inquisitie van de Sundaris hebben de vereerders van de Drie Zusters zich verspreid over heel Aarde-Wind-Vuur-Land, van de Diamantzee tot de Jadezee. Ze mogen degenen die onze wereld uit de gloeiende vuurbal in de sterrenleegte hebben geschapen alleen in het geheim vereren.'

'Daar hebt u mij over verteld, Thainach,' antwoordde het kind. Hij gebruikte de beleefdheidsvorm waarmee een wijze leider werd aangesproken. 'Vele dagen en nachten.'

De oude man lachte. 'Word je er wel eens moe van? Maar het moet want de Driester heeft nog maar weinig trouwe dienaren en iedereen die zich voor hun zaak inzet, is onmisbaar. Ik heb je vaak verteld wat je roeping is. Alles hangt van jou af. Je bent een erfgenaam van Luind, de zoon van Wyvern, en jij bent degene die het aantal sluit en aan de voorwaarden voldoet, zonder jou is alles wat de anderen doen vergeefse moeite.'

In gedachten herhaalde hij een gedicht uit de profetie: Dertien moeten het er zijn, mannen en vrouwen, precies de helft.

Met een teder gebaar legde hij zijn hand op de schouder van het kind dat Wyvern hem had toevertrouwd zodat Dochterzoon – die bij de draken was opgegroeid – ook het karakter van de mensen leerde kennen. Hij was intussen van Luinds nageslacht gaan houden alsof het zijn eigen was.

Uiteindelijk werd de lucht ijl. De bergbeklimmers viel het ademen zwaar. De rood gekleurde nevel was zo dicht dat het pad nauwelijks meer te zien was. Brede kloven waar een mens niet overheen kon springen dwongen hen om omwegen over gruishellingen en ijzige vlakten te zoeken. Soms denderden er stenen naar beneden en dit kostte ze bijna hun leven. Maar ze vochtten zich naar boven, over rotsen en rolstenen, struikelend en vervuld van ontzag voor de grootsheid en onheilspellende eenzaamheid van de oeroude bergtoppen die vijandig op ze neerkeken.

Het kind spitste zijn oren en zijn andere zintuigen om ondanks de pelscapuchon en het voortdurende gehuil van de wind signalen op te kunnen vangen. Omdat Dochterzoon bedreven was in communiceren met het bovennatuurlijke, merkte hij de minste bewegingen op, een siddering die rampspoed voorspelde, een koude vlaag die over de bergpas waaide en die iets heel anders waren dan gewoon het waaien van een storm of de kou op de bergtoppen. Het kind dacht in de verte een geur te ruiken – een penetrante, buitengewoon onaangename geur die hij niet thuis kon brengen. Eerst leek het nog het meest op de geur van een moeras maar er lagen koude, onbegroeide stenen omheen.

Ook leek er uit ruïnes van de stad een geluid te komen, een dof gezoem als een wespennest dat hij met andere zintuigen waarnam dan zijn oren die de storm hoorden roffelen. Dochterzoon wist dat de Kadavervorst zijn creaturen had gestuurd om het land tussen de onzichtbare rivier Kao en de Huilende Bergen te bewaken en vermoedelijk waren de drie Basiliskenkoningen hier zelf langsgekomen – misschien nog niet zo lang geleden want hun geur hing ondanks de storm nog in de stad. Zij waren de reden dat Wyvern het kind niet op zijn zoektocht kon begeleiden, ook al had ze dat graag gedaan. Het web van kwaad dat Zarzunabas over het land voor de bergen had gelegd, was zo dicht en donker dat geen enkele edele draak erdoorheen kon.

Eindelijk bereikten de priester en het kind de oude stad. Dochterzoon was in het huis van Wyvern – dat nu in Makakau lag – met draken grootgebracht en daarom zag hij bij de scharlaken schemering van de verre lavameren dat de architectuur van de stad Zorgh sterk door de drakengeest was beïnvloed. Zelfs in de ruïnes waren de ornamenten die aan waaiervormige en gekartelde vleugels deden denken nog duidelijk te herkennen. Piramiden, symbolen van de Driester, versierd met onregelmatig meanderende labyrintische lijnen, vormden de belangrijkste component en leken op het uitzicht van een hoog vliegende draak boven de aarde met haar rivieren, velden en kusten. De eenvoudige, edele en archaïsche vormen ademden de natuur van de Rozenvuurdraken.

De stappen van de wandelaars klonken door de schemerverlichte ruimte die eens het huisje van de poortwachter was geweest. Er hing een beklemmende sfeer, de lucht was zwaar van onzichtbaar kwaad. Er verspreidde zich een stank die deed vermoeden dat er ergens in een hoek iets lag te ontbinden, maar er was niets te zien. Ze gingen er zo snel ze konden doorheen.

'Je weet, Dochterzoon,' zei Surnasal toen ze tussen de gebouwen liepen en het oorverdovende lawaai van de storm ze niet langer doof maakte, 'waarom Wyvern je bij mij heeft gebracht. Je hebt veel van haar geleerd en ik weet dat je hoofd en hart ervan doordrongen zijn. Je bent een van de mensen die zijn voorbestemd om Mandora en haar Zusters wakker te maken. Je bent bij volle maan geboren en draagt de drakenklauw, het teken van de Driester.

Met een teder gebaar van eerbied raakte hij de drie rode tekens aan, niet groter dan pitten van een granaatappel die op het voorhoofd van het kind tot een gelijkzijdige driehoek waren gerangschikt. 'De zieneres heeft je met veel zorg opgeleid zodat je deze taak kan volbrengen. Vannacht gaan we ter ere van de Drie Zusters samen met onze vrienden offeren en de overgeleverde liederen zingen en daarna moet je alleen op weg gaan naar Luifinlas. Je moet de reis in het geheim maken en opschieten want je hebt veel vijanden die willen voorkomen dat je je doel bereikt. Drydd, zijn verschrikkelijke zonen en de Helbedwingers in het zuiden azen op macht.

'Mijn hart is gewillig, Tainach,' zei het kind. 'Maar u weet hoe zwak mijn lichaam is. Het heeft me veel moeite gekost om op deze hoogte te komen en ik weet niet of ik de kracht voor een lange tocht kan opbrengen.'

Dochterzoon was inderdaad zwak, had scheefgegroeide schouders en zijn zwarte haar hing in lange slierten om de bleke ziekelijke trekken in zijn gezicht. Alle nakomelingen van Luind kenden zwakheden die het mensenvisbloed dat door hun aderen stroomde ze had meegegeven.

'Daar heb ik over nagedacht,' zei Surnamal. Hij rommelde in zijn gewaad en haalde een metalen plaatje tevoorschijn, niet groter dan een munt. 'Wyvern heeft mij dit gegeven zodat je voldoende kracht krijgt, ongedeerd blijft en de woestijngeesten en andere geesten uit de woestijn je geen pijn kunnen doen. Het zorgt ervoor dat je van gedaante verandert tot je de zonloze weg en de grafkamer van de draak hebt bereikt.'

'U weet dus zeker dat Kulabac nog op zijn oude plek woont?' vroeg het kind nieuwsgierig.

Suramal lachte in zijn vuistje. 'Ik weet het, de edele draken weten het en Zarzunabas weet het ook. Hij wil zijn haren wel uit zijn kop trekken maar wat kan hij doen? De oude heer zit ver weg en veilig in zijn schuilplaats en is niet bang voor vijanden, want hij kent elke centimeter van de voet van de berg tot aan de hete, zonloze oceaan die boven de vuren in de diepte kolkt.' Hij stopte en strekte zijn hand uit om het licht tegen te houden zodat goed te zien was wat er op zijn rimpelige hand lag. 'Kijk! Dit metalen plaatje leg je in je mond. Stop je het achter je tanden dan word je een monster waar niemand bij in de buurt durft te komen. En als je het uitspuugt, krijg je je menselijke gedaante weer terug. Maar ga nu mee, ze zullen gauw komen!'

Aan de hemel verschenen vurige strepen, eerst twee, drie, toen steeds meer, alsof er uit alle windrichtingen draken aan kwamen vliegen. De koude nacht werd licht en warm van de vuren die overal om Dochterzoon heen opvlamden en binnen de kortste keren wemelde het van de rode, groene en gouden draken van alle geledingen. Aarddraken, Vuur- en Luchtdraken vlogen allemaal door elkaar, de een nog mooier dan de ander. Sommige hadden drie koppen, andere hadden vier vleugels met een huid die zo zacht en melkachtig was dat het schijnsel van het vuur erdoorheen schemerde. Er waren blauwe Wyrme die eruitzagen als slangen en niet liepen maar alleen konden vliegen of kruipen en draken die aan gevleugelde leeuwen met lange geschubde staarten deden denken. Er waren rode en oranje gestippelde Vuurdraken, goudgroene Slangendraken... Dochterzoon keek naar ze en kon er niet genoeg van krijgen want ze glinsterden en glansden en fonkelden als honderden geopende schatkisten. Tussen hen in liepen menselijke dienaren, mannen en vrouwen, te lachen en dansen en zingen ter ere van Mandora. Het kind strekte zijn armen uit in de lucht en zong met ze mee, bezield door een innerlijke gloed die zijn gebrekkige lichaam verwarmde en kracht gaf.

Het was voor de draken een nacht van grote vreugde en ze jubelden toen ze de eerste mensen zagen verschijnen die de roeping hadden om de Moedermaagden te verlossen. Dochterzoons aanwezigheid was voor hen het bewijs dat de tijd van Majdanmajakakis' woede op zijn eind liep en er een nieuw ochtendlicht gloorde – voorzover het de Dertien zou lukken om hun opdracht te volbrengen.

Geen van de feestvierders durfde eraan te denken dat ze konden falen.

De hele nacht lichtten roze vuren op en in de dode stad weerklonken de gezangen ter ere van de Driester en de Maangodin.

Toen de morgen aanbrak, stak er een dier de hoge bergpas over naar het ravijn aan de andere kant. Het was vijf passen lang en zag eruit als en leeuw met een scharlakenrode, gevlekte huid. Het had het gezicht van een mens met mooie, heldere groene ogen maar met drie rijen zaagvormige tanden boven elkaar en zijn staart zat vol pijlen en had hetzelfde uiteinde als dat van een schorpioen.

De verhalenvertellers en draken in Mesquit

Op de plaats waar de steile berghellingen van de Bergen van Luris in zee uitliepen lag de kleine vissershaven Mesquit. Het was het meest noordelijke punt waar nog mensen woonden en was niet meer dan een verzameling stenen hutten, die als angstige kuikens die zich om een hen scharen, rond het gemeenschapshuis waren gebouwd. Ze stonden ineengedoken tegen de woeste flanken van het gebergte en het zandstrand waar de altijd koude golven van de Diamantzee ruisten.

Het was een ruw, dapper slag mensen dat hier hun schrale leven overeind probeerde te houden met vissen en kreeften, harde gerst en zurige, rode bessen die in de beschutte hoeken van de bergkloven groeiden. Ze hadden hun huizen al een aantal keren opnieuw moeten opbouwen omdat een orkaan ze had weggevaagd of een lawine de stenen omver had geworpen maar steeds weer hadden ze dat met dezelfde niet aflatende vasthoudendheid gedaan waarmee ze ook de ijzige zee haar vruchten afdwongen. Om ze tegen het natuurgeweld te beschermen, hadden ze de hutten zo dicht op elkaar gebouwd dat het leek of heel Mesquit een huis was met overdekte smalle stegen waar kleine ramen op uitkeken. De huizen hadden aan de kant van de zee en bergen blinde muren: waarom een raam opendoen waar de ijzige storm of het schuim door naar binnen kwam als de golven tegen de muren van de haven beukten?

Iarwain en Gillene hadden juist het wasgoed in de koude golven gewassen en kwamen zuchtend overeind. De handen van de tengere, onooglijke jonge mensen waren rood en half bevroren, hun rug deed zeer van het bukken en schrobben en ze hadden honger maar toen ze hun manden optilden, keken ze elkaar glimlachend aan. Wat deden kou,

58

rugpijn en honger ertoe als het doen van de was twee geliefden de gelegenheid bood om ongestoord een paar uur samen te zijn!

Ze waren bedienden – niet veel meer dan lijfeigenen – in het huis van de dorpsoudste waar ze in de purperen avondschemering haastig naartoe renden. Ze verheugden zich op de avond. Zo zwaar als het overdag was in Mesquit, zo behaaglijk werd het 's avonds wanneer iedereen in het gemeenschapshuis bij elkaar kwam om te eten, breien en spinnen, de netten te verstellen en verhalen te vertellen. Er brandde een vuur in de stenen haard midden in de kamer waar katten omheen lagen en de visresten verorberden. Er werd gerstebrood geroosterd, mosselsoep gekookt en iedereen mocht van de vis nemen zoveel hij wilde, want of het nou meesters of dienaren waren in Mesquit wisten de mensen dat ze op elkaar waren aangewezen.

Iarwain was een spichtige jongeman met droevige ogen die er veel ouder uitzag dan hij in werkelijkheid was. Omdat hij niet goed was in vissen en jagen, was hij gecastreerd voordat hij de volwassen leeftijd had bereikt zoals dat in Mesquit gebruikelijk was. Hij en zijn soortgenoten hoorden vanaf toen bij de vrouwen. Hij droeg ook hun kleding, een blauw gewaad dat bestond uit een bloes en broek uit een stuk dat over het lichaam werd aangetrokken en boven de borst met een band bijeen werd gehouden. Soms voelde hij zich gekwetst want het was niet zijn bedoeling dat er een vrouw van hem gemaakt werd maar aan de andere kant had het tot voordeel dat hij de nachten ongestoord in Gillines kamer door kon brengen. Overdag en onder dorpsgenoten noemde ze hem 'zuster' maar 's nachts drukte ze zich dicht tegen hem aan alsof ze hem wilde verslinden en noemde hem 'mijn drakenprins' totdat hij voelde dat het mes hem niet al zijn mannelijke kracht had ontnomen.

Ze kusten elkaar vlug en heimelijk onder de overdekte brug over de beek – want flirten tijdens het werk was niet toegestaan – en gingen daarna snel terug naar het huis met de gevel die was versierd met twee gevleugelde drakenkoppen. De Mesquiters aanbeden vroeger de Barnsteendraak voor zover er met al het zware werk tijd was om te offeren en pelgrimstochten te maken. In zekere zin deden ze dat nog steeds, ondanks dat ze hun levensonderhoud aan Drydd te danken hadden.

De dorpsgemeente was zich al aan het verzamelen in het centrale huis onder het open dakgat waardoor het vuur kringelend opsteeg en waar de katten zich behaaglijk hadden uitgestrekt en het gebeuren volgden. Iarwain en Gilline glipten naar binnen, zetten vlug hun manden neer, hingen de was op en schepten een kom met eten uit de pannen op. Daarna trokken ze zich in de hoek voor de dienstboden terug, zoals het de gewoonte was, waar ze na de maaltijd het gemeenschappelijke werk voortzetten. Uit allemaal losse lappen naaiden ze een warme deken. Het was prettig werk dat zo zijn voordelen had, want ze konden onder het neerhangende werkstuk knie aan knie zitten.

Buiten waaide de wind en de golven klotsten tegen de havenwallen maar de bewoners van Mesquit zaten veilig en behaaglijk onder het dak. 's Nachts was het in Mesquit volledig donker zoals in alle kleine afgelegen dorpen. Op het strand en in de ravijnen was het zo donker dat je geen hand voor ogen kon zien en zelfs in de huizen was het licht erbarmelijk. Kaarsen waren duur dus werkten ze bij het licht van het vuur dat in het midden van de ruimte in de gemetselde haard brandde. Ze vertelden elkaar verhalen over familieleden tot aan de stamouders en over spannende gebeurtenissen zoals de springvloeden, stormen en de steenlawines die steeds rijker werden opgesmukt.

Toen het vuur smeulde, waren de enge verhalen aan de beurt. De oude vrouwen vertelden van de nevelman die kinderen in een zak stopte als ze alleen over het strand liepen, van lelijke monsters die 's nachts onder de rotsen zaten en moordend op liefdesparen aanvielen die er in een omarming verstrengeld lagen. Iemand kon zich nog precies herinneren dat zijn grootvader op de beruchte klip door een onbekende visser werd aangesproken die hem de hand wilde reiken. Maar slim als hij was, had hij de steel van een harpoen naar hem uitgestoken en de vreemdeling had al zijn vijf vingers gebrand!

Gilline fluisterde Iarwain in het oor: 'Vannacht zal ik verschrikkelijk bang zijn, je moet me goed vasthouden, liefste.'

'Natuurlijk,' beloofde Iarwain die angstig bedacht dat hij er 's nachts misschien uit moest om zijn behoefte te doen. Stel dat er een bedelaar stond die hem de hand wilde reiken?

Er leek geen einde aan de gruwelverhalen te komen. Uiteindelijk ging het over Zorgh, de stad die zelfs de alleroudste dorpelingen alleen kenden als een ruïne, hoog in de verte en van de samenkomsten van de draken en hun dienaren die daar een paar keer per jaar plaatsvonden.

Niemand van de aanwezigen had ze ooit met eigen ogen gezien want als kind werden ze al gewaarschuwd om bij het raam op de uitkijk te staan wanneer de vuurslierten over de bergtoppen trokken en de dode stad Zorgh in rozerood licht kwam te staan. Het waren de aanhangers van de Rozenvuurdraken die daar bijeenkwamen, draken van de hoogste en edelste afkomst die de mensen goed gezind waren, maar het was niet goed om ze te bespieden en je neus in hun zaken te steken. De enige draak die de Mesquiters kenden was Knucker de oude mopperkont die bij gelegenheid – als hij een goede dag had – een zwierende vlucht rond zijn rotstoren maakte.

Maar af en toe was het een overgrootvader of een voorvader die nog verder terugging, gelukt om een vluchtige blik te werpen op een nachtelijke bijeenkomst en zijn verslag aan de verhalen die al honderden keren verteld waren toe te voegen.

'Mijn overovergrootvader was een jager,' vertelde een vrouw terwijl haar breinaalden doortikten en de sjaal in haar schoot groeide, 'en op een midzomernacht verdwaalde hij in het ravijn zodat hij zonder dat het de bedoeling was in Zorgh belandde. Hij schrok verschrikkelijk toen hij zag dat hij een ruïne naderde waar alle ramen fel verlicht waren en grote vuren op de pleinen brandden. Hij verstopte zich tussen de puinresten van een huis en tuurde angstig naar buiten. Het zat er boordevol draken – zwart, turkoois, rood, geel, roze – en ze lagen daar behaaglijk als katten rond de haard met elkaar te praten. Ze hadden wijn en vleesgerechten, witbrood en snoepgoed meegebracht waar mijn grootvader het water van in de mond liep, maar hij was voor geen goud uit zijn schuilplaats gekropen! Hij wist dat de Rozenvuurdraken de vissers en zeelieden niet mochten, omdat ze als vrienden van Drydd werden beschouwd.'

Iarwain luisterde heel aandachtig en vroeg zich af wat hij gedaan zou hebben als hij de overovergrootvader was geweest. Hij wist dat hij angstig en zwak was, maar draken fascineerden hem zo dat hij soms dacht dat hij ze in de wolken kon zien. Hij had een keer een Mirnimay gezien, hoewel hij er nooit iemand wat over verteld had, behalve Gilline. De dorpelingen vonden hem een zwakkeling. Ze zouden zeggen dat hij tijdens zijn werk in slaap was gevallen en het maar had gedroomd – in elk geval wat de gedaanteverwisseling betreft. De reizende verhalenvertellers die in het dorp waren gekomen hadden allemaal draken gezien. Ze hadden met een dikke, vrolijke man gesproken die Vauvenal heette en hem een stevige maaltijd en berenlikeur voorgezet en een hele avond lang naar zijn wonderlijke verhalen en gezangen geluisterd. Maar dat hij zodra hij het dorp achter zich had gelaten aan het einde van het ravijn in een prachtige draak met kobaltblauwe vleugels en een witte lelie-kroon was veranderd, had alleen Iarwain gezien die in de struiken op zijn hurken zat om bessen te plukken. Sindsdien had hij vaak gedroomd dat de vreemdeling terug zou komen en zich nog een keer in zijn adem-benemende gedaante zou laten zien.

Ondertussen beschreef de breiende vrouw het feest in de ruïnestad en vertelde dat haar grootvader ook had gehoord dat de draken een plan smeedden om Phuram van de troon te stoten en de Drie Zusters weer op de sterrentroon te krijgen. Ze hadden het over belangrijke dingen ge-had die voor een eenvoudige man moeilijk te begrijpen waren: voorspel-lingen uit oeroude en in vergetelheid geraakte boeken, veranderingen in de banen van de sterren, geheime tekens en nog veel meer. De oude grootvader had er nog geen tiende van onthouden. Toen het eerste mor-genlicht verscheen, waren ze allemaal vertrokken met hun menselijke dienaren op de rug. Maar ze hadden de eetresten laten staan zodat de verdwaalde man zich kon sterken voordat hij zijn terugreis hervatte.

'Ze zeggen,' zei een oude man toen de vrouw haar verhaal had beëin-digd, 'dat in veel afgelegen bergkloven en woestijnen priesters van de Barnsteendraken wonen, mannen en vrouwen met magische krachten, die elkaar allemaal kennen en elkaar boodschappen sturen om het pad te effenen voor de terugkomst van de Moedermaagden. Hebben jullie nooit van de heremiet gehoord die op de Kaurapas woont, de oude Suramal?'

'Is hij niet lang geleden gestorven? Hij was al oud toen ik nog maar een jongen was,' viel een andere oude man hem bij.

'Dat kan zijn maar de kracht van de vuurzeeën houdt hem in leven. Ze zeggen dat hij ieder jaar naakt in de vuurgloed stapt en er jonger uit tevoorschijn komt.'

'Hij is in elk geval een drakenpriester en er zijn ook andere draken-priesters die bijna alleen in het geheim hun werk doen. De keizer heeft iedereen met de dood bedreigd die een offer brengt aan de Moeder-maagden.'

De dreiging heeft weinig indruk op ze gemaakt. De keizer was voor de mensen in Mesquit een zo'n schimmige figuur dat ze af en toe aan zijn bestaan twijfelden ook al beweerden de reizende handelaren dat hij werkelijk bestond. Iedereen kon er heengaan en hem zien als ze het niet erg vonden om een klimtocht over de Gloeiende Bergen en de oversteek door de gevaarlijke woestijnen te maken. De Mesquiters vonden het niet de moeite waard, dus bleven ze thuis in hun dorp en negeerden de keizer, zijn priester en de ridders.

Iarwain had vaker verhalen over de drakenpriester gehoord en ook over het merkwaardige kind met de groene ogen van wie niemand wist of het een jongen of een meisje was. Soms, wanneer zijn verlangen naar de Hemelbestormers zijn hart brak, overwoog hij om de kluizenaar op te zoeken en te vragen of hij hem naar de draak wilde brengen. Hij had lang en zorgvuldig over zijn plan nagedacht. De draken hadden knechten en dienstmaagden, dat had het verhaal dat daarnet was verteld ook weer bevestigd. Ze konden dan vast ook wel iemand gebruiken die hun grotten schoonhield, hun schubben poetste en hun eten kookte. Gilline en hij waren vanzelfsprekend te min voor de prachtige draken maar had hij niet een keer gehoord dat er ook eenvoudiger draken waren die in bescheiden grotten woonden? De gedachte was zo dapper en zo ongewoon dat Iarwain bang van zichzelf werd als hij eraan dacht. Schuldbewust boog hij over zijn lappendeken en naaide ijverig door.

De samenzwering van de Helbedwingers

In het hartje van Thamaz, de door rampspoed overschaduwde hoofdstad van de Vulkaaneilanden, verrees een paleis van rood marmer dat het Huis van de Duizend Torens werd genoemd. Het stak als een hoorn op een bergtop hoog in de lucht, mooi en beangstigend tegelijk. De muren waren met gedraaide zuilen en kroonlijsten versierd waarop duistere gedrochten waren afgebeeld – monsterlijke zeesalamanders, padden en sfinxen, harpijen en waterspuwers in obscure, afstotelijke vormen die met uitgestoken tong en obscene gebaren wezenloos vanaf de torens naar beneden staarden.

Al eeuwen behoorde het paleis toe aan de dynastie van de Mokabiters, een oud, machtig geslacht met een slechte reputatie dat sluwe, verderfelijke mensen voortbracht. Ze waren bijna allemaal leden van de orde van de Helbedwingers. Vroeger vereerden ze in het openbaar kwade krachten maar toen de keizer in Thurazim meer invloed had gekregen, vonden ze het slimmer om de zwarte magie naar buiten toe af te zweren en de kunst van magie in het geheim te bedrijven. Bij elke nieuwe maan kwamen ze samen in de zaal van het paleis om offers te brengen, plannen te smeden en samenzweerderige gesprekken met de Rachmanzai te voeren die Phurams vuurgloed naar de vuurkamers van de vulkanen hadden verbannen. Hun voorvaderen stonden ooit hoog in de rangorde, maar waren diep in de stoffelijke wereld afgedaald en hadden zijn bekrompen, begerige en hardvochtige karakter gekregen. Het enige dat de Rachmanzai van de simpele Slangendraken en Grolmen onderscheidde was hun demonische sluwheid.

De zaal waar de geheime ontmoetingen plaatsvonden, was excentriek versierd. Er stonden standbeelden en aan de muren hingen schilderijen die de macht en pracht van de Rachmanzai en hun menselijke bondgenoten lieten zien. Het oog en de andere zintuigen konden maar langzaam wennen aan de verwrongen versieringen, de weelderige arabesken op de wanddoeken en de opzwepende afbeeldingen op de fresco's en schilderijen. De weerzinwekkende schilderijen contrasteerden met de bedwelmend zoete kleuren op de wandtapijten en doeken en de verwarrende geur die de wierook verspreidde wanneer het over gloeiende kolen werd gestrooid.

Langs de muren stonden twaalf draken in een rij als een kolossaal poppenspel opgesteld die elk uit een andere soort edelsteen waren gehouwen. Ze stelden de Rachmanzai voor die niet persoonlijk aan de samenkomsten konden deelnemen omdat er niet meer dan twee in de zaal pasten. De afwezige draken zonden wanneer ze werden opgeroepen hun geest naar de standbeelden die in hun plaats het woord deden.

Alles in deze potsierlijke zaal leek vervormd, een aanzet tot kwaad. De mensen die er samenkwamen, waren getekend door verderf en een buitenstaander had kunnen denken dat hij op een bijeenkomst van toegetakelde levende lijken was beland.

Er zat een oeroude man op de troon, het opperhoofd van de clan. Hij had een kleurloos, vertrokken gezicht dat zwaar getekend was door een met schuld beladen, woest leven. Naast hem zaten twee dames van hoge stand, zijn zusters. De een dik en kortademig, smakeloos behangen met allerlei parels en juwelen, de ander mager, met een bleek apengezicht dat ze voortdurend in allerlei nerveuze grimassen trok. Alle mannen en vrouwen hadden gerimpelde, gele gezichten en droegen prachtige kleren van fluweel en zijde, galons en puntschoenen. Er zat een dikke laag poeder op hun huid en ze hadden overal schoonheidpleistertjes opgeplakt in de vorm van palmen, vlinders en vogeltjes die maar al te vaak etterige puisten verborgen.

Zonder dat de mensen van het Keizerrijk in het noorden het merkten, groeide in Thamaz een geslacht van boosaardige hybriden op, de Nephren, die het ergste van alle verdorven mensen en draken in zich verenigd hadden. Aan veel Mokabiters was te zien hoe zeer ze aan de Rachmanzai verwant waren: hun fluwelen korte broeken hadden een split rondom het zitvlak om ruimte te geven aan een schubbige drakenstaart die een stuk naar beneden hing. Sommige droegen rijk geborduurde rokkostuums met omzoomde openingen op de rug waaruit een paar vleugels met vellen eraan tevoorschijn kwam en andere hadden beginnende hoorns op het voorhoofd of opmerkelijk grove, misvormde voeten die sterk aan drakenklauwen deden denken. Deze eigenaardigheden werden niet als gebrek gezien maar juist als teken van een hoog gehalte aan drakenbloed wat zeer gewaardeerd werd.

Maar allemaal, hoe min of meer menselijk hun lichamelijke bouw er ook uitzag, droegen ze purper gespikkelde pruiken die stijve kunstkrullen golvend over de schouders lieten vallen en met zoveel goud om hals, armen en vingers als ze maar dragen konden zonder eronder te bezwijken. Er was niemand in heel Aarde-Wind-Vuur-Land die zo pronkziek was als de adel van de Mokabiters. Ze dirkten zich elke dag op, droegen het nieuwste van het nieuwste en het mooiste van het mooiste en liepen er pronkend mee rond als hanen in de hoenderhof en iedere onderdaan van dit gemene volk deed dat zogoed hij kon.

Daarmee haalden ze zich veel hoon en spot van de Sundaris op de hals die een dergelijk vertoon belachelijk vonden, maar het hoorde bij hun karakter. Misschien hadden ze zich zo ontwikkeld door hun nauwe contacten met de Rachmanzai die wat ijdelheid en geldzucht betreft niet konden worden overtroffen. Draken en magiërs waren in Thamaz twee handen op een buik want niet alleen hun voorliefde voor goud en pronkerigheid maar ook hun haat tegen Phuram en zijn aardse vertegenwoordiger, de keizer, verenigde hen.

De zaal zag er bij nieuwe maan uit zoals altijd. Aan de muur hing een gigantische spiegel uit drie delen zodat alle kleurrijk versierde aanwezigen dubbel of drievoudig bekeken konden worden. De Mokabiterse adel zat en lag op ronde kussens op dikke tapijten op de grond en rookte een waterpijp terwijl bedienden in het rond renden en wijn en lekkernijen serveerden. Later trokken de dienaren zich terug en een paar ingewijden deed de lichten uit om vervolgens op een driepoot een geurig vuur aan te steken dat de zaal flikkerend verlichtte.

Graaf Nestor – een opvallend mooie jongeman met koude ogen en de tong van een hoogmoedige vlerk – zat heimelijk te gapen toen de gebruikelijke ceremonie met lofgezangen en offers op zijn eind liep. Hij vond het absoluut niet nodig om in het gevlij te komen bij de Purperdraken want ze wilden ten slotte hetzelfde van de mensen als de mensen van hen. Maar het was nu eenmaal al heel lang de gewoonte en zijn oom had het hem zeer kwalijk genomen als hij daarvoor geen respect had opgebracht. De 'stoffige pruik' zoals Nestor het hoofd van de familie noemde (ook al deed hij dat alleen in zijn gedachten) was erg op traditionele tovenarij ter ere van de gevleugelde bondgenoten gesteld en kon halve nachten doorbrengen met het tekenen van pentagrammen en opdreunen van spreuken uit vermolmde boeken.

Toen Nestor zijn blik over de vuurverlichte zaal liet glijden, vielen hem twee jonge mensen op die zich net zo leken te vervelen als hij. Ze hoorden ongetwijfeld bij de familie anders waren ze hier niet geweest maar het web van de Mokabiters was ingewikkeld gesponnen zodat het onmogelijk was om alle verre neven en nichten in het oog te houden. Ze hoorden waarschijnlijk bij de familie die zo afgelegen woonde dat ze maar zelden naar de familiereünie konden komen.

Het waren twee jongemannen, de een donker, de ander blond met een buitengewoon aantrekkelijk uiterlijk. Ze waren voornaam en dandy-achtig, volgens de nieuwste mode gekleed, hadden zorgvuldig gekapt lang haar en roken sterk naar parfum.

Nestor, die wel zin had in een leuk verzetje, veranderde onopvallend van plaats en manoeuvreerde zich naast de twee mannen. 'Welkom, broeders,' fluisterde hij. 'Alleen weet ik nog niet wie jullie zijn.'

De oudste van de twee – een slanke jongen met dik golvend, witblond haar en een hoekig gezicht waarin twee priemende ogen fonkelden – keek naar hem vanonder zware oogleden en reikte hem met een slap gebaar de hand. Deze was koud en wat vochtig zoals de handen van lichtmissen dat wel vaker zijn. De andere, een jongeman met een melancholieke uitstraling, glad, dik bruin haar en donkere ogen, knikte hem slaperig toe. Ze hadden alle twee opvallend glanzende ogen met heel kleine pupillen, een duidelijk teken dat ze de honingvalolie niet konden laten staan. De blonde stelde zichzelf en zijn vriend voor als Casim en Rasko, familieleden uit een verre tak van de familie.

Nu herinnerde Nestor het zich, hij had ze inderdaad een keer gezien. Ze waren toen nog kleine jongens en nog niet zo duidelijk door een onbeschaafd leven getekend. Intussen had alle denkbare laster een stempel op hun gezicht gedrukt – wat onder Mokabiters geen uitzondering was.

Toen de pauze tussen de algemene en de speciale ceremonie begon, liep de graaf uit nieuwsgierigheid ongezien naar een nicht die bekendstond om haar gedegen kennis van alle familieaangelegenheden. Hij vroeg haar in het voorbijgaan naar de twee gasten.

Ze wist er meteen alles van. Casim en Rasko waren naar de bijeenkomst gekomen omdat ze op aandringen van het hoofd van de familie naar Thurzam moesten gaan om hun nicht, de keizerin, op te zoeken. Ze waren special uitgekozen omdat ze jong en mooi waren en goed voor de dag konden komen.

De Mokabiters was er op dit moment veel aan gelegen om een goede indruk op het keizershuis te maken nadat een van hun mooiste dochters, prinses Iwara, met de keizer van Sundaris was getrouwd. De tactiek bestond uit het hof van Thurazim te ondermijnen en tegelijkertijd in het zuiden onverbiddelijk toeslaan.

Wat de alwetende dame verder nog gehoord had, klonk alsof de twee jonge mannen nog erger waren dan ze van de slechte nakomelingen van hun eigen beruchte familie gewend waren. Ze sliepen de hele dag en liepen 's nachts allerlei feesten af waar ze niet alleen in het meest exquise gezelschap verkeerden maar ook lieden ontvingen uit wat ze hier de 'Slangenkuil' noemden, de slechtste buurt van Thamaz. Daar leefde het uitschot van de stad in huizen die krom en door muurrot aangetast dicht op elkaar stonden alsof ze bij de minste windvlaag in zouden storten. In stinkende stegen hingen mannelijke en vrouwelijke hoeren en bedelaars rond die kinderen stalen en ze opzettelijk verminkten om met hun lijven medelijden op te wekken en er geld mee te verdienen. In de stinkende woonkrotten waar besmettelijke ziekten in de lucht hingen, woonden sluipmoordenaars, aborteurs en lijkenrovers. Je moest als je je in de Slangenkuil durfde te vertonen zelfs op klaarlichte dag op je hoede zijn.

De twee jongemannen hadden bovendien de neiging om zich tegen de binnen de familie geldende regels te verzetten en hielden zich op met een groepje dat het beter vond om je bij Drydd aan te sluiten dan bij de Rachmanzai omdat de Waterdraak, als meester over de elementen, van een veel hogere natuurlijke orde was dan de pas in de tweede scheppingsperiode geschapen Purperdraken. Daar hadden ze wel gelijk in maar de traditioneel ingestelde Mokabiters waren vrienden van het vuur en gaven niet om de koude zee en haar meester.

'Maar dit is nog niet alles.' De nicht dempte haar stem en trok de hofdienaar een nis in waar geen enkele voorbijganger ze horen kon. 'Pas op, Nestor! Ze hebben gezien dat je hen de hand hebt geschud en met ze hebt gesproken. Zo bezorg je jezelf een slechte naam. Er wordt gezegd dat ze omgaan met Kuj, Roc en Zan, de koningen van de Tarasquen.'

Daar stond Nestor van te kijken. Er waren onder de Mokabiters niet veel taboes maar de slechtste van het hele stel wilde zelfs met de Basiliskenkoningen nog niets te maken hebben. De Helbedwingers mochten dan hebzuchtig, leugenachtig, wellustig, wraakzuchtig en met zichzelf ingenomen zijn – ze waren nog niet zo diep gezonken dat ze met zulke gedrochten hadden geheuld. Zelfs Nestor voelde een golf van walging door zich heengaan. 'Als mijn oom dat bevestigd ziet, verstoot hij ze,' fluisterde hij.

'Natuurlijk. Maar ze zijn heel slim en ze zijn nog nooit op heterdaad betrapt. Want het zijn maar geruchten, maar waar rook is, is vuur… Ze zeggen dat onze mensen ceremonies houden in een geheime tempel waar ook Basilisken aan deelnemen. Blijf zover mogelijk bij ze uit de buurt als je niet het gevaar wilt lopen om samen met hen ten onder te gaan! Je weet dat jouw oom je niet goed gezind is.'

De graaf had nog veel meer willen vragen als de gong voor het einde van de pauze niet was gegaan en hij liep haastig terug naar zijn plaats. Heimelijk vervloekte hij zichzelf omdat hij de twee verdachten de hand had gereikt en met ze gesproken had. Nu zou het hem dagen kosten om de wantrouwende oom te sussen en hem te verzekeren dat hij helemaal niets met de begroeting had bedoeld. De Tarasquen! Wie had kunnen bedenken dat iemand van de familie zich met zulke monsters, het ergste uitschot van heel Chatundra, had ingelaten!

Je inlaten met zulke lieden betekende verraad aan de familie en de orde.

Iedereen wist dat de 'drie kleine koningen' – zoals ze half ironisch, half vleiend genoemd werden – vertrouwelingen van de Kadavervorst Zarzunabas waren. Ze hadden zich bij de IJshoorns in het noorden, de ergste vijanden van de Rachmanzai, aangesloten en waren daarmee gezworen vijanden van de Mokabiters.

Nestor kende zijn familie goed genoeg om te kunnen bedenken dat de verdenking die op Casim en Rasko werd geladen iets met de eervolle diplomatieke missie in Thurazim te maken had. Zijn oom had intussen misschien al voldoende bewijzen verzameld om de verraders naar het buitenland te sturen om van ze af te zijn. In Thurazim liepen veel vijanden van de Mokabiters rond. De twee adellijke mannen konden het slachtoffer worden van een aanslag. Of een roemloos einde vinden in een van de lasterhuizen van het Keizerrijk.

Opnieuw klonk de gong, nu drie keer achter elkaar. Het werd stil in de zaal.

Er kwam een man met lange plechtige passen aanlopen. Hij was naakt tot aan zijn heupen en droeg op zijn kaal geschoren hoofd een kap, gemaakt van de schedel en de hoorns van een ram. Zijn kaneelbruine huid verraadde dat hij bij het volk van de Makakau hoorde waarmee de Mokabiters en hun onderdanen min of meer vreedzaam de Vulkaaneilanden deelden. Om zijn schouders droeg hij een enorme, strakke cape van geplisseerde, donkerrode zijde die de vleugels van de Rachmanzai symboliseerde. Hij zorgde ervoor dat het contact tussen de draken en de aanwezigen tot stand kwam. Nadat hij voor de standbeelden was neergeknield, ging hij langs de kant staan, hij werd pas geroepen als iemand met de draken wilde spreken.

Het werd een drukke bijeenkomst. Eindelijk werd er een geheel nieuw plan uitgewerkt om de keizer te ondermijnen. De Mokabiters hadden de laatste tijd veelvuldig hun toverkunst ingezet om een van de draken te bevrijden die naar de vuurkamers van de vulkanen waren verbannen. Ze hadden kleine rovers er met succes op uitgestuurd om de goudvelden van de Sundaris te overvallen en te stelen wat ze het dringendst nodig hadden, namelijk goud voor het maken van heilige standbeelden van Phuram. Het was ze gelukt om er een van de grootste Rachmanzai met een niet geringe opdracht op los te laten. Hij moest de hele stad Kysch, een bedrijvige buitenpost van de Sundaris, in een klap vernietigen.

Nestor vond het een goed plan en klapte net zo enthousiast als alle anderen maar met zijn gedachten was hij er niet bij.

Hij dacht aan Rasko en Casim. Wat had hen ertoe gebracht om zich met de Tarasquen in te laten? Nestor – die het zat was om door zijn oom gecommandeerd te worden en die de strenge ceremonie voor de verbroedering met de Rachmanzai verouderd en overbodig vond – verzonk in gedachten. Hoe weerzinwekkend de Basilisken ook waren, ze stonden als tweeslachtige wezens op dezelfde hoogte als de Nephren, de leden van de clan van de Mokabiters die half mens, half draak waren. Ze waren de enige onder Drydds onderdanen die in direct contact konden komen met de op het land levende mensen.

Hij schrok op uit zijn gepeins toen hij zijn naam hoorde roepen. Zijn slechte geweten deed hem angstig vermoeden dat ze hem tot de orde wilden roepen maar hij zat er ver naast. De oproep was namelijk om hem te laten weten dat hij – vanwege zijn prettige voorkomen en keurige manieren – was uitgekozen om met een klein gezelschap naar Thurazim af te reizen.

De bezwering

Er waaide een warme wind, zo'n wind die de pest kan verspreiden, toen de mooie Alcina haastig naar de piramideterrassen van Thirmaz liep. De sterren stonden geel en zwavelig aan de nachtelijke hemel. Het Slangenei, dat niet aflatend zijn belangrijkste ster, de Maangodin, volgde, had een glazige halo om zich heen waarin het leek te zwemmen als een bloem in vervuild water. Ze rende, het boekje met de toverformules dicht tegen zich aan gedrukt, met een wapperende cape, haar lange donkere haar los zodat de verwarde krullenbos een eigen leven leek te leiden en op de onrustige windvlagen kronkelend achter haar aan golfde.

Ze bereikte de muur van de tot puin vervallen tempel, sloot de poort en zette aarzelend een voet op de keien en kiezelstenen. De ouderwetse kapellen en tempel, zwart en grijs met gouden opschriften, doemden op in de duisternis. De laurierbomen zongen nachtgezangen die onuitsprekelijke verhalen vertelden.

Alcina rilde in de warme lucht maar het verlangen dat haar dreef was sterker dan haar angst. Vlug stapte ze op een marmeren zerk waar zwak de weerkaatsing van het maanlicht glansde en gleed uit haar kleren die ze aan de rand van de grafkelder op een slappe hoop gooide. Ze knielde op de grafsteen neer en sprak langzaam met haperende stem de aanroep uit die in puntige purperen runen in het boekje stond geschreven.

Het was een belangrijke aanroep want van alle vrouwen was Alcina uitverkoren om met Rachmanzai gemeenschap te hebben. Ze had een drakenklauw op haar lichaam die haar tot een van de mensen maakte die waren geroepen – voorbestemd om Mandora, schepster van Phuram en Datura, uit de smaad van haar gevangenschap en verblinding te verlossen. En nu was ze bereid om afstand te doen van haar roeping, om te breken met de opdracht waartoe het lot haar had voorbestemd. Ze zou elke band met de Driester verbreken als Iwara, de keizerin op de troon in Thurazim, haar belofte was nagekomen. Want dat was de prijs die Alcina de Helbedwingers wilde laten betalen als ze afstand deed van haar roeping als redster van de Drie Zusters...

Over negen maanden zou ze een jongen of meisje baren. De tijd dat Phuram versluierd zou worden en Rachmanzai niet meer hoefde te vrezen voor het licht uit zijn gezicht, kwam dichterbij. Ze zouden de schemering gebruiken om uit hun schuilplaatsen op de Vulkaaneilanden los te breken en de plannen uit te voeren die ze al lang koesterden. Eerst zorgen dat de pest en de oorlog over de mensen in Thurazim kwamen en dat de trotse keizer van de mensen en al zijn onderdanen werden vernietigd. Daarna oorlog voeren tegen de witte IJshoorns van het noorden tot ze het koude gebroed tot de laatste klauw hadden uitgeroeid. En vanaf dan was de wereld van hen en het kind dat Alcina zou baren – een edel gezicht, goed ontwikkeld en met hetzelfde kille, rebelse karakter als zijn ouders – zou als vorst of vorstin over hen regeren, van de zuidelijke tot aan de noordelijke pool. Haar stem beefde toen ze de beladen vloek uitsprak want ze wist dat de Zusters niet al hun macht hadden verloren en dat Datura trouw aan hun zijde stond. Ze vreesde dat de verraden Zusters haar een gruwelijke straf zouden sturen. Haar hart klopte wild en hard in haar borst toen ze een doek voor haar ogen bond zoals het ritueel voorschreef. Wat er vanuit de duisternis op haar afkwam, kon ze alleen voelen en niet zien.

Maar er gebeurde niets. Struiken fluisterden hun verraderlijke liedjes, een kauw schreeuwde in de onbehaaglijk warme nacht. Alcina voelde dat het zweet over haar blote lichaam liep en langzaam over haar rug en haar platte buik droop. Toen ze naar de ruisende nachtelijke lucht luisterde, onzeker over wat er zou gebeuren, werd ze tegelijkertijd door angst en hoopvolle hartstocht bevangen.

Een windvlaag, warm en stinkend als vergane bloemen, streek langs haar huid en deed een plotselinge rilling van walging door haar heengaan. Ze voelde dat de nacht in beweging kwam. Het ruisen van de laurierbladeren werd luider alsof de een de ander probeerde te overstemmen. Er hing iets in de lucht alsof de spanning van het onweer erop wachtte om ontladen te worden maar er was geen bliksem, er was alleen een zacht geluid, een ruisen dat over haar naakte lichaam liep en het als een jas van spinnenweb omgaf. Ze voelde de aanwezigheid van de Bulemay, de Purperdraken, die als een onzichtbare spin ver weg aan de andere kant van het web zaten, machtig en boosaardig, met ogen als geslepen juwelen.

Het web trilde en ze voelde dat het onzichtbare dichterbij kwam. Het was maar een kleine stap die het gedrocht haar kant op zette. Het voedde zich met haar angstige hoop, het genoot van haar bange hartstocht die zijn richting op pulseerde. Ze rilde toen ze zich zo naakt en overgeleverd voelde, een hulpeloos blind wezen dat een aanval van zijn meerdere verwacht, maar het doek van haar ogen wegnemen had haar dood betekend.

Het kwam nog dichterbij, een machtige donkere aanwezigheid, en raakte haar lichaam aan met zulke zachte strelingen dat het nauwelijks te voelen was. Alcina hoorde gefluister in haar oor als het ruisen van de bladeren van een populier maar het was een gesproken gefluister, met woorden, merkwaardige en ouderwetse woorden die haar angst aanjoegen en betoverden. Overal om haar heen werd het stil. Vanaf de randen van het sluierweb drong een prikkend gekraak dat vurige sporen op haar huid leek achter te laten – in haar blindheid leek dat zo.

Ze voelde dat er iets tussen haar benen drong maar het was niet iets menselijks. Het was te groot om tot haar door te kunnen dringen en toch leek het dat te doen. Het drong niet in haar, het vulde haar zoals rook door kieren trekt en water door kloven stroomt. Alcina rilde toen al dit bovennatuurlijke bezit van haar nam. Het overweldigde haar volledig. Alcina voelde het van binnen, haar hele wezen en hart waren ervan doordrongen. Hoe langer ze het voelde, hoe meer het erop leek dat deze indringer haar eigen wezen was.

'Ben je nu tevreden?' fluisterde een stem dicht bij haar oor die niet uit de mond van een mens kwam.

Alcina zuchtte verrukt. Wat bezit van haar had genomen, pulseerde nu door haar organen, het vulde haar buik en haar lichaam zat zo vol dat ze dacht dat ze haar huid voelde barsten.

Het volgende ogenblik deed een snerpend hoongelach haar trommelvliezen knappen. 'Alles verloren, machtsbeluste Alcina, en niets gewonnen!' siste de stem die Alcina herkende als die van de keizerin. Uit de trillende lippen van de bedrogen vrouw klonk een schelle gil die veranderde in een doodsschreeuw want een klauw, scherp als een sabel, hakte in haar nek en rukte haar hoofd van haar nek zodat het in het lange bloedige haar gewikkeld tussen de tempelresten rolde.

De grafschenders

'Hier... hier is de ingang.' Baskom, de oude poortwachter van het kerkhof tilde de lantaarn op en liet het licht op een smalle trap schijnen die tussen de dichtbegroeide graven en mausolea met een ongeoefend oog niet waren opgevallen. Aan het eind ervan bevond zich in een diepe nis een kleine stenen deur. 'Ik zeg je toch, Alcina is met al haar sieraden begraven, precies zoals ze haar gevonden hebben – er was geen begrafenisplechtigheid, geen balseming, ze hebben haar in het dichtstbijzijnde lege graf gelegd en vergrendelden de boel. Ik heb het met mijn eigen ogen gezien.' Plotseling – alsof hij zich niet in kon houden van plezier – sloeg hij zijn handen in elkaar en wreef krakend en knakkend over zijn lange vingers. Het puntje van zijn tong stak – getand en kleurloos – uit zijn mond en bevochtigde zijn lippen.

De twee mannen stonden in het oudste en meest vervallen deel van het grafcomplex van Thamaz tussen de grafkapellen met ingestorte daken en graven met verzonken dekstenen die een kijkje in huiveringwekkende diepten boden. Er kwamen hier geen plechtige begrafenisstoeten meer en niemand rouwde hier of legde offers voor de geesten van de doden neer.

Zorban, zijn metgezel, snauwde: 'Klets niet zoveel. Ga wat verder naar achteren en houd de lantaarn omhoog.' Toen de oude man gehoorzaamde, zette de zwart bebaarde reus het breekijzer op zijn plaats en duwde met grote kracht tegen de steen die de deuropening afsloot. Krakend kwam de dekplaat in beweging en beide mannen sprongen weg toen deze geen houvast meer had en op de grond kieperde. Zorban, die heel bedreven was in zulke dingen, had overal oude zakken neergelegd die het lawaai van de val dempten. Hij nieste hard toen er een walm met een bedorven geur van bloed en lijkenwater uit het graf kwam. Hoeveel graven hij ook had opengebroken – een dergelijke gruwelijke stank had hij nog nooit meegemaakt. Hij beet op zijn tong om niet te vloeken en hield zijn adem in tot de stank wat was weggeëbd. Toen hield hij de lantaarn bij het graf en schoof de klep weg om het beter te kunnen zien.

Baskom had de waarheid verteld. Midden in de kleine ruimte stond een sarcofaag met een stenen deksel, die er duidelijk in alle haast op was gelegd want aan de kant waar hij scheef lag, gaapte een kier. Er was meer dat tekenen vertoonde van een haastige, onwaardige begrafenis: voetsporen van de baardragers op de grond, druppels bloed die zich als bruine korsten in het stof ingevreten hadden en een smerige lijkbaar die gewoon in een hoek was gesmeten. Op het stenen deksel was een teken geschilderd dat Baskom en Zorban maar al te goed kenden. Het was een waarschuwing voor het vervloekte lijk onder het deksel.

Zorban maakte zich daar niet druk om. Hij duwde het uiteinde van het breekijzer onder de plaat en zette met al zijn kracht zijn brede schouders eronder. Krakend onder de druk gaf de steen mee, gleed over de zijkant en viel met een donderend kabaal op de grond.

'Hier met die lantaarn!' siste hij.

Basom kwam aangestrompeld en tilde met een hand de lamp op terwijl hij met de andere zijn neus dicht hield. Hoewel Alcina pas 's morgens begraven was, vlak nadat haar lijk was gevonden, was de ontbinding al in een vergevorderd stadium geweest. Op de grond van de zerk lag een stinkende bruine vloeistof die troebel en bedorven was. De snel over de dode gegooide witte doek had bruine vlekken en was zo hard dat het kraakte toen Zorban het met een ruw gebaar wegtrok.

Hij slaakte een kreet die door de kleine ruimte schalde. Baskom had ook in de sarcofaag gekeken, liet van schrik zijn lantaarn vallen en rende weg zo snel zijn kromme, oude benen hem dragen konden vandaan. Zorban ging hem achterna, sprong over de stenen deur en rende het donker in. Maar hij was niet snel genoeg. Er gleed iets over hem heen als een nachtvogel gehuld in een wolk van infernale stank en het volgende moment kronkelde vanuit de duisternis een dikke, natte sliert vrouwenhaar om zijn nek. Van schrik struikelde hij, viel op zijn knie – een tweede sliert trok hem met de kracht van een mannenarm naar achteren, smeet hem op de grond en de lange lokken die om zijn nek geslingerd waren trokken strakker en strakker. Zorban sloeg wild om zich heen maar vergeefs. Het monsterlijke haar snoerde hem de keel als de strop van een beul en verstikte hem.

In de morgen werden de andere bewakers gewaarschuwd door een zwerm gieren die over het vervallen deel van het kerkhof vloog. Ze liepen er gezamenlijk heen en vonden de lijken van de grafbewaker Baskom en een man die de naam Zorban droeg en in de onderwereld van Thamaz bekendstond. De gieren hadden het meeste werk al gedaan maar dat beide gewurgd waren was nog goed te zien. Van het voorwerp waarmee de misdaad was gepleegd en van de daders was echter geen spoor te bekennen.

De vlucht van de Zefier

In de haven van Kysch lag een onbekende boot voor anker waar kapitein Osandro de leiding had. Hij had lakens en kruiden naar Kysch gebracht en wachtte op een nieuwe lading olie en tarwe. Hoe langer hij naar de bergen keek, hoe meer hij twijfelde of hij voldoende tijd zou hebben om de lading aan boord te halen.

Het was een heldere, zonnige morgen, windstil en zacht. De kegelvormige bergen met hun witte sneeuwtoppen lagen dromerig rond de stad met haar bedrijvige haven. Een zachte windvlaag deed sneeuw opstuiven en glinsterende sneeuwkristallen om de toppen dwarrelen. Geen vlekje op het heldere wit. De gekloofde rotswanden waar de ochtendzon in roze en okerkleurige lichtschakeringen op scheen, verrezen in onaardse schoonheid uit de rand van het schubbomenbos.

Osandro vertrouwde de vreedzaamheid niet. De vorige dag was hij van boord gegaan en had in de kroegen van Kysch vreemde verhalen gehoord. Omdat hij uit Nurdim op de Vulkaaneilanden kwam, kon hij bepaalde tekens verklaren die de mensen in Kysch niet kenden.

Uit de kloven in de berghellingen waren stinkende, geelachtige dampen opgestegen die tot aan de buitenwijken van Kysch waren neergedaald, zo was hem verteld. Ze waren er de reden van dat een leger slangen uit de schubbomenbossen was gevlucht en in paniek helemaal naar de stad was gekropen waar ze mensen hadden gebeten. Jagers vertelden dat een krater bij de top van de berg die al jaren niet meer werkte opeens vol kokend water zat. Dat waren slechte voortekenen maar de mensen uit Kysch vonden dat allemaal toevallig en onbelangrijk.

Ineens kreeg Osandro, die ingespannen naar de bedrieglijke stille hoogte tuurde het idee dat de dansende sneeuwwolken rondom de hoogste toppen van Yul van kleur veranderden, donkerder werden, alsof het glinsterende wit zich met roet of as vermengde. Met een ruk draaide hij zich om en keek naar zijn stuurman die achter hem stond te wachten.

'Musa,' zei hij met hese stem, 'ik ken de bergen hier niet maar als de Toar Kurgas bij ons thuis er zo uitzag, wat zou jij dan doen?'

'De lijnen losmaken, de zeilen hijsen en vluchten zolang de wind gunstig staat,' antwoordde de man vlot.

'Ook als dat zou betekenen dat er een lading niet mee kwam?'

'Kapitein,' antwoordde Musa droog, 'al zou het betekenen dat ik mijn jas en schoenen moest achterlaten – ik zou vluchten.'

Osandro knikte. 'Geef de mannen het bevel om de zeilen te hijsen.'

De verbazing in de haven was groot toen de bemanning van de Zefier de lading die al verpakt op de kade stond niet aan boord bracht. Handelaren en klerken liepen heen en weer en maakten schreeuwend ruzie met kapitein Osandro.

'Wat, je bent bang voor de Toar Yul? Idioot! Deze berg is al eeuwenlang zo dood en stil als een sneeuwgraf. Wat er vroeger was, dat is allang vergaan! Heb je gisteren in de kroeg zoveel gedronken dat je dingen ziet die er niet zijn?'

Maar Osandro liet zich niet van zijn stuk brengen. Ondanks de beledigingen, het hoongelach en de vloekende handelaren lichtte hij het anker en richtte hij de boeg van de Zefier op de open, diepgroene zee. Met volle zeilen voer het schip de haven uit en vluchtte met schuimende boeggolven weg, achtervolgd door gelach en beledigende gebaren van de leeglopers op de kade.

Osandro gaf niets om hun bespottingen. Hij stond zelf aan het roer en koerste het schip door de golven terwijl de wind in de zeilen blies en de planken kraakten. De mannen die niet bezig waren met hijsen en zeilen telden zwijgend op het dek de knopen die ze aflegden.

Toen ze de stille sneeuwbergen van Kysch ver achter zich gelaten hadden, draaide kapitein Osandro zich nog een keer om.

Boven de Toar Yul verrees een antracietkleurige wolk. Daarbinnen flitste het als de bliksem.

De wachttoren aan de grens

Hoog boven het grensgebergte tussen het Keizerrijk en het Rijk van de Mokabiters stond een wachttoren, een bouwwerk van cyclopische hoogte want het was ooit gebouwd door reusachtige Halfdraken. Hoog en smal als een pijler van grijs basalt groeide het uit de rotsen omhoog, ondersteund door een achthoekige voorburcht. Uit de hoogste toren boden ramen naar alle kanten uitzicht. Nadat de giganten het land hadden verlaten, hadden zich mensen in de toren gevestigd, grenssoldaten, mannen en vrouwen van het Keizerrijk, die er hun eenzame arbeid verrichtten. Hun ergste vijand was de verveling en daarom was het heel gewoon dat ze elkaar verhalen vertelden terwijl ze van het ene hoge koepelraam naar het andere gingen en in de nacht tuurden, waar niet meer te zien was dan de lichten en vuren van Kysch aan de linkerkant en een verre schemering waar de torens van Thamaz zich tegen de hemel aftekenden aan de rechterkant.

Veel van de verhalen gingen over draken want de grensbewakers zagen vaak een rode gloed in de nacht of ze zagen overdag de vleermuisachtige omtrekken van een Hemelbestormer hoog in de lucht voorbijglijden. In Thurazim hadden ze nooit zo durven kletsen. Als het aan de keizer en zijn priesterschare had gelegen dan werd het woord 'draak' helemaal nooit uitsproken. Er werden onnozele legenden in de omloop gebracht. Hemelbestormers werden Basilisken genoemd die bij de aanblik van hun eigen lelijkheid van schrik dood neervielen of in steen veranderden, de bronnen vergiftigden, ziekten verspreidden en ze waren niet alleen weerzinwekkend maar ook bespottelijk. De Moedermaagden werden in deze sagen afgeschilderd als afgrijselijke monsters met koperen gezichten, varkenstanden en slangenlijven met op de plek van het haar een nest otters en met een oogopslag die iedereen die ze aankeek in steen veranderde.

Toen de bewakers in de stenen kamer om de vuurpot zaten, merkte iemand half grappend, half serieus op: 'We moeten eens proberen om een van die draken met onze pijlen uit de lucht te schieten want hun vlees geeft grote macht aan degene die ermee om weet te gaan. Wanneer je het hart van een draak eet dan krijg je het vermogen om de taal van de dieren te verstaan. Als je zijn tong doorslikt, ben je de overwinnaar bij elke woordenstrijd en als je je huid met drakenbloed insmeert, ben je immuun voor iedere slag of stoot.'

Een andere bewaker vertelde van het karbonkel dat volgens de sage in de schedel van een Slangendraak groeide en grote macht bezat. 'Wanneer je het levende dier de kop afhakt, verhardt het tot een juweel, vandaar dat magiërs de koppen afhakken van slapende Grolmen. De mannen die dapper genoeg zijn om de drakengrotten binnen te dringen, strooien graankorrels die in zoete wijn zijn gedoopt om de dieren te benevelen en als ze in slapen, hakken ze hun kop af en halen ze de edelstenen eruit.'

'Luister!' riep een ridder, 'Want het verhaal dat ik jullie wil vertellen, heb ik van een vriend die zelf in het vervloekte paleis is geweest en alles met eigen ogen heeft gezien! Er was namelijk een kamer die altijd op slot zat waar behoorlijk veel lawaai vandaan kwam zodat er iemand naartoe ging om door het sleutelgat te kijken, maar dat had hij nooit moeten doen! En weet je waarom niet? Luister!

Op een dag kwam er een draak in een klein dorp en ging naar de herberg. De waard was een arme maar rechtschapen man en had drie knappe zonen. Toen de draak de jongens zag, dacht hij: "Die wil ik hebben, koste wat kost." Deze draak kon iedere gewenste gedaante aannemen, ook de mooiste en reinste en hij had de gedaante uitgekozen van een hoog, voornaam heer. Toen de waard hem de gerechten opdiende, was hij heel vriendelijk en zei hij uiteindelijk: "Uw armoede raakt mij diep, goede man! Omdat u niet over voldoende middelen beschikt om uw zonen een vak te laten leren, kunt u er een naar mij sturen. Ik wil hem graag als eigen kind aannemen, het zal hem aan niets ontbreken." En met allerlei overredingskunsten en veel mooie woorden lukte het hem ten slotte om de waard, die niet veel verstand van handel had, over te halen.

Dus vertrok de draak met de jongen naar zijn kasteel. Daar zei hij tegen het kind: "Ik moet meteen weer weg, jij moet voor mijn spullen zorgen." Hij gaf hem alle sleutels van het huis, ook een klein gouden sleuteltje, en zei: "De deur waarop dit sleuteltje past, mag je nooit openmaken, anders wordt het je dood." En weg was hij.

De jongen kon zich een tijdje aan het bevel houden maar toen de draak nog steeds niet terug was gekomen, maakte hij op een dag toch het verboden deurtje open. In de kamer stond alleen een stenen tafel en op de tafel lag een afhakte hand. Geschrokken deed hij de deur weer dicht.

Na een tijd kwam de draak weer terug in de gedaante van voornaam heer en vroeg om zijn sleutels. Hij maakte ook het deurtje open en vroeg: "Hand, was je al die tijd alleen?"

"Nee," riep de hand, "er is een jongen bij me op bezoek geweest."

De draak werd laaiend van woede. "Jij houdt je niet aan mijn bevelen! Kom onmiddellijk met me mee!" riep hij. En hij stopte het ongelukkige kind in een onderaardse kelder waar allemaal stukken van lijken aan grote haken hingen. "Hier zie je, wat er van je wordt," zei hij en hij pakte de jongen op en hing hem aan een haak.

Daarna ging hij opnieuw naar de arme waard en zei tegen hem: "Het bevalt uw zoon zo goed bij mij dat hij niet meer terug wil maar hij vraagt of zijn broer hem mag bezoeken." Weer lukte het hem om de waard over te halen.

De tweede jongen verging het net als de eerste. Hij deed de deur open, keek naar binnen en de hand verklapte het aan zijn heer zodat ook hij in de lijkenkelder werd opgehangen.

Toen de draak de derde jongen op kwam halen, had deze het vermoeden dat er iets vervelends stond te gebeuren. Hij bezat een klein doodsbeen dat hem al vaker goede raad had gegeven en vroeg het wat hij moest doen.

"Hoor eens," zei het botje, "je kunt niets anders doen dan met de draak meegaan want hij heeft je vader zo misleid dat hij jou met hem mee laat gaan. Je broers zijn alle twee dood maar ik kan jou helpen als je doet wat ik zeg." Toen ze in het kasteel van de draak aankwamen en hij de jongen de sleutelbos gaf, zei het doodsbeen dat hij blij moest zijn en dat hij er in het prachtige kasteel maar goed van moest nemen. Hij voegde eraan toe: "Wanneer je de deur opendoet – en ik weet dat je dat zult doen hoewel het je verboden is – , neem dan de huiskat mee."

Dat deed de jongen. Op het moment dat hij de verboden deur openmaakte, sprong de kat met een grote sprong naar binnen, ving de hand en verslond hem. Maar zonder de hand was de draak zijn macht kwijt. Toen hij terugkeerde en de kamer leeg aantrof, moest hij zijn eigen lelijke gedaante weer aannemen en hij viel ogenblikkelijk in de kelder van het kasteel waar het bloed door de hele ruimte spoot.

"Goed gedaan," zei het doodsbeen, "sla ook zijn kop er maar af."

"Dat kan ik niet," antwoordde de jongen geschrokken.

Maar het botje liet hem niet eerder gaan.

"Pak de kop van de draak en gooi hem in het vuur!" beval het doodsbeen.

Dat kreeg de jongen echt niet voor elkaar, zo bang was hij voor de afgehakte kop met hoorns en schubben die helemaal blauw aangelopen was en hem met glazige gele ogen kwaad leek aan te kijken. Bevangen van angst en schrik gooide hij de kop van de draak in de vervloekte kamer en sloeg de deur achter zich dicht. Sindsdien durfde niemand meer de kamer te betreden. Vaak kon je horen hoe de kop tekeer ging en ze zeggen dat af en toe iemand door het sleutelgat heeft gekeken. Die zag de kop op de schoorsteenmantel staan, net zo blauw en bloederig als op de dag dat hij eraf werd gehakt. Maar zodra hij merkte dat er iemand naar binnen gluurde, rolde hij bliksemsnel van de schoorsteenmantel naar de deur zodat er geen enkele bespieder veel zin had om nog langer door het sleutelgat te kijken.'

'Maar,' viel een soldaat hem bij, 'ik heb gehoord dat draken ook zachtaardig kunnen zijn. Is jullie nooit het verhaal van de van gedaante veranderende Vauvenal verteld?'

Omdat iedereen ontkende, begon de verteller zijn verhaal. 'Lang geleden leefde er een wijze draak, Vauvenal. Hij was een Rozenvuurdraak van hoge komaf, zo hoog dat hij elke gedaante kon aannemen die hij wilde en machtige toverkrachten bezat. Soms veranderde hij in de gedaante van een mens en ging hij naar het hof van de keizer waar hij als troubadour optrad en om zijn prachtige, lieflijke stem zeer geëerd en gewaardeerd werd. Toen hij op een dag weer eens in zijn menselijke gedaante door het bos liep, hoorde hij een wanhopige gil. Hij volgde de roep en zag een vrouw die zich uit alle macht tegen een woeste kerel probeerde te verdedigen. De troubadour liet daarop zijn vermomming vallen, veranderde weer in een vuurspuwende draak en verzwolg de aanvaller. De bewusteloos geraakte vrouw zette hij op zijn rug en vloog met haar naar zijn paleis.

Hij zorgde goed voor haar en de vrouw kreeg al snel haar kracht weer terug. In zijn menselijke gedaante zocht Vauvenal haar op en luisterde naar haar verhaal. Haar familie probeerde haar tot een huwelijk met een ridder te dwingen die een kwade, gruwelijke man was met wie ze voor geen enkele prijs wilde trouwen. Toen was ze op de vlucht geslagen, maar in de handen van de beulsknechten en volgelingen van haar toekomstige man, die haar met geweld naar het kasteel wilden sleuren. Maar Vauvenal had haar voor dit lot behoed. De draak was aangedaan door het leed en de schoonheid van de vrouw en bood haar een beschermd en veilig onderkomen aan in zijn huis.

Voortaan bleven ze samen en waren onafscheidelijk. De vrouw ontdekte ook de ware natuur van Vauvenal maar daardoor veranderde haar liefde voor hem niet. Zijn zachtmoedigheid en vriendelijkheid wogen daar ruimschoots tegen op en de draak vond bij haar de vriendschap en het begrip waar hij zo lang naar had gezocht. Ze brachten al hun tijd met elkaar door en ze zongen, dichtten en leefden drie gelukkige jaren lang. Maar toen viel de vrouw plotseling in een diepe, doodse slaap en geen medicijn of tovermiddel kon haar wakker krijgen. Ze zeggen dat Zarzunabas haar zelf met zijn dodelijk koude vinger had aangeraakt om zich te wreken op de drakenvorst die hij meer haatte dan wie ook.

Vauvenal was ontroostbaar. Hij had zijn grote liefde verloren want ze was de enige vrouw die van hem hield zoals hij was.'

Het waren vooral de vrouwen die door het sprookje waren getroffen en ze praatten lang na over de vraag of je ooit aan de schubbige liefkozingen van een draak kon wennen, ook al was hij zo edel en goedhartig als Vauvenal. Maar plotseling slaakte de bewaker die bij het raam op de uitkijk stond een gil dus ze liepen er snel naartoe.

De top van de Toar Yul die 's nachts over het algemeen niet te zien was, stond in de verte in een gruwelijk rode gloed aan de hemel met licht dat gloeide als een vlam in een hanglamp. De kraterpijp die eeuwenlang dicht had gezeten, spuwde vuurbundels uit die mijlenver op het land neer regenden. Er was een dof gerommel te horen. De lucht boven de berg kleurde rood en in dit schijnsel kwamen wolken tevoorschijn die steeds sneller en hoger uit de krater opwelden. Enorme gekliefde torens van rookwalmen en gloeiend as stegen op tot twee, drie keer zo hoog als de berg zelf. Bliksemschichten schoten zigzaggend door de wolk.

Toen – terwijl de soldaten nog ontzet toekeken – barstte de bergtop naar alle kanten open als een stenen bloem waar stromen vuur uitschoten en die als vloeibaar goud de hellingen afdonderden. Met een kabaal dat leek alsof de fundamenten van de wereld instortten, rees uit de ontplofte kerker een huiveringwekkende draak. Hij steeg bulderend als hevig onweer op in de lucht en stortte zich uit over Kysch en al haar paleizen, huizen en schepen zodat de hele stad in één keer in vlammen opging.

In de gouden stad

De brief

Jn de privévertrekken van het keizerlijke paleis van Thurazim overhandigde keizer Hugues zijn echtgenote een brief. 'Lees dit en zeg me wat u ervan vindt.'

Keizerin Iwara nam de brief aan en las hem terwijl ze een geslepen lens voor haar oog hield om het handschrift beter te kunnen ontcijferen. De brief kwam van een vluchteling uit Kysch die zich met een verzoek om steun tot de keizer richtte. Zijn berichtgeving van het ongeluk luidde zo:

'We lachten ons suf in Kysch toen we hoorden dat de bemanning van de Zefier voor een klein wolkje bij de top van de Toar Yul op de vlucht sloeg. Maar tegen de middag verstomde het gelach en maakte het plaats voor een groeiende twijfel want de wolk werd steeds groter en er schoot bliksem doorheen.

De lucht werd dof en vaal zoals het er soms uitziet vlak voor een onweersbui en er hing een nare stank van rotte eieren. De dieren werden onrustig, katten en ratten vergaten dat ze vijanden waren en vluchtten eendrachtig de huizen uit. De honden maakten dat ze wegkwamen, de aangelijnde dieren in de stallen moesten losgemaakt worden omdat ze anders door hun eigen kettingen werden gewurgd. Zodra de verderfelijke walm ze bereikte, vielen de vogels uit de lucht alsof ze door onzichtbare pijlen waren getroffen.

Uit de aarde welde een gesmoord geprevel op alsof kwade stemmen met elkaar praatten en op sommige plaatsen sprongen er straatstenen omhoog zodat wagens wegrolden, zelfs als je stenen voor de wielen legde. Plotseling ontstond er op het strand een gat alsof al het water van de haven de diepte in werd gezogen en op de brede drooggelegde stroken spartelde zeegedierte. Toen steeg uit de top van de Yul, die vele eeuwen niets van zich had laten horen, een verschrikkelijk zwarte wolk op die uiteenspatte door plotselinge vuurstoten die in lange vuurregens oplaaiden als bliksemstralen.

Het regende as en toen het zich vermengde met het vocht dat uit de hete zee opsteeg, vlogen overal brokken puimsteen zo groot als mensenhoofden in het rond. Een dikke rookwolk die in een alles verscheurende stroom over het land op de stad af gleed, dreef een golf van gloeiende hitte en giftige dampen voor zich uit.

Op het hoogtepunt van de verschrikking opende de top van de Yul zich als een reusachtige vuurbloem en slingerde fonteinen van vloeibaar gesteente in de lucht alsof de ingewanden van de aarde naar buiten schoten. Uit het midden van de kraterpijp verrees een huiveringwekkende gedaante van gigantische omvang met vier vleugels van rook en vuur en een lijf als donker brons. Met een schreeuw die door ons hart sneed, vloog hij op en verdween in de troebele verduisterde hemel. Hij liet een golf van as en een dikke gloed achter die op de onfortuinlijke stad neerdaalde die er binnen de kortste keren zo onder bedolven raakte dat alleen de spitsen van de hoogste obelisken nog uit de vuurrode modder staken.

Dus wij vragen u, edele keizer, om ons te hulp te komen en bij te staan want dit vreselijke ongeluk heeft ons beroofd van alles wat we bezitten.'

'En, wat vindt u ervan?' vroeg de keizer ongeduldig.

Keizerin Iwara strekte zich behaaglijk uit op de roodfluwelen sofa waarbij haar sieraad van zilveren staafjes en kettingen – van zilver want zelfs voor de keizerin was het niet toegestaan om het goddelijk metaal te dragen – rinkelde en rammelde. Met een zoete, zachte stem die droop van geveinsde deemoed antwoordde ze: 'Mijn heer en keizer, het betaamt een zwakke vrouw niet om u in aangelegenheden als oorlog en heldhaftige queesten raad te geven.'

'Zeg toch maar wat u denkt!' beval hij.

Ze draalde nog een tijdje en wendde zwakheid en onnozelheid voor, twee eigenschappen waardoor ze zich beslist niet liet beïnvloeden. Pas toen hij geërgerd reageerde, gaf ze toe. Ze gooide de brief achteloos op de grond. 'Wat wil die dwaas van u? De bergen aan de zuidelijke zee spuwen al vuur en verwoesten al dorpen sinds mensenheugenis. Dat kan niemand voorkomen, ook de keizer niet.'

Er lag een bepaald soort ondertoon in haar stem en Hugues vroeg zich – niet voor het eerst – af of ze met hem spotte. Die indruk had hij vaker maar ze had zich nooit tot een smadelijke opmerking laten verleiden waardoor hij haar terecht had kunnen bestraffen. Dus vroeg hij alleen maar: 'En Rachmanzai? Wat hebt u daarover te zeggen?'

'Stuur er een ridder heen om hem te doden zoals u dat tot nu toe altijd hebt gedaan.'

'Ja, dat heb ik gedaan. Maar de ridders zijn nooit teruggekomen. Alleen hun verbrande botten zijn teruggevonden.' De keizer was kwaad. Het leek wel of zijn gemalin de zaak te licht opvatte. 'Lees die brief dan! Die draak is gigantisch.'

Iwara lachte op een zodanige manier dat de keizer zich schaamde.

'Voor een angstig mens zijn alle draken gigantisch.'

De keizer liep naar het open raam en keek neer op de stad die in het schijnsel van de ochtendzon onder hem lag. Het was een heldere dag maar ook wat nevelig. De schijf van Phuram zag eruit alsof je haar door weerkaatsend glas zag. Er waaide een lichte, warme bries.

Thurazim lag in een grote, vruchtbare oase en deed je vergeten dat direct aan de rand de barre woestijn begon. Hugues bewonderde zoals altijd de kwetsbare schoonheid van de geweldige stad. Aan haar schoonheid had hij niet in onbelangrijke mate bijgedragen. Het was zijn juwelenkist, de schatkist van zijn kleinoden, die hij beschermde zoals een hebzuchtige vrouw haar juwelen beschermt.

Slanke, cilindervormige torens van kristal en doorzichtig steen met goudwerk versierd strekten zich met honderden tegelijk in de hoogte uit, zo doorzichtig dat ze eerder door de lucht leken te zweven dan dat ze in de grond waren verankerd. Haar jonge toppen kroonden de uitkijkposten waar hoorntrompetten bij zonsopgang opriepen tot de dienst ter ere van Phuram. De kristallen torens glinsterden in heldere kleuren – ijsblauw, paars, brons, zachtroze of goud –, en het zonlicht brak in de pendelende prisma's die overal regenbogen vormden.

Vanaf het keizerlijke paleis dat als symbool van de Zonnevorst midden in de stad lag, waaierden brede straten als stralen naar alle kanten uit. Ze vertakten zich in lanen met een weelderige, goed verzorgde begroeiing. Cycadeeën en breedbladige palmen wisselden eucalyptus en smalle bamboe af waarvan de bladeren in de wind speelden. Overal tussen de bomen klonk een zacht gezang en gezoem. Het welde op vanuit de bloemen, die overal groeiden, op de grond en in de bomen. Ze leken op roze zeeanemonen en waren meer dier dan plant. Paradijsvogels met prachtig gekleurde staarten hipten van de ene stam op de andere en zongen met de bloemen mee. Als witte boten in een blauwe zee gleden grote gevleugelde wezens door de lucht die – zacht en zeer wendbaar – voor de inwoners dienstdeden als rijdieren door de lucht. Beneden in de brede straten liepen kolossale hagedissen met kleurrijke schubben, die in het zonlicht als glas-in-loodramen oplichtten en voor glinsterende kleuren zorgden.

De stad was de grote trots van de keizer en een koude vuist omsloot zijn hart toen de beelden van de afschuwelijke verwoestingen in Kysch voor deze lieflijke aanblik schoven.

Iwara liet haar oogleden zakken en keek naar hem. 'Een vuurtje maar, een kleine Basilisk!' zei ze verachtelijk. 'Is die zoveel zorg van een keizer waard?'

Hugues draaide zich met een ruk om. 'Ja, dat is het waard! De Rachmanzai verwoesten niet alleen hele dorpen en steden maar ze plunderen ook de goudvelden en verjagen onze opgravers. De goudrivier in het zuiden droogt op. De priesters van Phuram drijven me nu al in het nauw. Het ontbreekt ze aan offergaven en goud voor de standbeelden. Als we de Zonnevorst niet meer offers brengen, zal hij het ons kwalijk nemen en wie moet ons dan beschermen?'

Ze keek naar hem vanonder half geloken ogen in haar parelwitte, onverstoorbare gezicht. 'Als dat het is waar u zich zorgen over maakt, dan heb ik een goede raad voor u. Er zijn goudvelden in het noorden.'

'Denkt u dat ik dat niet wist?' antwoordde hij korzelig. 'Het zijn maar kleine velden en ze liggen erg afgelegen. Het transport vindt eens in de zoveel weken plaats en alleen als het onderweg niet door rovers is overvallen.'

'Ik heb het niet over de bekende mijnen.' Ze wenkte hem bij zich op de sofa en dempte haar stem op samenzweerderige toon. 'Er zijn nog goudaders in de Toarch kin Mur, vlak bij de ruïnes van Chiritai. Hebt u nooit gehoord van koning Kurda? Tijdens zijn heerschappij is er zoveel erts uit de mijnen gedolven dat de honden uit zilveren bakken vraten en de kinderen met juwelen knikkers speelden.'

'Dat kan wel zijn maar wat is er van koning Kurda en zijn onderdanen geworden? Al eeuwen heeft niemand iets van ze gehoord. Waarschijnlijk zijn ze in ijs veranderd of ze zijn verscheurd door de krijsende geesten van de storm.'

'Des te beter,' antwoordde de keizerin onaangedaan. 'Dan zal niemand u in de weg lopen als u aanspraak wilt maken op het goud. Stuur er een dappere ridder heen die de mijnen in bezit neemt en ervoor zorgt dat de mijnwerkers weer aan het werk gaan. Wat dacht u van graaf Viborg? Hij staat bekend om zijn moed en zijn scherpe zwaard.'

De keizer luisterde. Hoe meer hij erover nadacht, hoe beter het voorstel hem in de oren klonk, maar hij was zich er niet van bewust dat hebzucht zijn raadgever was. Hij liet ridder Viborg, een van zijn trouwste mannen, niet graag gaan.

De keizerin merkte zijn aarzeling en zei listig: 'U zult een stadhouder in het noorden nodig hebben en wie is betrouwbaarder dan Viborg?'

Dat trok de keizer over de streep. Hij riep zijn lijfknecht die stom en onderdanig in een hoekje op bevelen stond te wachten en zei: 'Roep graaf Viborg ter audiëntie.'

Even later dreunden de marmeren trappen onder de gepantserde stappen en kwam de jongeman binnen.

Graaf Viborg was een van de trouwste paladijnen van de keizer, een ster aan de hemel van het hof van Thurazim. Hij was twee passen hoog, slank en rank als een jonge boom met overeenkomstige trekken en lang haar, geel als woestijnzand. Zijn blauwgroene ogen schitterden helder en koud als sterren in zijn mooie, harde en harteloze gezicht. Hij knielde voor de keizer neer tot deze hem met een bijna teder gebaar ervan onthief.

'Mijn vriend en trouwe dienaar,' zei hij, 'ik heb een opdracht voor u die alleen een van mijn beste mannen kan uitvoeren.'

Viborg vermoedde dat de keizer hem naar het zuiden wilde sturen om tegen Rachmanzai te vechten, die Kysch had verwoest. Net zo lang werd zijn gezicht toen zijn baas hem erop uit stuurde om goudmijnen in het noorden te zoeken. Als hij niet zo trouw en onderdanig was geweest, had hij vast gezegd: 'Waarom, bij alle Basilisken van de wereld, stuurt u geen schatzoeker? Dat zijn er de geschikte mensen voor!' Maar toen viel zijn blik op de keizerin die op de achtergrond op de sofa lag en haar gezicht achter een ivoren waaier van pauwenveren verborg en hij wist het. Hij was er zeker van dat ze achter haar waaier moest lachen. De draak! Die duivelse slang! Hoe had het ooit kunnen gebeuren dat een hoge en edele vorst als Hugues in de vangarmen van een dergelijk creatuur was gevallen dat, daar was Viborg van overtuigd, niet echt menselijk was!

Maar wat moest hij doen? Hugues liet zich zelfs door zijn naaste vertrouwelingen niet van zijn plan brengen. Dus zei de ridder op strakke toon: 'Wat u beveelt, zal geschieden.'

Toen hij het paleis verliet, plofte hij zowat van woede. Hij moest met iemand spreken. En omdat hij toch al bij de hogepriester op bezock moest om de officiële zegening voor de reis in ontvangst te nemen – dat niet doen, zou een belediging voor Phuram zijn – besloot hij om bij deze gelegenheid gelijk zijn hart bij hem uit te storten.

Ᏺogepriester Furgas

Ꮖn de gouden tempel van Thurazim zegende hogepriester Furgas het gelovige volk. Zijn lage stem schalde plechtig door de ruimte en werd begeleid door klanken uit de ramhoorns. Om hem heen stonden in pracht en praal de priesters met hun mooie, saffraangele toga's versierd met het gouden rad van Phuram en stijve, kegelvormige mijters die wel een hele pas boven hun hoofd uitstaken. Achter hen stond de groep tempeldienaren, zangknapen, klokkenluiders en dienstbare broeders die allemaal hun bijdrage leverden aan de moeilijke liturgie van de dienst ter ere van Phuram.

Honderden kaarsen weerspiegelden in het marmer hoewel het zonlicht ook door de hoge ramen in de tempel scheen en alles in een stralend licht zette. De rook van de offergiften steeg op van het altaar maar kwam niet van het verbrande vlees. In het midden van de witte tafel lag een kom die door een groot vuur werd verhit. De priester legde de gouden ex-voto's in de kom die de gelovigen bij hun vraag om genade in de voorportiek van de tempel hadden gekocht. Met kleine ledematen van metaal bad je voor genezing van lichamelijke klachten, zonneradjes vroegen om het verbreken van een vloek of om het beëindigen van de vervolging van de Nachtmensen, de munten waren voor welvaart en geluk. Als ze smolten dan stroomde het vloeibare metaal sissend en rokend naar een plek onder het altaar waar het werd opgevangen in een gietvorm. Zo werd uit de gaven van de vrome mensen een nieuw standbeeld voor Phuram gemaakt.

Het lange staan viel de hogepriester zwaar vanwege zijn corpulente lijf en hij was blij toen de plechtige tonen van de pauken en cimbalen het einde van dienst aankondigden. Met een ongeduldig gebaar nam hij afscheid van de laatste gelovige bezoekers en stommelde bedrijvig naar de ruimte ernaast om de offergaven te bekijken. Zijn opgezette vingers woelden begerig door het glanzende goud. Ondanks de plaag van de Basilisken in het zuiden waren de manden goed gevuld. Al het goud in het Keizerrijk behoorde aan god, gouden sieraden dragen of het edele metaal voor wereldse doeleinden gebruiken werd gezien als een misdaad waar de doodstraf op stond.

'Phuram de Verblindende – moge zijn vijanden verdorren! – zal tevreden zijn,' dacht hij terwijl hij bedachtzaam knikte. 'En breng me nu naar huis.'

Hoewel hij in de priesterlijke verblijven aan de voet van de tempelberg woonde, ging hij nooit te voet maar liet hij zich altijd door een purperen, oranje en zilverkleurige reuzenhagedis in een draagstoel vervoeren. Het was een enorm, breed uitgevallen dier, maar zachtaardig als een os. Hij was eraan gewend om voorzichtig te bewegen zodat de hoge geestelijke niet onbehoorlijk door elkaar werd geschud. Geen enkele inwoner van Thurazim had zoiets als een kostbaar bewerkte draagstoel met oranje zijden bekleding dat door een groot dier door de stad werd gedragen.

Met zijn zestig jaar was de hogepriester een onbehouwen man met dikke polsen en grof behaarde vingers. Zijn slappe buik hing als een lege zak over zijn lendenen. Hij had kort zandkleurig haar en een korte zandkleurige baard die in stoppels over zijn dubbele kin liep. Zijn ogen waren zo licht dat ze geen kleur leken te hebben. Ze priemden klein en uitgeblust uit een gezicht met slaphangende wangen, maar zijn blik was misleidend. Furgas was een geslepen man zonder geweten, die menigeen had omgebracht die hem voor een onschuldige dikkerd had gehouden.

Hij leunde lekker achterover in zijn draagstoel en liet zijn ogen over de stad gaan. Met veel genoegen keek hij naar de twintig passen hoge gouden standbeelden die de openbare pleinen verfraaiden. Ze stelden Phuram voor in de gedaante van een gigantische man, soms als ruiter op de rug van een machtige Duizendtand, soms als drakendoder die zijn zwaard in het lichaam van een monster steekt of als een gedrochtelijke vrouw met slangenhaar, schubbenlijf en de slagtanden van een mannetjesvarken. Maar doorgaans werd hij als overwinnaar afgebeeld, in een schitterende uitrusting met een bundel zonnepijlen in zijn machtige vuist en een helm op zijn hoofd die aan de voorkant een knap en met gouden lokken omrand mannengezicht liet zien.

De achterkant van de helm was ook van goud gemaakt maar met de afbeelding van een griezelige schedel van een Duizentand met klauwen scherp als dolken en roodgloeiende ogen. Er hingen zware kettingen aan de achterkant van de helm, een waarschuwing voor alle godslasteraars.

De priester knikte goedkeurend. Zo was het goed. Aan gelovige en gehoorzame mensen liet de Zonnevorst zijn mooie gezicht zien en aan de ongelovige en opstandige mensen zijn lelijke kant. En recalcitrante mensen waren er meer dan genoeg.

Tot groot verdriet van de priesters en de keizer vereerde niet iedereen in Thurazim en de omliggende landen de gouden zon. Er was maar een kleine elite die uit ware eerbied voor Phuram boog en alleen deze trouwe volgelingen mochten zich vrij onder de zon bewegen zonder bang te hoeven zijn voor haar straffende stralen.

De grote massa – Gevlekten genoemd omdat ze vaak verbrande plekken van de zon hadden – bezocht gehoorzaam de tempeldiensten en voldeed aan de eisen van de voorgeschreven offergiften om god en de keizer niet te ontstemmen maar voelden geen werkelijke bewondering en liefde voor de prachtige Phuram. Deze verachtte hen maar stond toe (omdat ze toch al tempelbelasting betaalden en goudoffers brachten) dat ze zich in het licht begaven en gaf zo nu en dan blijk van zijn afkeuring door met zijn gouden pijlen neus en wangen, handen en kuiten te verbranden zodat ze zich uit voorzorg met sluiers, handschoenen en capuchons beschermden wanneer ze naar buiten gingen. Maar de Maanschijners, die smerige nachtbrakers die Datura aanbaden, waren er ook nog. Moge Datura ze verbranden!

Furgas snoof gemelijk. Het was gemakkelijk geweest om het uitschot in hun onderaardse nesten uit te roken en de stad van alle ketters te zuiveren. Maar de hogepriester was niet alleen vroom, maar ook slim en wist dat Thurazim de Maanschijners nodig had en zonder hen zelfs niet kon overleven. Want wie was er bereid al het smerige werk in de duisternis te doen dat voor het leven in de stad nu eenmaal nodig was? Geen van de Sundaris zou in een knollenkelder zijn afgedaald, om van een beerput nog maar te zwijgen. De voorschriften voor de reinheidsrituelen verboden het hun om zich met dode, onreine en afschuw opwekkende dingen bezig te houden. De Gevlekten waren wel bereid om dat werk voor geld en bepaalde voorrechten te doen, maar ze waren slordig en onbetrouwbaar en neigden naar het drinken van de verderfelijke honingvalolie waardoor ze bij elke gelegenheid dronken waren. Velen hadden daarom verrotte tanden en bruine vlekken op hun huid want de droogte vrat evenzeer aan hun lichaam als aan hun verstand.

Zo kwam het dat de inquisitie – die verantwoordelijk was voor het onderzoeken van zware misdaden tegen de staat en godslastering en ketterij was – de standpunten van de Nachtmensen openlijk veroordeelde maar ze nauwelijks serieus vervolgde. Meestal waren het juist de afvallige Sundaris die in de boeien werden geslagen en voor de geestelijke rechter werden gesleept en niet de Maanschijners.

Want ook de Sundaris waren niet per definitie betrouwbaar, zoals de hogepriester vernam uit de uitvoerige berichtgeving van zijn spionnen en inquisiteurs. Daarom droegen ze aan de rechterkant een goed zichtbaar driehoekig vaantje op de borst dat niet groter was dan een hand en met een speld aan de kleding was bevestigd. Het vlaggetje had verschillende kleuren: wit, geel oranje, rood, purper en paars. Aan de kleur kon iemand zien hoe hoog de drager in aanzien stond, de witte waren voor degenen die het hoogst in aanzien stonden, de paarse voor de laagste rang. De verschillen in rang lagen echter niet vast, ze werden door de ambtenaren van de keizer voortdurend opnieuw vastgesteld. Iemand die gisteren nog wit of geel was, kon morgen wel eens paars zijn – en erover nadenken hoe het voelde om voor het Rechtsbeest te worden gesleept. In het paleis van de keizer werd een levende Duizentand in een uitgedroogde onderaardse regenput gehouden. Deze werd het Rechtsbeest genoemd, want de keizer liet degenen die de wet hadden overtreden als voer in de put gooien. Er werd gezegd dat het Rechtsbeest in Thurazim nog nooit met honger was gaan slapen.

Zo was het goed, dacht de priester. Religie was alleen nuttig als het gelovige mensen in angst hield. Waar had je goden voor nodig als ze de mensen die aan de harde hand van de inquisitie waren ontkomen niet straften? Hij hoefde maar aan die schurk en inquisiteur Beck te denken die Phuram afvallig was geweest en met de hulp van een verraadster zijn verdiende straf had kunnen ontlopen. De woede van de keizer was hem bespaard gebleven, maar Phuram zou hem vinden en vernietigen.

Furgas werd uit zijn overpeinzingen gehaald door een benauwende kille bries want er ging net een reuzenhagedis in grote stappen een van de grotesk gemetselde ingangen van de catacomben in waar de Nachtmensen woonden. Vanaf de ingang van de tunnel staarden enge waterspuwers met verwrongen, grijnzende bekken omlaag.

Er ontstond tumult vlak voor Furga's draagstoel onder de stadspoort. Een man in de blauwe toga van een Sundar, met een paars vaantje, werd door een groep van ongeveer tien soldaten in de richting van de trap geduwd. Hij verweerde zich schreeuwend, terwijl ze hem met hellebaarden de trappen afsloegen.

De Sundar – een dunne, uitgedroogde man met verwarde haren – was in blinde paniek. Met een krijtwit gezicht en wijd opengesperde ogen krijste hij wanhopig, prevelde gebeden en bezweringen, beloofde zich in de toekomst voorbeeldig te gedragen – maar helaas. Onbarmhartig trapten de soldaten hem dieper en dieper de onderaardse wereld in tot hij op de laatste trede instortte. Niet in staat om op te staan, ging hij daar met opgeheven handen op zijn knieën zitten en vroeg jammerend om genade maar er was niemand die het hem gaf. De soldaten keerden hem de rug toe en liepen de trap weer op.

Furgas hield ze aan en wenkte de hoofdman van de soldaten. 'Wie is dat?' vroeg hij, wijzend naar de trap van de onderwereld.

'Schriftgeleerde Jannis, Uwe Eerwaarde. Hij werkte in het Huis der Boeken.'

'Wat heeft hij gedaan?'

De soldaat aarzelde ongemakkelijk, boog voorover en fluisterde het antwoord in het dikke, gerimpelde oor van de priester.

'Hij is een Vhul, Uwe Eerwaarde.'

Het vette gezicht van de hogepriester vertrok van walging. 'Wat afschuwelijk! Geen gratie verlenen, onder geen beding! Laat hem daar maar wegrotten.'

Hij wierp een laatste blik op de gestalte in de diepte. De onfortuinlijke man was snikkend op de grond van de tunnel neergevallen. Een paar Nachtmensen kwam haastig aangelopen en probeerde hem overeind te helpen maar hij sloeg en trapte zo wild om zich heen dat ze hem weer loslieten. Op het laatst sleepte hij zich naar een donkere hoek en staarde daar met het hoofd op de knieën en de armen om de enkels geslagen verlamd van wanhoop voor zich uit.

Furgas werd woedend. Waarom zat die vent te grienen? Hij mocht blij zijn dat hij mocht blijven leven!

Kwaad draaide de priester zich abrupt om en wenkte opnieuw de hoofdman naar zich toe. 'Ik heb me bedacht. Zet hem op het eerstvolgende transport en verkoop hem op een slavenmarkt in de woestijn in het noorden.'

Thuis aangekomen liet Furgas zich zwaar op de hoogpolige divan vallen. Hier, in de overdadig ingerichte kamer vol met kaarsen, hield hij audiëntie, hier ontving hij zijn spionnen en agenten en hier liet hij de inquisiteurs verslag uitbrengen.

In een gekrulde kooi bij het raam wachtte een weelderige honingval met tientallen geurende, roze bloemen op de terugkeer van zijn eigenaar. Toen hij zag dat de priester naar het bordje met vlees greep, slingerden hongerende takken tussen de spijlen door. Furgas gaf één de stukken vlees, waar de zoete geur van ontbinding vanaf walmde. Een krans van roze vingertjes hapte toe en bracht de rottende hompen naar de mondopening waar een honingachtig, dik vloeibaar purpersap uit droop.

Plantdieren waren buitengewoon populair in Thurazim. Ze waren in staat om te denken – in elk geval meer dan andere planten – en hadden een primitief maar verraderlijk bewustzijn.

Als ze in het wild groeiden, gingen ze echt op jacht. Een deel van de takken probeerde het slachtoffer af te leiden door wild door de lucht te zwaaien, terwijl een andere tak van achteren aan kwam sluipen en zich ongezien om de nek van het slachtoffer wikkelde. Daarom werden ze ook in kooien gezet.

Langs de lanen stonden overal manshoge kooien waar voorbijgangers bedorven stukken vlees in de bekjes stopten, die op elke hoek van de straat door handelaren werden verkocht. De plantdieren waren lelijke gedrochten, wel met bloemen die op orchideeën leken, zo groot als een vuist en in allerlei kleuren roze en lichtgeel, maar de bloesems zagen er weerzinwekkend vlezig en rottend uit. De planten zelf bestonden uit een vettig glimmende bruinroze romp, zo groot als een kroegketel met ongeveer tien holle, gretige takken die voortdurend in beweging waren.

Ze waren ledematen en mond tegelijk. Aan de uiteinden zaten vlezige roze vingers rondom een altijd slokkende en happende opening.

'Nu is het genoeg, mijn beste plant, anders krijg je nog last van je maag.' Furgas duwde een vochtige, olieachtige plantenvinger achter de spijlen terug en wendde zich tot zijn secretaris. 'Wat moet er vandaag gebeuren, Milas?'

De dienaar trok ijverig een schrijfbord uit zijn gewaad. 'Graaf Viborg wil u graag spreken. Hij vraagt om uw zegening, Eerwaarde, voor de zoektocht die hij gaat ondernemen.'

'Goed. Ik zal hem zegenen.' Furgas wist heel goed dat de ridder geen sikkepit om zijn zegen gaf. Viborg geloofde in zijn sterke vuist en zijn scherpe zwaard en in niets anders. Maar het was nu eenmaal gebruikelijk dat een ridder om de zegening van de hogepriester vroeg wanneer hij eropuit trok om een gevaarlijk avontuur te laten slagen. 'Roep hem binnen.'

De Sundaris waren mooie mensen – zelfs Furgas was een aantrekkelijke jongeling geweest voordat ouderdom en schranspartijen hem vet en lelijk hadden gemaakt. Maar graaf Viborg was de knapste van allemaal. Furgas wist dat de mensen – vooral de vrouwen – als ze zich een voorstelling maakten van een personificatie van de Zonnevorst aan de ridder dachten.

De priester keek naar hem met een zekere trots. Hij vond het bevredigend om te zien dat de armzalige knop die hij vierentwintig jaar geleden op een grauwe morgen bij de poort van de tempelberg had gevonden, was uitgegroeid tot een prachtige plant. Hij was in doeken gewikkeld en er zat een brief bij waarop stond: 'Dit kind is van hoge en edele afkomst, maar het is een wees en wij durven hem niet te verzorgen. Ontfermt u zich over hem!'

De verstoten zuigeling was ongetwijfeld een kind van voorname ouders die door de inquisitie of de keizerlijke cavalerie uit de weg waren geruimd. In een bui van medelijden had Furgas de brief laten verwijderen en de jongen bij de leerlingen van de priester ondergebracht waar hij was opgegroeid. Later had hij, omdat hij geen enkel talent voor het geestelijke leven bezat, de school voor schildknapen bezocht en was door een oude ridder zonder kinderen, Viborg, als zoon en erfgenaam geadopteerd.

'Het verheugt me u te zien.' Furgas strekte zijn hand met de priester-
ring naar hem uit en Viborg deed een knieval en kuste de hand – heel
vluchtig. Daarna ging hij aan tafel zitten waar wijn uit Makakau, vruchten en zoetigheden klaarstonden.

'Ik dank u voor uw zegen, eerwaarde heer,' zei hij met spot in zijn
ogen en voegde daar grimmig aan toe: 'Ik zal het nodig hebben. U weet
welke opdracht ik van de keizer heb gekregen?'

'Nieuwe goudvelden in het noorden zoeken, aangezien die in het zuiden door de rovende Rachmanzai zijn geplunderd,' antwoordde Furgas
met halfgesloten ogen.

De gepantserde jongeman sloeg met zijn vuist op tafel dat de bekers
ervan opsprongen. 'Doe niet zo onnozel!' snauwde hij de priester verachtelijk toe. 'U weet precies welk spelletje hier gespeeld wordt. De keizerin
wil van me af – ver weg en omgeven door duizenden gevaren. Ze wil
niets liever dan dat ik daar buiten in de woestijn te gronde ga.'

Furgas wist natuurlijk wel dat het waar was. Viborg was een dienaar
van de keizer, door en door militair. Degene die hij trouw had gezworen, diende hij onvoorwaardelijk. Sinds enige tijd was de keizerin bezig
om alle trouwe dienaren met een of andere opdracht uit het hof te sturen. Ze was ongetwijfeld van plan om een revolutie door te voeren,
maar in de mist van de hoofse intriges was het moeilijk duidelijk te krijgen wat er precies speelde.

Voorzichtig als hij was, behoedde de priester zich ervoor om luidkeels
met de graaf in te stemmen. Militairen waren allemaal even simpel. Ze
praatten hun mond voorbij, om het even wie er luisterde, en waren vervolgens heel verbaasd dat ze voor het inquisitiegerecht werden gesleept.
Vertrouw niemand, was de leus in de gouden stad.

Maar graaf Viborg was niet voorzichtig. Woedend zei hij: 'Toen de eerste keizerin nog leefde, was Hugues een vorst zoals een vorst hoort te zijn.
Maar sinds hij met de Mokabiterse is getrouwd, is hij gewoon de slappe
knecht van een wijf! Daar komt nog ongeluk van, voor ons allemaal!'

'U denkt slecht over onze hoogste heer,' zei de priester waarschuwend.

Maar de graaf liet zich niet tegenhouden. 'Maar het is wel de waarheid! U weet wat voor clan van dodenbezweerders en kwade draken er
op de Vulkaaneilanden woont. Het kan best zijn dat de Mokabiters zich
allang niet meer openlijk bezighouden met zwarte magie, maar ze doen

dat wel in het geheim en het zou me niet verbazen als de keizerin er de hand in heeft gehad dat we de goudvelden zijn kwijtgeraakt. Ze is net zo slecht als ze mooi is!' Hij keek Furgas scherp aan. 'U bent priester en inquisiteur. Waarom doet u niets tegen haar?'

'Ze is de keizerin,' antwoordde Furgas die er in de veste verte niet aan dacht om zijn heimelijke plannen met deze simpele geest te delen. 'Dat moest u ook maar onthouden, graaf.'

Viborg bromde ontevreden en stond op. 'Goed, dan ga ik nu op weg. Ik kan u wel vertellen dat ik me een stuk beter zal voelen als ik deze vrouw – Mokabiterse bovendien – niet meer hoef te dienen.' En met deze woorden liep hij stampend naar buiten.

Even zat de hogepriester onbewogen in zijn stoel, diep in gedachten verzonken. Toen stond hij op, slofte naar de deur en schoof de grendel ervoor. Na een doek over het sleutelgat te hebben gehangen, liep hij naar de houtbewerkte kasten, strekte zijn hand uit en raakte een van de houten spiralen aan. Het begon zacht te kraken en de kast draaide een halve slag om zijn eigen as. Er werd een ruimte zichtbaar waaruit een bijtende scherpe geur van oude boeken in de neus drong. Hij boog zich over een geheime nis waar boeken inlagen en nam ze er een voor een uit.

Furgas verafschuwde keizerin Iwara die – vast met behulp van de demonische magie van haar familie – keizer Hugues zo had betoverd dat hij zijn wettige echtgenoot onder vage voorwendselen wegens hoogverraad had laten doden en nog dezelfde bloednacht met de mooie Mokabiterse was getrouwd. Maar hij wist dat Iwara en haar intriges maar een heel klein onderdeel waren van de rampspoed die de stad en het rijk bedreigde. Deze rampspoed trok in een kring rond de keizerlijke stad, als hyena's om een kudde schapen. Tot nu toe had Furgas het geklets van de Maanschijners niet erg serieus genomen. Ze beweerden dat er een Slangenkind in de Nachtzon groeide en als het volgroeid was, kwam er een eind aan de heerschappij van de Sundaris – en ook aan de heerschappij van Phuram. De sterrenconstellaties, en Furgas geloofde daar in, wezen ook op gevaarlijke veranderingen. Afgezien daarvan bestonden er concrete verklaringen van spionnen en vluchtelingen die over de verontrustende gebeurtenissen in het lage zuiden en het hoge noorden hadden bericht. De Rachmanzai werden steeds vijandiger, roofzuchtiger en machtsbeluster. Ze hadden met de Mokabiters en dat gebroed van de Nephren samengespannen en grepen naar de macht. De overvallen op de goudvelden waren pas het begin. In het noorden gingen de Muden Gamul op de toppen van de Toarch kin Mur steeds wilder tekeer en ze waagden zich zo nu en dan in de Aswoestijn en de Blauwe Woestijn om er eenzame dorpen te teisteren.

Furgas' blik gleed keurend over de boeken. Ouderwetse folianten waren het, voor een deel zo oud en vergeeld dat de bladzijden voorzichtig moesten worden omgeslagen om ze niet te beschadigen. Ze hadden geribbelde ruggen en versleten banden. De ouwe legde ze een voor een op tafel. Hij lette goed op dat niemand ze te zien kreeg, anders haalde hij zich misschien zelf een onderzoek van het inquisitiegerecht op de hals dat tot een schandelijke dood zou leiden. Waar anders zou onderzoek moeten plaatsvinden dan in verboden boeken aangezien in de toegestane boeken alleen maar stond wat de keizer wilde?

Uiteindelijk besloot hij om met het schatkistje van de Arkanen te beginnen. Als hij daar niets zou vinden, kon hij altijd nog naar dieper en donkerder werk grijpen.

De juwelenhandelaar

Sinds de ondergang van het drakenimperium hadden de Hemelbestormers de manen geteld en de Nachtzon in het oog gehouden, die in zijn buik het Slangenei liet groeien en toen het tijd werd, vlogen ze naar alle hoeken en gaten van Chatundra om de geroepenen te beschermen. Liepen er maar niet zoveel mensen rond op de aarde! Vroeger was het veel gemakkelijker geweest maar de laatste tijd was hun aantal zo snel toegenomen dat het zelfs voor het magische oog een vrijwel hopeloze onderneming was om de juiste mensen eruit te pikken. Wyvern, de profetes, gebruikte al haar kracht en de oude Kulabac, de drakenvorst met het rode karbonkeloog dat zelfs in de duisternis van de onderwereld door kon dringen, stond haar bij. Bij een dergelijke mensenmenigte was het alsof je uit een hele school sardines er een met het teken van de drakenklauw moest halen.

Iedereen met een magisch oog doorzocht het land. Ze konden niet ieder mens afzonderlijk onderzoeken, zo ver reikte hun gave ook weer niet, maar ze konden wel bepaalde veranderingen in het stof van de wereld waarnemen die zich openbaarden bij ongebruikelijke gebeurtenissen. Zulke veranderingen werden soms zichtbaar als een nevel die over bepaalde plekken heen lag. De plekken konden ook in een eigenaardig, onaards licht gehuld zijn. Helderzienden konden soms zien dat ze merkwaardig verkleurden, dat er over een klein grijs leemdorp plotseling een sluier van felle, rode, groene en oranje kleuren hing. In elk geval wisten ze dat sommige uitverkorenen in de gouden stad waren en anderen ver in het noordwesten woonden waar de heerwegen zich langs de eindeloze woestijn uitstrekten.

Ook Vauvenal had de gebeurtenissen in Chantundra zorgvuldig in de gaten gehouden. Hoewel zijn persoonlijke omstandigheden hem zeer bedrukten – zijn vrouw lag in een doodsslaap, die een van Zarzunabas kwade geesten over haar had doen komen – deed hij alles wat binnen zijn macht lag om de Drie Zusters te helpen. Hij wist dat haar vijanden er veel aan gelegen zou zijn om de Dertien als eerste op te sporen om te voorkomen dat ze hun zoektocht tot een succesvol einde zouden brengen. Om Dochterzoon maakte hij zich niet veel zorgen. Hij stond onder Wyverns persoonlijke bescherming en had een sterke talisman die hem op reis beschermde. Maar Alcina was het eerste slachtoffer geweest. Dat zij een van de uitverkorenen was, had hij pas na haar dood vernomen.

Vauvenal was naar de gouden stad gegaan en deed alsof hij een juweelhandelaar was. Dat was niet moeilijk want uit zijn geheime paleis in de jungle van Makakau kon hij zoveel edelstenen halen als hij maar wilde. Ook was het een goedlopend beroep, want bij de Sundaris was er veel vraag naar juwelen om de grote aantallen tempels en standbeelden van Phuram mee te versieren.

Als je het gewelf in de straat van de steenhouwers en juweliers binnenkwam dan zag je een lange, mollige man met lang, zorgvuldig gekamd roodblond haar en een rond, bezweet, zachtaardig gezicht. Hij droeg kleren die bij een voornaam edelman pasten en had goede manieren, zodat hij onder de tempelhandelaren al snel heel populair was. Omdat hij zijn klanten lekkernijen en uitstekende wijnen voorzette, gebeurde het vaak dat ze voor een praatje bleven hangen. Zo kwam het dat Vauvenal het een en ander hoorde dat eigenlijk geheim moest blijven. Vauvenal was zoals alle draken verbaal zeer bedreven. Hij was goed in verhalen, raadsels en moppen vertellen en in het spreken in bedekte termen en – wat het belangrijkste was – hij kon een ander het gevoel geven dat er tijdens een oppervlakkig praatje niets van betekenis was gezegd.

Hij wist precies wat de keizerin in werkelijkheid was. Hij wist dat de Mokabiters drie jongemannen waar ze graag vanaf wilden naar Thurazim hadden gestuurd om ze te gebruiken voor een diplomatieke missie terwijl zij aan Drydds kant vochtten en onderhandelden met de Basiliskenkoning. Hij hield ook een schriftgeleerde in het oog, Ninian, die hem met al zijn kennis van draken belangrijk leek. De enige betrouwbare aanwijzing die hij had bestond uit het feit dat alle uitverkorenen in hun vroege jeugd hun ouders hadden verloren en bij volle maan waren geboren, dat maakte het wat gemakkelijker. Op dit ogenblik wachtte hij op een klant die hopelijk met belangrijke nieuwtjes op de proppen kwam.

Omdat de Sundaris een buitengewoon preuts mensenvolk was, was Vauvenal op moeilijkheden gestuit toen hij probeerde uitsluitsel te krijgen over het opvallende teken op hun lichaam. In het openbaar droegen ze altijd lichtblauwe toga's die vanaf de nek losjes in plooien tot op de voet vielen en ook privé – zelfs tijdens een intiem samenzijn – was het ongepast om meer huid te laten zien dan nodig was. De enige plek waar je een Sundar naakt kon aantreffen was in het badhuis van de tempel tijdens het wekelijkse rituele bad dat volgens de religieuze voorschriften verplicht was. Maar daar werden mannelijke en vrouwelijke bezoekers niet alleen strikt gescheiden, ze gingen ook elk afzonderlijk naar de badruimte om zich uit te kleden en door een tempelbediende de heilige reiniging te laten doen.

Vauvenal had een tempeldienaar laten komen die de leiding had over het badhuis waar voorname mensen kwamen toen hij op een lijst met alle belangrijke personen er een paar had ontdekt met ouders die vroeg gestorven waren. De man kwam op tijd en gaf vriendelijk antwoord op de vragen van de juwelier. 'Je weet, Sandron,' zei hij, 'dat ik iemand zoek die me voor veel goud heeft bedrogen en van wie ik alleen weet dat hij een opvallend teken op zijn lichaam droeg – geen tatoeage of litteken maar een natuurlijk teken.'

'Zodra hij in mijn badhuis komt, zal ik het je zeker vertellen,' antwoordde de badmeester meesmuilend. 'Hoe ziet het eruit?'

'Nee, we doen het andersom,' zei de draak. 'Want ik wil niet dat je weet wie ik bedoel, je kunt hem onbedoeld laten weten dat je hem hebt herkend, dan zou hij je keel doorsnijden. Het is een heel gemene schurk.'

De badmeester liet zich overtuigen en hij vertelde de draak in alle details wat voor opvallende tekens de voorname mensen van de stad op hun lichaam hadden. Vauvenal hoorde alles over wratten, levervlekken en zo meer en toen opeens hoorde hij iets waarop hij gehoopt had. Het ging om vier mannen die in hun vroege jeugd hun ouders hadden verloren.

'Er is iets merkwaardigs aan de hand, edele heer, dat me al eerder is opgevallen maar u weet dat in mijn beroep niet over intieme zaken mag worden gesproken, in elk geval alleen in het diepste geheim. Er zijn vier heren van stand die allemaal hetzelfde teken op hun huid hebben, maar wel allemaal op een andere plek. Het zijn drie rode tekens die op granaatappelpitten lijken die tot een driehoek zijn gerangschikt.' Hij lachte luid. 'Bij hogepriester Furgas is het niet gemakkelijk te zien want het zit onder de vetribbel op zijn buik, maar bij ridder Viborg en de twee schriftgeleerden magister Ninian en Jannis, die onderzoek doet naar oude culturen... Maar wat klets ik toch een onzin want ik denk niet dat er tussen zulke hoge heren ook maar één schurk zit die een eerlijke handelaar zou bedriegen!'

'Nee, zeker niet!' riep Vauvenal lachend en schonk nog eens in. 'De keizer heeft de ridder laatst zo hoog geëerd dat hij als stadhouder naar het noorden is gestuurd!'

'Ja, magister Ninian zal hem op keizerlijk bevel begeleiden. Dat zijn me daar voorname mannen! Hoewel,' ging de badmeester met een veelbetekenende frons in zijn voorhoofd verder, 'je weet nooit zeker. Is er niet bewezen dat Jannis, van wie iedereen dacht dat hij een stille en terughoudende geleerde is, zo'n afschuwelijke misdadiger bleek te zijn dat hij is verbannen en als slaaf verkocht?'

'Wat? Werkelijk? Ik heb hem vorige week nog gezien toen ik in het Huis der Boeken was met een kist vol met edelstenen die voor de inleg van boeken gebruikt worden.'

'Ja, hij heeft het prima weten te verbergen maar ze hebben hem laatst toch betrapt. Hij is ontmaskerd en hij bleek een Vhul te zijn!'

'Wat afschuwelijk!' riep Vauvenal bulderend van verontwaardiging – hij was er al bang voor dat Jannis als uitverkorene was ontdekt en dat hij daarom naar de woestijn was verbannen. 'Ik hoop maar dat ze hem ver, heel ver weg sturen zodat hij niemand meer tot last is.'

'Ja, daar kunt u zeker van zijn! Hij is naar Fort Timlach gestuurd waar iedere maand een slavenmarkt plaatsvindt en ik hoop dat hij in de duistere woestijn omkomt van de dorst, die afschuwelijke boef.'

'Daar sluit ik me geheel bij aan. Sandron, het lijkt me dat de man die ik zoek niet tot uw klantenkring behoort... Trouwens, het teken, dat u zojuist beschreef, is bij mijn weten verder niets bijzonders, het is gewoon een teken dat een bepaald nachtinsect op de huid achterlaat als je erdoor wordt gebeten. Ik heb ze wel vaker gezien.'

Nadat hij ervoor had gezorgd dat de beheerder van het badhuis geen argwaan had gekregen, liet hij hem gaan.

De volgende dag bleef de winkel gesloten want Vauvenal had andere dingen te doen. Hij moest maatregelen treffen om Janis in de juiste handen te doen belanden en had daarvoor Wyverns hulp nodig. Sinds de zonnestorm had ze in het geheim gewerkt aan de oprichting van een zusterschap voor vrouwen die allemaal zelf draken, hybriden of vriendelijke magiërs waren. Daar werden belangrijke personen toe gerekend, zoals de driehonderd jaar oude koningin van het volk van de Ka-Ne diep in de Klagende Woestijn en tovenares Umbra die in de Blauwe Woestijn leefde. Fort Timlach, aan de grens van het Keizerrijk, lag niet ver van de Blauwe Woestijn. Deze trotse vrouwen lieten zich door een man, ook al was hij een Mirminay, niets vertellen dus moest hij Wyvern vragen ervoor te zorgen dat Umbra de schriftgeleerde Jannis opving voordat hij weer verdween.

Bovendien hield het Vauvenal bezig dat ridder Viborg en magister Ninian op bevel van de keizer naar het noorden trokken en op de route in Fort Tinlach op de heerweg een stop moesten maken. Precies waar de slavenmarkt werd gehouden. Dat betekende dat het saaie garnizoenstadje een bezoek waard was.

De draak werd gekweld door de gedachte dat hij en zijn medestrijders de Dertien wel konden vinden maar ze konden ze niet begeleiden door de woestijn, de enige toegang tot Luifinlas. Hij had zelf meer dan een keer geprobeerd de woestijn over te steken maar had het al gauw moeten opgeven. Het web van de Kadaverzweem beknelde zijn fijne zintuigen, verzwakte zijn ogen en oren en hij was de rivier Kao nog niet over of hij vloog al zwaaiend als een dronken vleermuis door de lucht. Zo werd hij gedwongen om op nauwelijks een kilometer vanaf de onzichtbare grens rechtsomkeer te maken en met veel moeite was hij weer op veilige grond geland – hij was in een verderfelijke walm terecht gekomen en het had niet veel gescheeld of hij was flauw gevallen en in de kwade gloeiende zon van uitdroging gestorven.

Nee, hij en de andere draken konden de metgezellen niet helpen. Ze moesten mensen zien te vinden die deze taak op zich namen. Hij had een paar ervaren woestijnlopers nodig maar niet zomaar wat rabauwen die later schatzoekers en edelsteenzoekers bleken te zijn en voor snood geld ook anderen door de woestijn leidden, maar vrienden die hij de redding van de Drie Zusters zonder zorgen kon toevertrouwen.

Vauvenal had ontdekt aan welke draad van het grote web van zijn kennissenkring hij moest trekken om de juiste persoon te vinden. De Maandraak Datura had uit de Maanschijners die haar dienden een kleine groep mannen en vrouwen gekozen die haar naaste en vertrouwdste dienaren waren: dapper, edelmoedig, goed bestand tegen gevaren en moeilijkheden en als paladijnen onverbrekelijk trouw aan de Maangodin. Ze werden Accumulators genoemd omdat het hun taak was om verdwaalde en door beproevingen geplaagde, verzwakte Maanschijners moed te geven, te sterken en weer onder de gelovigen te brengen. Maar ze voerden ook veel geheime en vertrouwelijke opdrachten voor Datura uit. Dat maakte ze bij de keizerlijke inquisiteurs verdacht, ze werden gezien als geheim agenten, als verspieders en politiespionnen die de taak hadden om de zwakkeren uit het Keizerrijk te bespioneren en hun kracht te ondermijnen. Daarom kregen zij als enige onder de Maanschijners de doodstraf als ze werden ontdekt en opgepakt.

Vauvenal wist dat hij het de komende tijd heel druk zou hebben. Maar eerst wilde hij nog iets in orde maken dat hem en anderen van nut zou kunnen zijn. Hij was de bleke jongeman die in de bergen in Mesquit op zijn hurken tussen de struiken had gezeten en hem had nagekeken met ogen die brandden van verlangen, niet vergeten. Hij had zelden een mens ontmoet als Iarwan die zoveel van draken hield dat hij in zijn dromen met ze sprak en nog dankbaar zou zijn als hij zijn klauwen mocht poetsen.

Dus ging Vauvenal eerst op weg naar Mesquit.

Een oorvijg en zijn gevolgen

Iarwain was boos. Hij was er heel zeker van dat hij de oorvijg niet had verdiend. Het lag niet aan zijn onhandigheid en zijn slordigheid dat hij in de gang gestruikeld was en dat hij een hele pan met vleesvet kapot had laten vallen. Het was de schuld van een van de katten, die geruisloos en zonder dat hij het zag in het schemerdonker tussen zijn benen door was geglipt.

Natuurlijk was het niet de eerste oorvijg die hij van zijn meesteres, de dorpsoudste, had gekregen.

Maar hij was niet terecht geweest, en daarom was dit de druppel geweest die de emmer deed overlopen. En toen Iarwain en Gilline er even later samen op uitgestuurd werden om in het achterste gedeelte van het ravijn droge schubben te verzamelen, die van de schubbenbomen waren gevallen en heel geschikt waren om vuur te maken en een aromatische geur verspreidden, vertrouwde hij de jonge vrouw zijn besluit toe.

'Ik ga naar de draken, en ik wil dat je met me meegaat.'

Gilline staarde hem verbijsterd aan. Ze wist dat hij dag en nacht van de draken droomde.

Maar droomden ze niet allemaal van iets dat nooit werkelijkheid werd? 'Lieve zus,' protesteerde ze, 'wat een onzinnig idee.'

'Ik ben je zus niet,' antwoordde Iarwain woedend. 'Ik ben een man, ook al ontbreekt er hier en daar een stukje. En ik vraag je in alle ernst om met mij mee te gaan.'

Gilline aarzelde even voor ze antwoordde. 'Wat wil je daar eigenlijk gaan doen?' vroeg ze.

'Ik wil naar Suramal, de kluizenaar gaan, en hem vragen of hij bij de draken na wil vragen of iemand van hen niet twee ijverige dienstbodes nodig heeft. Dat zijn wij toch? We werken van vroeg tot laat en zelden heeft men klachten over ons. We weten hoe een huis schoon gehouden moet worden, hoe de was moet worden gedaan, hoe men kleding verstelt en dekens naait en pannen met zand schuurt. We kunnen zelfs een beetje koken.' Toen hij Gillans twijfel op haar gezicht zag, ging hij haastig verder: 'Luister nou eens! Ik heb er heel goed over nagedacht. De welgestelde draken hebben knechten en dienstmaagden, net als de rijken onder de mensen. Maar er zijn niet zoveel dienstmaagden, en daarom denk ik dat het niet zo moeilijk kan zijn een alleenstaande draak te vinden die ons in dienst wil nemen. We vragen er niet zoveel voor, alleen kost en inwoning.'

'Ik moet er eerst eens goed over nadenken,' zei Gilline, terwijl ze aan de rand van het schubbenbomenbos op een steenblok ging zitten, en haar handen in haar schoot in elkaar vouwde. 'Als het nou eens anders gaat dan je denkt? Als de draken niemand nodig hebben, of als Suramal weigert om ons te helpen? Dan moeten we met de staart tussen de benen naar Mesquit teruggaan.

Ze zouden ons uitlachen, ze zouden ons als weggelopen dienstbodes aan de kaak stellen en rotte vis naar ons gooien.'

'Ik ga nooit meer naar Mesquit terug, of de draken ons helpen of niet,' zei Iarwain grimmig. 'Als ik terecht een draai om mijn oren krijg, zeg ik niets. Maar deze oorvijg was onterecht en ik wil niet onterecht geslagen worden.' Hij ging naast Gilline zitten en sloeg zijn arm om haar schouder. 'Luister! We zijn allebei jong en we zijn niet bang om hard te werken. We kunnen het met Suramal proberen, en als hij ons niet kan helpen, dan gaan we naar Zorgh…'

'Naar Zorgh! Hoe stel je je dat voor?'

Toen hij haar verbazing zag, bond hij haastig een beetje in. 'Of we gaan ergens anders heen… We zoeken een draak uit. Het hoeft niet meteen een Rozenvuurdraak te zijn. Er zijn ook draken van een lagere orde, die in bossen leven, of in bergholen.' Hij wierp een even angstige als boze blik op het dorp met de haven. 'Hoe dan ook, je moet een besluit nemen, want ik ga in ieder geval. En als je niet met me meegaat, ga ik alleen.'

Gilline slikte hevig, maar ze wist dat hij meende wat hij zei. En dus antwoordde ze met vochtige ogen: 'Je weet dat ik je nooit alleen zou laten gaan. Kom! Hoe eerder we op weg gaan, hoe langer het duurt vóór iemand merkt dat we niet terugkomen.'

Iarwain drukte haar tegen zich aan en kuste haar, terwijl de tranen over zijn wangen biggelden. Hij was er niet geheel zeker van dat hij het had aangedurfd zonder haar te gaan. Daarom verspreidde een golf van opluchting zich door zijn hele lichaam. Zonder ook maar één keer om te kijken namen ze elkaar bij de hand en liepen het bos in, langs het pad dat naar de kluizenaarswoning op de Kaurapas leidde.

Ze waren nog niet lang onderweg toen Gilline plotseling bleef staan. 'Luister!' fluisterde ze angstig.

'Wat is dat? Zou het onweren?'

Iarwain luisterde. Ja, hij hoorde ook een geluid. Op elke andere plaats zou hij gezegd hebben dat het 't geratel van karrenwielen was, maar hij wist heel goed dat geen kar deze steile weg op kon komen. 'Nee, het is geen onweer,' fluisterde hij, terwijl hij het meisje beschermend tegen zich aandrukte. 'Het klinkt als… als…

Maar vóór hij verder kon praten kwam de oorzaak van het geluid in zicht. Het was inderdaad een wagen. Maar geen boerenkar. Het was een buitengewoon hoge en smalle koets die maar net op het bospad paste en werd getrokken door twee fraai uitziende roodgouden draken, die liepen als paarden, en ook niet groter waren dan deze. Ze hadden hun vleugels ingetrokken en trippelden er vlot op los. Op de bok zat een grote, stevig gebouwde man die een kobaltblauwe fluwelen mantel droeg en een baret in dezelfde kleur, voorzien van enkele melkwitte veren.

'Hé daar, jongelui!' riep hij toe hij de twee ontdekte. Deze waren geheel verstijfd van angst en verbazing. 'Komen jullie hier uit de buurt? Kunnen jullie me zeggen waar hier ergens een slavenmarkt te vinden is?'

Gilline, die zich sneller van de schrik herstelde dan Iarwain, knikte. 'U zit een flink eind uit de buurt, edele heer. Dit pad leidt enkel naar de kluizenaarshut van de oude Suramal, en daar vindt u beslist geen slaven.'

'Wat dom van me!' zei de vreemde reiziger. 'Maar het is van het grootste belang dat ik vandaag nog een paar bedienden vind, slaven of vrije mensen, dat doet er niet toe. Als ze maar in mijn dienst willen treden. Ik moet namelijk de komende dagen veel op reis, en ik wil mijn huis niet laten verslonzen. Maar goed, dan zal ik om moeten keren.'

'Stop! Stop, wacht!' riep Iarwain, die in één klap uit zijn verstarring ontwaakte. 'U zoekt bedienden? Nou, dan zit u goed! Wij zijn juist op zoek naar een nieuwe betrekking. We kunnen alles wat van dienstbodes verwacht kan worden, ook een beetje koken. En we vragen niet veel.'

De man liet de draken, die op het punt stonden om te keren, stoppen en bekeek het jonge stel.

'Hm... jullie zien er allebei niet heel sterk uit,' mompelde hij. 'Maar wat doet het er toe! Ik wil het wel met jullie proberen, want zo snel zal ik wel niemand anders vinden. Stap in, stap in!'

De deur van de koets vloog vanzelf open, en voor ze wisten wat hen overkwam, zaten Iarwain en Gilline in het rijtuig op een comfortabele, beklede bank. De deur sloeg dicht en omdat er geen raam was, zaten ze in het donker. Ze hoorden het knallen van de zweep en het knetteren van de vleugels die zich ontvouwden. Daarop zette de koets zich in beweging, zó licht en zó geruisloos dat het leek alsof de wielen op lege lucht reden.

'Als we hier maar goed aan gedaan hebben,' fluisterde Gilline. Maar Iarwain voelde zich door zo'n hevig vuur vervuld dat hij zijn armen om haar heen sloeg en in haar oor fluisterde: 'Absoluut! Het was het juiste.'

Iarwain en Gilline hadden geen idee hoe lang ze onderweg geweest waren, toen het rijtuig plotseling stilhield. Het volgende ogenblik viel het letterlijk uit elkaar. De zijkanten, het dak en de bok vielen alle kanten op, als blaadjes die van een verwelkte bloem vallen, en verdwenen op het moment waarop ze de grond raakten. De verblufte jongelui zaten plotseling op de naakte grond en keken verwilderd om zich heen. Ook de draken waren verdwenen, alleen de heer in de kobaltblauwe fluwelen mantel was er nog.

'Opstaan!' riep hij hen toe, en klapte daarbij in zijn handen. 'Kom vlug, voor ik weer wegga wil ik jullie laten zien wat jullie moeten doen.'

De jongelui gehoorzaamden. Terwijl ze achter hun nieuwe meester aanrenden, hadden ze nog juist tijd om op te merken dat ze zich blijkbaar in een uitgestrekte oase of een jungle bevonden. Aan alle kanten werden ze ingesloten door een dicht woud van reusachtige paardenstaarten, boomvarens en machtige bomen met ver uit elkaar groeiende kruinen, pakweg veertig passen hoog. In het midden rees een paleis op van witte steen, dat maar voor een deel mooi onderhouden was. Een groot aantal hoektorens en terrassen was verbrokkeld en vormden een zee van brokken steen. Iarwain en Gilline volgden hun gebieder naar een hal, en daar viel hun mond open van verbazing. Op de marmeren vloer vormde een enorme hoeveelheid gemunt en ongemunt goud, zilver, edelstenen, sieraden, bokalen en nog veel meer een berg die tot aan de opgang van de trap naar de eerste verdieping leidde.

'Over dat daar hoeven jullie je geen zorgen te maken,' zei de cavalier. 'Ik heb een bewaker in dienst genomen, en hij zou het zeer onaangenaam vinden als er iets ontbrak. Maar ik vertrouw er op dat jullie ook zonder zijn aanwezigheid eerlijk blijven.'

Toen hij dat zei, zagen Iarwain en Gilline iets zwarts op de goudberg heen en weer glijden. Ze waren stomverbaasd toen ze een draak zagen. De voorste helft van het beest was die van een gladharige zwarte kat met fonkelende ogen en gevaarlijke klauwen. Het achterste deel was dat van een lange, zwarte salamander, zodat het beest van voren kattenpoten had en aan de achterkant de poten van een hagedis. Het dier keek hen met fonkelende ogen dreigend aan en maakte sissende geluiden.

'Balor bewaakt mijn schat en beschermt mijn huis tegen dieven,' vervolgde de meester. 'Maar nu aan jullie werk. Ik zal hier niet vaak zijn. Jullie belangrijkste taak is het verzorgen van de vrouw des huizes. En denk er aan, ik ben heel streng. Laat het haar aan niets ontbreken!'

Hij liep de trap van stenen metselwerk op naar de eerste verdieping en ging een reusachtig grote, heel stijlvol ingerichte kamer binnen, waarin een rozekleurige lamp brandde. Iarwain en Gilline, voor wie een uit hout gesneden kist al het summum van kostbare meubels was, konden niets anders doen dan naar de onmetelijke rijkdommen staren. Het was ongelofelijk wat er allemaal in die kamer aanwezig was! Tapijten, gobelins, smeedijzeren en uit hout gesneden tafels, kasten van het fijnste hout, kostbaar glaswerk en marmer met zoveel torentjes en erkers, dat het koninklijke kastelen leken!

Midden in de kamer stond een breed, rozenrood bed waarboven een baldakijn hing. Er lag een vrouw in, bleek en roerloos. Ook zonder de waarschuwingen van de heer des huizes liepen de jongelui instinctief op hun tenen naar het bed. Het was overduidelijk dat de vrouw ernstig ziek was. Haar gezicht was bleek als marmer, ze lag onbeweeglijk en de lichte rijzing van haar borst als gevolg van haar ademhaling was nauwelijks zichtbaar.

'Dat is mijn echtgenote,' sprak de cavalier, en zijn ogen vulden zich met tranen. 'Zij is de vrouw die ik meer liefheb dan mijn eigen leven. Zo rust ze al geruime tijd, niet dood en niet levend, gevangen in een tover-slaap waaruit zelfs ík haar niet kan opwekken. Ik kan alleen hopen dat de terugkeer van Mandora haar tot leven zal wekken. Maar nu naar jul-lie taken!'

Hij legde hen uit dat ze de slapende vrouw elke dag moesten baden en afdrogen. Ze moesten haar haar borstelen, haar fris gewassen kleren aantrekken en het bed opmaken. Eten kon ze niets, maar op haar borst lag een stuk barnsteen dat vol toverkracht zat, en dat haar voedde en te drinken gaf. Ook moesten ze elke dag in de tuin verse bloemen plukken en die in de kamer zetten.

Ze moesten de kamer schoonhouden en aan haar bed liedjes zingen en verhalen vertellen, op de manier waarop je aan bed gekluisterde mensen bezighoudt. 's Nachts moesten ze bij haar in de kamer slapen op het tapijt vóór het bed, zodat de vrouw niet alleen was en er niets boosaardigs bij haar in de buurt kon komen. Hij zei niet wat hij daar-mee bedoelde, hij drukte hen alleen op het hart hun plichten heel nauw-gezet te vervullen. Als ze dat deden, zou het hen aan niets ontbreken. Maar wee hen, als ze slordig waren!

Hoewel het hen vreemd te moede was overtroffen Iarwain en Gilline elkaar in plechtige verzekeringen dat ze alles zouden doen wat hen was opgedragen. Maar ze hadden het gevoel dat ze opdracht hadden gekre-gen een dode te verzorgen.

'Goed,' antwoordde de heer des huizes. Hij wees op een lemen, gegla-zuurde schotel die leeg op een laag tafeltje stond. Een gelijksoortige kruik stond ernaast. 'Als jullie honger of dorst hebben, klop dan op de schotel en op de kruik. De schotel zal worden gevuld met het voedsel dat jullie verlangen, zo vaak als jullie willen. Maar laat de vrouw niet al-leen! Een van jullie moet altijd bij haar zijn!'

Hierop nam hij afscheid en verliet de kamer. Het volgende ogenblik hoorden ze de machtige vleugels boven het dak van het paleis wegsuizen.

'Oh Iarwain!' fluisterde Gilline, 'nu is je wens in vervulling gegaan, maar... ik voel me toch niet op mijn gemak.' 'Wees niet bang,' troostte de jongen, die zelf van angst moest slikken, haar. Het is allemaal heel vreemd en ongewoon, maar is het hier niet veel prettiger dan in Mesquit? Voel eens hoe warm het is! Ruik hoe de bloemen in de tuin geuren! Nee, we zullen die arme vrouw liefdevol verzorgen, het zal haar aan niets ontbreken. We zullen haar gezelschap houden, dan hoeft ze nergens bang voor te zijn.'

Voorzichtig liepen ze naar het bed om de slapende vrouw beter te bekijken. Haar gezicht was wasbleek, maar buitengewoon lieflijk. Blonde, armdikke haarlokken slingerden zich op het kussen.

Gilline fluisterde nauwelijks hoorbaar: 'Ik ben bang dat ze een vampier is en dat wij hier moeten blijven, zodat ze ons bloed kan opzuigen.'

'Nee, nee, dat is onzin!' protesteerde Iarwain. 'Weet je wat ik denk? Deze cavalier is niemand anders dan de verhalenverteller Vauvenal, die ons dorp heeft bezocht, en die ik daarna weer weg zag vliegen, met kobaltblauwe vleugels en een melkwitte kroon op zijn hoofd. Ik ben er zeker van dat hij een van de Rozenvuurdraken is. Je denkt toch niet dat zo iemand een boosaardige vrouw trouwt, hè? Nee hoor, deze dame is even goed en edel als hijzelf. Ze verdient het dat we haar zo goed mogelijk verzorgen.'

Gilline zuchtte. Ze moest weer denken aan de dodenwaken in Mesquit, waarbij het altijd haar taak was geweest de lijken te wassen en aan te kleden. Het was geen prettige herinnering. De lijken hadden soms lang in zee gedreven vóór de golven hen op het strand hadden geworpen. En ze hoopte vurig dat de mooie vrouw zou ademen, als was het maar een klein beetje, waardoor ze er minder dood uit zou zien.

Magister Ninian

Op de bovenste torenverdieping van het Huis der Boeken stond magister Ninian bij het raam. Hij was een slanke, donkerharige Sundar met edele, melancholieke gelaatstrekken. Hij had de hogepriester antwoord kunnen geven op de vragen die deze bezighielden. Maar magister Ninian werd niet gevraagd. Aan het hof was hij in ongenade gevallen, nadat hij zich tegenover de keizer verwijtend had uitgelaten over de terechtstelling van zijn echtgenote en het onzalige huwelijk met de Mokabiterse.

Daarom hadden ze hem belast met de opdracht graaf Viborg te begeleiden naar de woestijnen aan de noordelijke pool. Hij wist dat het een reis was vanwaar hij nooit zou terugkeren, maar het was nog altijd beter dan met schande overladen uit zijn ambt gezet worden. Ze gaven hem een laatste kans om op waardige wijze af te treden. Als hij niet ging, was hij verloren.

Gedachteloos tastte hij naar de witte wimpel op de linker borstzijde van zijn tuniek. Een bittere glimlach verscheen op zijn gezicht. Nog was de wimpel wit, maar hij wist hoe snel dit veranderen kon.

Evenals alle andere ambtenaren, ja als alle onderdanen van de keizer, werden ook schriftgeleerden op gezette tijden bij de keizerlijke beambten ontboden en aan een zogenaamd 'gerechtigheidexamen' onderworpen. Daarbij werd bepaald welke wimpelkleur aan de kandidaat toegewezen zou worden. Onverdraaglijk daarbij was dat er geen regels waren. Wat gisteren juist was, hoefde dat vandaag niet meer te zijn. Was de keizer niet de enige, die het cryptische 'perkament der regels' mocht verklaren? Alleen hij bepaalde, wie gezondigd had en wie niet. Alleen van hem hing het af wie voor het examen slaagde en wie verdoemd en verstoten werd.

Ninian klemde zijn handen om de vensterbank. Was het zijn beste vriend niet zo vergaan? Rechter Beck, die zelfs keizerlijk inquisiteur geweest was? Om nog maar te zwijgen van die arme nar Jannis, die op de afdeling voor primitieve beschavingen had gewerkt. Hem hadden ze niet eens de kans geboden om onder de dekmantel van een eervolle daad voor de dood te kiezen. Ninian mocht zich als bevoorrecht beschouwen.

Met een weemoedige blik keek hij zich naar de vele boekenplanken van gepolijst hout, die de wanden van de zaal bedekten. Hij liet in Thurazim geen echtgenote achter, ook geen kinderen en vertrouwde vrienden. Zijn leven was altijd dat van een eenzame geleerde geweest, vanaf zijn jeugd als weesjongen, die door onwillige familieleden werd grootgebracht, tot zijn huidige vijfendertigste levensjaar. Hij zou wel zijn verzameling missen: tienduizenden documenten, geschriften, schilderijen, tekeningen, beelden, die alles onthulden wat men over draken weten moest. Van de mystieke Fallum Fey tot aan de nietigste aardgrolm. Niemand in Chatundra wist meer over de kinderen van de elementen dan magister Ninian.

Natuurlijk had men zijn werk nooit bijzonder gewaardeerd. Integendeel, de priesters en de hovelingen hadden hem altijd wantrouwend bejegend. Hij had zich tegenover hen gerechtvaardigd door te verklaren dat hij zich bezighield met het bestuderen van het wezen van de Hemelbestromer, omdat hij zocht naar de beste manier om hen te bestrijden.

Wat deden ze hun best om elke herinnering aan de draken uit te wissen! Maar nog veel was bewaard gebleven, ook al waren over Chatundra duizenden jaren voorbijgegaan sinds de heerschappij van de Rozenvuurdraken. Alleen al de talloze piramiden waren voor de geleerden aanduidingen van de verering van de Driester. Hetzelfde gold voor de tot op heden als decoratie populaire doorboorde stenen kegels en typische afbeeldingen van Slangendraken waarmee mijnen van bergen waren versierd. Nog altijd droeg het gewone volk amuletten in de vorm van een karbonkeloog, die het kwade moesten afweren, en als iemand een mooie stem had, zei men: 'Hij zingt als Vauvenal.'

Een afschrikwekkend geluid onderbrak zijn overpeinzingen. Van de ene rand van de machtige stad tot de andere klonk het holle geluid van de nachthoorns. Het was het teken dat de poorten, die toegang gaven tot het lage gedeelte van de stad, gesloten werden. Wee hem, die niet tijdig in zijn huis terugkeerde! Als men zich nog op straat bevond na het sluiten van de poorten, gold dit al als bewijs dat men kwaad in de zin had.

De officiële motivering voor het nachtelijk uitgaansverbod luidde dat de Maanschijners elke nacht via geheime paden uit hun onderwereld ontsnapten en in de stad op zoek gingen naar openstaande vensters, waardoor ze naar binnen klommen om de kinderen van de Sundaris te roven. Maar in werkelijkheid was het vooral de bedoeling om ontevreden Sundaris te beletten om onder bescherming van de duisternis de gouden stad te ontvluchten. Keizer Hugues wantrouwde de gelovigen evenveel als de ongelovigen. Hij vreesde iedereen, en iedereen vreesde hem, zelfs zijn eigen ambtenaren en hovelingen, die evenmin veilig waren voor zijn willekeur als ieder ander.

Toen het huilende geluid over de stad wegebde, wist Ninian dat het tijd was om zich terug te trekken. Het gold als ongepast, zelfs als verdacht, om na het invallen van de duisternis nog te werken.

En hoewel de magister niet tot de onnozelen behoorde, die ervan overtuigd waren dat ze door de stralen van de Maangodin betoverd en tot waanzin gedreven werden, deelde hij de afkeer voor de duisternis, die alle Sundaris gemeen hadden.

Goed, dacht hij in een ongebruikelijke opwelling van koppigheid. Dan stuurden ze hem maar naar de Klagende Woestijn! Misschien kreeg hij op die manier een rijker leven en een waardiger dood dan degenen die zich in de gouden stad veilig waanden. Want het was slechts een kwestie van tijd dat òf Zarzunabas, de Kadavervorst, de stad tussen zijn lijkenvingers verbrijzelen zou òf de Helbedwingers uit het zuiden haar vuurspuwend zouden overvallen.

Alle voortekenen wezen op naderend onheil, maar de keizer wilde het niet zien, en de ambtenaren en onderdanen zagen alleen wat de keizer hen toestond te zien. Ninian was er van overtuigd dat de versluiering van Phuram zeer nabij was. De ongeregeldheden in het diepste zuiden waren een duidelijk teken. Vermoedelijk waren ook de witte IJshoorns in het noorden al ontwaakt. Keizer Hugues vleide zich met de hoop dat de Kadavervorst lang geleden gestorven was – maar de wijzen wisten dat hij nooit zou sterven. Hij leefde eeuwig voort in het uit ronddwarrelend ijs opgebouwde kasteel in de geheimzinnige Toarch kin Carrachon, die de noordelijke pool omsloot. Eeuwig jong en eeuwig mooi, versteend in de bloei van zijn jaren en zijn zonden, strekte hij zijn koude, witte hand vanuit het noorden steeds verder zuidelijk uit, tot het gehele Aarde-Wind-Vuur-Land in zijn omarming verwelkte en stierf.

Maar als Phuram zou versluieren, zou het onderste zich naar boven keren, en dan zou een voorspelling uit oeroude tijden, waarvan nog slechts enkele flarden bewaard gebleven waren, het lot van de wereld bepalen.

Goud vecht met goud, ijs met ijs,
Maar tevergeefs.
Wie moet er helpen?
Dertien zijn geroepen,
Evenveel mannen als vrouwen.
Takken zonder stam, zonder wortel zijn ze,
Geboren onder de volle maan.
Als het goud sterft en verslonden wordt,
Is de hoop nabij, maar weinigen zullen haar zien.

Ninian was ervan overtuigd dat de laatste regel naar de ondergang van de gouden stad verwees, ook al luidde de officiële versie dat Thurizam nooit onder zou gaan. Volgens de geschiedschrijving van de Sundaris waren alleen zij het die alle beschaving en de geschiedenis van Chatundra gesticht hadden. Lang geleden waren ze, volgens hun overlevering, van de zon gekomen en hadden ze zich op de planeet gevestigd. Ze hadden hem zijn naam gegeven en veranderden de tot dan toe onherbergzame woestenij in een oord van licht en wijsheid.

Maar in de vergeelde en half vergane documenten luidde de naam van de planeet 'Murchmaros', en werd hij bevolkt door draken. Hun rijken heetten Dundris, Carthula, Rachmibon, Sulis en Zorgh. Ze waren de voorvaderen van volkeren met vreemde namen en een nog vreemder uiterlijk. Mythische voorvaderen van de Mesris en de gehoornde geitenwezens en van de monsterachtige viervoeters, die Dundris binnen gemarcheerd waren nadat de reusachtige Indigoleeuwen uitgeroeid waren door een voor mensen onbekende natuurramp. De Purperdraken waren inderdaad in de loop van duizenden jaren steeds dieper in de materie verzonken, en steeds stoffelijker geworden, nadat ze aanvankelijk etherische wezens waren geweest. Hun ooit vrijwel onbegrensde levensduur werd steeds korter, zodat buiten de Mirminay – en natuurlijk ook de Sterrenbeelddraken – geen draak nog ouder dan duizend jaar werd.

Ninian was een van de weinige wijze mannen in Sundar, die op de hoogte waren van het lot van Mandoras en van de hoop van hun dienaren hen ooit weer op de sterrentroon te zien. Maar hij zorgde ervoor dat het niet algemeen bekend werd dat hij dit wist. Voor iedere Sundar zou het heel gevaarlijk zijn geweest daarover te praten, er zelfs maar aan te denken. En voor Ninian – die immers in een midzomernacht bij volle maan geboren was en onder zijn linkeroksel drie moedervlekken had die op granaatappelpitten leken en een gelijkzijdige driehoek vormden – zou het zelfs levensgevaarlijk zijn.

De magister trachtte met zijn onheilspellende wetenschap te leven door voor ogen te houden dat de voorspelling onmogelijk ooit werkelijkheid kon worden. Geroepen of niet, niemand kon ooit de tot de sterren reikende toppen van de Toarch kin Mur – de Huilende Bergen – in het uiterste noorden bedwingen, deze door donderstormen omringde, titanische stenen muur, langs de hellingen waarvan onophoudelijk lawines en steenmassa's naar beneden donderden. Gillende stormgeesten, nevelgeesten en dodelijke sneeuwvampieren, die hun glinsterende ijssluiers om zich heen slingerden en de ongelukkigen, die ze daarin vingen, op gruwelijke wijze doodden, spookten rond op de hellingen. En overal in de met ijskorsten bedekte spelonken en de door de wind geteisterde passen loerden de nooit aflatende spionnen van de Kadavervorst.

En zelfs als het ondanks alles toch iemand gelukt zou zijn, wat zou hij of zij daarachter aangetroffen hebben? Wat ondenkbaar lang geleden een stad was geweest, moest nu een door orkanen afgeslepen en onder een vademdikke ijslaag begraven veld vol ruïnes zijn, zó onverdragelijk koud, dat warm mensenvlees tot ijs verstijfd zou zijn vóór men er een halve kilometer in doorgedrongen was. In zijn dromen zag Ninian deze ijzige woestenij dikwijls voor zich – eindeloze sneeuwvlaktes onder een doodse, door onheilspellend sterrenlicht opengebroken nachthemel. Hij zag de dieptes van een ijsgrot, waarin flauw glanzende bevroren watervallen in onpeilbaar diepe afgronden wegzonken, hij zag de zwartblauwe glazen wanden van een ravijn van eeuwig ijs... Steeds uitgestrekter en afschrikwekkender werd het landschap dat in zijn dromen aan zijn oog voorbijtrok. De toppen van de Toarch kin Mur, in duisternis en huilende sneeuwstormen gevangen. Een woestijn van blauwe glazen ijsformaties, zo koud, dat het vlees eraan vastplakte. Een roodachtige opgezwollen zon boven een door koude verlamde wereld...

En zelfs wanneer hij niet sliep en droomde, waren er de beelden, die hij, half ontwaakt en om zich heen loerend, op de grens van zijn bewustzijn opgemerkt had. Deze huiveringwekkende beelden verdwenen juist op tijd vóór hij het zou hebben uitgeschreeuwd. Het was de hersenschim van een woest, door een glazen donkergroene poolhemel overspannen landschap. Rondom grauwe ruïnes borrelde kleurloze modder, borrelde, ijskoude, dodelijke modder, blubberend en klotsend, waaruit gasbellen opstegen, waarin – als het broedsel van slangeneieren – hoofden zichtbaar werden die leken op mensenhoofden, en toch niets menselijks hadden...

Nee, zelfs als de voorspelling juist was, dan nog kon niemand er voor zorgen dat hij ook uitkwam. En dat was tot op zekere hoogte een troost voor een lafaard als Ninian, die al huiverde bij de gedachte ooit een heroïsche daad te verrichten.

De plannen van de Drydder

Graaf Nestor merkte dat zijn innerlijke wereld zienderogen veranderde, sinds hij in gezelschap van Casim en Rasko zijn diplomatieke bezoek aan Thurizam had gebracht. De drie zaten voortdurend bij elkaar, alleen al omdat de keizerlijke hovelingen hen uiterst koel bejegenden en het gewone volk hen op straat naliep en beschimpte. De keizer had dan wel een Mokabiter tot de troon verheven, voor de simpele Sundaris, Gevlekten en Maanschijners bleven de buren in het zuiden de belichaming van het kwaad. Nestor, Casim en Rasko merkten al spoedig dat ze er goed aan deden de dagen in de beschutting van hun kamers in het paleis door te brengen.

Daar voerden ze lange, vertrouwelijke gesprekken.

'De oude wil dat we hier omkomen, daarom heeft hij ons hierheen gestuurd. Maar ik ben niet van plan hem dat plezier te doen,' zei Casim. Rasko knikte instemmend. 'Eigenlijk heeft hij mij een plezier gedaan, want nu hoefde ik Thamaz niet heimelijk te verlaten. Ik heb er genoeg van om altijd maar een wit voetje te halen bij de Rachmanzai, die Kacheldraken, die maar in hun vuurholen hokken en er maar op los kletsen over hoe geweldig ze ooit waren. Als wij ons bij de draken aansluiten, waarom dan niet bij de grootste onder hen?'

Hij vertelde verder hoe na de val van de Drie Zusters Drydd de enige wettige heerser over Chatundra was, de enige elementaire draak, die vrij en soeverein heerste over zijn rijk. In de natuurlijke hiërarchie stond hij boven Phuram en Datura, de Sterrenbeelddraken, en ver boven de Rozenvuurdraken, om van de Purperdraken maar te zwijgen.

Nestor moest toegeven, dat Casim in al deze dingen gelijk had, maar hij kon zijn ingewortelde afschuw van de watercreaturen niet overwinnen. Als hij alleen maar dacht aan de monsterachtige watergeest, liep een ijskoude rilling over zijn rug, en dat zei hij ook. Hoe vaak had men hem niet verteld dat Drydd niet alleen de gedaante van een grote inktvis had, maar nog veel erger, dat hij een aan flarden gescheurde hoop vaal vlees was, opgezwollen als het lijk van een drenkeling, met tentakels die uitliepen in giftige neteldraden en dodelijke zweepslagen konden uitdelen. Zijn ogen fonkelden in het duister van de diepzee, waar hij over de kale bodem rondkroop, grote brokken rottend vlees liet vallen en de lange repen van zijn loslatende blanke huid achter zich aansleepte.

Casim lachte minachtend toen Nestor deze tegenwerping maakte. 'Dus jij gelooft die walgelijke verhalen echt?'

Rakos zei spottend: 'Dan ben jij maar een simpele ziel, Nestor! Wat zou je zeggen als ik jou vertelde dat Drydd helemaal niet de gedaante van een monster had, maar dat hij het uiterlijk van een prachtige drakenvis of van een mooie man kan aannemen, wanneer hij maar wil?'

'Hoe zou jij dat moeten weten?' vroeg Nestor, geërgerd omdat ze hem uitlachten.

'Omdat we hem gezien hebben,' antwoordde Casim. 'En als je niet gelooft wat we zeggen, kun je hem zelf bekijken.'

Nestor lachte minachtend. 'Oh ja! Jullie zijn zeker in zee gesprongen en naar de bodem gedoken, naar het parelslot van Drydd?'

'Neen. Maar wij beschikken over een middel waarmee we in de geest naar de zeebodem kunnen duiken, net zoals we thuis met de geesten van de Rachmanzai spreken, die in hun ontoegankelijke vuurovens zitten. Kom! We willen je iets laten zien.'

Hij legde een tweeluik op tafel en klapte het open. Het bevatte, net als een groot medaillon, twee schilderijen. Casim zette de lamp dichterbij en Nestor boog zich nieuwsgierig over het paneel.

Het eerste schilderij was op ouderwetse manier gemaakt, maar nog niet zo lang geleden. Het toonde een man in een lange kaftan van indigokleurige zijde en een los over de schouders gedrapeerde zilveren cape. Hij stond in een vrijwel lege ruimte, waarvan de blauwwitte vloertegels een bloemmotief vormden. Aan weerszijden van de ruimte stonden kandelaars, waarvan de kaarsen zojuist gedoofd waren, getuige de lange rookslierten. De achtergrond van het schilderij vormde een raam met

spitsbogen, dat uitzicht bood op sombere huizen en een loodachtig bewolkte hemel. Nestor schrok een beetje, want hij kende deze ruimte heel
goed... Hij bevond zich in het paleis van Thamaz.

Het tweede schilderij was groter en op dezelfde manier ingelijst als
het eerste, maar duidelijk ouder. Het vernis op het beschilderde gedeelte
was gebarsten, en sommige plekken waren donkerbruin verkleurd. Het
was een afbeelding van een afschrikwekkend tweeslachtig schepsel, tegen een zeer nauwkeurig geschilderde achtergrond van sombere muur-
gewelven, waarvan water afdroop en die aan grafkelders deden denken.
Het onderste deel, dat sterk in het duister uitliep, had geen menselijke
vorm. Het was een bizar creatuur, dat het pantser van een stekelvis of
een zeldzame mossel leek te hebben. Maar uit deze horenachtige, licht
aangestipte en gespikkelde kronkelingen kwam een menselijke gedaante
tevoorschijn. Het wezen – man of vrouw, dat was onmogelijk te zeggen –
was gehuld in een zilveren cape, waarvan de ene helft over het gezicht
gedrapeerd was, zodat alleen de ogen zichtbaar waren. Het waren vlammende smaragdgroene ogen, die uit de donkere achtergrond van het
schilderij oplichtten, met een giftige glans waaruit een bovenaardse
boosaardigheid sprak.

Nestor keek zijn metgezellen twijfelend aan. 'Waar hebben jullie deze
schilderijen vandaan?'

Casim tikte hem met zijn wijsvinger plagend op de neus. 'Nee, nee,
nieuwsgierig mannetje! We noemen gaan namen. Feit is dat er onder de
Mokabiters altijd enkelen zijn geweest, die zich afvroegen waarom we
bij de Kacheldraken in het gevlei komen als de hoogste macht ons de
hand toesteekt? Zij hebben Drydd gezien zoals wij hem hebben gezien
en zij denken er net zo over als wij. Hij is de rechtmatige heerser over de
wereld, en hij zal iedereen belonen die verstandig genoeg is om zich aan
zijn kant te scharen.'

Omdat Nestor nog steeds twijfelde, haalde Rasko een blad perkament
tevoorschijn, dat hij opengeslagen naar de graaf toeschoof. 'Lees dit
maar eens! Dit is geschreven door iemand die moediger was dan jij.'

Onwillig, maar tegelijkertijd ook nieuwsgierig, las Nestor wat er op
het perkament geschreven was. Het was blijkbaar een gedeelte van een
brief. Rasko had het blad zodanig gevouwen, dat alleen te zien was wat
ze Nestor toestonden te zien.

'Het was een pandemonium in mijn binnenste, alsof ik twee verschillende, tegen elkaar inwerkende drugs ingenomen had. Ik was gejaagd, en hoewel ik me anderzijds goed en kalm voelde, wist ik dat achter de glazen wand van deze onnatuurlijke rust een angstgevoel loerde, dat ik nooit eerder gekend had. Ik werd getroffen door de even vreemde als verkwistende inrichting van het onder de zee gelegen huis. Op de plaatsen waar ze niet door tapijten waren bedekt, bestonden de muren uit grauwe koralen en vaal glimmende parels, en ze fonkelden van gouden ornamenten. Gobelins onttrokken voor een deel de zilverkleurige zijden tapijten aan het oog, de vloer was wit en glad als donkergroen glas, zodat de kaarsen, die in zilveren armkandelaars brandden, er in weerspiegeld werden en het leek alsof ik over een bevroren meer vol dwaallichten liep. Op tafels van uit sneeuwvlokken gemaakt lavaglas stonden schotels, allemaal afgedekt. In die tijd wist ik nog niet wat ze bevatten, later zou ik erachter komen. Muziek klonk door de vertrekken, maar ik vond het niet mooi, het klonk als de oude speeldoos in het huis van mijn oom, die een droefgeestige gavotte afdraait als men hem opent.

Deze spookachtige zalen waren vol met personen, die bij kaarslicht rondliepen of met elkaar in gesprekken verdiept waren. Ze keurden me nauwelijks een blik waardig. Ik keek naar hen en kwam tot de conclusie dat ik in een samenkomst van karikaturen beland was. Gekleed in kostuums van woeste eeuwenoude pracht verdrongen zich misvormde mensen, hun gedrongen nek behangen met kettingen met groene diamanten malachieten en jade, met parelmoeren hangers in hun hoefbladvormige oren, diademen op hun kale, breed geplette schedels. De geur van tientallen parfums vermengde zich tot een aroma, dat de zinnen zowel opzweepte als in verwarring bracht.

Sommige gezichten hadden iets menselijks, anderen minder, maar ze hadden allemaal een koude blik, en ze vertoonden de boosaardigheid die zichtbaar was in hun gelaatstrekken. Hier en daar kroop een wormachtige tong lippenlikkend uit een zwarte mondspleet of een slappe halsspier zwol ritmisch op.

Ontzet wilde ik terugdeinzen en op de vlucht slaan. Maar toen ik me omdraaide, zag ik op enige afstand twee mannen staan. Ze stonden beiden zó onbeweeglijk en waren zó bleek, dat ze me deden denken aan de versteende gedaanten aan de muren van het Huis van de Duizend Torens. Een van hen, gehuld in een lang groen gewaad, was tenger en jongensachtig, met lange lichtblonde lokken. De andere, gekleed in indigo en zilver, was ouder en mannelijker, zijn haar was donker en hij had ogen die gloeiden als fosfor. Beide waren mooi, ieder op zijn eigen manier ongelooflijk mooi. Ze kwamen in beweging, ze kwamen steeds meer naar me toe en maakten daarbij een geluid als het ruisen van vleugels.

Hun nadering vervulde me met zo'n angst, dat ik uit mijn slaap opschrikte en de visioenen met geweld van me afschudde. In de laatste ogenblikken van de droom had ik duidelijk het gevoel gehad, dat ze me zouden doden, als ze er in slaagden me aan te raken.'

De blonde man, legde Rasko de nieuwsgierige graaf uit, was Zarzunabas geweest, de zoon van Drydd, voor de helft draak, die hij met de oeroude mensenkoningin Athahatis had voortgebracht, en die nu als Kadavervorst over de rijken aan de noordpool heerste.

Toen begonnen ze weer te praten over hoe Drydd geminacht werd, dat niet alleen de onderdanen van de keizer hem verafschuwden, maar ook de Mokabiten, en dat deze afschuw door de wanstaltige gedaante van de Tarasquen werd veroorzaakt.

'Maar wat doet een uiterlijke gedaante ertoe?' riep Rasko, die zó verliefd was op zijn eigen schoonheid, dat hij het liefst de spiegel gekust zou hebben. 'Lelijk of niet, ze zijn nakomelingen van het hoogste wezen, dat vandaag vrij en onbelemmerd op de wereld heerst.'

Zo ging het dagenlang door, tot Nestor zijn nieuwsgierigheid niet langer kon bedwingen en de drug wilde uitproberen, die zo'n overweldigende werking had.

Casim diende hem het elixer toe in een teug sterke wijn. Daarna beval hij hem op een divan te gaan liggen en op de visioenen te wachten, die hij weldra zou krijgen.

Nestor had een ruime ervaring met verdovende dranken, en dus strekte hij zich in alle rust uit en liet zijn blik ontspannen van het ene uiteinde van het zwak verlichte vertrek naar het andere dwalen.

Spoedig begonnen de eerste visioenen. In een hoek, die zoëven nog leeg was, leek nu iemand te staan.

De graaf zag duidelijk twee ogen. Twee vurige langwerpige druppels, die zich van een donkerder schaduw in het sombere grijs van de hoek losmaakten. Rondom was geen wit vlak te zien, geen glans van lichtgekleurde huid, alsof degene aan wie de ogen toebehoorden, de omgeving van de twee giftige glanzende spleten met een doek of een sluier had bedekt. Eronder was een fel schijnsel zichtbaar, alsof iemand die zich in zilverstof had gewenteld, zich daar in een hoek had geperst.

De gedaante verbleekte weer. Tegelijkertijd werd de ruimte waarin hij zich bevond, steeds groter en somberder. Geleidelijk werd in de schemering een beweging zichtbaar, gevolgd door steeds duidelijker contouren. Het gemompel van talrijke stemmen – dat inmiddels tot een monotoon gezang was uitgegroeid – vulde de zwak verlichte ruimte en vormde de onbehagelijke achtergrondmuziek bij de aanblik van de creaturen, die de een na de ander uit het halfduister opdoken. Toen werd het beeld in één klap duidelijk. Het interieur van de enorme zaal was gevuld met een dicht op elkaar gedrongen schare van nieuwsgierige en verwachtingsvolle wezens.

Nestor stond als verstijfd. Het waren niet de lelijkheid en onmenselijkheid van de schepsels, die hem – die zelf Nephrisch bloed in zijn aderen had – met deze zweem van het kwaad beroerde. Door alle verwarrende nevel drong er iets in zijn ziel. Het was een oedeem van ongekende boosaardigheid en verdorvenheid, alsof de afgrond aan zijn voeten opende. Hij voelde hoe zijn blik zich van het huiveringwekkende tafereel rondom hem afwendde. Maar ook voelde hij dat hij de verlokking niet kon weerstaan en zichzelf dwong een tweede keer te kijken.

En ditmaal zag hij niet de padachtige Tarasquen, maar een jongeman met keizerlijke eretekens op zijn kleding, wiens lange haar tot op een zilveren schoudermantel hing. Op zijn hoofd droeg hij een drievoudige, spits toelopende kroon die was versierd met honderden glinsterende parels. De jongeman bezat een uitzonderlijke schoonheid, hij was veel mooier dan Nestor ooit bij een aardse man gezien had. Zijn gezicht was koud en bleek als marmer, de lippen scharlakenrood en op een bepaalde manier vochtig en bloeiend, alsof ze zojuist aan verse wonden gezogen hadden. En zijn ogen, die smalle spleten, die door donkerblauwe schaduwen omrande ogen, die gloeiden als fosfor...

Hij sprak niet, en Nestor wist zeker dat ook hìj geen woord gezegd had. Allerlei gedachten stroomden uit hem weg en keerden, beladen met antwoorden naar hem terug. De jonge graaf voelde zich verstrikt in een vochtig, koud net van gedachten, waardoor hij zich bedreigd, maar tegelijkertijd ook aangetrokken voelde. Drydd trok hem naar zich toe, bood hem alle schatten van de zeebodem en eiste zijn onderdanigheid. Nestor kuchte. Hij meende te merken dat zijn hartslag stokte. Het zweet brak hem uit, zijn knieën werden week. Hij wilde schreeuwen, maar er kwam geen geluid uit zijn mond. Hij probeerde het nog een keer, maar bracht enkel een woordeloos, gepijnigd gekras uit.

Nooit eerder had hij met zo'n angst geworsteld. In Drydds ogen stond vernietiging geschreven, deze volkomen uitdrukkingsloze ogen, die zo koud en onverschillig in de leegte staarden, alsof ze al tijdens het leven dood waren. Maar deze leegte was op een afschuwelijke manier met een wil verbonden... een bovenmenselijke wil die geen ander doel kende dan aanvallen, uithollen en alles wat in zijn handen viel in de huiveringwekkende diepte van de Tetyszee werpen.

'Je hebt mij geroepen, nu ben je van mij!' dreunde een onhoorbare stem.

De reusachtige draak maakte daarbij een geruisloze, vreemd glijdende beweging in de richting van Nestor, zijn haar wervelde rond zijn kop, zijn schoudermantel ging omhoog, alsof hij zich gereedmaakte voor een geweldige sprong. De graaf zag hoe de slanke, sterke ledematen geruisloos voorwaarts snelden, hoe de zwemvliesachtige handen zich spreidden en strekten in de lucht, hij zag de lippen zich van de witte roofdierentanden verwijderen en de strak gespannen pezen in de hals zwellen. Toen hing Drydd een ogenblik letterlijk in de lucht.

Met een vreselijke gil schoot Nestor in zijn bed omhoog, sloeg wild om zich heen als een drenkeling, hij kuchte en rochelde, tot hij er ten slotte in slaagde de werking van het elixer af te schudden. Hij ging zitten en merkte dat zijn hoofd weer helderder werd, dat de fonkelende arabesken voor zijn ogen verdwenen en zijn ademhaling rustiger werd.

'Het was... verschrikkelijk,' fluisterde hij. 'Maar jullie hadden gelijk. Hij is wonderschoon.'

Bephza

Keizerin Iwara stond in haar slaapvertrek bij het raam en keek naar het zuiden. Om haar hals hing een klein pijpje aan een zilveren kettinkje, dat ze eraf trok en aan haar lippen zette. Er kwam een ijle, holle klank uit.

Op de marmeren vensterbank vormde zich een nevelwolk, die snel dichter werd en een olijfbruine kleur kreeg. Even later zat daar een gevleugelde Kadaverdraak, niet groter dan een kat, bruin en verweerd, alsof hij allang dood en verdord was. Alleen aan de vlammende saffierblauwe ogen was te zien dat hij leefde.

Hij strekte zijn gespleten tong uit zijn bek, zo ver hij kon, en de keizerin deed hetzelfde, tot de tongspitsen elkaar trillend beroerden. Ruim een minuut volhardden ze in deze ouderwetse begroetingsceremonie, toen hief ze haar arm omhoog als een valkenier en belandde hij met een soepele sprong op haar hand en klauwde zich vast aan haar pols.

'Ik breng berichten uit Thamaz,' siste hij. 'Uw rivale Alcina is dood.'

'Dat verwachtte ik al,' antwoordde de keizerin glimlachend.

'Maar niet alles is wat het zijn moet. Vóór er een dag en een nacht verstreken waren, hebben grafrovers haar rust verstoord, en u weet dat in die tijd de ziel in het lichaam terug kan keren.

De grafrovers werden gedood – door iets dat geen sporen achterliet.'

'Verwacht je dat ik om die schurken in tranen uitbarst?'

De kleine Kadaverdraak veranderde van onderwerp. 'Hebt u berichten?' siste hij.

'Ja, Bephza. Bericht het volgende aan mijn vader. Ik heb ontdekt wie in Thurazim het teken van de Mandoras draagt. Ik heb lang moeten zoeken en speuren, en ik kon er slechts drie van de Dertien herkennen, want de alles doordringende magische blik reikt niet zover als Chatundra. Twee kon ik er onschadelijk maken. Graaf Viborg en magister Ninian heb ik samen met een hoop andere mannen en vrouwen, die ons in de weg zouden kunnen staan, naar de Klagende Woestijn in het noorden gestuurd. Het zal niet lang duren voor de Kadavervorst Zarzunabas hen te pakken krijgt. Moge hij ons als beul ten dienste staan, vóór we hem vernietigen.'

'Heel goed,' siste het boosaardige, mummieachtige schepsel. 'Hebt u nog meer berichten?'

'Neen, maar ik heb twee opdrachten. Je weet wat Majdanmajakakis in haar vloek gezegd heeft. De mensen zullen er alleen in slagen de Moedermaagden op te wekken als een van hen zich vrijwillig opoffert, zonder voorwaarden en zonder dwang. Jij moet deze mens opsporen.'

Bephza stootte een ritselend gesis uit. 'Dat zal niet eenvoudig zijn, het offer geschiedt immers vrijwillig en wordt niet door het lot bepaald. Is er geen enkele aanwijzing?'

'Misschien. Maar ik heb er geen gevonden. Het is jouw zaak hoe je hem of haar opspoort. Wie het ook is, dood hem of haar! En nu naar mijn tweede opdracht. De hogepriester Furgas moet vernietigd worden. Dat hij mijn ondergang voorbereidt, is nog het minste wat ons bedreigt. Hij is de derde van de geroepenen, en hoewel ik niet geloof dat hij aan de oproep gehoor zal geven, wil ik geen enkel risico nemen. Zorg ervoor dat hij wordt vernietigd. Hoe je het doet, laat ik graag aan jou over.'

Een afschuwelijke lach veranderde haar anders zo beeldschone gezicht in een grimas. 'Maar maak het sterven voor hem niet te gemakkelijk.'

Het geklets van de Maanschijners

In een van de laaggelegen gewelfen van het onderaarde Thurazim, dat met tapijten en kussens gezellig was ingericht, zat een groep Maanschijners bij elkaar, en gaf zich over aan favoriete bezigheid: kletsen. Vauvenal was zeer gesteld op dit soort bijeenkomsten. Niet alleen waren ze een bron van belangrijke nieuwtjes, ze waren ook heel gezellig. De drakenridder genoot elke keer als hij een verhaal hoorde dat hij nog niet kende. Daarom nam hij, als hij bij de Maanschijners verbleef, de gedaante van een reizende verhalenverteller aan, en hij deed dit beroep ook alle eer aan. Zijn lange, weelderige lokken had hij met plantenpoeder vuurrood geverfd, en hij had er bontgekleurde steentjes, koperen kogeltjes en gedroogde rozen in gevlochten. Hij droeg de rood-oranjekleurige kleding die bij deze stand hoorde en had een tamboerijn bij zich, waarmee hij om aandacht vroeg zodra een nieuw verhaal begon.

Eigenlijk had hij al in Fort Timlach moeten zijn. want hij had bericht ontvangen dat zich daar meer geroepenen ophielden. Maar hij wilde eerst nog een spoor volgen dat leidde naar een familie van Maanschijners in dit gewelf. Daar woonde een weesjongen bij zijn tante.

Het gesprek was buitengewoon levendig. De Maanschijners raakten niet uitgepraat over de verschrikkelijke ondergang van de stad Kysch, over het monster dat uit de top van de Toar Yul ontsnapt was en over het beklagenswaardige einde van de ridders, die erop uitgetrokken waren om het te doden.

Iemand uit het gezelschap zei: 'Ik heb in de stad gehoord dat er al vaker ridders tegen de Rachmanzai uitgereden zijn. Maar men heeft alleen verbrande beenderen en in het vuur gesmolten wapenuitrustingen gevonden.'

'Dat heb ik ook gehoord,' riep een vrouw met de naam Bana, 'en ik zeg jullie één ding: de edele heren met hun zwaarden en lansen kunnen niets uitrichten, want ze zijn net zo belust op goud, net zo hardvochtig en machtsbelust als de Purperdraken zelf. Dat wordt al gezegd in een oeroude voorspelling, waarvan overigens maar een paar onsamenhangende brokstukken bewaard gebleven zijn:

> *Goud vecht met goud, ijs met ijs,*
> *Maar tevergeefs.*
> *Dertien zijn geroepen*
> *Takken zonder stam, zonder wortel,*
> *Kinderen van de volle maan,*
> *precies voor de helft vrouwen en mannen.*

Een twaalfjarige jongen met de naam Jajn onderbrak haar. 'Hoe kunnen dertien personen voor de helft vrouwen en mannen zijn? Twaalf, ja, of veertien, maar toch geen dertien?'

'Dat weet niemand,' antwoordde Bana. 'Mijn grootmoeder, die me deze spreuk leerde, zei me alleen dat met de dertien takken zonder stam en zonder wortel dertien weeskinderen worden bedoeld, die bij volle maan geboren zijn. Ze zijn geroepen om Mandora te bevrijden en om te voorkomen dat de machten van het kwaad de wereld onder elkaar verdelen.'

'Weeskinderen! Hoor je dat, Jajn?' riep de tante van de jongen. 'Ben jij niet in het voorjaar bij volle maan geboren? Wie weet, misschien ben jij wel een van de geroepenen en word je ooit een trotse ridder!'

Jajn boog verlegen het hoofd. Hij wist heel goed dat men hem een beetje plaagde. Maar zijn hart ging sneller en gejaagder kloppen bij de gedachte dat het waar zou kunnen zijn. Had zijn grootmoeder hem, vlak voor ze stierf, niet in het oor gefluisterd dat hij een heel bijzondere jongen was? Toen dacht hij dat de goedhartige oude vrouw hem moed wilde inspreken om het leven aan te kunnen. Maar met haar koude, knoestige hand had ze hem dicht naar zich toe getrokken, en ze had hem toegefluisterd: 'Als de tijd rijp is, zul je het begrijpen, Jajn. Zorg er tot die tijd voor dat niemand ziet dat je in je nek onder je haar een teken draagt.'

Hij was er niet zeker van geweest of de woorden van de oude, grijze vrouw werkelijk een betekenis hadden. Wat was er nou zo bijzonder aan de drie rozerode vlekken, niet groter dan granaatappelpitten, die onder zijn dikke haar in zijn nek zaten?

Nu dacht hij er anders over. Maar hij wilde er noch met zijn tante, noch met Bana of met ieder ander uit het gezelschap over praten. Hij moest wachten tot hij iemand ontmoette die van deze dingen echt iets begreep.

De oude Bana nam weer het woord. 'Ik heb gehoord dat er mensen zijn die de draken in het zuiden gezien hebben. Die schepsels zijn reusachtig groot, en ze praten als mensen. Maar ze spreken een afschuwelijke taal, die onverdragelijk is voor het menselijk oor. Niemand kan hen verdrijven, of zelfs doden.'

'Ook de keizer met zijn soldaten niet?' vroeg een jongen, die, als alle kleine jongens diep onder de indruk was van het Sundarische leger, ook al hoorde een Maanschijner dat niet graag.

'Neen, want ze worden beschermd door de toverkracht van de Helbedwingers,' gaf men hem te verstaan. 'En bovendien is de keizer helemaal niet van plan iets tegen hen te ondernemen. Hij is immers zelf met een van de boosaardige drakenvrouwen getrouwd?'

'Wàt? Wàt?' klonk het van alle kanten. Omdat de Maanschijners de keizerin – die zich zelden in het openbaar vertoonde, en dan nog alleen bij daglicht – nooit gezien hadden, wist niemand van de aanwezigen hoe ze eruitzag. 'Maar hoe is het mogelijk dat hij dat niet gemerkt heeft? Ze moet toch overal schubben hebben, en ademt ze ook geen vuur?'

'Als jullie niet zo door elkaar schreeuwen en mij uit lieten praten,' zei Bana, 'dan zouden jullie nu al weten hoe het precies met het drakenvrouwtje zit. Nou, wees allemaal stil en luister.

Jullie weten dat er wezens zijn die afstammen van mensen en draken, de Hybriden. Veel Hybriden zijn goed en wijs, ook al zien ze er vaak eigenaardig uit. Maar wee, als boosaardige draken en boosaardige mensen zich vermengen! De Helbedwingers – mogen ze in het maanlicht verbleken! – en de Rachmanzai zijn altijd vrienden geweest, want ze hebben de gouddorst en de koude harten gemeen, en beiden, magiërs en Purperdraken, oefenen graag macht uit over anderen. Zo kwamen ze er toe kinderen bij elkaar te verwekken, de Nephren, die half draak en half mens zijn. Veel van hen zijn afschuwelijke wezens met slangenlijven. Sommigen hebben vleugels, anderen hebben geen haren, maar zijn glibberig als sissende adders, met een pantser van schubben en een vurige adem. Maar er zijn ook Nephren die er helemaal als mensen uitzien. Keizerin Iwara is zo'n monster, en als de keizer geen Sundar was, zou hij het al lang gemerkt hebben.'

Ze pauzeerde even, en de luisteraars, die wisten dat men in geen geval een verhaal met vragen mocht onderbreken, wachtten gespannen af.

'Jullie weten toch,' vervolgde de vertelster ten slotte, 'hoe de Sundaris met de liefde omspringen.'

Een paar luisteraars giechelden. De zeden van de Sundaris op dit gebied waren een onuitputtelijke bron van vrolijkheid onder de Maanschijners.

'Wat voor ons het mooiste in het leven is, is voor hen smerig en afschuwelijk. Daarom zien zij elkaar ook nooit naakt, maar ontmoetten ze elkaar alleen in het donker en geheel gekleed. Ze liggen ook niet bij elkaar in bed als ze getrouwd zijn, maar ze slapen in gescheiden kamers. Als dat niet zo was, dan had de keizer allang gemerkt wat zijn vrouw in werkelijkheid is, want de Nephren hebben allemaal een scharlakenrood en een zwavelgeel achterwerk, net zoals de giftige woestijnhagedissen.'

Jajn haalde opgelucht adem. Nu wist hij met zekerheid dat zijn vriendin Phisa geen drakenvrouwtje was. Haar kleine achterwerk was helemaal rozeachtig.

'Bovendien,' vervolgde de vertelster, 'zou de keizer merken dat zijn vrouw altijd op een bed van goudstukken slaapt, want dat zit in het karakter van alle Nephren, ook al zien ze eruit als mensen. Ze zijn dol op goud, en dat niet alleen, ze ontlenen er ook een bepaalde kracht aan. Daarom verlangen ze zo sterk naar de gouden stad. Ze laten zich door het glanzende metaal bedwelmen, als een Gevlekte door honingvalolie.'

Een gemompel en gesnuif van afkeuring ging door het gezelschap. Geen Maanschijner had ooit een druppel van het bij de Gevlekten zo geliefde genotsgif gedronken. Teveel Maanschijners hadden reeds dwangarbeid op de honingvalplantages moeten verrichten, de meest voorkomende straf voor kleine misdrijven. En ze wisten maar al te goed welke afschuwelijke maaltijden de aaseters daar voorgezet kregen.

'Ik heb gehoord,' zei iemand, 'dat ridder Viborg erop uitgetrokken is om het rijk van koning Kurdas terug te vinden en de goudmijnen van Chiritai voor de keizer in handen te krijgen.'

'Zo?' merkte grootmoeder Bana snedig op. 'Dan kan hij maar beter uitkijken dat het hem niet zo vergaat als Kurda, want hij is er een van dezelfde soort.'

Daarop viel er een stilte in het vertrek, en iedereen wachtte gespannen op het verhaal, dat nu komen zou.

'Koning Kurda,' begon de vertelster, 'was rijk en machtig, en voor zover men dat van een hoogmoedige hoge heer kan zeggen, hij was niet eens een slechte heerser. Hij liet zijn volk deelhebben aan de rijkdommen die hij uit de bergen verwierf, en zelfs de laagstgeplaatste in Chiritai had genoeg te eten en liep goed gekleed rond. Maar omdat ze zich dag in dag uit in goud wentelden, gingen de koning en het volk van Chiritai zoveel van de rijkdom, van de praal en de luxe houden, dat hun hart, en vervolgens hun hele lichaam van goud werden. Ze veranderden in plompe hagedissen met gouden schubben, die steeds dieper in de mijnen afdaalden, om met hun klauwen steeds meer van het kostbare metaal uit de berg op te graven. En daar beneden in de duisternis verstarden ze allemaal volledig, midden in hun laatste beweging. Sindsdien rust de vloek van het goud op Chiritai, die elk hardvochtig en begerig hart treft. En als ridder Viborg en zijn gevolg erin slagen de stad te bereiken, dan zullen ze allemaal in gouden standbeelden veranderen, net zo als Kurda en zijn volk.'

Omdat men inmiddels bij het thema 'vervloekte edelen' aangeland was, kwam het gesprek al snel op de Helbedwingers.

De laatste tijd had men herhaaldelijk drie vreemdsoortig geklede edelen uit het verre zuiden in de stad gezien. Ze waren verwant aan de keizerin en hadden daarom het schriftelijk vastgelegde recht haar te bezoeken, ook al heerste er van oudsher kwaad bloed tussen de Mokabiters en het Keizerrijk.

De meeste mensen in Thurazim – Sudaris, Gevlekten en Maanschijners in gelijke mate – waren een beetje teleurgesteld geweest over het feit dat de vreemdelingen, even afgezien van hun opvallende klederdracht, er nauwelijks anders uitzagen dan andere mensen, dat het zelfs drie knappe jongemannen waren. Onder de Maanschijners heerste de eenstemmige mening dat ze deze alledaagse menselijke gedaante voorwendden, en alleen kostbare kleding, pruiken en breedgerande hoeden droegen om hun natuurlijke afschrikwekkende uiterlijk te verbergen.

Jajn, die gespannen had geluisterd, merkte plotseling dat iemand zijn schouder aanraakte. Het was de verhalenverteller en met zachte stem vroeg hij de jongen: 'Ik zie al een tijdje dat je heel gefascineerd luistert. Zou je elke dag verhalen willen horen en zelf leren hoe men ze moet vertellen?'

'Oh ja, niets liever dan dat!' liet de jongen zich ontvallen. 'Maar daarvoor moet je leerling bij een verhalenverteller zijn.'

'Als je wilt, neem ik je als leerling aan.'

Jajn vond de vreemdeling sympathiek, alleen al omdat hij zo'n wonderlijk warme stem had. Hij reikte hem de hand. 'Akkoord! Ik ben Jajn. Hoe moet ik u noemen?'

Een warme, krachtige hand omsloot de zijne. 'Mijn naam is Vauvenal.'

TWEEDE DEEL

Het einde van het Keizerrijk

In de westelijke woestijn

De verkochte schriftgeleerde

In het marktstadje Kuskal in de buurt van Fort Timlach was men volop bezig met de voorbereidingen van de maandelijkse slavenmarkt, altijd een grote gebeurtenis in het ingeslapen nest. Al bij het aanbreken van de dag verschenen de handelaars met hun hagedissenkarren, die ijzeren kooien op wielen achter zich aantrokken, allemaal volgepakt met slaven. Dan kwamen de soldaten die het keizerlijke transport uit Thurazim begeleidden, een reusachtige rollende kooi vol uitgestoten soldaten, onbetrouwbare beambten, stelende lakeien en in ongenade gevallen maîtresses.

Dit transport wekte steeds de grootste nieuwsgierigheid van de kopers op, omdat er vooraanstaande mensen uit Thurazim bij waren. Wie geluk had en bedreven was in het handelen, kon voor een gunstige prijs een vrouw krijgen, die kort daarvoor de minnares van een hoveling geweest was, of een beambte die lezen en schrijven kon en verstand had van belastingen, ook al was het zaak hem nauwlettend op de vingers te kijken.

Jannis, die de dagen sinds zijn verbanning in een toestand van doffe verwarring had doorgebracht, merkte nauwelijks wat er om hem heen gebeurde en ontwaakte uit zijn verstandsverbijstering toen hij door grove handen uit de kooi gesleurd werd. Samen met alle anderen die als slaaf verkocht werden, moest hij zich in een lange rij opstellen. De een na de ander marcheerde langs de ambtenaar, die controleerde of de persoon op de lijst voorkwam. Toen kreeg Jannis, evenals alle anderen, een bord om zijn hals waarop zijn vaardigheden werden aangeprezen.

JANNIS, EEN SCHIFTGELEERDE, 35 JAAR OUD, GEZOND EN ZONDER LICHAMELIJKE GEBREKEN, KAN VLOEIEND LEZEN EN SCHRIJFT IN EEN MOOI HANDSCHRIFT. VOLGZAAM EN WELOPGEVOED.

Voorzien van deze opsomming van zijn kwaliteiten werd hij de houten trap naar het podium op gedreven en daar aan een paal vastgeketend.

Intussen werd het op de marktplaats steeds drukker. Van alle kanten kwamen etensgeuren aangewaaid – het hardnekkige afdingen maakte tenslotte hongerig – en een verdovend geroezemoes van stemmen vulde het plein rondom de babonaboom. De handelaars overschreeuwden elkaar bij het aanprijzen van hun koopwaar, terwijl de kopers even luidkeels terugschrceuwden om de prijs te drukken. De misstappen die tot de wrede straf hadden geleid, werden nooit vermeld, anders zou men een groot deel van de koopwaar zeker niet aan de man gebracht hebben. Het was de kopers duidelijk dat ze een kat in de zak kochten, en dus hoorde je overal: 'Wàt? Je vraagt zoveel geld voor hem? Wie weet is het wel een schurk die me besteelt en plundert! En die mooie vrouw daar, rust op haar niet een schandvlek die ik pas later ontdek? Meer dan twee keizermunten geef ik er niet voor.'

Soldaten drongen de kooplustigen, die het podium wilden bestormen om zich met eigen handen van de beweerde kwaliteiten van de koopwaar te overtuigen, achteruit. Jannis zag met ontzetting dat stevig gebouwde vrouwen van landheren de werkslaven die ze op het oog hadden op hun bovenarm drukten, met de vuist in hun harde buik stompten en in hun wangen knepen. Anderen werden op heel wat intiemere plaatsen beproefd, zodat de geleerde zich tegen de paal aandrukte en zijn buik introk, tot hij van angst nauwelijks nog kon ademhalen. Een van die vrouwen zou hem tussen zijn benen kunnen grijpen.

Plotseling werd het in de massa recht voor Jannis merkwaardig stil, zodat hij opkeek. Het geschreeuw was verstomd, en de zojuist nog dringende mensen weken terug voor een hoog opgeschoten vrouw in een mantel met capuchon, die met langzame, zelfverzekerde stappen naar het podium liep. Vóór Jannis bleef ze staan en bekeek hem.

Toen trok ze de capuchon van haar hoofd en onthulde een weelderige bos asblond kroeshaar. Haar gezicht was niet echt mooi, maar buitengewoon expressief met sterke, hoekige trekken, gloeiende groene ogen en een brede mond, waarin – zo kwam het de doodsbange geleerde voor – dubbel zo veel tanden zaten als bij andere mensen. Ze waren ook duidelijk langer en spitser en hadden een geelachtige kleur, als oud ivoor. Het zag er vreemd en onheilspellend uit, toen de vrouw haar tanden in een wolfachtig gelach ontblootte.

Nog merkwaardiger dan het afschrikwekkende gebit van de vreemdelinge was echter een slank, viervoetig dier, dat de vrouw vergezelde als een hond. Het was even groot als een zevenjarig kind, en had de kop en het lijf van een hagedis en ook de groenbruin en goud gespikkelde slangenhuid van een reptiel, maar ook had het amandelvormig, barnsteengele en verbazingwekkend menselijke ogen. Ook zijn sierlijke poten leken op de handen van mensen, als men ervan afzag dat ze maar vier vingers hadden.

Het dier liep soms op alle vier zijn poten, dan weer waggelde het op zijn achterpoten met een nogal komisch aandoende pas, waarbij het zichzelf met zijn lange krachtige staart overeind hield. Diep onder alle angst en schaamte in Jannis' binnenste, besefte de schriftgeleerde dat hij het zeldzame voorrecht had een levend mens te zien.

Maar toen werd hij weer overspoeld door een golf van ontzetting, want hij hoorde het gefluister van de omstanders...

'Kijk, de tovenares Umbra is er!'

'Ze gaat zeker weer een man kopen om hem in haar ketel te koken.'

'Die dikke daar, denk je ook niet? Zal die menseneetster die dikke kopen?'

'Neen, kijk, Umbra bekijkt de dunne, die er zo ellendig uitziet.'

'Wat gaat ze van hem nou koken? Kippensoep misschien?'

'Stil! Hou toch je mond, domkop! Als ze jouw domme gepraat hoort, brengt ze je misschien in haar ban en verandert je in een varken, dat heeft ze vroeger ook gedaan.'

Terwijl de ongelukkige Jannis al dit gepraat aan moest horen, bekeek de vrouw hem steeds indringender met haar groene ogen. Toen vroeg ze hem wanneer hij geboren was, wanneer zijn ouders gestorven waren en ze beval hem zijn blauwe kiel tot boven zijn navel omhoog te doen. Jannis gehoorzaamde in alles als een slaapwandelaar. Pas toen de vrouw tevreden knikte en het met de handelaar eens werd wat hij moest kosten, ontwaakte hij uit zijn verdoving en stootte een schelle kreet van ontzetting uit. 'Koken – ketel – varken veranderen,' krijste hij als een waanzinnige; toen viel hij bewusteloos aan de voet van de paal neer.

'Laad hem op mijn kar,' beval de vrouw. 'Hij wordt vanzelf wel weer wakker.'

De takken zonder stam

De marktdag liep ten einde. Boeren en handelaars zaten op de plaatsen waar een vuur brandde, waarboven kippen en hazen werden gebraden werden en vers vlaaienbrood werd gebakken. Ze dronken met water aangelengde wijn en praatten over de successen en de tegenslagen van de dag.

Het was heel warm geweest, zodat iedereen zich beter voelde toen dunne wolken de zon bedekten en een zachte wind door de oase woei. Toen werd het plotseling stil, want er schalde een stem over het plein.

'En hebben jullie ook nooit gehoord van de karbonkelworm, die door geen enkele ridder, hoe dapper ook, kon worden verslagen?'

De verhalenverteller en straatzanger Vauvenal keek onderzoekend de groep handelaars en dorpelingen rond, die zich na de markt onder de babonaboom hadden verzameld. Hij hield een tamboerijn in de hand, die hij elke keer driftig heen-en-weer schudde als hij aan een nieuw verhaal begon. Nu klingelden de bellen schril.

'Wat, hebben jullie dat nog niet gehoord? Nou, dan hebben jullie wel wat verzuimd! Ga zitten, en luister goed naar me!'

De jonge Kaira stootte haar begeleidster Tataika met haar elleboog aan en fluisterde: 'Het is laat. We zouden allang onderweg naar huis moeten zijn. Wat moeten we doen als we door de duisternis overvallen worden?'

'Ach wat,' siste Tataika terug. 'Zijn we Sundaris, dat we van angst sterven als het een beetje donker wordt? Het is trouwens nog niet zo laat. Dit ene verhaal nog! We komen echt wel op tijd thuis.'

Kaira zuchtte, maar drong niet verder aan. Als Tataika en de jonge Thilmo, die hen naar de markt had vergezeld, tegenspartelden, wat zou zij dan tegen hen moeten beginnen? Bovendien wilde ze het verhaal natuurlijk zelf ook horen. Dus ging ze tegen de gespleten stam van de babonaboom zitten en schoof de helft van haar grove sluier voor haar gezicht, om de indringende blikken van de mannen af te weren. Ze was een knap meisje, klein, maar stevig en gespierd gebouwd en met een okerkleurige haardos onder haar bruine sluierdoek. Als ze geen weeskind was geweest, zouden er zeker al aanbidders naar haar hebben gedongen. Maar wie wilde een vrouw trouwen zonder familie en zonder vermogen?

Vauvenal begon te vertellen. 'Lang geleden leefde op de plaats waar zich nu de Klagende Woestijn uitstrekt een machtige draak, die Kulabac genoemd werd, wat in de taal van die streek 'eenogige slang' betekende. Deze Kubalac was een prachtig, met juwelen behangen wezen. Hij was zo groot als een schip met volle zeilen, zijn schubben fonkelden als diamanten, en op zijn hoofd droeg hij een kroon van parels. Maar kostbaarder dan al die sieraden was een reusachtige, bloedrode karbonkel, die midden op zijn voorhoofd tussen zijn beide horens zat en het magische oog van de Hemelbestormer was. Deze karbonkel straalde en schitterde zó intens, dat het leek alsof Kulabac door vuur omringd was als hij hoog in de lucht vloog.

Velen wilden maar wat graag het prachtige sieraad in hun bezit hebben, en ze trokken erop uit om Kulabac neer te schieten. Maar hij was geheel met groengouden schubben gepantserd, zó stevig dat geen pijl ze kon doorboren.'

Er klonk een levendig applaus, en de luisteraars beloonden de verteller rijkelijk met munten. En zoals altijd riepen ze om meer, en dus vertelde Vauvenal nog een ander verhaal.

'Goed, luister! Een paar honderd kilometer hier vandaan ligt tussen onherbergzame heuvels een meer, waarin een monsterachtige waterworm zou huizen. Hoe diep het meer is, is niet te bepalen. Toen knechten het een keer probeerden en al een paar vadem garen hadden laten zinken, dreunden uit het water de woorden:

Doorgrond je mij,
verslind ik jou.

Sindsdien is er geen poging meer gedaan om de diepte van het meer te meten. Het gerucht gaat dat iedereen die het aandurft de draak tot een gevecht uit te dagen, een vat vol zilver als beloning krijgt.'

De tamboerijn maakte zo'n doordringend lawaai, dat de kippen op het marktplein verschrikt opfladderden. 'Hoe staat het met jullie, jongemannen? Wie van jullie neemt het tegen het ondier op? Hé, jij daar, jonge Sundar, jij ziet eruit als een echte held. Wil jij het niet proberen?'

Daarbij wees hij op Thilmo, die gevleid bloosde. Hij was wel een Scheck, maar hij was zachtaardig en blond en daarom hield men hem vaak voor een Sundar, waarop hij heel trots was. In het ingeslapen garnizoensstadje Fort Timlach – waar Thilmo, Kaira en Tataika in het plaatselijke weeshuis leefden – had hij zijn uiterste best gedaan om als bediende in het huis van de enige Sundar die er woonde, opgenomen te worden, en daar leerde en las hij alles, wat een Sundar volgens hem moest weten.

Kaira wist dat zijn volledige eerzucht gericht was om op zekere dag in de gelederen van de Sundaris opgenomen te worden. Maar het was niet waarschijnlijk dat deze hoop ooit vervuld zou worden. Weliswaar kon altijd een Sundar uit de rij van gekozenen uitgestoten worden, maar de Sundaris namen geen vreemdelingen op, tenzij ze Phuram onschatbare diensten hadden bewezen.

Tataika, die zich vaak aan de verwaande jongen ergerde, spotte: 'Ach ja, edele heer! Laat ons eens zien hoe u de waterworm neerschiet. Bent u er onlangs ook niet in geslaagd uw broek tegen de aanval van een oude hond te redden?' Met een spottend gebaar trok ze de grove bruine sluier voor haar gezicht en riep: 'O, wat glanst u weer geweldig vandaag! U verblindt mijn arme ogen!'

Kaira, die zich eveneens aan Thilmo had geërgerd, viel haar vriendin bij: 'Ja, ga dan! Je wint ongetwijfeld de karbonkelsteen, en zo niet, dan kun je voor de keizer misschien een paar drakenkeutels meebrengen, die zijn namelijk niet zo moeilijk te krijgen.'

De luisteraars om hem heen lachten, en de woedende jongen siste tegen Kaira: 'Hou toch je mond, nachtplant!'

'Wie is hier een nachtplant? Ik ben een eerzame Scheckin.'

'Scheckin en eerbaar, ja, ja,' snoof Thilmo. 'Er is zeker 's nachts een vent bij je moeder door het raam geklommen om een kind te brengen, in plaats van er een mee te nemen!'

'Als je dat nog een keer zegt, draag je mijn vinger in je gezicht naar huis!'

Vauvenal, die de ruzie geamuseerd had gevolgd, hief zijn handen in de lucht en riep: 'O, ik geloof dat hij zijn draak al heeft gevonden, de jongeman! Maar spaar dat vinnige diertje, waarde heer, het is veel te mooi en veel te jong!'

Hierover werd nog meer gelachen. Thilmo zag rood van woede, maar hij durfde niets te zeggen om de roddelaars niet nog meer uit te dagen. In plaats daarvan bromde hij: 'Het is tijd om naar huis te gaan – kijk maar hoe Phuram in zijn nachtboot afdaalt.'

Nu gaven de meisjes hem gelijk. Ze haalden hun paard, dat geduldig in de schaduw van de babonaboom had gewacht, en klommen op de wagen. Ze wilden juist wegrijden, toen de verhalenverteller naar hen toekwam en vroeg of ze hem een eindje mee konden nemen.

'Waar wilt u dan heen?' vroeg Thilmo. 'Wij rijden terug naar Fort Timlach en kunnen geen omweg maken, daar is het al te laat voor.'

Daarop stootten Kaira en Tataika hem woedend in zijn ribben. Als men een verhalenverteller als gezelschap kreeg, wie vroeg dan waar hij heen wilde! Een betere manier om de terugreis te bekorten was er hele maal niet! En bovendien – maar dat zei Kaira niet hardop – was ze blij dat een volwassene met hen meereed, want inmiddels beroerde de brandende ster reeds in een pauwenstaart van goud, turkoois en vurig rood de horizon, en het zou aardedonker zijn vóór ze Fort Timlach bereikten.

Gelukkig riep Vauvenal: 'Het is al goed! Ik wil dezelfde kant op. Laat me gewoon op de wagen zitten, ik zeg jullie wel wanneer ik er af wil stappen.' En hij sprong opmerkelijk flink en handig, voor iemand met zijn lichaamsbouw, op de laadbak.

Thilmo zat op de bok, terwijl Kaira en de grote, omvangrijke Tataika – die met iedere man had kunnen wedijveren – op de laadbak hurkten en erop letten dat de manden en de pakken niet naar beneden vielen.

De drie hadden de dag, ver van de woeste Trott, op een plezierige manier doorgebracht. In het marktstadje kreeg men toch meer te zien dan dag in dag uit alleen maar lemen muren, granaatappelboomgaarden en exercerende soldaten! En wat kon Vauvenal boeiend vertellen! De ene keer hadden ze bij een van zijn grappen dubbel gelegen van het lachen, een andere keer liep een ijskoude rilling over hun rug. En nu kregen ze er gratis nog een paar verhalen bij, want de man vertelde niet alleen in ruil voor geld, maar ook voor zijn plezier.

Zo praatte en kletste hij ontspannen verder en gaf een vrolijke anekdote over de Maanschijners ten beste. 'Jullie kennen vast wel de vijver die niet ver van hier aan de Heerstraat ligt en Burzen genoemd wordt. Welnu, ooit kwamen daar enkele Maanschijners in het donker voorbij, en toen zagen ze hoe de volle maan zich in de Burzen spiegelde. Ze schreeuwden en jammerden allemaal door elkaar: "De Maangodin is in de Burzen gevallen, kom snel, haal haar eruit, anders gaat ze onder!" En meteen kwamen ze aanrennen, gooiden een touw in het water, trokken en trokken – en vielen allemaal op hun achterste. Terwijl ze nog in het gras lagen, merkten ze plotseling dat de maan weer aan de hemel stond. Ze barsten in een luid gejubel uit en schreeuwden: "We hebben haar uit het water getrokken."

Hierdoor kwam het gesprek op de Nachtmensen. In het weeshuis was dit onderwerp verboden, want de directrice wist heel goed dat het voor de halfklaren – zoals men op Chatundra de jonge, nog niet geheel volwassen mensen noemde – alleen aanleiding was voor wulps gegiechel en smerige grappen.

De Nachtmensen golden niet voor niets als de belichaming van alle boosaardigheid en ontucht. De weeskinderen waren elke keer buiten zichzelf van nieuwsgierigheid, als rondreizende Maanschijners in het garnizoen aankwamen en in het "gat" afdaalden, om daar de dag onder bescherming van de duisternis door te brengen. Wat zou zich daar beneden allemaal afspelen! Het feit dat de Nachtmensen bovengronds steeds in hun grove monnikspijen gehuld waren, die – afgezien van een spleet om doorheen te kijken – het hele lichaam in een gezichtsloze bruine, blauwe of zwarte kegel veranderden, maakte hen nog geheimzinniger. Een heel populair spelletje onder de halfklaren heette:

"Als je je helemaal alleen met een Nachtmens in de woestijn zou bevinden, wat denk je dan dat hij zou doen?"

"Helemaal niets," zei Tataika dan gewoonlijk. "Omdat ik namelijk allebei zijn armen zou breken en hem van de zandduinen naar beneden zou gooien."'

Na de grappige verhalen begon Vauvenal weer over andere dingen te praten, die steeds diepzinniger en serieuzer werden, en ten slotte vroeg hij of ze ooit van de takken zonder stam hadden gehoord. Het antwoord was een drievoudig 'Nee'.

'Hebben jullie dan nooit geleerd hoe de wereld is ontstaan?' vroeg hij hen.

De beide meisjes aarzelden. Evenals de meeste Gevlekten konden ze niet veel geestdrift voor de wetenschappen opbrengen en luisterden ze liever naar grappenmakers en balladezangers. Thilmo riep over zijn schouder terug: 'Wie de wereld geschapen heeft, weet niemand en ze was woest en dor. Maar de Sundaris kwamen van de zon en brachten deze wijsheid mee, waardoor dieren, planten en alle andere dingen ontstonden.'

'Ja, zo vertellen de Sundaris het,' bevestigde Vauvenal glimlachend. 'Maar sommigen vertellen het anders. Luister!' En met zijn welluidende stem begon hij te zingen:

> 'Van de hemel stond de Driester
> In donkere nacht, ver van Äonen
> Toen er nog geen dag was en geen nacht was
> Hebben ze de wereld gemaakt
> De Drie Zussen, de hooggeplaatste vrouwen
> Die begonnen de wereld te bouwen.'

Thilmo riep verstoord: 'Wee, als een Sundar u hoorde, hoe u zulke schandalige liedjes zingt!'

'Maar er is hier geen Sundar,' antwoordde Vauvenal met zijn sluwe glimlachje. En hij zong onbekommerd verder:

> 'Beklaag de dag, waarop Phuram
> Op duivelse gedachten kwam
> En erover nadacht hoe hij, van trots ontbrand
> De wereld in zijn handen krijgen kon.
> Hij dacht na, 's nachts en ook overdag
> En geeft ten slotte de dodelijke slag
> Waarmee hij als heerser over de wereld
> Op een podium geklommen is.'

Hij vervolgde: 'Maar de Zussen zijn nog niet verloren. Nu heeft het rad des hemels zich gedraaid, de fonkelende Driester stijgt steeds hoger en evenaart het zwavelachtige inktvissenoog, en alle tekenen wijzen erop dat een oude voorspelling in vervulling gaat. Er wordt namelijk beweerd dat er ooit mensen zullen komen, die het gespleten lichaam van Mandora weer in elkaar zetten. Dertien mensen zijn geroepen, maar ze zullen niet allemaal aan die oproep gehoor geven.'

'En wie is er dan geroepen?' vroeg Kaira

'Dertien mensen die wees zijn, bij volle maan geboren zijn en een teken op hun lichaam dragen, dat 'drakenklauw' wordt genoemd. Drie kleine rode vlekken, die er uitzien als granaatappelpitten.'

De drie staarden hem verbluft aan, toen riep Tataika: 'O, u houdt ons voor de gek! U hebt hierover gehoord en wilt ons daar nu mee plagen!'

'Ik heb helemaal geen teken op mijn lichaam!' riep Thilmo, die heel rood en kwaad geworden was.

'Dat heb je wel!' sprak Kaira hem tegen. 'Iedereen weet dat je een teken hebt, net als Tataika en ik.'

Ze wendde zich mokkend tot de verhalenverteller. 'Maar het is niet mooi van u dat u ons met die domme verhalen wilt lastigvallen. Het is al erg genoeg dat iedereen in het weeshuis beweert dat we verwant zouden moeten zijn, hoewel we dat helemaal niet zijn, echt niet!'

'Het zou ook wat moois zijn als ik met zo'n bloempje als Thilmo verwant zou zijn,' bromde Tataika.

'Maar wees nu eens eerlijk, heer. Hoe weet u dit allemaal? Heeft men u dit verteld?'

'Ja,' antwoordde hij. 'Men heeft het me verteld. Men heeft me er zelfs op uitgestuurd om jullie te vinden en bij een zeer hooggeplaatst persoon te brengen.'

Kaira merkte hoe ze zich steeds onbehaaglijker voelde. Nee, het was meer dan onbehagen, het was angst. Ze had altijd geweten dat die kwestie met het teken niet helemaal in de haak was, hoewel de directrice geprobeerd had de zaak te sussen en haar had gezegd dat het niet meer dan een toeval was, zonder enige betekenis. Maar nu was ze er zeker van dat deze eigenaardige man iets in zijn schild voerde. Ineens welde de angst zó overweldigend in haar op, dat ze luid schreeuwde: 'Nee, nee! u wilt ons gewoon voor de gek houden, geef het maar toe!'

Vauvenal antwoordde niet. Hij glimlachte alleen en begon weer te zingen. De drie jonge mensen raakten ongemerkt bedwelmd door de lieflijkheid van het lied, tot ze de een na de ander insliepen en wegzonken in vreemdsoortige dromen.

het huis van de oude dame

Kaira droomde dat ze in het holst van de nacht een wandeling maakte in een tuin die ze nog nooit had gezien. Nergens in de oases in de woestijn groeide het groen zó overvloedig, bloeiden de bloemen in zulke prachtige kleuren, dampte het gras van geurende vochtigheid. Hoewel het donker was, kon ze alles duidelijk zien, want er hing een zachte glans als van het maanlicht over de bloemen en de planten.

Ze ontdekte dat talrijke dieren de tuin bevolkten, maar ze kon niet onderscheiden welke dieren het waren. Ze gleden en glipten en zweefden door de nacht als geruisloze blauwe schaduwen, volgden haar een paar passen en verdwenen weer in het weelderige loof van de bosschages, die zich aan weerskanten van de weg uitstrekten. De overal aanwezige geur van het kerkhof werd sterker, een geur als van uitgebloeide bloemen en overrijpe vruchten, van vers omgespitte aarde en oeroude bomen. Kaira ontdekte dat tussen de bomen witte marmeren sokkels stonden, waar beelden op stonden.

Sommige van deze uit marmer gehouwen beelden zagen eruit als aard- en hemelglobes, sommige als zonnewijzers, weer andere als sterrenbeelden of astrologische tekens, en enkele leken in de verste verte niet op dingen die Kaira kende, maar leken uit een volkomen vreemde gedachten- en beeldenwereld te ontspringen.

Alles, vertrouwd of raadselachtig, glansde in de warme nacht, alsof de witte steen zijn eigen zachte licht uitstraalde. Ze straalden ook geen kou en starheid uit zoals andere stenen beelden, maar ze zaten vol leven, waardoor het leek alsof ze ademden. De hele tuin was overigens vervuld van een levendige, spookachtige en tegelijkertijd ook vriendelijke atmosfeer. Bomen fluisterden en bogen zich naar elkaar toe, in de struiken ritselde en knetterde het, dieren riepen elkaar met hoge, draaddunne stemmen berichten toe, en de nachtvogels zongen. Zelfs de grond waarop ze liep, leek op de rug van een levend wezen. Hij was hobbelig en bewoog onder haar voeten, zo duidelijk merkbaar, dat Kaira soms bang werd dat ze bij haar volgende stap zou struikelen.

Toen ze het huis naderde, bespeurde ze de aantrekkingskracht ervan. Als een draaikolk trok het alles naar zich toe wat zich in de tuin bewoog, en alles haastte zich ernaartoe, de zwarte cypressen, de 's nachts bloeiende bloemen, de dieren. Uit een instinctieve voorzichtigheid bleef ze staan, verzette zich ertegen het huis binnengeleid te worden, maar het was al te laat. De deur sprong geruisloos open en nodigde haar uit de schemering van een door maanlicht overgoten hal te betreden. Nog vóór Kaira helder denken kon, stond ze al binnen en achter haar ging de deur met een duidelijk hoorbare klik dicht, alsof een onzichtbare hand haar in het slot had gegooid. Ze hoefde niet eens de deurknop om te draaien om te weten dat deze deur pas weer zou opengaan als de eigenares van dit huis hierin toestemde. Ze voelde boosheid bij zich opkomen over diens willekeur, maar ze bedwong haar boosheid.

Het was niet geheel donker, hoewel Kaira niet kon onderscheiden waar eigenlijk het schemerige, bleekblauwgrijze licht vandaan kwam. Het zag er net zo uit als maanlicht, maar dat kon het maar gedeeltelijk zijn, want het enige venster – een rond, in veel segmenten onderverdeeld glazen venster – bevond zich aan het tegenovergestelde einde van een lange hal, die zich over twee verdiepingen uitstrekte. De muren waren halfhoog met kunstig gesneden panelen bekleed, de vloer met een tapijt bedekt, waarvan het ingewikkelde motief als vanzelf glom, alsof het uit zilverdraad geweven was. Een open trap leidde met een flinke bocht naar boven en verdween in de verte in diepe schaduwen, als van gordijnen die aan het plafond hingen.

Toen Kaira stilstond en luisterde, meende ze stappen in de duisternis boven haar te horen en een zwak rumoer in de kelder onder haar voeten. Een onderdrukt gelach zweefde plotseling door de lucht. Deuren werden geopend en weer gesloten, zachtjes, maar nadrukkelijk. Het klonk alsof iemand rusteloos door de kamers op de bovenste verdiepingen liep. De lucht werd opgejaagd alsof er onzichtbare vleugels hevig klapperden. Een paar hartslagen lang huiverde Kaira van een onverklaarbare kou, scherp als de vorst in een ijskelder, toen werd ze weer warm. Het was niet duidelijk wat de kou had verdreven.

Plotseling dook een glimmend blauwachtig licht op, niet groter dan een kaarsvlammetje. Het zweefde een stukje boven de grond, alsof het door een onzichtbare hand werd gedragen. Kaira week achteruit, toen ze zag hoe het van de trap naar beneden gleed en naar haar toekwam. Niemand droeg het, de kleine bleke vlam hing in de lege lucht! Het licht leek echter intelligent te zijn, of het had een opdracht van iemand gekregen, want het kwam in een rechte lijn op haar toe en bleef voor haar in de lucht hangen, zo dichtbij dat het haar gezicht verlichtte. Meteen daarop gleed het weer weg, langs de lange rij half openstaande deuren, keerde terug en bleef opnieuw voor Kaira stil in de lucht hangen.

Ze aarzelde om het te volgen, wat kon ze anders doen? Hier alleen in de hal staan was even erg, zo niet erger dan het dwaallicht volgen en bovendien vermoedde ze dat het niet eenvoudig zou zijn het bevel in de wind te slaan. Langzaam en met stijve stappen volgde Kaira het licht dat voor haar uit snelde. Om de paar passen hield het stil, tot ze het had ingehaald, dan ging het weer verder. Het licht gleed haastig de trap op en wachtte, trillend en flakkerend helemaal bovenaan.

Kaira moest diep doorademen om de angst terug te dringen die in haar binnenste woedde. Ze hield zich aan de leuning vast en dwong zichzelf tree voor tree naar boven te gaan, de donker gapende holte van de bovenste verdieping tegemoet. Ze dacht te zien dat gedaanten zich in de schaduwen verborgen en meende ze met fluisterende stemmen te horen lachen. Iets wanstaltigs, dat op een pad leek, zat gehurkt achter een kist die op de overloop stond, en loerde met uitpuilende ogen rond. In de kelder liepen allerlei nachtwezens rond. Op de zolder gingen rusteloze stappen op-en-neer, van de ene kant naar de andere.

Kaira bleef staan, ze kon eenvoudig niet verder. De angst was zó hevig, dat haar lichaam weigerde nog één stap in de schemerige schaduwen te zetten. Zelfs al had ze gewild, ze zou niet in staat geweest zijn om verder te gaan. Haar benen voelden aan als met vlas opgevulde kousen. Ze stootte een zacht, gekweld geluid uit en zakte op de trap in elkaar. Het dwaallicht stopte en zweefde onrustig voor haar heen-en-weer. Ze had de indruk dat het haar wilde aanmoedigen het verder te volgen, maar daar had ze de kracht niet meer voor. Een-, tweemaal bewoog het licht zich om haar heen, toen hield het op en verdween in de schaduwrijke gordijnen aan het bovenste einde van de trap.

Meteen daarop werd hoog boven haar een deur geopend, en stappen liepen langs de vloer. Kaira sloeg haar armen stevig rond haar tegen elkaar gedrukte knieën en maakte zich zo klein mogelijk. Ze was ervan overtuigd dat de stappen de nadering van het afschuwelijkste monster aankondigden dat ze bedenken kon. Ze kromp zó in elkaar dat ze elke afzonderlijke wervel in haar rug voelde. Wat was erger, haar ogen sluiten of ze wijd openhouden? Als ze haar ogen openhield, zou ze het ding zien en van angst dood neervallen. Maar als ze ze dichtdeed, zou het ding ongezien steeds dichter naar haar toe glijden, en haar ten slotte met een ijzige vinger aanraken, en dan zou ze zeker sterven. Neen, het was beter om te blijven kijken.

Kaira voelde hoe iets kouds haar gezicht beroerde. Ze opende wijd haar mond om hard te brullen – toen er iemand scherp in de handen klapte, en met een schorre stem riep: 'Wie heeft jou hiervoor toestemming gegeven? Terug in de kelder met jou, en snel! Heel snel!'

Het monster gehoorzaamde verbazend bereidwillig. Kaira hoorde zijn bewegingen en zijn zware snuiven toen het heen-en-weer waggelde. Toen rolde het de trap af met een geluid, alsof zware zakken over de treden werden gegooid. De scharnieren van kelderdeur knarsten weerzinwekkend, en meteen daarop werd de deur met zo'n ruk in het slot geworpen, dat het huis op zijn grondvesten trilde.

Kaira voelde het zweet over haar hele lichaam naar beneden lopen, toen ze met al haar zintuigen de duisternis in tuurde. Het geluid van tastend lopen kwam dichterbij, langzaam en gelijkmatig, als de stap van een oude mens. Toen verscheen hoog boven haar – waarschijnlijk aan het einde van nog een trap die naar boven leidde – een nieuw licht, groter dan het dwaallicht en van een zachte rozerode kleur. Bij elke dofklinkende stap kwam het meer naar beneden en werd groter, tot het ten slotte stilhield. Het onthulde een stuk van de uit hout gesneden balustrade en daarboven de wanden van de gang.

Gebogen over de balustrade stond een oude vrouw met lamp in de hand die een roodkleurig licht verspreidde. Haar donkere, sterk geplooide kleren hingen tot op haar schoenen, het lange grijsbruine haar viel

onverzorgd op haar schouders. Haar gezicht was doorploegd door duizend rimpels, maar haar grote ogen stonden helder en waakzaam en
haar brede mond glimlachte. Het was een vriendelijke glimlach, hoewel
het Kaira voorkwam dat de vrouw veel meer tanden in haar mond had
dan gebruikelijk was.

'Goedenacht en schone maneschijn, Kaira,' zei de met een stem, zo
diep en zacht als de klank van een houten fluit. 'Ik ben blij dat je gekomen bent. Ik verwachtte je al.'

Kaira voelde zich zó verward, dat ze alleen verlegen stamelen kon:
'Goede... goede nacht. Maar... wie bent u?'

'Iemand die niets kwaads in de zin heeft. Kom, blijf niet op de trap
zitten.' De vrouw strekte haar hand uit, een smalle, verweerde hand met
lange parelmoerkleurige nagels aan de vingers. 'Op de trap spelen mijn
kinderen, de nachtelijke verhalen en dromen. Ze maken jou bang. Hier
boven is het aangenamer.'

Er restte Kaira niets anders dan te gehoorzamen, hoewel ze zich nog
steeds onbehagelijk voelde. De vrouw zag er vriendelijk uit, maar ze was zo
eigenaardig... alleen al haar stem, waarvan de diepe fluittoon merkwaardig
lang naklonk, en de grote donkere nachtvlinderogen, in de diepte waarvan
een barnsteenkleurig vuur brandde, als in een edelsteen. Als ze zich bewoog,
ging er een windvlaag door de ruimte, en de lucht in het binnenste van het
huis werd vervuld van het zware aroma van een julinacht. Bovendien ontdekte Kaira dat het geen lamp was die ze in haar hand hield, maar een glad
geslepen kogel van rozenkwarts, die op eigen kracht licht gaf.

'Kom maar.' De vrouw strekte opnieuw haar hand met de lange nagels
naar haar uit.

Kaira was bang voor de aanraking, maar ze gehoorzaamde. Meteen
daarop voelde ze de verrassend krachtige druk van de rimpelige hand.
Het was niet gewoon een stevige handdruk, er zat een kracht in, die
deed vermoeden dat de oude dame haar met één hand op kon tillen en
door de lucht kon slingeren. Geschrokken trok ze haar hand terug en
verstopte hem met een onwillekeurige beweging achter haar rug. Ze
had het gevoel dat ze in een blauw vuur gegrepen had.

'U... U bent geen menselijk wezen,' stamelde ze, terwijl ze wanhopig
wenste dat ze een amulet gekocht had die de priesters van het marktstadje te koop aanboden. 'Wat bent u? Een Lamia? Een woestijngeest?'

'Wees niet bang voor me. Kijk alleen!' Ze liep naar het raam en wees op de oranjekleurige maan, die in gelaten rust zijn baan aan de kobaltblauwe hemel trok. 'Dat ben ik. Ik ben een Datura.'

Een paar hartslagen lang schoten Kaira alle verschrikkelijke verhalen door het hoofd, die de niksnutten en de kletsmajoors over Datura en haar dienaren vertelden. Ze werd onpasselijk van angst.

Maar nog voor ze een schreeuw van ontzetting kon uitstoten, die in haar keel opwelde, streek de vrouw met de vlakke hand over haar voorhoofd en fluisterde: 'Stil. Wees niet meer bang.'

En het was vreemd, maar ineens was ze helemaal niet bang meer.

'Kom verder, Kaira. We zullen het gezellig maken.'

Aan het eind van de gang ging ze de drempel over en bleef staan. Ze stond in een achthoekige kamer, waarvan de wanden met fladderende tapijten behangen waren. Wantrouwig keek ze om zich heen. In het midden stond een tafel met twee ouderwetse stoelen met harde leuningen ernaast. Er rustte een reusachtig rond glas op, waarin een bleek hoofd zonder lichaam zat. Het hoofd keek om zich heen en rolde met de ogen, terwijl het met een hese stem onbegrijpelijke verzen declameerde.

'Ga zitten. Datura trok haar lange ritselende kleren recht en ging in een van de stoelen zitten. Haar dorre hand wees op de andere stoel.

Kaira ging zitten. Ze staarde nog steeds in verwarring naar het hoofd, dat zich onophoudelijk naar alle kanten draaide en maar bleef mompelen, waarbij het voortdurend knikte en op haast plechtige wijze zijn grote ogen rolde:

Bobus phatunzilam
Murmaros echti,
glumus abzurzolos
kebit! Agloi!

Ze wendde zich af. 'Waarom… waarom hebt u me hier gebracht?' vroeg Kaira met trillende stem.

'Dat heeft de verhalenverteller jullie toch al gezegd, nietwaar?' antwoordde Datura. 'Je behoort tot de Dertien, evenals Thilmo en Tataika. Jij bent voorbestemd Mandora te bevrijden en ervoor te zorgen dat het zijn recht weer terugkrijgt.'

'Maar waarom juist ik?' riep Kaira ontsteld. 'Ik ben niets bijzonders. En, vergeef me, ik wil ook niets bijzonders zijn.'

'Wat je wilt of niet, is niet van belang, Kaira,' antwoordde Datura. 'Je bent nu eenmaal uitverkoren. Zeker, je kunt weigeren de opdracht aan te nemen, maar ik zou je dat niet aanraden. Daarmee maak je je leven er niet gemakkelijker op, en daar komt het schuldgevoel nog bij, omdat je je plicht verzuimd hebt. Doe liever waartoe je voorbestemd bent, en je zult hulp vinden.' Ze glimlachte tegen het meisje.

'Neem mij, bijvoorbeeld. Ik ben er al om je te helpen. Ik zal nooit vergeten dat het Mandora was, die me geschapen heeft. Daarom verafschuw ik wat Phuram gedaan heeft, en sindsdien staat er wrok en verbittering tussen hem en mij, tussen zijn vereerders en de mijne. En daarom wil ik ook iedereen naar beste vermogen helpen, die Mandora weer tot leven willen wekken, en die wil dat de Driester weer aan de hemel schittert.'

'Maar waarom ben juist ik geroepen?' bracht Kaira er tegen in. 'Er zijn toch nog zoveel krijgsvrouwen en andere dappere vrouwen, voor wie het een stuk makkelijker zou zijn om de opdracht uit te voeren, en…'

'Breek je hoofd daar maar niet over,' zei Datura met nadruk. 'Dat is jouw zorg niet. Kom, richt je blik op de kristallen kogel.' Kaira wierp er een aarzelende blik op.

Het hoofd verbleekte geleidelijk, veranderde in een rokerig beeld dat zienderogen vervluchtigde. In plaats daarvan kwamen onbestemde beelden uit de diepte van het magische glas tevoorschijn.

Kaira zag reusachtige Hemelbestormers, die met elkaar vochten, en menselijke krijgers die elkaar in bloederige gevechten met honderden tegelijk tegen de grond sloegen en doodden. Ze zag draken met vurige staarten aan de nachtelijke hemel jagen als kometen. Ze zag bouwvallige stenen altaren op bergtoppen waar omheen hevige stormen loeiden. Elk tafereel ontstond zo snel en viel zo snel weer uit elkaar, als de ridders in een caleidoscoop, maar ten slotte werden enkele taferelen duidelijk zichtbaar.

Kaira zag een gepantserde man van buitengewone schoonheid, die door de poort van een kasteel reed en met een wild gebaar zijn zwaard trok. Zijn lange blonde haar woei op in de wind, en zijn wapenrusting glansde in de ochtendzon, alsof Phuram zelf uit de hemel was neergedaald. Hij werd gevolgd door een andere man van adel in een lang grijs gewaad, die juist op een draak klom. Toen verscheen in het glas een klein, mismaakt schepsel met lang haar en bleke gelaatstrekken, dat aan de oever van een rivier zat en uit zijn gevouwen handen water dronk. Toen hij klaar was met drinken, stopte hij iets in zijn mond en plotseling stond op zijn plaats een rode leeuw met een menselijk gezicht en een schorpioenenstaart. Hij was zó schrikaanjagend en bedreigend, dat Kaira geschrokken terugweek van het glas waarover ze zich steeds dieper had gebogen.

Het beeld was inmiddels verdwenen, en nu zag ze Tataika, die in de kazernetuin van Fort Timlach water haalde en met een grimmige trek op haar gezicht een soldaat uitschold, die het had gewaagd haar vriendelijk aan te spreken. Daar was ook Thilmo, die juist uit het huis van de Sundaris kwam en zó trots omkeek, dat het leek alsof hij de huiseigenaar was en niet slechts een bediende. Toen verscheen in de diepte van het magische glas een magere, grijze man met een woeste haardos en uitgeleefde gelaatstrekken, die zichtbaar angstig in een schuur neerhurkte. Ten slotte verdreef een rokerige wolk de beelden, en het hoofd verscheen weer om zijn onverstaanbare litanie voort te zetten.

'Deze mensen,' vroeg Kaira, 'zijn dat ook geroepenen?'

'Ja. In totaal zijn het er dertien, maar niet allen zullen gehoor geven aan de oproep. En jij, Kaira? Zul jij het doen?'

'Ik ben bang.'

De oude dame legde haar hand op de hare. 'Ik weet dat je bang bent. Maar ik vroeg of je het zult doen.'

Wat bleef haar anders over? Ze zuchtte diep. 'Ik wil het proberen, maar beloven kan ik niets. Ik ben echt niet geschikt voor het verrichten van heldendaden.'

'Je zult hulp krijgen. De verhalenverteller kan je niet verder helpen, want Zarzunabas heeft de Klagende Woestijn geschapen, waar draken niet doorheen kunnen vliegen. Maar als je de rivier Kao bent overgestoken, zal mijn bediende je afhalen en vergezellen, zodat je niet alleen bent. Kijk nu in de kogel. Ze zal je naar de juiste plek brengen.'

'En mijn vrienden?' vroeg Kaira bezorgd.

'Geen angst, ze gaan met je mee.' De oude dame stond op, ging achter Kaira staan en legde haar handen op Kaira's schouders. 'Kijk in de kogel.'

Kaira gehoorzaamde, hoewel ze het van opwinding zó koud had, dat ze huiverde. Ze staarde het hoofd aan, dat weer heen-en-weer ging draaien. Haar ogen volgden zijn bewegingen, tot ze merkte hoe ze door een lichte duizeling werd bevangen. Ze sloot haar ogen en luisterde naar de betekenisloze woorden die het hoofd op pompeuze, plechtige manier declameerde.

... Bunchthan marbubilos
Nubule pampa
Kor pisztum sangrabus
Ude kabbalo ...

Toen ze een poosje met gesloten ogen had geluisterd, vervaagde alles voor haar ogen, en ze zonk weg in een weldadige duisternis.

Transfer

Toen Kaira haar ogen opsloeg, zag ze als eerste de met sterren bezaaide nachtelijke hemel boven het Aard-Wind-Vuur-Land. Ze voelde zich lusteloos en versuft, alsof ze honingvalolie had gedronken. Een droom zweefde nog aan de rand van haar bewustzijn, een groteske droom, waarin een hoofd zonder lichaam in een kristallen kogel gewichtig lijkende onzin uitkraamde.

Een paar hartslagen lang probeerde ze de droom terug te halen. Toen merkte ze ineens hoe koud ze het had. Tijdens de slaap had een geheimzinnige macht haar warm gehouden, maar nu merkte ze dat ze onbeschut in de openlucht lag. Met een ruk ging ze rechtop zitten. Waar was het paard? De wagen? Waar waren Thilmo en Tataika? En waar was zij eigenlijk?

Een plotseling gevoel van ontzetting deed haar overeind springen. Ze had gedroomd, maar wat was er voordien gebeurd? Vauvenal, had hij haar behekst? Was hij een geest, die aan de rand van de woestijn op slachtoffers loerde? Nu herinnerde ze zich precies dat het een lied geweest was dat het net van de slaap over haar heen geworpen had en haar deze merkwaardige droom in had getrokken.

Blindelings rende ze in de richting van de duisternis. Zweet stroomde over haar gezicht, haar longen brandden al na een paar stappen. De grond onder haar voeren bestond uit steengruis en elke stap deed pijn. En waar wilde ze eigenlijk heen? Voortgedreven door een blinde paniek bleef ze rennen, tot haar voet ergens in verstrikt raakte, en ze door de pijn op haar handen en haar ene knie viel.

Meteen daarop zag ze waardoor ze zo in de war geraakt was. Van ontzetting sperde ze haar ogen wijd open. Ze wilde schreeuwen, maar uit haar uitgedroogde keel kwam slechts een rauw, rasperig geluid. Ze knielde midden in een skelet!

Maar het was geen menselijk skelet dat daar half begraven in het gruis en het donkere woestijnzand lag. Hoewel het de lengte van een mens had en van de tenen tot de nek ook als een mens gebouwd was, had het een hoofd met een lange neus, als een geit, en daarop twee in de vorm van een slak gedraaide horens, die door het zand gladgeschuurd waren. Kaira was op de borstkas gaan staan. De ribben waren gebroken, toen ze er op gevallen was. Naar adem snakkend, knielde ze neer, en staarde ze in het benige gezicht met de eivormige oogholtes, waarboven de horens zich kromden.

Overweldigd door afschuw deinsde ze terug, krabbelde overeind en vluchtte, zonder erop te letten waarheen haar voeten haar voerden. En plotseling rende ze een, twee stappen in de lege lucht en merkte ze hoe de rennende beweging in een val overging, hoe ze gewoon naar beneden werd gezogen. Ze begon schel te krijsen, ervan overtuigd dat ze over een paar hartslagen zou worden verpletterd en op de bodem van een ravijn zou liggen, maar ze viel in het water. Ze kwam met zo'n harde klap op het water terecht, dat het haar de adem benam. Maar ze was al ondergedoken, ademde water in plaats van lucht, slikte, trappelde wanhopig in een ijzige duisternis, die al haar ledematen omsloot.

Een ogenblik voelde ze zich alsof ze vastzat in een rotsspleet, zo massief, zo oppermachtig was het snel wegstromende water. Ze kon zich niet meer bewegen, wist niet meer waar boven en onder was, en was niet meer in staat om adem te halen.

Het was lang geleden dat ze haar wilskracht zo wanhopig ingespannen had, maar terwijl ze nog in de stroming als een dode vis ondersteboven gegooid werd, merkte ze dat ze haar handen een beetje bewegen kon en meteen daarop ook haar armen en benen. Ze kon inderdaad zwemmen, ook al hielp het haar weinig tegen de onverbiddelijke zuigkracht van het water. Kaira schreeuwde, kreeg haar mond vol bitter, ijskoud water, slikte en spuwde en trappelde als een jonge hond, maar het hielp! Het hielp! Ze kon zwemmen, kon zich boven water houden, al had ze het van top tot teen afschuwelijk koud en brandde elke ademtocht in haar longen. Met verwilderde, wijd opengesperde ogen keek ze om zich heen en vocht zich naar de in de schaduw van de wolken gelegen oever. Haar kleren zaten vol water en hingen als ijzeren gewichten aan haar lichaam. Haar ogen brandden en traanden, haar nek deed pijn, ze was misselijk van het water dat ze had ingeslikt en dat bitter als gal smaakte. Af en toe grepen geniepige draaikolken onder het wateroppervlak naar haar benen en trokken haar naar beneden als handen, zodat ze met haar armen en benen moest roeien om weer aan de oppervlakte te komen. Scherpe steken in haar spieren waren de voorboden van kramp. En nog steeds was de oever onbereikbaar ver verwijderd.

Ze kon het nauwelijks geloven toen ze ten slotte eerst met haar tenen en meteen daarop met haar knieën op glibberige steenblokken stootte. Met haar laatste krachten, proestend en spuwend, zocht ze met haar voeten naar vaste grond. Ze voelde grote kiezelstenen onder de zolen van haar sandalen, en kroop op handen en knieën aan land.

Het moment waarop ze wist dat ze in veiligheid was, verliet het laatste restje kracht haar. Ze viel plat op haar buik en lag als dood in de duisternis, haar mond en neus in het ruwe gras, haar armen en benen gestrekt uit elkaar. Rode, fonkelende pijnscheuten doorstroomden haar doodvermoeide lichaam. Ze trilde van top tot teen. Ze kreeg de ene niesbui na de andere en haar neus druppelde, maar op dit moment kon dat haar absoluut niets schelen.

Ze lag daar ruim een half uur, plat en roerloos, voor ze weer de kracht vond zichzelf op handen en knieën op te richten. Bij deze beweging werd ze misselijk, en ze braakte een golf bitter, koud water uit. Daarna voelde ze zich iets beter. Geleidelijk kon ze zich zelfs over haar triomf verheugen. Het was nauwelijks te geloven, maar ze had het voor elkaar gekregen!

Ze ging voorzichtig rechtop zitten, en bij die beweging merkte ze dat haar haren, haar sluier en ook haar andere kleren volkomen droog waren! Trillend betastte ze zichzelf. Geen twijfel mogelijk. Haar kleren en haar lichaam waren zo droog, dat het leek alsof ze nooit in het water was geweest!

Tovenarij! Wat hier gebeurde, was duidelijk tovenarij! Eerst had Vauvenal haar behekst en daarna die griezelige oude vrouw, van wie ze gedroomd had – zo levendig gedroomd, dat de terugkerende herinnering haar steeds meer details liet zien, tot aan het idiote gewauwel dat het hoofd ten beste had gegeven:

Bobus phatunzilam
Murmaros echti,
Glumus aburzolos
kebit! Agloi!

Bunchtam marbulibos …

Ze ging met knikkelde knieën overeind zitten en keek om zich heen. De Maangodin – fel en rood als een sinaasappel – glansde, door sterren omgeven aan een inktzwarte hemel, en het land waarboven ze schemerde, was donker en woest. Struiken, die op de schrale grond groeiden, verspreidden de geur van lavendel en mirre.

Kaira bukte zich en streek met haar vlakke hand over de grond. Het gras was ruw en kort, en een keer stak ze zich in haar vinger, toen ze te dicht bij de stekels van een zandkomkommer kwam. Met een luide schreeuw trok ze haar hand terug en stopte de gestoken vinger in haar mond. Plotseling schrok ze hevig, toen ze na haar schreeuw een stem hoorde, ze was ervan overtuigd dat een spook of een duivel haar naam riep.

In plaats daarvan zag ze Thilmo en Tataika uit de duisternis opduiken. Het merkwaardige was dat ze hen beide in het zwakke maanlicht heel duidelijk kon onderscheiden. Ze straalden hetzelfde zwavelige, vale schijnsel uit als het water van de rivier. Ze zagen er bleek en verschrikt uit, maar ook zij waren helemaal droog.

'Heb je enig idee waar we hier zijn?' vroeg Tataika, terwijl ze naar alle kanten om zich heen keek. 'Ik kan me alleen nog herinneren dat ik plotseling moe werd, en toen kreeg ik een heel verwarrende droom over een mensenhoofd in een rond glas en een oude vrouw…'

'Ik ook.' riep Kaira, en Thilmo knikte instemmend. 'Ik ook.'

'Maar wat heeft dat te betekenen?'

Kaira haalde hulpeloos haar schouders op.

Maar Thimo verklaarde categorisch: 'Vauvenal is een Helbedwinger, en de vrouw in onze dromen is ook een tovenares, die zich bezighoudt met zwarte magie.'

'Maar ze zei dat ze de Maangodin was.'

'En wat dan nog? Dat komt op hetzelfde neer,' mopperde Thilmo. 'Het is allemaal de schuld van jullie twee! Jullie hebben het toegestaan dat de

Helbedwinger op onze wagen klom, en nu heeft hij ons hierheen getoverd, en we weten niet eens waar we zijn.'

Tataika legde haar hoofd in de nek en draaide om haar as als een dier dat probeert zich te oriënteren. Plotseling stootte ze een gedempte schreeuw uit. 'Hé! Daar boven brandt licht!' Ze wees met uitgestrekte arm naar een plek die zich zó ver boven hen bevond, dat ze allemaal hun hoofd in hun nek moesten leggen om hem te zien. Kaira dacht eerst dat Tataika op een flakkerende rode ster gewezen had, maar toen bedacht ze dat dit licht van een vuur moest komen, dat iemand hoog boven hen op een klip had aangestoken.

Tataika kwam al in beweging. 'We moeten daar naar boven,' zei ze.

De beide anderen volgden haar, hoopvol en argwanend tegelijk. Ondanks haar twijfels en angsten werd Kaira door het rode licht aangetrokken als een mot door een fakkel. Het dreef haar voorwaarts, gehoor gevend aan een innerlijk gevoel dat vuur met warmte en geborgenheid gelijkstelde.

Ruadh de Accumulator

De berm bestond uit harde grond en gladde rolstenen. Het was niet makkelijk om daartegenop te klimmen, en Kaira haalde meerdere keren haar handen en knieën open, tot het haar eindelijk lukte het hoofd over de rand te schuiven.

Het eerste wat ze zag was een vuur, een klein gloeiend vuur. In het troebele schijnsel waarvan zat een mens gehurkt.

Het was een man tussen dertig en veertig jaar. Zijn gezicht vertoonde scherpe vouwen rond zijn neus en mond, zijn huid was roodachtig en op enkele plaatsen verveld, alsof hij te lang in de felle zon had gereisd. Men merkte aan hem dat hij al veel had meegemaakt – en niet alleen prettige dingen. Zijn blauwgrijze ogen stonden helder en levendig en zijn blik was zó doordringend, dat het leek alsof hij dwars door je heen keek. De energieke gelaatstrekken verrieden dat hij geen zwak, en zeker ook geen dom mens was.

Toch bewees zijn haveloze uiterlijk duidelijk dat hij een bedelaar was. Zoals gebruikelijk bij landlopers droeg hij een grote hoeveelheid kledingstukken over elkaar, bij zijn handen waren drie, vier verschillende mouwranden zichtbaar. De kleding was door het vele wassen zó verweerd, dat ze elke vorm en kleur hadden verloren. Alles was gelijkmatig grijsbruin gebleekt en deed denken aan de verweerde windsels van een mummie. Zijn handen staken in zandkleurige garen handschoenen, waarvan de vingerruimtes boven de eerste knokkels afgesneden waren. Het weelderige, roodblonde haar was achter in de nek met een leren band samengesnoerd. Naast het vuur stond een tas van hagedissenleer, die zó volgestopt en uitgedeukt was, dat hij waarschijnlijk zijn hele bezit bevatte.

Hoewel het meisje ver buiten het schijnsel van het vuur in het schemerduister stond, had hij Kaira gezien (of, dacht ze huiverend, hij vermoedde haar aanwezigheid) en wenkte haar.

'Hierheen, Kaira!' riep hij. 'Je komt net op tijd.' Daarbij hield hij een stokje omhoog dat hij boven het vuur rondgedraaid had, en ze zag dat er iets sissend aan vast zat. Meteen daarop rook ze het ook.

Het rook naar gebraden stekelzwammen, en door de geur kreeg ze zo'n honger, dat haar maag gewoon verkrampte. Maar tegelijkertijd werd ze overweldigd door een golf van angst. De Gevlekten waren dan wel niet zo bang van de duisternis als de Sundaris, maar op hun gemak voelden ze zich 's nachts ook niet, en zeker niet in een nacht in de woestijn. Wie was deze mens? In de woestijn woonden geesten, misschien was hij een van hen… of een schepsel als de Holvrouw, die eenzame reizigers beloerde en het bloed uit hun aderen zoog. Of uiteindelijk misschien een Maanschijner? Als je 's nachts alleen in de woestijn zou zijn en een Nachtmens tegenkwam, wat zou hij dan doen, denk je?

Kaira aarzelde, heen-en-weer gesleurd door tegenstrijdige gevoelens. Haar verstand wilde weten waarom de vreemdeling haar bij haar naam riep, waarom hij midden in niemandsland op haar gewacht had en of hij een vriend of een vijand was. Maar op dit ogenblik hield haar lichaam het stuur van haar leven omklemd, niet haar verstand. Haar lichaam was het allemaal onverschillig. Dat was moe, hongerig, bedekt met schaafwonden en kon aan iets anders dan aan de gebraden stekelzwammen denken.

Ze stotterde verward: 'Wie – … wie bent u?'

'Ik ben Ruadh,' antwoordde hij. Zijn stem klonk diep en rauw, met een zelfbewuste, bijna uitdagende ondertoon. 'Sommigen noemen me ook Vuurvos. En je mag gerust "jij" tegen me zeggen.'

Ze knikte onbehagelijk. 'Goed, welnu Ruadh. Zeg me… zeg… van waar kent u mij? En hebt u – heb je hier op ons gewacht?'

'Zeker. Zo luidde mijn opdracht. Herinner je je mij niet meer? De oude dame heeft je gezegd dat je door een bediende opgehaald zou worden. Dat ben ik. In je eentje zou je ook niet ver komen. Maar kijk, daar zijn je metgezellen! Welkom! Kom maar hier.'

De groet gold Thilmo en Tataika, die aarzelend dichterbij gekomen waren, half opgelucht dat ze in deze wildernis een mens ontmoet hadden, half bezorgd dat deze mens een vijand zou kunnen zijn.

Tataika staarde hem dreigend aan. Ze kneep haar toch al kleine ogen samen, tot ze nog maar een klein spleetje in haar ronde (en zeker niet onknappe) gezicht vormden. Hoe ze daar voor het vuur stond, haar handen steunend op haar heupen, herinnerde ze Kaira aan een dier, een reusachtig, plomp dier met lange bruine manen en wantrouwig fonkelende ogen. Ze vroeg recht op de man af: 'Bent u een Maanschijner? U lijkt er wel op.'

De man knikte. Het schijnsel van de vlammen speelde op zijn gezicht, zodat zijn huid soms een koperen glans kreeg en er dan weer uitzag alsof hij een masker droeg, waaruit alleen zijn scherpe ogen tevoorschijn flitsten. Hij kruiste zijn handen achter zijn nek en rekte zich behagelijk uit, tot zijn schouderbladen hoorbaar knakten.

'Dat klopt. Ik ben een Maanschijner. En dat niet alleen, ik ben zelfs een Accumulator.' Daarbij deed hij zijn linkerhand omhoog en trok de vuile handschoen uit. Kaira zag dat hij aan zijn ringvinger een ring met een gewelfde steen droeg. De ring zelf leek uit het gebruikelijke staal te bestaan, glad en eenvoudig, maar aan de ovale steen was iets eigenaardigs. Hij was felblauw, als parelmoer, en toch glansde hij zó krachtig, dat hij de hele hand in een mat licht onderdompelde.

Kaira keek vol verbazing naar de steen. Nooit eerder had ze een sieraad gezien dat in het donker uit zichzelf zo'n glans verspreidde.

'Wat is dat voor een prachtige ring?' riep ze.

'Zwarte magie, daar durf ik om te wedden,' mompelde Thilmo.

'Nee, integendeel,' antwoordde Ruadh. 'Hij beschermt tegen zwarte magie en allen die haar beoefenen. Dit is een maansteen. Het is een geschenk van de oude dame – een onderscheiding die ze alleen Accumulators verleent.' Hij trok haastig de handschoen weer aan en hield zijn verminkte ringvinger omhoog, tot de glans van het geheimzinnige sieraad verdween.

De drie jongelui staarden elkaar ontsteld aan. Hoe weinig ze ook van de Nachtmensen wisten, ze hadden altijd gehoord dat de Accumulators de gevaarlijkste van hen waren – trouwe dienaars van de Maanheks, die voortdurend op pad waren om haar opdrachten uit te voeren. Er werd gezegd dat het gifmengers en geestenbezweerders, kinderlokkers en lijkeneters waren. Het waren zulke verschrikkelijke wezens, dat de keizerlijke inquisitie, die de doorsnee Maanschijnerin hun bestaan als ketter vrijwel ongemoeid liet, de Accumulators met de dood bedreigden.

Waarschijnlijk dacht Tataika aan hun snoeverij tijdens de terugreis, want ze spande haar spieren en dreigde: 'Waag het niet me aan te raken. Ik breek je armen en benen!'

De Accumulator glimlachte. 'Ik weet hoe sterk je bent, Tataika, maar je hoeft me niet te bedreigen. Ik heb niets kwaads in de zin. Integendeel. Ik ben hierheen gestuurd om jullie te helpen. En we moeten ons haasten. Jullie zijn de eersten, maar nog niet de laatsten, die op mijn lijst staan.'

'En als we geen zin hebben om met u mee te gaan?' wilde Thilmo weten.

De Accumulator haalde de schouders op. 'Ik kan jullie niet dwingen mee te komen, en ik zal jullie zeker niet met geweld meeslepen. Jullie kunnen ook hier blijven. Maar vergeet niet dat het hier in de Aswoestijn overdag zó warm wordt, dat de stenen barsten, en nergens is ook maar een druppel water te vinden.'

'Toch zijn we zojuist uit een rivier gekropen!' antwoordde Thilmo.

Ruadh schudde het hoofd. 'Uit deze rivier kan niemand drinken, en als je hem nu zou zoeken, zou je hem niet meer vinden. Hij is Kao, de grens. Jullie zijn ver van Fort Timlach verwijderd.'

Kaira legde het voorhoofd op haar knie. Ze voelde zich ellendig. Haar huid brandde, haar ogen voelden aan alsof ze er zand in gewreven had. Ze zou zeker zonnebrand krijgen, als ze maar een halve dag zonder sluier liep. Hoe moest dat in de Aswoestijn gaan? De zon zou haar huid roosteren, tot de vellen er afvielen. En er was helemaal niets te eten en niets te drinken…

De drie keken elkaar aan. Wat moesten ze doen? Aan het begin van de middag zouden ze niet eens in een droom op het idee gekomen zijn een Maanschijner te vertrouwen, en een Accumulator al helemaal niet. Maar als ze niet van honger en dorst wilden omkomen, hadden ze geen andere keus, want alleen zouden ze nooit de weg naar huis terugvinden. Ze wisten niet eens hoe ver ze van Fort Timlach waren verwijderd.

Bovendien had Kaira het gevoel dat Ruadh niet kwaadaardig en ook niet gevaarlijk was, ook al was hij een Nachtmens.

Maar Thilmo zette bijna een kromme rug op, zó hevig protesteerde hij. 'Het is tovenarij, wat hier gebeurt! U bent een Helbedwinger! Die schurk Vauvenal heeft ons behekst, en u speelt met hem onder één hoedje! Ik zal u bij de priesters aangeven!'

'Er zijn verschillende soorten tovenarij,' zei Ruadh scherp. 'De oude dame heeft jullie niet behekst.'

Ze heeft jullie alleen een stuk op weg geholpen – naar mij. En Vauvenal heeft zijn opdrachten niet van mij, maar van anderen. Hij is een dienaar van de drie godinnen, ik ben een dienaar van de Datura.'

'Wat is het verschil? Ketters zijn ketters,' sprak Thilmo hem tegen, maar dempte zijn stem.

Ruadh schoof de gebraden stekelzwammen en een geitenleren zak met water naar hen toe. 'Eet en drink! Jullie hebben je kracht nodig, er staat jullie een zware tocht te wachten.'

Ze spartelden nog tegen, maar het was Kaira inmiddels duidelijk geworden dat ze geen andere keus hadden. Ze moesten met deze man meegaan, of ze wilden of niet. Wat hadden ze anders moeten doen? En als ze met hem mee moesten gaan was het echt beter dat ze eerst op krachten kwamen.

Dus nam Kaira – evenals de beide anderen – de gebraden stekelzwammen aan en dronk van het water. Het kwam Kaira voor dat zelden iets zo goed gesmaakt had als deze knapperige bruine schijfjes. Zouden ze betoverd zijn?

Tataika vroeg, terwijl ze met een schuin oog naar Ruadhs propvolle tas keek: 'Wat sleep je eigenlijk allemaal met je mee?'

'O – dit en dat,' antwoordde de man. 'Altijd dat wat ik net nodig heb. Het is een verzameltas, moet je weten.'

'Een wàt?' vroeg Tataika, terwijl ze haar voorhoofd fronste.

'Een verzameltas. Iedere Accumulator heeft er een. Het bijzondere ervan is, dat er altijd precies in zit wat we op een bepaald moment nodig hebben.'

Tataika staarde hem met argwanend dichtgeknepen ogen aan. 'Wil jij in ernst beweren dat je uit die voddenbaal alles kunt halen wat je wilt?'

'Nee. Niet wat ik wil. Alleen wat ik nodig heb. En dan nog alleen als ik er op geen andere manier aan kan komen. Luister,' zei hij, terwijl hij ieder van hen met zijn blauwgrijze ogen scherp aankeek. 'Haal het niet in je hoofd om in mijn tas te snuffelen! Ten eerste gehoorzaamt ze alleen aan mij, en ten tweede krijg je een stevige tik op je vingers, als iemand er misbruik van maakt. De laatste keer dat iemand, die er geen recht op had, een greep in de tas deed, zat die vol met adders.'

Nadat hij dit gezegd had, gooide de woestijnloper stenen op het vuurtje, tot het uitgedoofd was. Nauwelijks was de gloed onder de stenen verstikt, of hij stond op en zei: 'Wacht even op me. Ik moet nog iets doen, intussen kunnen jullie beslissen of jullie meekomen of niet.'

Hij ging een paar passen terzijde. Kaira dacht hij moest plassen, maar tot haar verbazing zag ze dat hij in het zand neerknielde en beide armen met de handen horizontaal gehouden handpalmen naar de nachtelijke hemel ophief, alsof er daar van boven iets naar beneden stroomde dat hij wilde opvangen.

Blijkbaar was hij aan het bidden, want hij had zijn ogen gesloten, en op zijn gezicht verscheen een uitdrukking, alsof hij iets onzichtbaars streelde. De drie jonge mensen keken elkaar aan, maar geen van hen durfde iets te zeggen. Het duurde niet lang tot Ruadh met zijn gebed klaar was. Toen stond hij op en gooide de tas over zijn schouder.

'Wel?' vroeg hij. 'Willen jullie met me meekomen? We hebben niet veel tijd meer, vóór de vretende asterisk opkomt.'

Thilmo merkte op zijn gebruikelijk opstandige toon op: 'Wij zijn Gevlekten. We hoeven niet bang te zijn voor Phuram, zoals jij.'

'Dat moeten jullie wel,' wierp Ruadh tegen. 'Want als jullie met mij meegaan, krijgen jullie net zo'n hekel aan Phuram als ik, en dat betekent dat hij jullie zal verslinden zodra hij in zijn dagbootje stapt.'

Kaira merkte hoe haar binnenste koud werd. Waar waren ze terechtgekomen? Wat gebeurde er met hen? Ze zei zacht: 'Ik ben zo bang. Waarom kunnen we niet gewoon naar huis gaan?'

'Omdat dat niet gepland is, niet voor je vrienden en ook niet voor mij. Maar wees moedig.' Ruadh legde zijn arm om haar schouder en trok haar beschermend tegen zich aan. Tot haar verrassing voelde ze dat zijn haveloze en verwaarloosde uiterlijk haar niet afstootte. Hij rook ongewoon, maar heel aangenaam, als in de zon verdord hout en droog herfstloof. Kaira legde haar hoofd tegen de schouder van de Accumulator, begroef haar neus in de wirwar van zijn kledingstukken. Het lag gewoonlijk niet in haar aard om meteen vertrouwelijk tegenover vreemden te zijn, maar Ruadh – daar was ze op hetzelfde moment vast van overtuigd – was geen vreemde. Hij was een vriend.

Tataika haalde de schouders op. 'Nou, dan zullen we maar met je meegaan. Wat blijft ons anders over?'

Ze liepen gehoorzaam achter de Accumulator aan, een donkere nacht in en een onzekere toekomst tegemoet.

Boze voortekenen

De dood van de hogepriester

Vanaf de uitkijkposten van de tempeltorens riepen de Jubelhorens op tot de zonnedienst, maar het was een andere priester, die in de tempel voor het reusachtige standbeeld van Phuram stond en de plechtigheden leidde. Hogepriester Furgas had al sinds een paar dagen zijn ambt niet meer vervuld. Tegenover de keizer had hij zich verontschuldigd door te wijzen op de aanvallen van onpasselijkheid, die hem soms overvielen als gevolg van zijn enorme lichaamsomvang, en die het hem – vanwege hun onappetijtelijke karakter – onmogelijk maakten de heilige dienst uit te oefenen. Maar in werkelijkheid waren het niet zijn ingewanden die de priester plaagden. Het waren de dingen die hij ontdekt had , toen hij in de verboden boeken had gelezen.

Dingen, die hem heel persoonlijk aangingen.

Furgas was altijd een trouwe dienaar van Phuram geweest. Maar omdat hij geen domkop was, kende hij het ware verhaal van de planeet, en eigenlijk was hij van mening dat het veel verstandiger geweest zou zijn het bestaan van de oude, mystieke drakenrijken toe te geven en ze onmiddellijk tot rijken van het kwaad uit te roepen, in plaats van dit bestaan in kinderlijke blindheid eenvoudig te ontkennen. Hij was bedreven in de wetenschap van de astronomie, en daarom wist hij dat de tijd van de versluiering van Phuram zou komen – en wel spoedig –, en dat dan over het lot van Chatundra voor de komende eeuwigheid beslist zou worden. Toen hij daarover gelezen had, waren veel half vergeten dingen weer in zijn herinnering teruggekomen. En dan deze ongelofelijke ontdekking!

Niet dat hij er ook maar een seconde aan gedacht had gehoor te geven aan deze schandelijke oproep. Zijn God was Phuram. De sterren konden bepalen wat en hoe ze wilden, nooit zou hij de helpende hand reiken bij het herstel van de heerschappij van de Driester, ook al bestempelden de astronomische constellaties van zijn geboorte, van de vroege dood van zijn ouders en zijn verdere leven hem overduidelijk als een van de Dertien, die tot deze taak geroepen waren. Het teken op zijn lichaam was slechts een laatste bewijs.

Nee, hij mocht niet weifelen. Het lot was één ding, zijn persoonlijke oproep en beslissing een ander. De sterren hadden hem benoemd, hij had zich tegen zijn benoeming verzet. Een ogenblik had hij gehoopt dat het voldoende was te weigeren, en daarmee het magische aantal te doorbreken, maar de verboden boeken – waarvan de tekst opgloeide als men haar las – stelde hem teleur. Er stond niet in wat er precies zou gebeuren, als een of ook meer benoemden weigerden de daad uit te voeren, of wat er zou gebeuren met hen, die de benoeming van de hand wezen. En er werd met geen woord gerept over de vraag of er daadwerkelijk dertien benoemden mee moesten doen.

Als Phuram ten onder ging, dan zou Furgas met hem ten onder gaan, als zijn onwankelbaar trouwe priester en knecht. Eén ding, bedacht de priester met een zwakke glimlach, had hij met graaf Viborg gemeenschappelijk. Bij alle fouten die ze mochten hebben, waren ze trouw: de ridder aan zijn keizer, de priester aan zijn god.

Niettemin stond hij nu voor een moeilijk dilemma. Het was eigenlijk zijn plicht de keizer te waarschuwen. Hij zou naar hem toe moeten gaan en hem laten weten hoe nabij het gevaar was dat de metgezellen erop uittrokken om Mandora te genezen en de macht van de Driester aan banden te leggen.

Hugues moest nu elke afzonderlijke dag gebruiken om zijn landjagers uit te sturen en de benoemden te vangen, voor ze hun werk konden afmaken. In allerijl moest hij zijn leger uitrusten om ten strijde te trekken tegen de Mokabiters en de Kadavervorst, als die hun troepen tegen hem in het veld stuurden. Hij moest erachter zien te komen wat er achter het raadselachtige vers 'Als het goud sterft en verslonden wordt' schuilging, want ook dat hadden de verboden boeken Furgas onthuld.

Hij moest heel snel de mens vinden en doden, die in het vers genoemd werd. De mens, die bereid was vrijwillig het offer te brengen, want daarmee zou hij de terugkeer van Mandora voor eens en voor altijd onmogelijk maken. Maar voor alles moest hij zich bevrijden van de slang die hij aan zijn boezem koesterde.

Maar hoe kon Furgas dit bewerkstelligen, zonder aan de keizer te bekennen dat hij verboden boeken gelezen had? En, nog veel erger, dat hij zelf een van de Dertien was die de sterren voor dit schandalige bestemd hadden? Furgas kende zijn keizer, en hij wist heel goed dat deze hem noch het een, noch het ander zou vergeven, ook al – in elk geval wat de benoeming aanging – droeg hij er niet de minste schuld aan. Hugues zou hem ter plekke wegens hoogverraad en godslastering veroordelen en in de droge put laten gooien, op de bodem waarvan het gerechtsdier zijn messcherpe tanden liet zien.

Hij schrok van het gekletter van plantaardige armen tegen de tralies van de kooi. In de laatste dagen was hij te zeer door zijn eigen moeilijkheden in beslag genomen om veel tijd met de honingval door te brengen. Hij had alleen diens eten in de kooi gezet en was hem meteen daarna vergeten.

Het plantendier bezat echter genoeg bewustzijn – een zelfzuchtig en energiek bewustzijn – om hem deze verwaarlozing kwalijk te nemen. Korzelig rammelde het aan de krulvormige tralies en stak zijn armen erdoorheen. Druipnatte roze bekjes snakten naar lucht.

'Ja, het is al goed. Je wilt je hapjes.' Furgas kwam snuivend van zijn divan omhoog en pakte het bord, dat de opmerkzame bediende 's morgens al had klaargezet. Langzaam waggelde hij naar de kooi en hield de gretig graaiende vingers een brok voor. Hij vond het leuk de begeerte van het schepsel te prikkelen en het steeds een paar keer tevergeefs naar het eten te laten grijpen, vóór hij het begeerde stuk losliet. Hij wist precies hoe dicht hij bij de tralies mocht komen. Ook al zat de plant opgesloten, het was toch heel goed mogelijk dat een enkele grijparm zijn vinger en zijn handgewricht pakte en pijnlijk verdraaide.

'Daar! Nou, neem maar! O, dat was niets! Was het te ver weg? Nog een keer proberen?'

Hij kwam dichterbij om de honingval opnieuw te plagen.

Het volgende ogenblik stootte hij een diep uit zijn keel komende schreeuw uit. Het anders zo zorgvuldig gesloten deurtje vloog open, en een dozijn pezige en koude, natte armen schoot in een wervelende hoop naar buiten. Met doelgerichte slimheid perste een van hen zich als een prop in de voor de schreeuw openstaande mond van de priester, andere omklemden zijn armen, terwijl weer een andere zich om zijn dikke nek kronkelde.

Furgas vocht met een kracht, die niemand bij hem vermoedde, maar tevergeefs. Een tentakel snoerde zijn nek dicht, een andere sloot zijn mond, een derde perste vlezige bloesemblaadjes op zijn neusgaten, en de overige sleurden hem met meedogenloze kracht naar de kooi toe. Het vette gezicht van de man zwol blauwrood op. Zijn dikke benen trappelden, zijn hielen trommelden op de vloer toen hij in een zittende houding terechtkwam. De plantenarmen waren niet sterk genoeg om zijn volle gewicht overeind te houden, maar ze deden niettemin hun dodelijk werk. Diep sneed de pezige arm in de onderkin, omklemde de strot en drukte het strottenhoofd eronder plat. Bloeddoorlopen ogen sprongen door de vreselijke druk uit hun kassen. Toen Milas, opgeschrikt door het doffe lawaai, haastig naderbij kwam, vond hij zijn meester dood voor de kooi zittend, een afschuwelijk opgezwollen lijk met een moerbeikleurig gezicht. Zijn kleding en zijn vlees waren uitgebeten door de spijsverteringssappen van de aasetende plant. Verstijfd van ontzetting keek hij naar de dode man en vervolgens naar de opengezwaaide deur van de kooi. Iemand moest hem opengezet hebben. Had de priester zelf zo'n dwaze dodelijke fout gemaakt? Of was het een aanslag van een van zijn talrijke vijanden geweest?

Milas nam de tijd om de verschillende mogelijkheden tegen elkaar af te wegen. Hij wist dat men hem als eerste zou arresteren en terechtstellen, of hij schuldig was of niet. Hij was zijn meester trouw geweest, maar nu moest hij hem verlaten.

'U zou het begrijpen, eerbiedwaardige heer,' fluisterde hij met een lichte buiging. Toen vluchtte hij weg zonder nog met iemand te praten, het huis uit en de stad uit.

Angst in Thurazim

In Thurazim heersten ongerustheid en bezorgdheid. De beambten van de keizer deden wat ze konden om de bevolking de plotselinge en huiveringwekkende dood van de hogepriester uit te leggen, namelijk dat hij zelf of een nalatige bediende – die men onmiddellijk zou vierendelen als men hem maar kon vinden – de deur van de kooi van de honingval had opengelaten. Als het alleen om Furgas zou gaan, zou men de eerste schrik al vrij snel te boven zijn geweest. De hogepriester was meer gevreesd dan geliefd, en zijn functie had hem zo ver van het gewone volk verwijderd, dat hij meer een symbolische figuur dan een levend mens voor hen was geweest. Maar Furgas' dood werd gevolgd door andere tekenen, die het volk onrustig maakten.

De eenvoudige mensen waren bang voor de donderwolken, die bijna dagelijks in het zuiden verschenen en gevaarlijk dicht in de buurt van de Phuramschijf kwamen. En voor de zwavelachtige wind, die uit dezelfde richting woei. Het waren lelijke wolken, die daar langs een geelachtige hemel kropen. Ze cirkelden om de zon en vormden daarbij lange stroken, die als donkere vingers naar beneden wezen. De hovelingen en priesters daarentegen voelden zich verontrust door de verandering die keizer Hugues vertoonde. Het werd steeds duidelijker dat hij, sinds hij niet langer werd gesteund door het geloof van Furgas en diens sterke persoonlijkheid, hij zodanig onder de invloed van zijn echtgenote stond, dat het aan beheksing grensde. Hij deelde nog bevelen uit, maar het was overduidelijk wie de inhoud van deze bevelen bepaalde. Allen die dagelijks in het paleis verkeerden, konden de verandering zien. De eens zo trotse en dappere keizer werd steeds verstrooider en bekommerde zich nauwelijks nog om zijn verplichtingen.

'Hij is behekst!' fluisterde de ene.

'Hij is in de honingvalolie gevallen en voor altijd bedwelmd!' sisten de anderen.

Onder de aristocraten van Thurazim waren enkele voorzichtige en zelfzuchtige lieden, die de tijd rijp achtten de stad te verlaten en zich onder allerlei voorwendsels op hun landgoederen terug te trekken. Gevlekten en Maanschijners deden niet eens de moeite hoffelijke voorwendsels te bedenken, maar verdwenen in alle richtingen, zodra ze zich onbespied waanden.

Bovendien was het heel warm, alsof Phuram al zijn kracht en zijn glans verzamelde om zich tegen de vijand teweer te stellen. Een drukkende zwoelheid lag over de stad. De honingvallen werden zó onrustig en boosaardig in hun kooien, dat een paar vastbesloten mannen bevel gaven ze samen met hun kooien naar de afvalverbrandingsovens in de woestijn te brengen en hen daar in het laaiende vuur te werpen. De pauwen en paradijsvogels in de parken krijsten met wanstaltige stemmen en verloren hun bonte veren, tot ze er uitzagen als geplukte kippen, en de bloemen die eruitzagen als zeeanemonen hielden op met zingen en verwelkten.

De nieuwe hogepriester Churon gaf bevel Phuram van 's morgens vroeg tot 's avonds laat met gezangen en goudoffers te eren, om het kwaad dat hen vanuit het zuiden bedreigde, af te weren.

Maar terwijl hij aan het altaar stond, dwaalden zijn gedachten af naar andere dingen. De dood van zijn voorganger stond hem heel levendig voor ogen, en hij twijfelde er niet aan dat de keizerin hem hetzelfde lot zou toebedelen, want hij was een man van de keizer en dus zou ze hem bij de eerste gelegenheid die zich voordeed uit de weg ruimen om een van haar eigen gunstelingen op de heilige stoel te plaatsen. Dat betekende dat hij sneller moest zijn dan zij.

Een droom had hem gewaarschuwd dat onmiddellijk gevaar voor hem dreigde. In deze droom zag hij zichzelf op een door wolken omsloten bergtop, waar de lucht te ijl en te ijzig was om te ademen, en de hersens spoken gingen zien. Op het hoogste punt van deze top stond het afgodsbeeld van een Rachmanzai: zijn diep omlaag hangende sabelklauwen hielden de sokkel vast, terwijl de poten op de enorme knieën rustten en de afgrijselijke benige schedel spiedend naar voren strekte.

Het beeld was zo hoog en breed als een huis en veroorzaakte een geweldige schaduw, hoewel aan deze hemel geen zon stond. Churon probeerde de tekens op de sokkel te lezen, maar het waren draakachtige runen, zó vreemd en zo uitzonderlijk gekromd en gekronkeld, dat hij ze niet kon ontcijferen.

Hij wilde zijn blik al van het standbeeld afwenden, toen hij plotseling zag dat een dunne zwarte lijn over het gezicht en het voorste deel van de gehurkte lichaam trok – precies in het midden, alsof de beeldhouwers daar de beide helften van de gietvorm aan elkaar had gevoegd. De lijn werd steeds breder, groeide uit tot een spleet. Ademloos keek Churon toe en zag hoe het enorme ding zich in twee helften deelde, die als poortvleugels uit elkaar zwaaiden. Hij wierp een blik in het donkere binnenste – en zag dat de binnenkant aan weerszijden voorzien waren van messcherpe dolken, zo lang als een arm!

Na deze droom twijfelde Churon er niet meer aan dat de boosaardige macht Thamaz' muil openscheurde om hem voor altijd te verslinden.

Anders dan zijn voorganger Furgas, die het fijne net van de intrige gesponnen had om zijn macht te behouden, was Churon een moedige, daadkrachtige man, en het was hem duidelijk dat alleen een snelle en onbevreesde daad zou kunnen helpen. Daarom had hij de verzameling van magister Ninian in het Huis der Boeken door zijn inquisiteurs in beslag laten nemen, onder het mom dat hij staatsgevaarlijk was, maar in werkelijkheid wilde hij de boeken nauwkeurig te bestuderen. Ninian was een nauwgezet geleerde geweest en had bij elke drakensoort exact aangegeven, wat deze schepsels van nut was en wat schadelijk voor hen was. Churon had zijn geschriften bestudeerd en was tot de conclusie gekomen, dat de mooie vrouw op de keizerstroon een van de Nephren was, die zich als mensen gedroegen en hun uiterlijk door middel van magie tot uitzonderlijke schoonheid vergrootten, zodat ze iedere man kunnen betoveren. Daarin zat haar macht, zelfs een door de wol geverfde sluipmoordenaar zou zijn dolk laten zakken, bij het zien van de bovenaardse schoonheid van deze vrouw.

Maar er was een middel tegen haar, maar ook als de hogepriester huiverde hij er in het diepst van zijn hart voor om het toe te passen, zó afschuwelijk en weerzinwekkend was het.

Gevaarlijke dromen

Graaf Viborg had geen tijd verloren met het uitvoeren van zijn opdracht. Uit de keizerlijke soldaten koos hij een honderdtal van de besten uit en gaf het bevel op te breken. Zelf reed hij voorop op zijn prachtige paard, omringd door zijn gevolg, toen kwamen de soldaten en tussen hen en de groep zwaar beladen lasthagedissen een klein aantal onbewapende mannen, waartoe ook magister Ninian behoorde.

De geleerde voelde zich heen-en-weer geslingerd tussen tegenstrijdige gevoelens. Enerzijds was hij enthousiast bij de gedachte oeroude geheimen te ontsluieren. Anderzijds was hij geen avonturier en geen held, hij vreesde de wildernis en haar gevaren en leed onder de onmiskenbare verachting, waarmee het krijgsvolk hem behandelde.

Vooral Katanja, die de honden aanvoerde, had iets tegen hem. Zij was een vrouwelijke beroepssoldaat en haar hoge rang bleek uit een half bronzen masker, naar Thurazims gebruik. Nog erger was het feit dat haar honden de afkeer van hun meesteres deelden. Hij moest er voortdurend zijn enkels voor hen in veiligheid brengen.

Ze volgden een oud vestingpad, dat met flauwe bochten langs de flanken van de Bergen van Luris voerde. 's Middags was de weg gelijkmatig omhoog gelopen. Het was een smalle, maar goed onderhouden weg, waarlangs af en toe zelfs een mijlpaal of een richtingsaanwijzer stond. Haarspeldbochten leidden langs de flank van de bergen, eerst in een ketelvormig dal, waarin rode en oranjekleurige bloemen in het gras groeiden en een beek over stenen klaterde, en vervolgens over een zo steile, kale helling omhoog, dat het van onder leek alsof een verticale wand oprees. Na elke bocht werd de lucht kouder en de wind bijtender.

De wereld verloor al haar kleur, veranderde in grijze steen en zilverachtig gras onder een bewolkte hemel.

Het pad liep tussen ijskegels en rotspunten en Ninian merkte dat ze een obstakel ontweken, waarvan hij pas enige tijd later de aard ontdekte. Het was een lang, uitgestrekt ravijn in het dal, steil naar beneden lopend, donker en afschrikwekkend, waarvan de kale rotsmuren zich in een meer spiegelden... Een meer, waar hij zelfs geen teen in had willen steken! Het water was turkooiskleurig en het oppervlak spiegelglad, er ging een boosaardige dreiging vanuit. Bovendien weergalmde zelfs het nietigste geluid dat de marcherende troep voortbracht daar beneden, de ene keer als een boosaardig hees gefluister, dan weer als een hoge, spookachtige galm. Iedereen zweeg en bewoog zich zo zacht, dat er nauwelijks een steentje onder hun voeten knarste, maar soms was een zeker lawaai onvermijdelijk, en dan jubelde de onheilspellende echo, zodat de magister verstijfde.

Geen twijfel mogelijk, daar beneden huisde iets dat meer was dan steen en water. Hij voelde de kwaadaardige aanwezigheid zo duidelijk, dat hij het niet eens hoefde te zien.

Op hetzelfde moment waarop de troep voorbijreed, lag op de bodem van het diepe blauwgroene meer een Waterdraak, die Pilas heette en dit water als toevluchtsoord veroverd had. Het blauwe meer, zoals de boeren in de omgeving – die angstvallig op gepaste afstand bleven – het noemden, was ontzettend diep en strekte zich zo ver naar beneden tot de weerbarstige met ravijnen bezaaide voet van de bergen uit, dat zelfs Phuram het niet kon uitdrogen. En zo zat de oude Pilas ongestoord in de diepte. Hij was een enorm boosaardige draak, zijn bloed was zodanig giftig, dat een druppel genoeg zou zijn geweest om een boom geheel te verdorren, en de geur die hij verspreidde verlamde al wat leefde. Maar deze vaardigheid kon hij slechts op beperkte schaal gebruiken, want als hij alle levende wezens in het water had gedood, had hij niets meer te eten gehad. Dus zwom hij af en toe tot vlak bij de oever, stak zijn wanstaltige kop uit het water en blies zijn dodelijke adem naar een ree dat aan de oever stond te drinken, of naar een paar bevers die daar hun dam wilden bouwen.

Pilas was ook een trouwe vazal van de Kadavervorst. Niet uit liefde of genegenheid, maar omdat Zarzunabas af en toe een gevangene in het meer liet werpen die hem als voedsel diende. Nauwelijks was de karavaan voorbijgetrokken, of Pilas verhief zijn kop uit het water en stootte een eigenaardige fluittoon uit. Meteen kwam er een raaf aanvliegen, prentte zich de boodschap in die de draak hem gaf, en bracht die terstond naar Zarzunabas.

Niemand in het reisgezelschap bekommerde zich om de lelijke zwarte vogel, die boven hun hoofd opfladderde. Allen waren blij dat ze het meer voorbij waren.

Ninian wist niet goed of hij opgelucht of dubbel zo ongerust moest zijn, toen op een afstand de ingang van een tunnel zichtbaar werd, waar het pad in verdween. Een tunnel betekende dat de aanblik van de toenemende hoogte hem bespaard bleef, maar welke nieuwe gevaren zouden er op de loer liggen?

De chirurgijn Morisai, die eveneens in de achterhoede van de stoet meereisde en de magister met een zekere vriendelijkheid bejegende, zei hem: 'In de tunnel zijn er zeker slangen. Maar u hoeft niet te schrikken als u er eentje ziet. Ze zijn niet giftig. Loop er gewoon overheen.'

Ninian drukte onwillekeurig zijn arm tegen zijn lichaam. Slangen! Ook dat nog! Giftig of niet, hij gruwde van alles wat geen benen had. Daarom had hij zich ook altijd hevig tegen de opvatting verzet dat Hemelbestormers en slangen tot dezelfde soort behoorden. Er waren zeker oppervlakkige gelijkenissen, maar draken hadden altijd minimaal twee benen, meestal zelfs vier, terwijl slangen er niet één hadden.

De een na de ander schoof door de ingang in de tunnelmuur en volgde het duistere pad. Het duurde niet lang voor de magister daadwerkelijk een van de slangen zag. Een witte worm was het, zo dik als een arm, ogenschijnlijk zonder ogen, die traag over de natte stenen kroop. Toen het dier de naderende stappen bemerkte, richtte het zich op en bewoog zijn tong dreigend heen-en-weer, maar gleed vervolgens haastig weg. Spoedig daarna kwam een tweede in zicht, toen een derde. Elke keer voelde Ninian dat zijn hart stilstond.

Op een gegeven moment kwamen ze voorbij een mandiepe kuil, vlak naast de weg. Ruim een dozijn dikke, witte slangen kroop er in rond, verknoopte zich in elkaar en maakte zich in een slijmerig glimmend gewriemel weer los. De magister hield zijn adem in, toen hij er met zijn rug tegen de muur voorbijschoof. Hij durfde er niet aan te denken wat er zou gebeuren als hij op de glibberige steen uitgleed en in die kuil viel. De slangen waren niet giftig, had de chirurgijn gezegd, maar ze waren even lang en even dik als Ninians arm. Misschien zouden ze zich om hem heen slingeren en hem wurgen. Hij durfde pas weer door te ademen toen de slangenkuil achter een bocht in de weg verdween.

Katanja had eveneens gemerkt dat hier iets niet klopte. Ze sprak zachtjes met haar schildknaap Buiko en adviseerde iedereen zo min mogelijk lawaai te maken. Ninian liep op het puntje van zijn tenen. Een keer dacht hij vlak boven zijn hoofd een schrapen en sloffen te horen, alsof een enorme massa zich als een rups voorwaarts bewoog, maar het kon ook een echo zijn geweest. In deze schachten en spelonken weergalmde elk geluid als in een waanzinnige kakofonie.

Eindelijk kwam er een eind aan de tunnel, en Ninian ontspande zich. Maar hij keek nog een keer achterom naar de ingang waar ze doorheen gekomen waren. … en het scheen hem toe dat hij in de donkere ingang iets nòg donkerders gezien had, een massieve, vormeloze gedaante, die zich kruipend voortbewoog.

Hij keek naar de toppen van de Toarch kin Mur, waarover glinsterende sneeuwflarden waaiden.

Zelfs op deze afstand was de enorme hoogte van de bergen te zien, naast welke zelfs de imposante toppen van de Bergen van Luris er als heuvels uitzagen. Op de ontoegankelijke wal met de loodgrijze muren staken de gekromde horens van de toppen dreigend omhoog. Het was alsof ze tot de sterren reikten en elke blik op wat daarachter was, afsneden. Onophoudelijk loeiden orkanen rond de horens van de toppen, en in de ravijnen en de passen gingen stormen, als woedende geesten, zó wild tekeer, dat men, als het een tijdje stil was hun donderen tot ver landinwaarts kon horen. Het geluid werd vaak vermengd met het rollen en ruisen van de sneeuwlawines en het onregelmatige geraas van de naar beneden rollende stenen. Ninian had veel oeroude landkaarten van Chatundra gezien, maar nooit een waarop het land achter de Toarch kin Mur afgebeeld was. Soms was er een pijl ingetekend die in de richting van de noordpool wees, met het opschrift: 'Hier stond ooit de stad Luifinlas, de oudste van alle steden, door onbekende wezens gebouwd.'

Plotseling gonsde er iets in de lucht boven hen, en het volgende ogenblik viel er vlak voor de magister een werplijn op de grond. Hij had nog geen schreeuw uitgebracht, toen de lijn die zijn doel gemist had, al weer werd ingehaald. Als een slang schoot hij ratelend en ritselend over de stenen weg.

De overige ongewapende mannen waren bliksemsnel aan de kant gesprongen en stonden dicht tegen elkaar, terwijl hun blikken naar alle kanten flitsten en de omgeving afzochten op zoek naar de verraderlijke aanvallers. Katanja sprong over de rotsen, waarachter de lijn verschenen was, haar honden volgden haar.

Ninian hoorde een geluid, alsof voeten in grote haast over de losse stenen wegrenden, toen een gedempte schreeuw, het woedende geblaf van de honden en de val van een lichaam. Kort daarop kwam Katanja terug. 'Afgehandeld,' zei ze tegen Buiko. Wie of wat ze afgewerkt had, zei ze er niet bij, en haar gezicht stond zó grimmig, dat Ninian het niet durfde te vragen. Maar even later hoorde hij, dat ze er met zachte stem aan toevoegde: 'We moeten hier niet langer blijven dan beslist nodig is. Hier zijn ze in hun eigen territorium – alle voordelen zijn aan hun kant.'

In magister Ninian vermengden zich de angst van een man die bijna door een werplijn gevangen was, en de nieuwsgierigheid van de wetenschapper. Zodra Katanja en Buiko buiten gehoorsafstand waren, wendde hij zich tot chirurgijn Morisai: 'U bent toch al eerder in de woestijn geweest? Wat voor schepsels leven hier?'

Deze haalde echter zijn schouders op. Wie zou deze vraag moeten beantwoorden? In de karavanserais kletsten de reizigers bij het lamplicht en de rook van de waterpijpen over wilde, bloeddorstige en moordzuchtige stammen, over wezens die meer dier dan mens waren, over half-demonen, over de boosaardige kleine springers, die skeletachtige schepsels met schedels als aapjes en tanden zo scherp als dolken, en over verlokkend bonte giftige hagedissen, waarvan aanraking al voldoende was om een man te doden. Toch wist men niet genoeg van deze schepsels dan een toevallige goudzoeker, woestijnloper of kluizenaar erover kon vertellen, en van hen kon men niet elk woord geloven. Wat ze ook gezien hadden, elke keer dat ze het opnieuw vertelden werd hun verhaal grootser en afschuwelijker, tot een hagedis een draak geworden was. Velen van hen leden dan ook, als ze te lang in eenzaamheid onderweg waren, onder hallucinaties.

Omdat het laat was geworden, werd kort daarop rust gehouden. De eenheid vond een rustplaats in een diepe nis die door spitse, tot de grond reikende rotskantelen werd afgeschermd. Daar ontdeden ze zich van hun bagage en lieten zich vermoeid op de grond vallen, terwijl de proviand uitgedeeld werd. Ninian was blij dat er zoveel mensen om hem heen waren. De plek zag er allesbehalve gezellig uit, en toen de glans van de sterren was gedoofd en het eenzame berglandschap in de schaduw verdween, kreeg alles zo'n bedreigend, nachtmerrieachtig karakter, dat hij onwillekeurig dichter bij het vuur ging zitten. Toen hij zich omdraaide, zag hij hoog boven zich een glinstering in de duisternis en een vaal licht, op de plekken waar de rotsen met sneeuw waren bedekt. Nu en dan dwarrelden een paar vlokjes om de rustende troep heen. De wind huilde met een rauw geluid in de rotstorens, die al in het donker verzonken waren, en een bijtende kou stroomde van de bergen naar beneden. Het gezang en gefluit van de wind in de bergpassen klonk alsof het niet voortkwam uit bewegende lucht, maar uit de keel van een levend (en absoluut geen welwillend) wezen. Ninian moest denken aan het gepraat over de woestijngeesten met slangenlijven, die met hun gezang en kunstzinnig gefluit eenzame reizigers naar zich toe lokten en dan met hun scherpe tanden verscheurden. Maar hij hoorde ook duidelijk een ander geluid dan dat van de wind, een slurpen en slobberen en af en toe het geratel van een opzij geschoven vallende steen. Was er iets achter hen naderbij gekropen en durfde het niet dichterbij te komen? Of was het te groot en te omvangrijk voor het smalle pad?

Voor geen goud was Ninian bij zijn metgezellen weggegaan. Toen hij zijn behoefte moest doen, vroeg hij chirurgijn Morisai hem te vergezellen.

Morisai had de hele weg zitten jammeren dat er te kleine rantsoenen werden uitgedeeld, droog brood en oude kaas, maar hij zou ongelijk krijgen. Ninian, die altijd een bescheiden leven had geleid, was meer dan tevreden met vers brood en gedroogd vlees, kaas, gedroogde vruchten en noten, en daarbij vers water uit een bron, die tussen de rotsen ontsprong. Het water borrelde uit een smalle spleet op, en vormde een rustige stroom die in de richting van de bodem van het dal liep. Dit water was zó ijskoud, dat ze het een tijdje in de bekers lieten staan voor ze het dronken.

De soldaten deelden wachtposten in. Het was een eenzame streek, maar zoals Katanja de burgers uitlegde, betekende dat nog lang niet dat het onbewoond was.

Ninian was moe, maar hij was bang om in slaap te vallen. Hij had het onaangename gevoel dat de aanval met de werplijn te maken had met de wens van de keizer hem krijt te raken, en dat – omdat de aanval mislukt was – er nog meer zouden volgen. Bovendien voelde hij zich een beetje eigenaardig sinds hij Thurazim verlaten had. Hij werd geplaagd door visoenen, zoals hij ze nooit eerder had meegemaakt.

Het ergste daaraan was, dat hij in zijn droom precies dacht te weten wat er was gebeurd. De poging om de Drie Zusters te bevrijden, was mislukt, en nu was de watergeest Drydd heerser over Chatundra.

Alle kusten waren in lijkenvelden veranderd, en het zou niet lang duren of de loodgrijze Tetys zou al het land in een glibberig, stinkend modderland veranderen. De schuld aan dit verschrikkelijke onheil droeg één enkele man, namelijk magister Ninian, die precies wist waartoe hij geroepen was, en die alleen te laf was om zich tegen deze oproep teweer te stellen.

Een andere keer werd hij geplaagd door een even afschuwelijke droom. Over een smalle brug stak hij een oppervlak over, dat hij voor een meer hield. Maar spoedig zag hij dat het eerder een half drooggevallen meer of een leeggepompte waterkering was. De bodem bestond uit modder, die rusteloos blubberde en waaruit luchtbellen opstegen. Het was een flink stuk van de brug naar de bodem van de waterkering beneden, waarop allerlei creaturen kronkelden en rondkropen, waardoor ze niet naar hem toe konden komen. Maar toch stokte zijn hart bijna toen hij hen zag.

Toen ontdekte hij iets waarvan hij niet goed wist of het een opluchting voor hem was of hem nog meer angst zou bezorgen. Daar beneden, in de stinkende diepte, in de schaduw van de met slijm overwoekerde muren, liepen mensen rond – een dozijn of meer personen in grijze kleren, die allemaal druk bezig waren. Hij kon echter niet goed zien wat ze aan het doen waren. De ene keer leek het alsof ze de bodem van het meer schoonmaakten, dan was het alsof ze onder de onheilspellende puinhopen naar iets bruikbaars zochten. Ten slotte liep een van hen een trap aan de rand van de muur op en stak vlak voor Ninian de brugstraat over. Hij (of zij) draaide zich om, en nu zag de magister tot zijn ontzetting dat zijn grauwe, uitdrukkingsloze gezicht een masker was – niets anders dan een masker!

'Dat alles,' knarste een stem achter het masker, 'is jouw schuld, Ninian. Nu moeten wij als slaven de watergeest dienen en zijn we zo grauw en dood als het Tetyszee, waarin je woont. Over duizend en tienduizend jaar zal men je nog vervloeken, lafaard, die geweigerd heeft Mandora te bevrijden!'

Als de magister uit zulke kwellende dromen ontwaakte, droop hij van het zweet van angst en schaamte. En steeds vaker speelde hij met de gedachte, deze kluns van een edele ridder onmiddellijk te verlaten en er zich op eigen kracht doorheen te slaan. Wat had hij nou te verliezen? Waren anderen ook niet bang geweest en hadden ze hun angst niet overwonnen? Hij maakte zich geen illusies dat het uitgerekend hem, de zachtaardige geleerde, zou lukken de titanische barrière van de Huilende Bergen te overwinnen. Hij zou ongetwijfeld bij een poging daartoe doodvriezen of door vallende stenen de diepte in gesleurd worden. Maar was dat niet makkelijker te dragen dan de schande, die nu als een zware last op hem rustte?

Ninian wist heel goed waarom die overwegingen juist nu in hem opkwamen. Hoe verder hij zich van het directe machtsbereik van de keizer verwijderde, hoe duidelijker zijn gedachten werden en des te scherper zijn zelfkennis. Hij wist dat zijn terughoudendheid als wijze man hem tot een lafaard bestempelde. Zolang de beulsknechten van de keizer elk ogenblik op zijn deuren hadden kunnen bonken, had hij zijn gedachten zelf in toom gehouden. Maar nu voelde hij het onweerstaanbare verlangen om eenmaal in zijn leven een held te zijn en een belangrijke opdracht te vervullen.

Graaf Viborg haalde opgelucht adem toen hij eindelijk met zijn persoonlijke adjudant Tersan – een pokdalige veteraan uit talrijke oorlogen – alleen was en met hem praten kon zonder bang te hoeven zijn voor verraad en spionage. Tersan was trouw en zwijgzaam. In zijn hart bewaarde hij al vele geheimen van zijn meester.

'Tersan,' begon de ridder, 'je weet wat er in Thurazim gebeurd is en wie ik er van verdenk deze daad gepland te hebben.'

De man met de grijze baard knikte. Het bericht van de dood van de hogepriester had de graaf bereikt, nadat hij nauwelijks twee dagreizen van de hoofdstad was verwijderd. Furgas was geen bijzonder geliefde man geweest, maar hij was toch de hogepriester, en de gelovigen waren ontsteld over de misdaad en de heiligschennis, die aan hem begaan waren. Graaf Viborg was geschokt geweest toen hij van zijn dood hoorde. De ridder was wel geen man die warme gevoelens koesterde, maar hij was de priester zijn leven lang dankbaar geweest dat hij zich over hem, een vondeling, had ontfermd, en hem de mogelijkheid had geboden een militaire opleiding te volgen. Viborg vergat noch zijn vijanden noch zijn vrienden.

'Het was ene laffe, een weerzinwekkende daad,' zei hij. Tersan knikte instemmend.

Graaf Viborg aarzelde even voor hij verder sprak. Het was een netelige kwestie, zelfs als hij erover praatte met een zo onwankelbaar trouwe dienaar. 'Men zegt dat zijn lijk afschuwelijk is toegetakeld.'

'Nou ja, hij is door een honingval vermoord, dus dat kan ik me levendig voorstellen,' antwoordde Tersan laconiek. 'Hij zal zonder twijfel onder de blazen, de zweren en de brandwonden hebben gezeten.'

'Maar men zegt dat zijn lichaam nog andere sporen vertoonde. Je weet wat ik bedoel. Het zat onder de speklagen van zijn buik verstopt.'

Tersan, die allang begrepen had waar zijn meester naartoe wilde, haalde met overdreven onverschilligheid zijn schouders op. 'Edele heer, ieder mens heeft van nature vlekjes en puntjes op zijn lichaam die nergens vandaan komen, of het nou hogepriester Furgas is of iemand anders. Wat betekent dat nou eigenlijk? Drie rode puntjes, niet groter dan granaatappelpitten! Ik zeg u, het is puur toeval, gewoon een gril van de natuur.'

Viborg staarde met een sombere blik naar de grond. 'Er wordt gezegd dat het de drakenklauw is, het teken van de Driester. Allen die het dragen zijn voorbestemd de Zusters weer op hun troon te brengen. Waarom zou uitgerekend Furgas zijn voorbestemd om dat werk te doen? Waarom niet de priesters van Phuram? Of ik, de dienaar van de keizer?'

Zijn dienaar bracht uit voorzorg snel een bokaal krachtige wijn. 'U bent moe en u maakt zich veel zorgen, dat maakt u zo zwaarmoedig. Drakenklauwen! Driester! Sterrentroon! – Bent u een krijgsman of een worm, net als die magister die met ons meereist, die zich suf piekert over zinspreuken die in half vergane boeken staan, en die in elke hagedissenvlaai een geheim teken ziet?'

Tersan wist uit lange ervaring dat graaf Viborg, die een beetje naar zwaarmoedigheid neigde, zulke krachtige taal af en toe nodig had. En het hielp – net als de wijn – ook ditmaal.

De ridder kwam overeind, dronk en maakte een schertsende beweging, alsof hij de bokaal naar Tersans hoofd wilde gooien. 'Je hebt gelijk!' riep hij uit. 'Ik ben een krijgsman en dat wil ik blijven!'

Het gesprek kwam op de beroering die de snode daad in Thurazim teweeggebracht had. Men verdacht de Maanschijners. Richtte de haat van de keizer zich niet op de priesters van de Zonnevorst? Er was een luid geschreeuw opgestegen, en als de Sundaris niet zo bang geweest waren om de doolhofachtige gangen van de catacomben te betreden, hadden ze zonder twijfel een bloedbad aangericht. Nu bleef het erbij dat de Nachtmensen er voorlopig voor waakten hun duistere wereld te verlaten, en dat de Sundaris zich van de ochtendschemering tot het vallen van de avond voor de uitgangen verdrongen, de vermeende boze geesten vervloekten en hun vuisten schudden.

Viborg ging door: 'Het bevalt me niet dat alles in beweging komt. Het is alsof ik een hoge hal sta en aan moet zien, dat de pilaren wankelen, de fonteinen op de grond vallen en dat het dak dreigt in te storten. Zoveel dat lang rustig is gebleven, is ineens ontwaakt. De Mokabiterse zit op de troon van Thurazim, ze stuurt de dapperste ridders met onzinnige opdrachten de stad uit, en ik ben ervan overtuigd dat zij het ook was die schuld heeft aan de dood van de hogepriester. En wat voor vreemdsoortige berichten hoor je niet allemaal! De Nachtmensen trekken naar het noorden, de Tarasquen – moge Phuram hun corpus verbranden! – rennen in hun onderaardse gangen heen-en-weer en steken hun wanstaltige koppen overal boven de aarde uit. Creaturen, die zich tot op heden verborgen hielden, kruipen uit hun holen en gaten. Dienaren en dienaressen van de vervloekte draken glijden door de nacht en houden zich met hun laaghartige zaakjes bezig. Tersan, ik ben maar een eenvoudige krijgsman en ik begrijp niets van religie en magie, maar zelfs ik heb gemerkt dat hier diepere en onheilspellender dingen gebeuren dan men ons laat weten.'

Tersan knikte. Vaak was het voor zijn meester voldoende dat hij in zwijgende aandacht naar hem luisterde, maar nu wilde graaf Viborg blijkbaar zijn mening horen. Dus zei hij op zijn bedachtzame toon: 'Ik ben net als u van mening dat de keizerin schuldig is aan de dood van de priester. Maar ze jaagt een groter plan na. Mijn spionnen hebben me verteld dat waarzeggers en sterrenwichelaars in grote aantallen opduiken, als wormen na de regen. En overal wordt beweerd dat de sterren kwade dingen voorspellen en dat hun constellaties een vreselijke oorlog aankondigen. Het gerucht gaat dat de Rachmanzai en de Muden Gamul elkaar heel spoedig in de haren zullen vliegen en zullen proberen elkaar uit te roeien. Phuram en Datura zouden slaags raken en het noordelijke rijk zou weer in ere worden hersteld. Dat zeggen de sterrenwichelaars.'

'Dan praten ze onzin,' zei Viborg op barse toon. 'Van Chiritai zijn alleen nog ruïnes over, dat hebben spionnen me bericht. En wat Luifinlas aangaat – voor zover het überhaupt bestaat en niet enkel een sage is – moet het al lang in puin gevallen en in het ijs weggezonken zijn. Bovendien – wie kan de Huilende Bergen bedwingen? Zelfs een enorme draak zou het niet klaarspelen over hun toppen te vliegen, en op de passen loeren de wachtposten van Zarzunabas.'

Vervolgens kwam hij te spreken over het thema dat hem de hele tijd al bezighield. 'Ik maak me zorgen om mijn meester, Tersan. Hij is niet veilig in zijn eigen vertrekken. Het liefst zou ik teruggaan en hem bijstaan. Maar ik heb mijn orders.' In plotselinge woede sloeg hij met zijn vuist op tafel. 'Vervloekt, hoe kan hij me erop uit sturen om goud te zoeken, terwijl het rijk op zijn grondvesten wankelt! Ben ik soms een schatzoeker? Moet ik mijn tijd verspillen aan het gewroet tussen de stenen?'

Tersan, die aanmerkelijk verstandiger was dan zijn meester en hem al vaak van zijn geestkracht gebruik had laten maken, keek hem van opzij met een sluwe blik aan. 'Als ik me goed herinner, edele heer, dan luidt ons bevel niet, naar goud te graven, maar de mijnen in bezit te nemen. Hoe u dat doet, daarvoor heeft de keizer geen precieze aanwijzingen gegeven. Dus u kunt te werk gaan zoals uw wijsheid en uw ervaring het u ingeven.'

Graag Viborg stond op en keek Tersan met een scherpe blik aan. 'Spreek vrijuit, mijn beste dienaar.'

'Welnu,' zei Tersan, 'het is u beslist al duidelijk dat het verstandiger zou zijn het gebied eerst militair te beveiligen. U hebt toch zelf al het plan opgevat met de soldaten de ruïnes van Chiritai te bezetten, om zo een muur tegen de Muden Gamul op te richten? Want wat heeft de keizer aan mijnen waaruit goud als water stroomt, als elke dag het gevaar dreigt dat de Kadavervorst en zijn IJshoorns ze uit zijn hand rukken? Bouw een sterk fort in Chiritai, vestig u daar als trouwe stadhouder en en beveilig de noordelijke grens van het rijk tegen de Muden Gamul.'

Graaf Viborg luisterde aandachtig. Het plan beviel hem. Het nam het onbehagelijke gevoel in zijn hart weg, dat men hem als een schatgraver de woestenij in had gestuurd, het kwam tegemoet aan zijn voorliefde voor militaire operaties, aan zijn behoefte om iets zinvols voor de keizer te doen, en hij zag zichzelf ook veel liever als machtige stadhouder dan in de rol van goudzoeker. Hij hief de beker en dronk zijn trouwe dienaar toe. 'Op ons, mijn vriend, en op een nieuw Chiritai!'

Toen stond hij plotseling op, trok zijn wambuis uit en ontblootte de plek op zijn rug, waar de drakenklauw zich aftekende. Hij trok een dolk uit de lederen schede en gaf hem aan zijn dienaar. 'Hou de spits in het vuur,' beval hij hem, 'en als hij gloeit, brand daarmee het teken op mijn rug weg.'

Tersan gehoorzaamde. Graaf Viborg zat stil, hij vertrok nauwelijks een spier van zijn machtige lichaam, toen de roodgloeiende dolk zich in zijn vlees vrat en drie gesmoorde kuiltjes achterliet op de plaats waar de drakenklauw gezeten had.

's Nachts had de ridder – die onrustig sliep, omdat de brandwonden op zijn rug pijnlijker waren dan hij had verwacht – een eigenaardige droom. Hij vermoedde niet dat een van de droomgeesten van Zarzunabas naast zijn hoofd hurkte en hem in opdracht van zijn meester de droom in het oor fluisterde om hem in het verderf te storten.

De geest stond op een rotsplateau en zag diep beneden hem een paleis liggen. Hij lag daar slaapdronken en verborgen in de schaduw, diep verzonken, alsof er op de wereld nooit daglicht was geweest. Viborg staarde hem ademloos aan. De grootte van het paleis, dat uit de rotsen tevoorschijn kwam als een geslepen juweel op een brede stenen ring, schrikte hem af en fascineerde hem evenzeer als de duistere robijn van de nachtzon, die in een cirkel aan de hemel zweefde. Hij zag een spookachtige kille pracht van steen, water en rood maanlicht.

Het was een wondermooi bouwwerk, maar volkomen doods en verlaten. De beelden die graaf Viborg doorkreeg, flitsten door zijn gedachten, als de weerkaatsingen van licht op stromend water.

Het was hem niet mogelijk meer te bewaren dan een algemene indruk van huizenhoge bleke muren, waarop scènes voorbijgleden als schaduwen onder de maan. Er gaapte een rij gigantische trappen, die zich, oneindig groter dan iedere menselijke maat, in de lucht verhieven en een portaal opende zich voor hem, ongelooflijk mooi en tegelijkertijd afschrikwekkend als de ingang die leidde naar de gangen van de onderwereld.

Zijn beide vleugels ontvouwden zich, zonder dat er meer dan een licht geruis hoorbaar was, en voor de graaf opende zich de toegang tot een schitterende hal.

Hij was zo hoog en uitgestrekt, dat hij hem deed denken aan een bos vol slanke albasten stammen. Stammen, waarvan de kruinen zich boven in schemerig zilver in elkaar verstrengelden. Dwars over de vloer stond in vloeiende letters geschreven: 'Welkom, gij die het waagt hier binnen te treden.' Daarachter rees een standbeeld op. Een schitterend opgetuigde witte hengst, waarop een ridder in een witte uitrusting zat. Het paard was ongetwijfeld van marmer, en ook de ridder leek van marmer te zijn. Maar hij bewoog zijn hoofd, toen hij Viborgs stappen op de stenen vloer hoorde, en keerde hem het gesloten helmvizier toe.

Toen sloeg hij het vizier terug, en de graaf keek met een mengeling van verbazing en afgrijzen in zijn eigen gezicht, sneeuwwit en als van marmer, dat met zijn mond sprak: 'Welkom, graaf Viborg, morgen koning Viborg, overmorgen keizer Viborg!'

Een onverwacht weerzien

In haar weelderig slaapvertrek ging keizerin Iwara naar bed. Het bed, waarvan de strozak – zoals de Maanschijners beweerden – inderdaad met keizermunten was gevuld. Ze doofde alle lichten op een enkel, blauwachtig schemerend lampje na, waarvan de lichtschijn de bedgordijnen, het van ebbenhout gesneden bed en het als uit albast gehouwen lichaam van de vrouw in een onwezenlijk licht zette. De Maanschijners waren in verwarring. Niet alle Nephren hadden scharlakenrode en gele vlekken op hun achterwerk, dat van keizerin Iwara was wit als ongeverfde zijde.

De kameniersters hadden het haar geborsteld, dat open en los tot op haar knieholtes hing, haar mooie lichaam gewassen en gezalfd en de fraaie nachtgewaden klaargelegd, voor ze zich met vele buigingen terugtrokken. Iwara was alleen – en toch had ze plotseling het gevoel dat dat niet helemaal het geval was. Iets bewoog zich in de schaduw.

Ze wilde een kaars aansteken, maar een plotselinge windvlaag blies de vlam weer uit. En toen ze – nu werkelijk ongerust – naar de pijp greep om haar vertrouweling Bephza te roepen, slingerde zich iets uit de schaduw naderbij en rukte het pijpje uit haar handen. Iwara stootte een onderdrukte kreet uit toen ze zag was het was: een lange streng vrouwenhaar, doordrenkt van lijkengeur en smerig bloed!

Ze sprong achteruit en wilde om haar hofdames schreeuwen. Maar een tweede lok kwam tevoorschijn en kroop als een prop in haar geopende mond. Steeds meer ondragelijk naar ontbinding stinkende strengen omklemden haar, wonden zich, van duister en vreemd leven vervuld, om haar armen en benen, haar lichaam, haar hals – en toen zag ze in een vaal lijkenlicht de kop waaruit het moorddadige slangenhaar ontsproot. Hij zweefde, door geen lijf gedragen, voor haar in de schemering, en uit de halsstomp hing een afgrijselijk vlechtwerk van ingewanden. De kille, blauwgezwollen trekken waren Iwara ondanks de misvorming maar al te vertrouwd. Alcina was het. Haar rivale Alcina, voor wie ze een dodelijke val had geplaatst, zodat ze geen kind ter wereld kon brengen dat ooit over Chatundra heersen zou!

Iwara stootte een kreet uit, maar het haarkluwen in haar mond dempte hem, zodat niemand de keizerin hoorde. De haarstrengen om haar hals trokken haar omhoog, tot haar voeten geen houvast meer hadden. Ze werd steeds verder omhooggetrokken tot vlak onder het uit hout gesneden plafond van het slaapvertrek, en daar hing ze in de lucht, half spartelend en trappelend, terwijl Alcina's door verrotting verteerde trekken haar toegrijnsden, tot de martelende doodsstrijd ten einde was en het fraaie lichaam verslapte.

En het wraakzuchtige monster, dat door de bezweringen van de priester Churon uit het graf geroepen was, loste zich in de schaduw op.

De dood van de keizer

Iedereen in het paleis werd door grote schrik bevangen toen de kameniersters 's morgens hun vermoorde meesteres vonden. Niet alleen omdat deze op weerzinwekkende en geniepige wijze was omgebracht, haar lijk had zich ook nog op een afgrijselijke manier veranderd. Want pas nu, in de dood, kwam haar ware aard naar voren en was er aan haar nauwelijks nog iets menselijks te zien. Schreeuwend ontvluchtten de kameniersters het slaapvertrek en riepen de bedienden toe wat er gebeurd was, en spoedig heerste er grote ontzetting in het gehele paleis. Men rende door elkaar, ieder vluchtte in een andere richting, iedereen jammerde, maar niemand durfde het verschrikkelijke nieuws aan de keizer over te brengen, want hij zou de onheilsbode ter plekke laten doden.

Het was echter niet te vermijden dat de keizer het lawaai in het paleis hoorde en naar de oorzaak vroeg. Tenslotte was het onmogelijk het gebeurde nog langer voor hem geheim te houden. Hij werd doodsbleek, toen hij het nieuws vernam. Met rechtopstaande haren en wijd opengesperde ogen raasde hij als een waanzinnige door de gangen naar het slaapvertrek van zijn vrouw. De bedienden die hem in de weg liepen, stootte hij opzij, evenals de kameniersters, die zich huilend voor de deur van de Kamer van de Verschrikking verzameld hadden. Een trouwe dienaar, die met geweld voor hem ging staan en hem smeekte zich niet bloot te stellen aan de aanblik van het onbeschrijfelijke ding dat in geen enkel opzicht meer leek op de vrouw die hij eens had liefgehad, sloeg hij met één slag van zijn zwaard het hoofd af. Hij sprong over het lijk heen, bloedige voetsporen achterlatend, drong Iwara's kamer binnen en wilde zich op het lijk van zijn geliefde werpen. Maar met een vreselijke gil deinsde hij terug, hij huilde als een wolf van ontzetting. Al het bloed week uit zijn gezicht, zijn ogen staarden als die van een uil, en de van schrik verstijfde omstanders zagen hoe zijn verstand hem verliet.

Niemand durfde hem tegen te houden toen hij door de gangen stormde, de tuin in naar de afschrikwekkende put, waarin het gerechtsdier huisde. De lucht rook naar bloed, uit de diepte drong gedempt het brullen van het beest door. Met een schelle schreeuw stortte de waanzinnige zich in de put en bleef met verbrijzelde ledematen op de bodem liggen. Het volgende ogenblik hadden ook de vreselijke tanden hem te pakken. Het dier, dat zovele van zijn echte en vermeende vijanden op een afschuwelijke manier verscheurd had, verbrijzelde nu de keizer zelf tussen zijn tanden. De gouden uitrusting kon hem niet beschermen en werd verpletterd, en de helm met de twee gezichten werd platgedrukt onder de hoornachtige poten.

Niemand durfde het vreselijk verminkte lijk te bergen, en dus lagen de beenderen van de laatste keizer samen met zijn gouden uitrusting en zijn helm in de put van het gerechtsdier, tot de stad Thurazim ten onder ging.

Afgrijzen heerste in de gouden stad, toen de gebeurtenissen bekend werden. De keizerin was vermoord en de keizer was bij de gruwelijke aanblik van het lijk in waanzin vervallen. Tweedracht en strijd tussen de aanhangers van de hogepriester Churon, die zichzelf als regent op de troon had gezet, en de keizerlijke ridders. Het directe gevolg was een massale vlucht van de Maanschijners, die vreesden voor de moord verantwoordelijk te worden gehouden, want ditmaal was de woede zó groot, dat de Sundaris in staat leken hun vrees te overwinnen en de catacomben te bestormen. En al die tijd hingen er loodkleurige onweerswolken in het zuiden, en de onheilspellende vingers wezen van de hemel naar de aarde, terwijl aan de noordelijke hemel een trillende nevel hing als van ijsslierten, die steeds verder in de richting van Thurazim trokken.

Bephza zat in zijn zorgvuldig gekozen schuilplaats en dacht na over wat er het beste gedaan kon worden. De Mokabiters zouden natuurlijk erg blij zijn als ze van de dood van de keizer hoorden, maar ze zouden hem verwijten dat hij er niet geweest was om Iwara te redden. Daarbij kon hij er helemaal niets aan doen. Ten slotte had ze geen tijd meer gehad om hem te roepen. Maar de Mokabiters hadden hun eigen manier om schuld en onschuld tegen elkaar af te wegen, als ze kwaad waren om een mislukking, en Bephza zag aankomen dat hij aan de vreselijkste straffen onderworpen zou worden, die de zwarte magie ook voor de levenden in petto had. Dat waren geen verlokkende vooruitzichten, en wat had hij verder nog voor mogelijkheden? In het Keizerrijk was zijn rol uitgespeeld.

Op de vriendschap van andere draken hoefde hij niet te rekenen. Zarzunabas zou hem misschien bij zich in huis nemen, maar dat was een nog erger meester als de Mokabiters. Het was waarschijnlijk het beste zich eerst in de woestijn terug te trekken en daar het leven van een dief en een struikrover te leiden, wat overigens heel goed bij zijn karakter paste.

Toen viel hem iets anders in. Iwara had hem twee opdrachten gegeven, en hij had beide vervuld. Hij was er alleen niet meer toe gekomen haar het resultaat van de tweede te laten weten. Als hij naar Thurazim terug kon keren met het bericht dat hij de mens gevonden had, die bereid was het bloedoffer te brengen – nog beter, als hij met diens hoofd en de afgestroopte huid terugkeerde – dan zou men hem weer in genade aannemen.

Bephza had er zich aanvankelijk enorm het hoofd over gebroken hoe hij onder de vele honderdduizenden mensen die inmiddels in Chatundra leefden, die ene moest vinden, die in de toekomst iets wilde doen wat hij misschien zelf nog niet wist. Maar omdat hij, evenals alle draken, een hartstocht voor raadsels en geheimschriften had, was hem spoedig iets ingevallen. Daar de voorspelling zoveel aanwijzingen over toekomstige gebeurtenissen bevatte, zat er misschien ook een over het offer tussen. Zelfs als er geen dwang op rustte en er geen voorwaarden aan verbonden waren, toch was de alomtegenwoordige Majdanmajakakis in staat te zien wat elk levend wezen in het verleden had gedaan en in de toekomst zou doen. En daarom zou zij wel eens de naam in geheimschrift in de voorspelling vermeld kunnen hebben.

Bephza had op die manier diverse versregels zorgvuldig bestudeerd, en omdat alle betekenissen op één na vaststonden, richtte hij zich op deze:

Als het goud sterft en verslonden wordt,
Is de hoop nabij.

Gewoonlijk werd deze versregel niet als aanwijzing over Phurams versluiering of de ondergang van Thurazim beschouwd, maar Bephza was sluwer. Omdat er een mens zou moeten sterven, hadden de woorden hoogstwaarschijnlijk betrekking op het sterven en het Door-Het-Graf verslonden worden van deze mens. En op dit ogenblik kon Bephza maar twee mensen bedenken op wie de bijnaam 'Goud' van toepassing kon zijn. De ene was de legendarische koning Kurda, die men vanwege zijn onmetelijke rijkdom de 'gouden' genoemd had. Maar de tweede was ridder Viborg, wiens lichtblonde haar en zijn op die van Phuram lijkende schoonheid hem dezelfde bijnaam hadden bezorgd.

Toegegeven, Viborg leek met de beste wil van de wereld niet de man te zijn die zich voor Mandora op zou offeren. Aan de andere kant, hij was een krijger, die zijn leven in de strijd op het spel zette. Waarom zou het dan niet opofferen, als het hem – om welke reden dan ook – raadzaam leek? Bephza besloot een poging te wagen. Hij zou enkele nachtelijke naspeuringen moeten doen, maar het kon in geen geval kwaad Viborg om te brengen, of hij nu de geheimzinnige gouden man uit de voorspelling was of niet. De Mokabiters zouden zich in ieder geval verheugen over zijn afgehakte hoofd en zijn bloederige huid.

Onder vrienden

Graaf Nestor was ontzettend geschrokken van de moord op de keizerin. Hij en zijn beide begeleiders waren bliksemsnel ondergedoken, want zonder Iwara's machtige bescherming waren ze evenzo aan de vijandelijke ridders en priesters van de stad overgeleverd als het opgewonden volk, dat de niet geliefde vreemdelingen als eerste aangevallen zou hebben. Het advies van zijn beide begeleiders opvolgend had hij de opvallende Mokabitische klederdracht afgelegd en zich in de eenvoudige kleren van een Gevlekten gehuld. Zonder pruik, met een oude hoed vol gaten op het hoofd en een wijde mantel om de schouders, sloop de jonge man door de stegen van de Rabensteeg met zijn louche kroegen en bordelen. De wirwar van slecht bekendstaande huizen lag helemaal aan de rand van de stad en was het woongebied van Gevlekten, die hun geld verdienden als smokkelaars, sjacheraars, helers en soldatenronselaars. Hier vermeed men elkaar recht in de ogen te kijken, zodat niemand de getuige met een bliksemsnelle dolksteek uit de weg ruimde, omdat hij dacht dat hij was herkend, en ook hield hier iedereen zijn tong in bedwang. De graaf was blij dat hij een dikke knuppel had meegenomen. Hij kon immers zijn degen niet dragen, die zou hem verraden hebben.

Casim had hem het adres van een woning genoemd, waarin ze elkaar weer zouden treffen nadat ze de in grote opwinding verkerende stad in diverse richtingen hadden doorkruist. Daar had hij vrienden die hem zouden helpen om Thurazim via geheime wegen te verlaten.

Het kostte Nestor enige moeite het smerige hol te vinden. Het lag verstopt in een van de smalle doorgangen die de huizen met elkaar verbonden.

De deur stond open en hij ging naar binnen. In de laaggewelfde ruimte was het somber en schemerig en het rook er muf en ongezond. Het kleine raam leidde naar de doorgang tussen de huizen, zodat er nauwelijks licht binnendrong. Boven werd het licht nog meer tegengehouden door een zwaar gordijn. Overal stond vervuild vaatwerk met aangekoekte etensresten, de tafel was bezaaid met de meest walgelijke dingen: gemummificeerde misvormde dieren en kleverige flessen met een verdachte inhoud. In deze hoek stonden ook twee menselijke, op alruinachtige naar voren gebogen geraamtes, waaraan duidelijk te zien was dat de gebogen wervelkolom en de gewelfde schouderbladen tijdens het leven een bochel gevormd hadden. Op een onderstel daarnaast, waarvan het blauwe gordijn maar half dichtgetrokken was, zweefden in glazen cilinders blauwachtig grijze, bruine en geelachtige reptielen en insecten in een heldere vloeistof. Nestor herinnerde zich dat Casim de vrouw als kruidenhandelaarster aangeduid had. Bah! Als dit hier geen heksenkeuken was!

De tovenares kookte iets in een pot, waaruit een vreselijke stank opsteeg, als van brandende beenderen van dode lichamen. Ze stond bij de kachel in een van die sterk gebolde, aan de hals dichtgeknoopte bromvliegzwarte kledingstukken, die oudere vrouwen uit de laagste klassen bij voorkeur droegen.

Toen ze Nestors stap hoorde, draaide ze zich om. Haar zware onderkin rustte op de geplooide halskraag, de angstwekkend ver uitpuilende ogen staarden uitdrukkingsloos uit een schimmelkleurig gezicht. Het griezeligste aan haar was echter het volledig ontbreken van haren, dat ze door geen pruik of enige hoofdbedekking probeerde te verbergen. Glanzend als spek welfde zich een kaal hoofd van haar voorhoofd over haar kleine, waaiervormig misvormde oren tot in haar korte nek.

Nestor was nog te zeer in beslag genomen door de stank om zich zorgen te maken over haar uiterlijk. 'Bij alle nachtgezichten! Wat kookt u daar voor iets afschuwelijks?' riep hij uit.

'Dat gaat u niets aan!' bromde de oude vrouw. 'Bemoei u met uw eigen zaken en laat andere mensen met rust. Wat wilt u hier eigenlijk?'

Nog juist op tijd herinnerde Nestor zich aan het wachtwoord dat Casim hem ingeprent had. 'Ik wil graag mosterdzaadjes tegen buikpijn kopen, sinds gisteren gaat het heel slecht met me,' antwoordde hij haastig.

'Zo, zo.' De oude vrouw bekeek hem wantrouwig. 'Hebt u al iets ingenomen?'

'Neen, de fles was gebroken.'

Ze knikte, verdween sloffend achter een gordijn en kwam meteen terug met Casim en Rasko.

Nestor haalde opgelucht adem. Hij had in de korte tijd dat ze elkaar
kenden weliswaar genoeg aanwijzingen gevonden, die erop wezen dat
ze er hem te allen tijde aan de vijand zouden uitleveren om zelf te kunnen ontkomen, maar ditmaal hadden ze woord gehouden. Ze fluisterden gehaast met de oude vrouw, en toen zei Casim: 'Onze vrienden zijn
heel schuw en niet gewend aan het bezoek van vreemdelingen. Ze willen graag onbekend blijven, en daarom moeten we u blinddoeken als
we u bij hem brengen.'

Dit beviel Nestor helemaal niet, maar hij zag geen mogelijkheden om
eronderuit te komen, en dus liet hij onwillig toe dat ze hem blinddoek-
ten. Geleid door zijn beide begeleiders, daalde hij als een blinde een
lange trap af, liep vervolgens door keldergangen, waarin zijn stappen
weergalmden als in een grafkelder. Hij vond dat hij nogal ver moest lopen, maar hij wist ook dat je in zulke situaties afstanden gemakkelijk
verkeerd kon inschatten. Hij liep voorzichtig tussen zijn beide gidsen in,
er in eerste instantie op bedacht niet te vallen.

Nog een keer daalden ze een trap af, en ditmaal hoorde hij beneden
zich een geluid dat op de aanwezigheid van mensen wees – en wel een
behoorlijk aantal mensen. Tenslotte was het duidelijk herkenbaar als
het gemompel en gegons van een verwachtingsvol gezelschap. Toen
opende een van zijn begeleiders een deur, men nam zijn blinddoek weg
en hij zag het gezelschap voor zich, dat Casim als 'onze vrienden' aangeduid had.

Toen de deur openzwaaide, ging een heftige beweging door de zaal. Alle
blikken richtten zich op Nestor, en er viel een diepe stilte in de langgerekte
ruimte, die alleen af en toe werd onderbroken door het hikken van een
van de aanwezigen of door het ritselen van een strakke toga.

Nestor keek in een grote, door stoffige lampen en vrijwel opgebrande
kaarsen zwak verlichte zaal, die ondanks de prachtige inrichting een
trieste indruk maakte. Hij had een kleine groep samenzweerders verwacht, maar de zaal was tot de laatste plaats gevuld.

Enkele hartslagen lang dacht de jonge graaf een afschrikwekkende leegte voor zich te zien – een bodemloze afgrond, waarin loodzwaar en doodstil een koude zee loerde op het slachtoffer dat naar beneden geworpen zou worden. Toen haalde de stem van Casim hem uit zijn verwarring.

'Wees gegroet, edele heren en dames,' riep de jonge edelman. 'Wees gegroet, dochters en zonen van de geweldige Drydd en de mensenkoningin Athahatis! Wij zijn uit Thamaz gekomen om u te eren, u te verzoeken, ons in uw rijen op te nemen en ons toe te staan aan Uw zijde te strijden.'

Een dof gegrom was het antwoord op de woorden die Nestor ontsteld aanhoorde. Was dit een truc om bij die mismaakte schepsels in de gunst te komen, of wilde Casim zijn waanzinnige woorden waarmaken en zich opwerpen als aanvoerder van deze half menselijke troep?

Nu nam Rasko het woord. Op dezelfde zoetsappige, vleierige toon prees hij de Waterdraak Drydd, hij vervloekte alle schepsels uit Mandora, Plothos en Cuifíns, met inbegrip van de Rachmanzai, die tot zijn eigen voorvaderen telden, en wenste de gedrochten veel geluk bij hun oorlog tegen de mensen.

'Jullie uur is gekomen!' riep hij. 'Bestorm de huizen! Haal de afgodsbeelden van Phuram neer! Wij zijn hier om samen met jullie de geweldige Drydd te vereren en om hem en jullie een offer aan te bieden, dat jullie zo graag hebben: vers jong vlees, nog rood van het bloed!'

Tientallen ronde, roodachtig glinsterende inktvissenogen staarden de spreker aan, monden kwijlden van voorpret.

'Neem wat van jullie is!' riep Casim en gaf Nestor een duw, zodat deze voorover tuimelde.

Nestor begreep het te laat. De waarheid flitste plotseling door hem heen, maar reeds grepen vochtige, sponsachtige handen zijn armen en benen vast, een lange arm – meer een tentakel dan een menselijke arm omklemde zijn hals. Hij sloeg wild om zich heen, schopte naar de monsters, raakte sponzige buiken en gezichten, waaronder opgezwollen kelen als zakken hingen. Maar hij vocht tegen een overmacht, en grommend, smakkend, giechelend en snaterend sleepten ze hem weg naar de achterkant van de Krypta, de stenen ruimte in met het bassin, waarin oude dikke bloedkorsten waren aangekoekt.

Een gebeurtenis aan de hemel

Als het waarschuwende gehuil van de nachthoorns klonk, werden de straten van Thurazim leeg. De Nachtmensen verdrongen zich op de trappen naar hun onderaardse domein, de Sundaris vluchtten hun schemerige torens in en sloten alle ramen en deuren zodat geen manestraal kon binnendringen en hun dromen en gedachten vergiftigen kon. In heel korte tijd veranderde de overdag zo drukke stad in een dodenstad, donker, doodstil en verlaten.

Toch waren er om die tijd nog mensen op weg, ook al werden hun bestaan en hun bezigheden door de Sundaris doodgezwegen. De oude Semis was een van hen. Hij behoorde tot een troep van 'vuilnismannen'. Ze waren Maanschijners en Gevlekten, die er na het invallen van de duisternis op uittrokken en de vuilnisbakken uit de kelders haalden, ze op de rug van krachtige vliegende hagedissen laadden en naar de reusachtige verbrandingsovens ver in de woestijn vervoerden.

Ook kadavers van dieren en menselijke lijken werden daarheen gebracht. Geen Sundar zou ooit een dode aangeraakt hebben, ook al was het iemand geweest die hem zeer na stond of die hij zeer had liefgehad. Alle rouwplechtigheden vonden plaats rondom een uit gips gevormd, kunstzinnig beschilderde afbeelding van de dode, die aan het eind kapotgeslagen en in een urn werd bijgezet.

Semis hield van zijn werk, ook al stonk hij vaak als een wezel naar al het vuilnis. Hij vond het met name fijn dat hij op deze manier zo vaak de gelegenheid had Datura te zien en zijn gebeden naar haar te zenden, terwijl hij de lasthagedis door de lucht naar de crematoria stuurde. Ook in deze nacht hurkte de vuilnisman met over elkaar geslagen benen om de nek van de hagedis, wiens zachte vleugels met trage bewegingen de lucht doorkliefden. Hij keek, vervuld van vrome gedachten, omhoog naar de hemel, toen hij onverwacht getuige werd van een adembenemend schouwspel. Eerst dacht hij dat een voorbijtrekkende wolk zijn blik verwarde en hem had voorgespiegeld, dat het ronde, roodachtige Slangenei plotseling aan een kant werd uitgedeukt. Maar nee, geen wolk had hem voor de gek gehouden! De hemel was helder en vol sterren, en toch zag Semis – en met hem iedereen die in deze nacht naar de hemel keek – hoe het Slangenei het kind baarde, dat zo lang in zijn schoot had gerijpt. De eierschaal zwol op, klapte uit elkaar en als een bliksemflits schoot de Slangendochter naar buiten, vouwde haar zojuist nog stevig vastgebonden vleugels open en steeg op naar het hoogste punt van de hemel, als een fel schijnende, vurige ster.

Het Slangenei trok verder zijn gewone baan, maar Semis en alle anderen die het zagen, konden duidelijk zien dat het nu niet meer dan een leeg, smetteloos omhulsel was.

Semis en velen met hem zagen in het gebeuren een goed voorteken. Maar een niet onaanzienlijk aantal Nachtmensen ontvluchtte via geheime wegen de stad uit naar het noordwesten, en het was niet alleen de toorn van de Sundaris die hen verdreef. Iedereen praatte over het teken dat men aan de hemel had gezien. De aanhangers van Phuram mochten erom lachen, de Nachtmensen wisten heel goed wat de geboorte van de Slangendochter betekende, en velen voelden zich in Thurazim niet langer veilig. Plotseling, als uit het niets, werd ineens druk over Chiritai gesproken, dat eeuwenlang niet meer dan een half vergeten sage was geweest. Als door een magische aantrekkingskracht aangespoord, waren de vliegende Nachtmensen plotseling van één ding bezeten: 'Op naar Chiritai!'

Ridder Viborgs daad

Op het oude vestingpad

Nieuws verspreidt zich langzaam in Chatundra. Zodoende wist ridder Viborg nog niets van de dood van het keizerlijk paar, toen hij naar het noordwesten trok. Gedurende meerdere dagen volgde de groep het oude vestingpad, zonder dat er iets bijzonders gebeurde. Herhaaldelijk stootten ze op overblijfselen van wachttorens en muren, die door roestbruine korstmos overwoekerd waren. Het daglicht doofde, toen ze een fort met een halfvergane wachttoren bereikten.

Ninian vond het uitgesproken chique dat deze wachttoren hem en de overige onbewapende mannen als onderkomen voor de nacht toegewezen werd. Het bouwwerk had in elk geval een dak, ook al was het houten tussendak zo verrot, dat men door spleten en gaten direct de kromming van het dak kon zien. Over grote stukken van de ooit bontbeschilderde tussenmuren was de pleisterlaag naar beneden gevallen, op sommige plaatsen samen met een deel van de stenen.

Katanja en haar schildknaap Buiko waren als beschermer aan de groep toegewezen, want graaf Viborg was een voorzichtig krijger. Dat er tot nu toe niets was gebeurd, vergrootte zijn wantrouwen eerder dan het hem in slaap had gesust. De twee gewapende bewakers stonden voor de wachttoren en speelden met de reusachtige honden. De groep onbewapende mannen hurkte intussen neer in het binnenste van de ruïne rondom de vuurkuil, er werd gegeten, men verwarmde zich en praatte met gedempte stemmen.

Morisai, de chirurgijn, was een bekwaam en grappig verteller, vaak frivool, zodat de toehoorders moesten lachen. Ze lachten zachtjes, want als ze hun stemmen maar een beetje verhieven, kwam Katanja binnen en siste hen toe dat ze niet in de bazaar van Thurazim waren, dat het hier heel gevaarlijk was en of ze soms alle duistere creaturen met hun geschreeuw hierheen wilden lokken.

'Wat is dat toch een boosaardige vrouw,' fluisterde Morisai, toen de krijgsvrouw weer verdwenen was.

'Ze is dapper en heel voorzichtig,' antwoordde Ninian. 'Maar ze heeft inderdaad een giftige tong.'

'Ik wed dat ze ons met haar lange zweep zou slaan, als we niet onder de bescherming van de ridders reisden,' voegde een derde er aan toe. 'Wisten jullie dat ze 's nachts in haar slaap gromt en knort en haar tanden laat zien, net als de honden?'

Daarop volgde een gesmoord geproest, en het gesprek ging verder over andere gevaarlijke vrouwen. Iedereen dacht aan de keizerin, maar niemand durfde haar te noemen. Dus praatten ze over de woestijngeesten, die half vrouw, half slang waren, en over het zand kronkelden en met hun lieflijk gefluit de reizigers naar zich toe lokten om hen te verslinden. Men had het ook over de tovenares Umbra, die naar men zegt in de Blauwe Woestijn woont en de macht bezit mannen in varkens te veranderen, en over de vrouwen van Ka-Ne, die het de mannen niet eens toestonden aan hun tafels te eten, maar hun eten naar hen op de grond toegooiden.

Ninian, die heel moe was van de ongewone inspanning, zat wat te suffen in een hoek. De nachtzon was opgegaan, en de wanden van het vertrek met hun afgebladderde schilderwerk lagen in een zwak roodachtig schemerlicht.

Toen hij daar zo lag en door een gat in het dak naar het Slangenei aan de hemel keek, was de magister getuige van hetzelfde fenomeen dat zo'n enorme indruk op de vuilnisman Semis had gemaakt. Hij zag hoe de eierschaal opzwol, toen het kind binnenin bewoog, hij zag het openspringen en de Slangendochter met de vurige kometenstaart naar het hoogste punt van de hemel vliegen, waar ze op de voor haar bestemde plaats stopte. Het lege omhulsel trok verder zijn baan om de Maangodin.

Ninian bleef van verbazing en opwinding in zijn binnenste heel stil liggen. In één klap was het hem duidelijk dat hij er getuige van werd dat alle mythen, kampvuurverhalen en bakersprookjes zich plotseling tot beklemmende werkelijkheid ontwikkelden. Datura's maagd had haar kind gebaard, en nadat deze eerste mystieke gebeurtenis plaatsgevonden had, zouden andere volgen. Een vreemdsoortige kou beving zijn hart. Hij voelde angst en tegelijkertijd een bevrijdend gevoel als van een gevangene, die na talloze martelende processen ter dood veroordeeld wordt en weet dat hij zijn noodlot niet langer ontlopen kan.

Hoe lang zou het duren voor Phuram zou versluieren? Dagen? Weken? Pas als de schemering over de wereld gevallen was, zou duidelijk worden wie aan welke kant stond. Deze gedachte joeg Ninian niet meer zoveel angst aan. Hij merkte hoe de weegschalen in zijn binnenste omhoog en weer omlaag gingen en ten slotte hun definitieve positie innamen. Diep in zijn hart had hij een besluit genomen, los van de angst, een besluit dat hem verstikte en hem in grote verwarring bracht over de vraag hoe hij zijn plannen ten uitvoer moest brengen.

Hij rolde zich op in zijn mantel en deed alsof hij ging slapen, om zijn metgezellen niet zijn belangstelling te verraden voor het fenomeen aan de hemel. Ze zouden hem in het gunstigste geval uitgelachen hebben, en in het ergste geval zouden ze hem voor een geheime dienaar van de draken hebben aangezien. Ten slotte doezelde hij weg, uitgeput door de wirwar van zijn gedachten en zijn innerlijke opwinding, en hij viel daadwerkelijk in slaap.

Maar van slapen kwam niets terecht. Nauwelijks was Ninian weggedoezeld, of hij schoot weer overeind. Hij had de honden zacht horen aanslaan en het volgende ogenblik sprongen de beide soldaten met de speer in de hand op de deur toe. Hij hoorde hoe iemand een korte blaffende kreet uitstootte, die klonk als een aanvalssignaal, waarop een woest gegrom van de honden volgde, toen een afgrijselijk knarsen en krabben, alsof een ruwe weg met een rijshouten bezem geveegd werd, een knakken en een boosaardig gezoem als van een horzelnest. Toen was het stil en de twee kwamen door de deur terug. In het licht van de fakkels zag Ninian dat ze hun speren (waaraan iets geel gelatineachtigs kleefde) in het kreupelhout afveegden. Het koude zweet brak hem uit, en zijn haar voelde plotseling aan als stro.

Katanja lachte. 'Hé,' zei ze halfluid tegen haar metgezel, 'dat was een mooi stukje werk!'

'Ja,' antwoordde hij, blijkbaar even goed gehumeurd, 'maar ik had niet gedacht dat de kop nog zo lang verder leeft. De ogen keken gewoon nog!'

'Waren dat ogen? Dat glibberige spul?' Ze zette de speer tegen de muur en strekte behagelijk haar armen boven haar hoofd. 'Wat denk je, waren die spitse klauwen aan de voorkant giftig?'

'Weet ik niet,' antwoordde hij. 'Ik denk eerder dat die sikkel aan de staart giftig was, die zag er verdacht uit. Luister eens, als we er weer een tegenkomen, gaan we niet zitten steken, dan maken we korte metten. Met een speerworp aan een paal spietsen en met het zwaard z'n kop eraf.'

'Denk je dat er nog meer komen?' vroeg ze, vrolijk bij het vooruitzicht. Toen gingen ze voor de deuropening zitten, en wachtten of er nog meer (wat dan ook) zouden komen. Ze zwelgden bij de herinnering aan iedereen die ze in stukken hadden gehakt, aan een paal hadden vast gespietst en de kop hadden afgeslagen.

'Toen ik met mijn groep de forten langs de Heerstrasse bewaakte,' vertelde Katanja, 'liepen we een ding tegen het lijf, dat er tot de heup uitzag als een vrouw, maar daaronder had het maar één been, en dat was ook nog een paardebeen! Het ding sprong op dat ene been om ons heen en richtte een kleine bronzen handboog op ons.'

'Daar heb je toch wel korte metten mee gemaakt?'

'Neem dat maar van me aan! Ik sloeg hem zó snel de kop af, dat hij nog tegen me stond te schreeuwen toen z'n kop al op de grond rolde.'

'Ja, je moet snel zijn. Herinner jij je de Harpyien nog, die ons 's nachts overvielen? En die we toen aan het spit gebraden hebben als waarschuwing voor alle anderen?'

Ninian trok zijn mantel over zijn hoofd en probeerde krampachtig aan iets anders te denken.

Even later – toen Ninian er bijna in geslaagd was in te sluimeren – werd hij wederom op ruwe wijze uit zijn slaap opgeschrikt. Het razende geblaf van de honden verscheurde de duisternis, en toen Ninian de deken van zich afgooide, zag hij ze voor de deur in de nachtzon staan, de nekharen overeind en de ogen zwavelachtig fonkelend. Hun slagtanden blonken onder hun kwaadaardig op elkaar geklemde lippen. Ninian probeerde te ontdekken waarom ze zo woedend blaften, en schrok zich dood, want het was alsof hij een legerschaar van reuzeninsecten de helling zag afdalen.

Talloze zich vertakkende reuzenvoelsprieten zwaaiden voor de rode maan langzaam heen-en-weer, gehelmde koppen blonken, een tred van vele voeten knarste dof op de stenen. Het woedende geblaf van de honden werd beantwoord door een diep, hol geluid, voor de ene helft gehuil, voor de andere een dof gedreun, alsof menselijke stemmen door trommels begeleid een huiveringwekkende koraal zongen. Ze hielden halt en hieven onhandelbare wapens in de lucht, die maar voor een deel in de schemering zichtbaar waren.

Met een kreet sprong hij op en rukte zijn mes uit de schede, dat hij tot nu toe alleen gebruikt had om zijn pennen te slijpen.

Toen hoorde hij ook al de schelle stem van Katanja van de rotsen weergalmen. 'Dood aan de creaturen van Zarzunabas! Voorwaarts, beste vrienden, ten aanval!'

Iedereen rende, Ninian rende mee.

Om hem heen woedde een enorme chaos. Opschudding, gehuil, geblaf, geschreeuw en het dreunde getrommel van de aanvallers. Ninian werd van alle kanten bijna omver gelopen. Een poot raakte hem op zijn voet, een staart zwiepte over zijn verhitte gezicht, juist toen hij zich bukte. Van de wezens die ze hadden overvallen, kwam een verstikkende geur van verrotte oude dierenvellen en vergaan afval, die hem misselijk maakte.

Gedaanten als uit een nachtmerrie dansten om hem heen. Rondom hem wemelde het van monsterachtige beesten, die een geur van verrotting verspreidden. Ze zagen eruit alsof ze uit verschillende dierlijke mummies in elkaar geflanst waren, in zwartachtige verrotting aan elkaar geplakt, zodat het onmogelijk was te onderscheiden wat huid, wat kleding, wat lichaam en wat masker was!

Katanja's honden gingen tekeer als dolle monsters, toen ze deze karikaturen van levende wezens in het rode licht zagen rond waggelen. Ze sprongen hen naar de keel, en Ninian hoorde kaken kraken en tanden knarsen, en hij zag dat de snuiten hun tanden lieten zien terwijl ze aan iets langs en vrouwelijks rukten, dat zich steeds meer ontrolde.

Natuurlijk had de geleerde geen enkele ervaring met krijgshandelingen en hij was van nature ook niet geschikt als strijder. Daarom bestond zijn bijdrage hierin, dat hij als eerste van de lompe kerels opdook, met één hand zijn ogen dichthield en met de andere wild naar het monster stak. Het mes drong ergens binnen, maar of hij het geraakt had of verwond of gedood, kwam de magister nooit te weten. Aan de zijkant greep een gehoornde, naar bederf ruikende hand toe die hem wilde grijpen.

Hij stak er een mes in en de hand trok zich terug. Hij sprong hijgend opzij, zag het monster wankelen en slingerde met alle kracht een steen naar hem. Het beest viel razend en tierend op de grond. Katanja sprong naderbij, haalde met de elegantie van een danseres uit met haar zwaard en scheidde de kop van de romp, die de langs de berghelling naar beneden rolde.

Brullend kwam een van de wezens tussen de rotsen aangerend, een vlammenzuil die in dolle woede om zijn eigen as draaide en heen-en-weer strompelde. Een van de soldaten rende het wezen tegemoet, terwijl hij zijn ene hand vol brandende takken zwaaide. Het afschrikwekkende vurige wezen strompelde nu ver voor hen langs de weg, huppelend en brullend, voor het plotseling tot een vlammende bal ineenkromp en over een glooiing rolde. Meteen daarop laaiden uit de donkere diepte daaronder de vlammen metershoog op.

De magister was buitengewoon opgelucht, toen er kort daarna 'Gevecht voorbij!' geroepen werd.

De stenen grond was bezaaid met de kadavers van twintig of meer duivelse monsters. Waren het mensen die tot het niveau van halfdieren afgezakt waren? Dwergen? Tweeslachtige schepsels? Ninian kwam het nooit te weten. Hij zag alleen de klonterige zwartachtige lijven, met een baard, ruig behaard, gehuld in stinkende vellen en met veren bedekte huiden, met antilopenhorens op hun helmen en hyenastaarten op hun gewaad. Huiverend trok hij zich terug. Hij verlangde vurig naar een meer, waarin hij de smerige stank van deze gedrochten van zich af kon wassen.

Een gesprek over twee boosaardige draken

De Kadaverdraak Bephza was onder de draken even weinig geliefd als onder alle andere levende wezens, maar hij had toch een paar goede kennissen, die in weerzinwekkendheid niet voor hem onderdeden. Onder hen was Pilas in het blauwe meer. Toen Bephza de groep van graaf Viborg volgde om de ridder te doden, zag hij hierin een goede gelegenheid om Pilas te bezoeken en diens raad te vragen. Per slot van rekening kende de oude draak de streek beter dan hij en kon hij hem zeggen waar hij de groep het beste kon opwachten.

Zijn opdracht bleek namelijk heel wat zwaarder te zijn dan hij had gedacht. Viborg doden, dat had hij nog wel klaargespeeld. Hij had zich onzichtbaar kunnen maken en pas op het laatste ogenblik zijn stoffelijke gedaante aan kunnen nemen, zodat Viborgs paard zou schrikken en in de afgrond zou storten. Of hij had van grote hoogte een steen op hem kunnen gooien. Maar wat had hij aan een dode ridder, als hij er niet in slaagde diens hoofd en huid te pakken te krijgen? Als hij Viborg gedood had, dan zou zijn lijk onmiddellijk door trouwe vrienden en strijdmakkers zijn ingesloten, om het voor schending en een aanval van boze geesten te beschermen.

Dus hurkte Bephza in de avondschemering op een dorre tak aan de oever van het meer en vertelde Pilas, die zijn benige krokodillenschedel boven water stak, over zijn problemen.

'Ik moet hem naar een eenzame plaats zien te lokken, ver van zijn krijgsmakkers, waar ik tijd genoeg heb om hem te doden en te villen. Ik heb er niets aan als ik enkel met een verhaal naar Thurazim terugkeer, dat men kan geloven of niet.'

'Een ridder van de Sundaris is te verstandig om zich van zijn metgezellen weg te laten lokken,' antwoordde Pilas. 'Bovendien, waarom wil je per se deze ridder, die zo moeilijk te vangen is? Wat is er zo bijzonder aan hem?'

Bephza kwam een beetje onwillig met de ware reden. Hij deelde zijn kennis niet graag met anderen, maar de door de wol geverfde Pilas zou zich waarschijnlijk niet met vage verhalen laten afschepen.

'Hmmm.' De Zeedraak dacht over het verhaal na. 'En je bent er zeker van dat een Sundar vrijwillig zijn leven zou offeren om de Drie Zusters te helpen? Dat lijkt me hoogst ongeloofwaardig.'

Bephza moest toegeven dat hij ook zijn twijfels had. 'Maar er is maar één andere die de 'Gouden' werd genoemd, koning Kurda van Chiritai, en die is al eeuwenlang dood.'

Pilas sloot zijn hagedissenogen, tot er nog maar een streep gele gloed onder zijn fronsende oogleden zichtbaar was. 'Zo, denk je dat?'

Bephza hield zijn kop scheef. 'Wat moet dat betekenen: Zo, denk je dat? Hij was een mens, en zelfs als hij stokoud geworden is, moet hij allang dood zijn. De mensen hebben maar een korte tijd te leven. Het is nauwelijks de moeite dat ze geboren worden, want dan sterven ze alweer.'

'En als ik je nu zeg dat dat een uitzondering was?'

Bephza barstte bijna van nieuwsgierigheid, maar hij wist dat als Pilas dat zag, hij hem nog urenlang met allerlei toespelingen aan het lijntje zou houden, alleen maar om het plezier hem te treiteren. Dus antwoordde hij: 'Tjonge, je wordt vast oud en zwakzinnig als je zulke onzin gelooft.'

Dat ergerde Pilas natuurlijk, en daarom kwam hij met het verhaal. 'Je weet dat koning Kurda en zijn krijgers en onderdanen als straf voor hun hebzucht in gouden hagedissen werden veranderd. Maar de straf kwam niet in één keer over hen heen, maar langzaam, want Majdanmajakakis wilde hen de gelegenheid geven hun dwaasheid te erkennen en van hun dwalingen terug te keren. Bij de meesten haalde deze tegemoetkoming niets uit. Zodra ze goud aanraakten, schreed de verandering verder voort. Een stuk huid veranderde in een gouden schub, een vinger in een klauw. Maar koning Kurda kreeg berouw toen hij al zo ver was dat hij zich nauwelijks nog bewegen kon en het goud steeds dichter bij zijn hart kwam, dat bij elke slag kouder en harder werd. Hij smeekte Datura om genade en bood aan het offer voor Mandora te brengen, als hij van de vloek van het goud verlost zou worden. Datura deed een goed woordje voor hem bij Majdanmajakakis, en de moeder van het heelal velde het oordeel: "Vanwege zijn aanbod zal de mens zo lang mogen leven tot het goud door zijn berouw en wijsheid weer vlees en bloed geworden is. Maar ik wil hem niet houden aan een aanbod dat hij in het uur van zijn diepste wanhoop gedaan heeft, want het moet vrijwillig worden gedaan, zonder dwang en zonder beloning. Als aan zijn verzoek voldaan is, mag hij zijn aanbod nog een keer doen, en ik zal het aannemen. Maar als hij het niet herhalen wil, dan zal hij er van verlost zijn zonder dat hem enige blaam treft."'

Bephza luisterde en dacht tegelijkertijd scherp na. Met iemand als Pilas moest je op een bepaalde manier praten, en dus haalde hij zijn schouders op en merkte vinnig op: 'Nou ja, zelfs wanneer je gelijk hebt, dan nog kan niemand hem na zoveel jaren meer vinden.'

Pilas slikte zijn lokaas in. Eigenlijk was hij van plan geweest Bephza te laten spartelen, maar hij ging liever tegen Bephza in dan dat hij ronduit zijn mening zei, en dus flapte hij eruit: 'Jij misschien niet, maar mensen met verstand valt misschien het een en ander op. Wat zou je er van denken als je een man op de rotsen boven Chiritai ziet zitten en hem luidkeels hoort klagen en jammeren over het lot van zijn vrienden, die in goud veranderd zijn en verstijfd in de schatkamers van het voormalige koninklijk slot liggen?'

Bephza bleef bij zijn taktiek, en het lukte hem Pilas zó handig een lokaas voor te houden, dat deze hem vertelde dat hij de man die hij voor koning Kurda hield, vaak door de bergen had zien zwerven, en dat hij hem soms zachtjes was gevolgd om zich te vermaken met zijn tranen en doodsgejammer. Want – zoals Pilas deemoedig toegaf – niets deed hem zo veel plezier als anderen zien lijden. En bij deze man was zijn plezier nog veel groter dan bij de jammerende slachtoffers die als voedsel voor hem in het meer gegooid werden, want zijn lijden duurde al eeuwenlang.

'Maar weet je wat zo vreemd is?' zei Pilas. 'Hij wordt niet ouder, hoe lang hij ook op de wereld rondloopt. De knechten van Zarzunabas, die iets van zulke vloeken begrijpen, hebben me verteld dat hij zijn leeftijd behoudt tot hij bevrijd is, maar vanaf dat moment wordt hij weer ouder, net als alle andere mensen. Kun je je voorstellen dat je eeuwenlang veertig jaar oud bent?'

Dat kon Bephza niet, omdat de draken hun levensduur heel anders maten en beleefden dan mensen. Bovendien was hij al zo lang niet dood, dat hij zijn aards bestaan vergeten was. Hij liet zich door Pilas nog een uitvoerige beschrijving van de man geven, en toen fladderde hij weg. Of de Zeedraak de waarheid had gezegd, wist hij niet. Maar het zou de moeite waard zijn het spoor te onderzoeken. In elk geval zou hij ze allebei doden, ridder Viborg en de merkwaardige mens. Op die manier was hij er zeker van de juiste te treffen, en had hij er bovendien dubbel plezier van.

De magister en de drakenvorst

Kort voor de avondschemering bereikte graaf Viborgs leger het garnizoensstadje Fort Timlach, aan de uiterste grens van het keizerlijke land. Naar de letter van hun verklaringen waren de Sundaris weliswaar heerser over het gehele continent, maar in werkelijkheid behoorde hen slechts het middelste deel toe. In het zuiden heersten de Helbedwingers, in het uiterste noorden het zombiegebroed, dat de Kadavervorst diende. Het grootste deel van de woestenij was doods of werd bewoond door wezens die nog nooit van de keizer in Thurazim hadden gehoord. De volgelingen van Phuram leefden in de oase van hun gouden stad. Slechts hier, vlak bij de offerplaatsen van de zonnegod, voelden ze zich thuis. Naar hun mening was de rest van het Aarde-Wind-Vuur-Land het domein van kwaadaardige mensen en geesten. De meeste gebieden die niet direct in de omgeving van de stad of langs de hoofdwegen lagen waren derhalve op hun landkaarten als witte vlekken ingetekend.

De aankomst van de beroemde legeraanvoerder in het slaperige stadje wekte verbazing en opwinding. Iedereen wilde de graaf zien en bewonderen, wat hem zeer beviel, maar spoedig verontschuldigde hij zichzelf en zijn begeleiders met als reden dat ze erg moe waren van de lange rit en eerst eens wilden uitslapen. Men bracht hen naar de beste verblijven, gaf hen te eten en te drinken en liet hen daarna voor de nacht alleen.

De schriftgeleerde Ninian zat wakker in zijn eenzame kleine kamer met de bakstenen wanden en een walmende olielamp. Hij dacht aan de verloren gegane steden Luifinlas en Chiritai. Zelfs voor schriftgeleerden waren dit legendarische oorden. Vaak hadden ze zich afgevraagd wat voor soort wezens de stad Luifinlas hadden gebouwd. Ze moesten in de oertijd geleefd hebben, want ze waren inmiddels volledig verdwenen. Velen beweerden dat de drie Moeders van de Elementen zelf de stad gebouwd hadden, maar dat geloofde Ninian niet. Misschien hadden ze deze uitgedacht, zoals men ook beweerde van Thamaz en Thurazim. Volgens een van de vele geruchten hadden de drie vrouwen steden gebouwd waarin ze voor alle wezens en volken als godheden voelbaar wilden zijn, Plotho in Thamaz, Cuifín in Thurazim en Mandora in Luifínlas. Maar de zonnestorm had hun plannen vernietigd. Thurazim was het hart van het Rijk van de Sundaris geworden, Thamaz was verzonken naar een plek van donkere, heilloze wijsheid en Luifínlas lag verlaten in het ijs, beschermd door de Toarch kin Mur, wier enorme, met een ijskorst bedekte muur de rijken aan de noordpool van de rest van de wereld afschermde.

Ninian liep naar het raam, duwde de luiken open en staarde naar beneden op het erf. Het geruis van de nachtelijke wind door de granaatappelbomen langs de muren klonk als het geroddel van oude vrijsters. Er was niemand te zien, behalve de wachtpost en twee Maanschijners die zich naar de schuilkelders begaven. De ene was een grote, gedrongen man in de rood-oranje kledij van de verhalenverteller, de andere een jongen van ongeveer twaalf jaar die met duidelijke trots dezelfde kleding droeg en de tas en schellenboom van zijn meester meesleepte. Nadat ze in het struikgewas verdwenen waren, heerste weer een drukkende doodse stilte op het erf.

Ninian zuchtte. Sinds hij getuige was geweest van de geboorte van de Slangendochter was er iets in hem wakker geworden waartoe hij zich nooit in staat had geacht. De angst voelde hij nog steeds, en soms zo sterk dat hij van maagpijn ineenkromp, maar tegelijkertijd trok deze hem met schrikwekkende kracht naar het noorden. Hij kon nauwelijks wachten om Chiritai te zien, maar daar eindigde zijn verlangen niet. Hij wilde de bergen in en het hemelhoge massief oversteken en de ijsvlakte, die de laatste resten van het geweldige Luifínlas bedekte, betreden. Hij voelde dat hij op het punt stond een nog ergere heiligschennis te begaan dan zijn vriend, rechter Beck, die Maanschijner was geworden. Hoe verder hij zich van Thurazim verwijderde, des te meer durfde hij toe te geven dat hij al die jaren de Rozenvuurdraken niet bestudeerd had om ze te bestrijden, maar uit bewondering.

Hoezeer hadden hem de gezangen uit de grijze voortijd in het hart getroffen! Hoe vaak had hij gedroomd van de tijd waarin niet doodse, door de zon verbrande zandvlakten maar bloeiende tuinen en groene wouden zich over het grootste deel van het Aarde-Wind-Vuur-Land uitstrekten, van de mangrovenjungles in het zuiden tot het lieflijk bloeiende middelland en de hoge wouden van palmvarens op de hellingen van de noordelijke bergen. Destijds, zo verhaalden de liederen, zweefden in elk zuchtje wind de zingende stemmen van de Rozenvuurdraken, en over de altaren van hun tempels verschenen boodschappen in de vorm van vuurtongen, terwijl de damp van warmwaterbronnen zich tot vluchtige sculpturen vormde. Vreemd en wonderbaarlijk was deze wereld geweest en voor mensen veelal onbegrijpelijk, omdat ze slechts fragmenten konden horen en zien van wat de Hemelbestormers gezongen en geschapen hadden. De stemmen van de voorname ouden hadden zo'n groot toonbereik gehad dat grote delen van hun gezang voor mensen onhoorbaar gebleven waren. Hun rook- en dampgestalten waren soms zo doorzichtig geweest dat de afgestompte ogen van de mensen ze niet hadden kunnen zien.

Ninian werd gestoord door een klop op de deur, juist toen hij weer in zijn dromen wilde verzinken. Hij riep: 'Treed binnen!' Er verscheen een dienaar die hij vroeg of hij amusement wenste.

'Als de edele heer zich verveelt, er is ter plaatse een verhalenverteller, die ook goed kan zingen en toveren. Hij laat vragen of zijn kunst u als tijdverdrijf aangenaam zou zijn.'

Ninian wees het aanbod geïrriteerd af. Lastig vond hij deze aanbiedingen! Men zou kunnen denken dat de mensen voorbij de stadsgrens van Thurazim – bijna allemaal Gevlekten – geen ander beroep uitoefenden dan dat van verhalenverteller, minstreel, grappenmaker, goochelaar of minnaar. 'Nee, ik wil hem niet zien. Ik wil mijn rust.'

De dienaar – die zonder twijfel omgekocht was – boog onderdanig en reikte hem een stukje perkament aan. 'Hij laat zeggen dat de edele heer magister dit wellicht wil lezen voordat hij een definitief besluit treft.'

Ninian greep verergerd naar het briefje en wilde het al op de grond gooien toen hij midden in deze beweging verstijfde. In plaats van de verwachte schreeuwerige aanprijzingen las hij een enkele naam: VAUVENAL. En het was geschreven in drakenrunen, die uit de tijd van de eerste scheppingsperiode stamden!

Ninian wankelde zo hevig dat de dienaar geschrokken op hem toe-schoot, hem ondersteunde en, nadat hij op een divan neerzonk, een glas wijn bracht. Gesterkt door de drank fluisterde de magister: 'Breng hem hier. Meteen.'

Koning Viborg de Grote

Graaf Viborg was een man die zelden in zijn hart plaatsmaakte voor dichterlijke gevoelens, om er maar van te zwijgen dat hij die naar buiten toe liet zien. Derhalve was zijn gezicht zonder emoties en trots, toen hij met zijn leger de ruïnes van Chiritai bereikte. Niemand – behalve misschien Tersan – kon vermoeden welke opwinding zijn hart vervulde. Koning in Chiritai! Ja, dat was de erkenning die hij hem had ontbroken. Zijn trouw aan de keizer verminderde er niet door als hij zich tot koning in Chiritai liet kronen, in tegendeel, het kon Hugues slechts van nut zijn een zo dappere en trouwe bondgenoot aan zijn zijde te hebben.

Het rotspad ging nu stijl naar beneden, in de richting van het poortgebouw. Het was nog geen dag toen de troep over een aantal rolstenen bij een half in verval geraakte straat aankwam. Deze was geplaveid met tegels, had goten aan beide zijden van de rijweg en was aangegeven met pijlers waarop de afstand tot het poortgebouw was ingemetseld.

Achter dit gebouw zag koning Viborg (zoals hij zich in gedachten reeds noemde) steeds duidelijker de ruïnes van de eens zo machtige stad. Zowel de stad als het poortgebouw waren kleurloos en staken vreemd af tegen de levendig gekleurde rotsen, waarvan hellingen kobaltblauw en roestrood achter hen oprezen. Verder naar achteren werden de rotsmuren donkerder en rezen zo grimmig ten hemel dat ze deze als onweerswolken verduisterden.

Het vervallen Chiritai was heel groot, maar gelijktijdig stil en uitgestorven. Het was een vale, kilometer na kilometer als zandduinen uitgestrekte monotonie van overblijfselen van daken, koepels, torentjes en gevels. Eerst zag koning Viborg ze nog verduisterd door de paarse en blauwige schaduwen van de wijkende nacht. Spoedig kwam echter de brandende ster op, en met het verschijnen van Phuram aan de horizon laaide een wild kleurenspel in rood, goud en purper op, een vlammenhemel, met dwarsstrepen van lange zwarte en groene wolkenbanen. Om hem heen werd het snel stralend helder. De Zonnevorst kwam niet eenvoudig op, hij sprong letterlijk uit de wolken, alsof een gloeiende kogel met geweldige kracht en snelheid vanaf een onzichtbare schouder werd weggeslingerd. Het werd snel benauwd, want overal in de kloven en ravijnen van de bergen dampte nog het vocht van de eerder gevallen regen. Bovendien was het volledig windstil. Al snel droop bij allen het zweet over hun lichamen.

Dichterbij gekomen stelden de reizigers vast dat de stad niet zo verlaten was als ze gedacht hadden. Groepjes mensen, armen die een lange weg afgelegd hadden, hurkten in haveloze kleren in de schaduw van de ruïnes en tuurden angstig uit vensteropeningen toen ze de troep ontdekten. Katanja wilde enkelen van hen laten vastnemen om ze te ondervragen, maar ze vlogen als kakkerlakken voor het licht alle kanten uit en verscholen zich in de doolhof van vervallen huizen. Viborg verbaasde zich over hun aanwezigheid, maar maakte zich er niet erg druk om. Zich met zulk gepeupel af te geven vond hij beneden zijn waardigheid.

Toen ze door het poortgebouw reden (wat een gelijkenis had dit alles met zijn droom!) hield de ridder zijn paard aan en riep met donderende stem: 'Leve de keizer!'

'Leve de keizer!' bruiden de soldaten in koor.

Viborg richtte zich op in zijn zadel. 'Mannen en vrouwen van de keizer!' riep hij. 'We nemen de stad Chiritai in bezit voor onze keizer Hugues en zullen haar tot zijn prachtige steunpunt tegen de IJshoorns in het noorden maken. Inkwartieren!'

Uit een van de donkere vensteropeningen klonk een langgerekte klaagroep. 'Dwaze man! Voor onze keizer? De botten van Hugues verbleken op de bodem van de regenput waarin hij zichzelf heeft gestort, en de verdoemde geest van de keizerin huilt met de winden!'

De houten doos

Magister Ninian werd kort voor de ochtendschemering wakker met pijnlijke botten en het gevoel dat iets in zijn leven zich enorm had veranderd. Hij opende zijn ogen en merkte dat hij in een grofgewoven pij op een leger van zand en stenen midden in een reusachtige lege ruimte lag. Waar het maanlicht de bodem verlichtte, waren rolstenen en donker zand of stof zichtbaar. Kniehoge stekelzwammen, die groteske schaduwen wierpen, groeiden tussen de stenen. In de lucht zweefde fijn kaliumstof, dat bijtend in zijn longen drong en zijn neus verstopte. De machtige oranje maan rolde langzaam over de hemel, begeleid door een zwerm zwavelig oplichtende sterren.

Ninian lag beweegloos en observeerde de schepsels van de nacht die om hem heen hun eigen leven leefden.

Een plomp kobaltblauw wezen, dat op een gordeldier leek, stak waggelend het pad over. Een roofvogel vloog geluidloos weg. Herhaaldelijk tekenden zich de sierlijke omtrekken van waterlopers tegen de glimmende bol van de Maangodin af: vleermuisachtige nachtbrakers, wier vleugels echter met een fijn vederdons bedekt waren.

De magister kon zich niet meer herinneren hoeveel tijd er vergaan was sinds hij de laatste keer zo veel had gelopen. Het moest jaren geleden zijn. Zijn voeten deden pijn, in zijn kuiten en dijbenen brandde de spierpijn, zijn hoofd voelde hol en leeg en zijn tong als schuurpapier. Hij was blij dat de verhalenverteller een tas had meegebracht met daarin proviand, waterplanten en een dichtgewoven pij.

Deze merkwaardige verhalenverteller…

Herinneringen keerden in brokken terug, alsof hij zojuist uit een zware roes was ontwaakt. Hij zag zich in gesprek met een verhalenverteller en diens leerling in zijn kamer in de kazerne zitten, daarna leek het alsof hij op de vleugels van een enorme draak tot de rand van de woestijn werd gebracht en de draak tegen hem zei dat ze hier iemand zouden ontmoeten die hen naar de Bergen van Mur kon brengen. Ninian had hem gevraagd hoe ze de bergen zouden bedwingen, en als antwoord gekregen dat er een weg was. Hun gids zou hen daarheen brengen. Daarna was er sprake geweest van de draak Kulabac, de vorst met het karbonkeloog, en dat hij de geheime weg kende die naar Luifinlas leidde.

Toen ze daar zo in de koude nacht van de woestijn stonden, onder een hemel waaraan sterren zo groot als zilveren zee-egels hingen, had Ninian met grote verrassing vastgesteld dat de aangekondigde gids geen verweerde, in alle listen en kneepjes ervaren woestijnloper was, maar een tenger, broos kind dat nauwelijks genoeg kracht leek te hebben om zich op de been te houden.

'Ik wilde u niet laten schrikken,' zei het, 'daarom ben ik eerst in mijn ware gedaante gekomen, maar ik zal u leiden en beschermen in een andere.' Daarop had hij iets wat op een munt leek in zijn mond geschoven, en Ninian had van schrik luid geschreeuwd toen opeens een reusachtige rode Martichoras voor hem stond, met een lengte van vijf passen, vanaf de met drie rijen tanden bewapende muil tot de staartpunt met de schorpioenangel. Met schroom wendde hij zich tot Vauvenal, die in zijn menselijke gedaante achter hem stond. 'En u, edele heer? Gaat u niet met ons mee?'

'Jawel, maar op een andere manier dan u denkt,' antwoordde de drakenvorst. 'Ik kan de woestijn niet als draak noch als mens doorsteken, want eroverheen ligt een net van kwaad dat mijn zintuigen kapotmaakt. Let nu goed op wat ik zeg, en voer dit tijdig en nauwkeurig uit!' Hij greep in zijn kledij en haalde een houten doos tevoorschijn, van de soort die men gebruikte om kruiden te bewaren, met een stevig afschroefbaar deksel. Hij gaf deze aan de magister en legde zijn kleding af terwijl hij verder praatte. 'Het zal u lijken dat ik sterf, maar dat is niet werkelijk zo. U moet uw handen over mijn mond buigen en als er iets uitvliegt, het vangen en snel in de doos stoppen. Sluit deze goed en doe hem onder geen enkele voorwaarde meer open voor u bij Kulabac bent. Hoort u? Onder geen enkele voorwaarde, wat er zich ook mag voordoen en gebeuren! En nu moet u opschieten, u hebt geen tijd te verliezen!'

Het nieuwe rijk

Ridder Viborgs eerste gevoel was geweest met zijn troep in gestrekte galop terug te keren, de uitbuiter Churon van de troon te vegen en zelf daarop te gaan zitten, maar zijn adviseur Tersan – en nog meer de herinnering aan zijn droom – overtuigde hem ervan dat de keizerstad een zinkend schip was. De soldaten hadden snel enkele van de nieuwe bewoners van de ruïnenstad vastgenomen en tot praten gebracht, en deze vertelden hen tot in detail waarom ze uit Thurazim waren weggevlucht. Waarom zou hij zich daar in gevechten met priesters uitputten als hij hier koning en keizer kon zijn en regeren zoals hem dat juist leek? In de gouden stad zou hij zich met al die vrome flauwekul hebben moeten bezighouden, met de honderden regels en voorschriften die zich in de loop van honderden jaren hadden opgehoopt, en al dat zou er slechts toe leiden dat zijn kracht verlamde als die van een man die probeert op drijfzand te lopen. Hier kon hij echter met frisse moed aan het werk gaan en alles naar zijn eigen wil organiseren.

Hij kwartierde zijn soldaten in de minst vervallen gebouwen in, gaf de onbewapenden toestemming naar eigen keuze een ruïne uit te zoeken en beval dat eenieder die in Chiritai wilde wonen met alle kracht aan de opbouw van de stad moest deelnemen. Spoedig stelde hij vast dat er elke dag meer handen waren die meewerkten. Stromen vluchtelingen kwamen uit Thurazim, onder wie Sundaris, Gevlekten, en iedere nacht een groep Maanschijners, die het zich in de kelders behaaglijk maakte.

Graaf Viborg was een trotse Sundar, maar vooral dacht hij praktisch, en vroeg Tersan: 'Nu zovele nachtwezens hierheen komen zullen ze aan Datura willen offeren. Zullen we hen dat toestaan?'

'Mijn koning,' antwoordde Tersan met een fijn lachje, 'laat de mensen offeren wat ze willen, de offers gaan toch allemaal in uw kas, en hoe meer verschillende priesters er zijn, destemeer zijn ze in beslag genomen door onderlinge ruzies en zien ervan af aan uw troon te zagen. Laat de Maanschijners offeren en bidden zoveel ze willen, en zorgt ervoor dat ze werken zoveel als wij willen. Als u hen niet dwingt, hebben we mensen die 's nachts evenveel werk verzetten als de anderen overdag, en zal de stad dubbel zo hard groeien.'

Onder de Maanschijners brak gejuich uit toen een koninklijk besluit verkondigde dat ze gelijke rechten en plichten als de Sundaris hadden, maar alleen 's nachts. Van nu af aan keerden elke avond vermoeide Sundaris van het werk naar huis, en namen uitgeruste Maanschijners hun plaats in en werkten bij het licht van de maan en van lantaarns. De Gevlekten mochten bepalen of ze overdag of 's nachts wilden werken, maar werken moesten ze, en meer dan hen lief was. Katanja overzag de opbouw van de stad en reed onvermoeibaar door de stoffige, half weggevallen straten. Ze loofde de vlijtigen, liet haar lange zweep wegzwiepen over de hoofden van de langzamen en sleepte iedere luilak en werkontduiker naar de gevangenis.

Het leven was hard en karig in de jonge stad, want sinds de tijden van koning Kurdas was geen enkel veld meer bewerkt, en in het begin leek het de vele nieuwe bewoners dat ze stenen en zand moesten eten. Maar de slimme Tersan liet als eerste een grote, schaduwrijke tuin, die ooit als lusthof was bedoeld, beplanten met zandkomkommers, addertongen en stekelzwammen, die allemaal snel groeiden, en stuurde jagers en vissers de bergen in, waar visrijke beken en veel wild voorhanden waren. Het voedsel werd streng gerantsoeneerd, zodat niet iedereen vol zat maar ook niemand verhongerde. Nadat men de eerste die van de voorraden gestolen had aan Katanja's honden had gevoerd, hielden allen zich getrouw aan de voorschriften.

'Ik moet zeggen dat het me hier bevalt,' vertrouwde de arbeider Mungram zijn metgezellen toe, terwijl ze ijverig voorthamerden. 'Toen ik voor het eerst hoorde dat in Chiritai werklieden werden gezocht, had ik helemaal geen zin naar deze wildernis te komen, en dan ook nog zo dicht bij de Spookbergen. Maar ik was verrast. Je krijgt hier weliswaar voorlopig niet betaald, maar in elk geval regelmatig te eten en gratis onderdak, en ze maken het je niet lastig als je niet voortdurend naar de tempel rent. In Thurazim was het toch al niet meer uit te houden na alle vreselijke dingen die daar gebeurd zijn: de dood van de keizer en de ruzies tussen de ridders en priesters om zijn troon.'

'Ja, maar hier is geen honingvalolie,' morde een tweede. 'Dat mis ik erg.'

'Wen het je af daar ook maar aan te denken, en wel zo snel je kunt,' antwoordde de derde, Bozum. 'Wie hier dronken wordt aangetroffen, krijgt de eerste keer met de zweep en wordt bij de tweede maal de woestijn in gejaagd. En als jullie mij vragen heeft de keizer gelijk. Wat moet hij aan met al die dronkaards die in de hoeken rondhangen en grommen als varkens?'

'Hij is geen keizer, maar alleen koning,' corrigeerde Punkas, die over het gebrek aan honingvalolie had geklaagd.

'Dan is hij als koning meer keizer dan de humeurige Hugues, die door zijn vrouw werd behekst en zich in zijn waanzin in de put van het rechtsdier stortte,' antwoordde Mungram heetgebakerd. 'Wat voor nut heeft een keizerskroon als die op een leeg hoofd staat? Koning Viborg heeft gelijk. Hij regeert met harde hand, maar hij is voor rede vatbaar en rechtvaardig, en is vooral geen vrouwendienaar.'

De anderen waren het hiermee eens. Ook toen Thainach Katanja een hoge post in de stad bezette, luisterde de koning liever naar de oude ridder Tersan, wiens wijsheid en tact algemeen gewaardeerd werden.

De soldaten waren in een even goede stemming als de arbeiders. Ze kregen weliswaar geen soldij, maar ze waren niet slechter behuisd dan in Fort Timlach. Hun verblijven waren als eerste weer opgebouwd en ze mochten trouwen, zodat al snel iedereen een vrouw had. In Thurazim was het onder het gezag van de machtige priesters eenvoudige Sundaris nauwelijks toegestaan te trouwen, en hoewel ze naar buiten toe hun reinheid en zedelijkheid aanprezen waren ze heimelijk jaloers op de Gevlekten en Maanschijners, voor wie zulke beperkingen niet golden. Viborg had, direct nadat hij de stad had ingenomen, de burgers toegestaan en aangemoedigd te trouwen, wat een stroom vrouwen naar Chiritai tot gevolg had.

Iedereen mocht trouwen wie hij of zij wilde, zelfs Gevlekten en Sundaris mochten onder elkaar huwen, wat onder keizer Hugues een onuitsprekelijke schande was geweest. Iedereen moest zich echter streng bij zijn eigen vrouw houden, overspel, prostitutie en aanranding werden streng bestraft. Overigens waren de weinige wetten streng en de straffen wreed maar, zoals Thainach Katanja placht te zeggen: 'men behoeft zich slechts aan de regels te houden om niet bang voor de beul te hoeven zijn.'

De metgezellen van koning Kundras

De jonge krijger Botunis en zijn broer Kalo waren twee van de verkenners die koning Viborg eropuit had gestuurd om de directe omgeving van Chiritai te onderzoeken. Ze waren als edelen van het volk van de Makakau op de Vulkaaneilanden geboren. Lang en gespierd, met een kaneelbruine huid, zorgvuldig kaalgeschoren hoofden en talrijke sierlittekens waren ze op hun manier even mooi als Viborg zelf, en dat had de ridder aangetrokken. Hij waardeerde mannelijke schoonheid, maar alleen als deze de zijne niet in de schaduw stelde.

Uitgerust met eten voor een aantal dagen en degelijke wapens doorzochten de twee soldaten de heuvels boven de stad. Ze waren blij met de opdracht, want ze waren op zichzelf aangewezen en in elk geval voor korte tijd verlost van het constante geblaf van de hondenaanvoerster Katanja en haar dieren.

Het pad dat ze volgden, ging korte tijd steil bergopwaarts tot de ze heuvelrug bereikten en over rotsen liepen die op een puntige drakenkam leken. De punten hielden de wind tegen die steeds opnieuw met heftige vlagen waaide. De tegen de wind beschutte openingen tussen de rotsen waren hier en daar met lage roodbloemige struiken begroeid, en het korte gras was bezaaid met roze bloemen. Ondanks diens zonnige uitgestrektheid had het landschap iets melancholieks, wat als de dag op haar einde liep in somberheid veranderde. Toen Botunis zijn hoofd ophief, zag hij dat boven de pas een zwak licht uit de wolken sijpelde, fonkelend, alsof het daarboven regende – een onbehaaglijk schijnsel, met een olieachtige glans als van brak water. Het dal lag nu diep onder hen. De hemel betrok steeds dichter en dichter met wolken, hoe dieper de zon naar de horizon zonk. Links, waar de rotsen in troosteloze kloven en puinhellingen naar het dal afhelden zagen ze sneeuwvlakten schitteren. Boven hen vermengde het bergmassief zich met olijfkleurige wolkenbanken, die zwaar en slaperig aan de rand van de wereld zwommen.

'We moeten zien dat we onderdak vinden, want vannacht gaat het regenen of misschien zelfs sneeuwen,' zei Botunis, de hogere in rang van hun tweeën.

Kalo wees recht vooruit. 'Daar verderop! Ziet dat er niet uit als een spleet tussen de rotsen? Misschien is het de opening van een grot.'

Het was echter veel meer dan een grot. De twee verkenners bevonden zich in een kathedraal uit zwartgrauw rotsgesteente, zo hoog dat het licht van hun fakkels niet eens tot aan het plafond reikte. De rotsspleet was de zijingang van een enorm gebouw dat op slimme en handige wijze zo in de rotsen was gebouwd dat het daarmee versmolt. Deels bovenaards, deels onderaards strekte het zich uit van de ene rotswand tot de andere, boog zich op vlakke stukken en voegde zich tegen steil omhoog stekende rotstorens.

De stemmen van de beide mannen veroorzaakten een fluisterende echo. Botunis vroeg zich af waartoe dit complex had gediend. Veel moeite was er niet gedaan. Men had slechts de rotsmuren glad gemaakt en de bodem gelijk. De met tegel belegde vloeren waren in tact, en de trappen hadden nog al hun treden. De imposante, eenvoudige bouwstijl gaf aan dat het gebouw een eerzame leeftijd moest hebben. Botunis neigde tot de veronderstelling dat het een vesting was die de bergpas moest bewaken, want aan de andere kant van het daarachter liggende ravijn doemden de Toarch kin Mur op.

Het gebouw zag er verlaten genoeg uit, al hing binnen een duidelijk merkbare, prikkelende stank.

'Wat kan dat zijn?' vroeg Kalo zachtjes, terwijl hij om zich heen keek en zijn speer klaar hield om toe te steken.

'Geen idee,' antwoordde Botunis. Hij kon de stank niet onderbrengen. Het rook naar iets doods, maar niet naar frisse lijken, meer naar iets, wat al lang dood was. Een geur van as, die aan je neus kriebelde. 'Laten we even rondkijken, maar voorzichtig.'

Ze volgden de goed bewaard gebleven gang en kwamen bij een raam dat uitzicht bood op de donkere Bergen van Mur. Na de eerste opening zagen ze, terwijl ze via vele bochten en wendingen bergop, bergaf klommen, steeds meer ramen. De meeste waren slechts gapende openingen, maar bij verschillende zag Botunis dat ze in een lang vergane tijd met maatwerk versierd en kunstig gebeeldhouwd waren. Ze lagen meestal zo hoog in de rotsmuren dat ze deze niet konden bereiken en erdoor naar buiten konden kijken. Maar op een bepaald punt was een deel van de rotsmuren ingestort, en beide soldaten klauterden over de puinhoop naar boven tot aan het gapende gat en tuurden naar buiten. Vanuit deze gezichtshoek was echter niet veel meer te zien dan een door opstijgende dampen benevelde en door een laagstaande koperen zon troebel verlichte hemel.

Botunis bleef staan en krabde achter zijn oor. 'Nu wordt het ingewikkeld. Pas op, anders komen we hier nooit meer uit.'

Kalo knikte instemmend. Toen hij de vele gebogen gangen zag die naar andere ruimtes voerden, werd hem duidelijk in wat voor een ingewikkelde doolhof ze zich bevonden, en zijn angst, die al een beetje gezakt was, keerde terug. Kalo was een dappere man, die voor geen menselijke vijand bang was, maar hij was wel bang voor geesten en dit was beslist een plek waar ze huisden. De openingen in de wanden staarden hem zo spookachtig aan, en in de verte hoorde hij onduidelijk water ruisen. Het leek alsof het met onderbrekingen door schachten omlaag stortte en door onderaardse tunnels kolkte. Het geruis beviel hem helemaal niet. Als er iets was waarvoor Kalo nog banger was dan voor geesten, was het water in duistere gangen. Hij zag al aankomen dat ze verdwaalden en in een verraderlijk dreigend ijskoud meer belandden.

Hij was opgelucht toen Botunis een weg koos die langs de buitenkant voerde. Het gebouw was hier sterk vervallen, en in geval van nood konden ze door gaten naar buiten klimmen. In de ruimtes hoopten zich bergen afval op. Steeds vaker waren trappen en vertrekken half ingestort, zodat Kalo moeizaam voortklauterde. De hemel, die hij nu duidelijk zag door de vensteropeningen, had de kleur van een koperen schaal. Om de toppen van de Huilende Bergen bruiste en wervelde een boze storm, die door de vensters naar binnen blies.

Heel onverwachts, zodat Botunis een schreeuw niet kon onderdrukken, stootten ze op gezelschap. Ook Kalo was blij dat ze de scène slechts door een half ingestort plafond tien tot twaalf stappen lager onder zich te zien kregen. Het daglicht had hen ervoor behoed in het gat in de bodem te vallen, maar ze moesten toevlucht tot hun fakkels zoeken, waarvan ze er een aan een stuk touw bonden en naar beneden lieten zakken, om in de schemerige diepte iets te kunnen herkennen. Als de stank er niet was geweest dan hadden ze het waarschijnlijk niet eens opgemerkt, maar deze beet zo indringend in hun neus dat ze de bron ervan zochten.

De ruimte in de diepte was zonder twijfel de schatkamer van de citadel geweest, want de vermolmde en verroeste kisten, waaruit inmiddels stromen goud vloeiden, waren in het slingerende fakkellicht duidelijk herkenbaar. Na het uit elkaar vallen van de houders had het goud de ruimte overstroomd, zodat de gestalten er half door bedekt rond lagen en zaten. Naar de samengeknepen ogen van de indringers toegekeerd lagen ze in hun gouden graf, een dozijn gemummificeerde schepsels, waarvan Botunis niet wist of het mensen, hagedissen of hybriden waren. Hun gezichten waren ineengezonken maar nog duidelijk herkenbaar. In elk geval waren het soldaten geweest, van een hoge rang, want iedere mummie droeg een borstpantser, een metalen voorschoot en beenbeschermers, alles zeer kunstig vervaardigd en kostbaar versierd. Op elke helm glansde een groene smaragd. Speren en zwaarden leunden tegen de wanden en de resten van de houders.

Hoewel ze oeroud en uitgedroogd waren, wreef Botunis met bevende hand over zijn lippen toen hij ze zag. Kon in dit sombere graf toverkracht heersen die hen weer tot leven wekte? De verschrompelde kikkerogen van de bewakers leken zijn bewegingen te volgen. Hoeveel moeite hij ook deed, hij kon de gedachte niet van zich af zetten dat een van deze verhoornde klauwen zich zojuist bewogen had, dat zich een mondspleet opende en de bruin verdroogde tong eruit te voorschijn kroop.

Kalo fluisterde: 'Zijn ze daar beneden verhongerd?'

Botunis aarzelde eerst en schudde daarna zijn hoofd. Nee, daarvoor waren de gestalten te krachtig gebouwd. Bovenmatig krachtig zelfs. Zulke brede ledematen had hij noch bij zijn eigen volk, noch bij de blanken ooit gezien. Het leek eerder dat ze gewelddadig samengeperst waren – hun armen en benen, ook hun hals waren veel te kort. En hun plompe handen, waarvan de vingers tot kreeftachtige scharen samen waren vergroeid! Ook de houding waarin twee gestalten verstijfd waren, leek er niet op dat ze verhongerd waren. Ze zaten rechtop, als waren ze in hun beweging verstard.

Botunis pakte zijn metgezel bij de schouder. 'We zullen het melden, maar ik wil onder geen enkele voorwaarde de nacht hier doorbrengen. Deze plek is vervloekt. Laten we gaan!'

Kalo stemde diep opgelucht toe.

De visioenen van Dochterzoon

Aan de rand van de Klagende Woestijn zat Dochterzoon in menselijke gedaante en waakte, terwijl Ninian en Jajn, uitgeput door de ongewone inspanningen van de woestijnwandeling, in hun pijen gewikkeld sliepen. Meisje noch jongen, maar begiftigd met de gaven van beide geslachten, was Dochterzoon de laatste spruit van een originele dynastie van zulke mensen. Wyvern had haar beschermd, anders was ze allang gestorven, zo teer was ze. Ze hoopte door de terugkeer van Mandora weer gezond te worden, want lang zou haar ziekelijke lijf het niet meer uithouden, en ze kon niet eindeloos in de gedaante van een leeuw blijven.

Met onder zich gevouwen benen zat ze daar in de houding van de zieners en zond met gesloten ogen haar innerlijke blik over de wereld, zoals Wyvern het haar had geleerd. Wat ze zag was tegelijk bedreigend en afstotend. Ze zag de Rachmanzai in de gloeikamers van de vulkaan vuursnuivend naar oorlog verlangen en de Helbedwingers fluisterend gesprekken voeren. In het Tetyszee hieven schepsels die tot op de bodem waren gezonken weer hun koppen. Afschuwelijke wezens waren het, plat en gekerft als keldermotten, maar vijftig passen lang en met reusachtige kreeftescharen.

Dochterzoon richtte haar blik op de heuvels rondom Thurazim en zag het in het binnenste van Tarasquen wemelen als in een termietenheuvel, en ze zag IJshoorns van de toppen van de Toarch kin Mur afvliegen en de hutten van eenzame landbewoners in fluitende sneeuwstormen hullen. Hordes geesten en zombies welden uit de kloven van de Huilende Bergen op en volgden de voorhoede van de IJsdraken naar beneden, de woestijn in, waar ze in de schaduw van de rotsen voortkropen, wachtend op de dag waarop de glans van de Zonnevorst gedoofd zou zijn.

Toen Dochterzoon naar het noorden keek, zag ze nevelflarden die zich probeerden te bevrijden van de eindeloos wervelende spoel van de wind, en toen ze naar het zuiden keek zag ze roetwolken uit de rookkanalen van de vulkaan opwellen en zuilen as en vonken opstijgen. De met haat vervulde Purperdraken aan beide zijden waren in oorlogsuitrusting en wachtten slechts op het ogenblik waarop Phurams gloeiende aanschijn verduisterde om zich op elkaar te werpen.

Haar zwevende geest zag koning Viborg hof houden in de ruïnes boven de hal waarin de ridders van koning Kurdas tot hagedissen verstard waren. Ze zag hoe trots en mooi hij was en hoe moedig de honderd mannen en vrouwen waren die zich rondom hem schaarden en een muur oprichtten tegen de bedreiging uit het ijzige noorden. Haar lippen fluisterden:

> *Goud vecht tegen goud, ijs tegen ijs,*
> *maar vergeefs.*

Waren niet de harten van deze dapperen zo trots en koud als die van de Purperdraken, wier vijanden ze waren? Als ze de strijd wonnen, zou dan niet een nieuw geslacht opbloeien, wier schoonheid en moed honderden jaren lang door de overlevenden geprezen zou worden, voordat de vloek van het goud het langzaam verteerde?

Dochterzoon wendde haar blik met gesloten ogen in alle richtingen. Ze zag de schepen op zee vluchten voor Drydd, die de golven opjoeg, maar zich nog niet aan het oppervlak waagde. In het wier van het stille Jadezee roerden zich gedrochten, in de Diamantzee bewogen zich de koude loerende lijven van zeeslangen.

Beelden drongen haar geest binnen, flikkerende lichten van de toekomst, zoals die zich soms ongeroepen onder de visioenen van de huidige tijd mengden als een door magie verscherpte geest door de wereld zweefde. Onder de loden hemel van de zonneschemering zag Dochterzoon het huiveringwekkende gevolg van de drie drakenkoningen in de door mensen verlaten keizerstad woeden, zag hoe ze de tempel van

Phuram schendden en de kristallen torens bezoedelden. Vuurspuwende Rachmanzai waren in gevecht met IJshoorns, die vrieskou meevoerden. Een nieuw beeld dook op: de stad lag er onherbergzaam bij, en waar eens de prachtige lanen lagen trokken nu stenige kloven, waarin zij aan zij de kadavers van Rachmanzai en Muden Gamul wegteerden, toen ze in de 'Laatste Oorlog' uit de hemel waren gevallen, hun spoor. De gouden stad was tot een spookstad geworden, geplunderd, beroofd en verwoest. In de katakomben van de Maanschijners hadden zich lichtschuwe, zombieachtige schepsels gevestigd, Tarasquen en ander nachtvolk, die slechts zelden uit hun duistere labyrinthen te voorschijn kwamen.

Een huivering doortrok haar lichaam, en ze rukte zich los uit haar trance, om niet nog meer te hoeven zien.

De zorgen van de Makakau's

Hoog boven in de ontoegankelijke Bergen van Luris, aan de monding van een pas die, schoongeveegd door de wind, tussen de onheilspellend oprijzende hoekpeilers van twee rotstorens lag, verhief zich op een sokkel een wegmarkering. Het was een obelisk, die in het licht van de ondergaande zon een schaduw wierp als een zonnewijzer. Het metselwerk was donkerder geworden en de kanten waren door de wind afgesleten, de bladeren van de koperen kransen en guirlandes waarmee hij was versierd, waren weggevreten door kopergroen, maar de vergulde versieringen op het kapiteel erboven gloeiden als vuur. Op de sokkel stond in ouderwetse letters het opschrift:

HIER BEGINT HET RIJK VAN KONING KUNDRA, DE MET RIJKDOM GEZEGENDE.

Op dezelfde plek laadden vier arbeiders onder toezicht van Thainach Botunis, de Makakau, met vier soldaten een nieuw paneel van een kar af. Ze wikkelden het uit het doek, dat het paneel tegen krassen moest beschermen. Met krachtige slagen met hamer en beitel verwijderden ze het oude paneel, en brachten het nieuwe aan, waarop te lezen stond:

HIER BEGINT HET RIJK VAN KONING VIBORG.

Ze waren trots op hun werk toen het paneel de stralen van de ondergaande zon opving en ver het land in slingerde. Tevreden keerden ze terug naar de soldaten, die het transport hadden begeleid en nu op een plekje gras lagen en wachtten tot de arbeiders klaar waren.

Botunis, die in naam van de koning toezicht had gehouden op het opstellen van het grenspaneel, ging staan en wenkte met zijn staf met de paardestaart. 'We zijn klaar. Schiet op! We moeten de pashoogte verlaten voor het donker wordt en onderdak zoeken.'

Met dit bevel waren de soldaten en de arbeiders het erg eens, want terwijl Chiritai een huiselijk oord was geworden, gold dit niet voor de duistere passen tussen de Toarch kin Luris en de Huilende Bergen. Niemand had er zin in hier na zonsondergang aangetroffen te worden – zeker niet Botunis, die de schrikwekkende ervaring in de vervallen citadel nog niet verwerkt had. Hoewel hij er met niemand behalve Kalo over sprak, stak er sindsdien een koude angel in zijn hart, en een angst die hij nog nooit had ervaren, beving hem.

Hij had talloze doden gezien, sommige nog zo vers dat hun bloed nog vloeide, andere verteerd na tientallen jaren, maar geen ervan had hem zoveel schrik aangejaagd als deze misvormde, half hagedisachtige monsters in hun ouderwetse uitrusting. Ze waren niet slechts dood geweest, ze waren hju-hju, geesten, en dat was het ergste wat iemand kon overkomen.

De mannen liepen in looppas verder en dreven de beide hagedissen die de kar trokken aan tot de trage dieren een voor hen ongewoon tempo aan de dag legden. Toen de troep het einde van de kloof bereikte, was het zonlicht volledig gedoofd en had plaats gemaakt voor een schemering, die blauw toenemend van aquamarijn tot kobalt verkleurde. De turquoise omzoomde avondhemel spande zich over een troosteloos dal, waarvan de vlakke bodem met rood zand en roestkleurige stenen bedekt was. Aan drie zijden was het door dermate hoge en overhangende rotsklippen, dat ze voor geen enkel mens te beklimmen waren, omgeven. Aan de vierde voerde het naar een watervlakte, een riviermonding of een meer. In de diepe schaduwen die hier hingen kon Botunis weinig meer herkennen dan een waterloop die door een smalle opening het het dal in stroomde.

Ze moesten een fakkel aansteken om de kar en zichzelf veilig naar het dal te voeren. Daar zochten ze een beschutte plek tussen de rotsen, dicht genoeg bij het water om zichzelf en de hagedissen te laten drinken, en ontstaken een vuur met het taaie doornige onkruid dat overal tussen de stenen groeide. Ze zaten dicht tegen elkaar aan gedrukt in de beschutting van een rotsopening, verwarmden hun handen aan het vuur en aten hun proviand, terwijl steeds een van de soldaten aan de ingang van de opening de wacht hield. De mannen vermaakten elkaar met plagerige vragen en raadsels, maar Botunis vond het beneden zijn waardigheid om met de arbeiders te praten en leunde, gehuld in zijn mantel, tegen de rotswand om na te denken.

Drie dagen daarvoor hadden hij en Kalo het weer geprobeerd en hetzelfde antwoord gevonden. Ze hadden de familiefetisj uit zijn kastje gehaald, hem gebaad, opnieuw bekleed, hem spijzen, drank en rookoffers gebracht en toen de dobbelstenen gegooid om hem om raad te vragen. En tot nu toe had hij steeds geantwoord: 'Slecht. Gevaar. Ga. Vlucht. Goud. Vergif.'

De Makakau bibberde ondanks zijn wollen omhulsel. De nacht in de door de wind omgierde heuvels was koud, de wind blies ijzig van de pas omlaag. Botunis was bang. Soms vertelden soldaten, die de omgeving verkend hadden, 's nachts bij het vuur over onheilspellende verschijningen in de ravijnen, maar ze deden het alleen als ze achter gesloten deuren in hun verblijven in de stad zaten. De boeren die naar de stad waren getrokken, vertelden dat ze nooit de bergen ingingen. Ze waren bang voor de geesten in de eenzame kloven en de klagende windkobolden die op de passen rondwaardden. Niemand waagde zich in de steenwoestenij. Botunis herinnerde zich een verhaal over een bijzonder afstotelijk gedrocht waarover ze hadden verteld. Het bestond slechts uit een langharig vrouwenhoofd dat onder aan een verwarde bundel ingewanden achter zich aan sleepte.

Nadat Botunis en Kalo de versteende hagedisridders hadden ontdekt, had het niet lang geduurd tot de half vergeten sagen over de ondergang van koning Kurda opnieuw de ronde deden. Veel soldaten en burgers waren diep getroffen toen ze de bevestiging kregen dat de oude legenden de waarheid weergaven, maar besloten snel dat hen in geen geval hetzelfde lot zou treffen. Ze waren slimmer, handiger, en zouden niet toestaan dat het verwenste goud van Chiritai hen in zijn ban kreeg.

De fetisj was een andere mening toegedaan, en Botunis was gewend naar hem te luisteren.

Hij en Kalo hadden overwogen de koning om hun ontslag te verzoeken, maar ze wisten uit ervaring dat hij dit zou weigeren. Hen bleef dus niets anders over dan te deserteren, hoewel dat een gevaarlijke onderneming was. Viborg kende geen genade met vrienden door wie hij zich bedrogen voelde. Maar Botunis wist nu al dat hij liever het risico van een smadelijke dood als deserteur aanging dan de waarschuwing van de fetisj in de wind te slaan, en Kalo was dezelfde mening toegedaan.

De opdracht van
de Accumulator Ruadh

Door de woestijn

Kaira struikelde als in een droom naast de Accumulator voort. Aan de ene kant nam ze alles wat haar in deze nacht gebeurde overduidelijk waar, aan de andere kant was het vreemd vervormd. Het was schitterend en moeilijk te begrijpen, zodat ze van het ene ogenblik op het andere vergat wat ze zojuist had gezien en beleefd. Nadat het vuur was gedoofd, hadden haar ogen zich zodanig aan de door zwakke maneschijn verlichte nacht gewend dat ze niet bij iedere stap struikelde. De drie jonge mensen merkten snel dat de weg reeds door anderen was begaan, want over de ruwe bodem voerde een smal voetpad, en bij tijd en wijle zagen ze links en rechts de sporen van kleine kampvuren. Maar ze zagen ook het uitgeholde pantser van een dode reuzenkakkerlak dat niet ver van de weg af lag. De voelhorens en poten staken in de lucht als een verdroogd struikgewas, en toen een heftige windstoot over de bergen floot, wakkelde het skelet als wilde het van de helling af naar hen toe rollen.

'Wat bedoelde je ermee dat nog anderen op je lijst staan?' vroeg Tataika aan hun gids.

'Wel,' antwoordde Ruadh, 'als je kunt tellen, kijk dan met hoeveel jullie zijn! Een, twee, drie. Van de dertien dwergen zonder stam missen er nog tien, en enkele hiervan moet ik nu bij elkaar zoeken, voor we naar Luifinlas gaan.'

'Naar de dode stad!' riep Thilmo uit. 'Je praat onzin, maangezicht. Als ze inderdaad bestaat en niet slechts een dwaze sage is, zoals die verteld worden door kletsmajoors en niksnutten, dan ligt ze al duizenden jaren in het ijs begraven, en geen mens kan er wonen. Geloof maar niet dat je me voor de gek kunt houden met je fabels! Ik woon in het huis van een belangrijke Sundar en heb alle boeken in zijn bibliotheek gelezen.'

'Ja, dat weet ik,' antwoordde Ruadh licht spottend. 'Je werkt in het huis van de dikke bestuursambtenaar, die ze in Thurazim wegens onbekwaamheid uit zijn ambt hebben gezet en voor straf naar Fort Timlach hebben verplaatst, en hij bezit om precies te zijn drie boeken. Heeft hij je vorige week niet zijn sandalen naar je hoofd gegooid omdat ze niet schoon genoeg gepoetst waren?'

Thilmo staarde hem met open mond aan. 'Hoe... hoe weet u dat?' vroeg hij angstig en verviel van schrik in de u-vorm. 'Bent u alwetend?'

'Ik hoor veel,' antwoordde Ruadh. 'Maar niet alles. En wees nu stil, jullie zullen jullie adem nodig hebben voor het lopen.'

Het was een goede raad. De weg voerde heuvelopwaarts, en al snel merkten ze dat ze daadwerkelijk niet tegelijkertijd konden praten en lopen. Kaira voelde dat ze zwaarder ging ademen. Ze kreeg steken in haar zij, en haar kuiten en armen brandden.

Ruadh was zichtbaar gewend aan zware nachtelijke marsen. Hij liep met lange passen voor hen uit en bekommerde zich er weinig om dat ze steeds meer moeite hadden hem te volgen.

Op de grond gleden gladhuidige, gepolijste vierbeners, die eruitzagen als een kruising tussen katten en dwergen en gele, in het maanlicht vurig fosforiserende ogen hadden, gebogen van schaduw tot schaduw. Meteen daarna dacht Kaira dat ze droomde dat een van de diertjes op Ruadh toeschoot, tegen hem omhoog klom tot aan zijn schouder en zijn snuit in zijn oor stak, alsof hij hem iets wilde toefluisteren! Enkele tellen later was hij aan zijn voorzijde weer naar beneden geklommen en verdween weer.

Thilmo slaakte een gedempte schreeuw van verrassing. 'Heeft het werkelijk iets tegen je gezegd?'

'Ja. Het bracht een bericht van een vriendin. Veel dieren zijn goed bevriend met ons Maanschijners, maar niet allemaal. Er zijn er ook die de andere kant aanhangen.'

Ze waren nog niet lang op weg toen Kaira merkte dat de schemering optrok. De diep donkere hemel begon in het oosten te verbleken. De omtrekken van het landschap kwamen steeds duidelijker naar voren. Spoedig kon ze zien dat ze zich in een dal bevonden. Het was een breed, onvruchtbaar en stenig dal, dat aan twee zijden door vijandig uitziende bergen werd begrensd. Bij herhaling hoorde Kaira hoe rotsblokken zich losmaakten en met een hol en dreigend geluid de diepte in rolden. De omgeving was woest en van een wilde stoutmoedigheid, vijandig en bewonderenswaardig tegelijk. In de opkomende schemering doken bizarre bergvormen op, sommige puntig, sommige van boven vlak, als waren ze met een mes afgesneden, of ze waren verweerd tot fantastische gestalten. De hemel was lavendelkleurig, terwijl de bergen zich afwisselden tussen zwart, violet en purper. Het landschap zou adembenevend mooi zijn geweest als er niet het zwartgrauwe stof was dat de bodem bedekte en bij iedere stap opwaaide, bijtend kaliumstof, dat in mond en neus drong en op hun bezwete gezichten groteske grijze vlekken vormde.

Korte tijd later zagen ze een weg die naar links afboog. Hij voerde naar beneden in een donkere uitgraving, die iets onbehaaglijks had. Vanaf een bepaalde plek konden ze in de kloof naar beneden kijken en deze van boven tot beneden overzien. Iemand had hier gewoond. Al was dat enige tijd geleden, zo leek het, want de plek werkte verlaten. Ze zagen de resten van ruwe, uit stenen opgehoopte kegelvormige hutten. Het was een troosteloze plek. De belangrijkste reden waarom ze zich verder haastten, zonder nog een blik achteruit te werpen, was de meer dan manshoge figuur in het midden van deze verlaten nederzetting. Het was geen levende gestalte, maar toch leek hij Kaira als van onvriendelijk leven vervuld. Er ging duidelijk voelbaar een boze bedoeling en bedreiging vanuit. Als een totempaal verhief zich een machtige paal waarop in een groteske chaos de gemummificeerde kadavers van dieren waren vastgespijkerd. Aan de afschuwelijke vogelverschrikker waren offers gebracht, want ze herkende een groot stenen altaar, dat voor hem stond, en aan zijn ruige voeten lag een wirwar van opgehoopte botten en skeletten op de grond.

'Wat is dat?' waagde Kaira aan de Accumulator te vragen, toen ze, zo snel ze konden, de plek gepasseerd waren en de tegenoverliggende helling beklommen hadden.

Hij trok zijn schouders op. 'Een oord dat in dienst en ter ere van het kwaad werd geschapen, zoals je zelf hebt gezien. Hier woonden volgelingen van de Kadavervorst. Ik denk dat ze verder zijn getrokken, want ik voel hun aanwezigheid niet meer, maar laten we ervoor zorgen dat we deze plek zo ver mogelijk achter ons laten.'

'Wat bedoel je met Kadavervorst?' vroeg Thilmo.

'Heb je nog nooit van Zarzanubas, de eeuwig Jonge, gehoord?' was de wedervraag van Ruadh. 'Stond daarover wellicht niets in de boeken van je Sundar?'

Thilmo ergerde zich over de spottende opmerking, en antwoordde met een duidelijk hoorbare toon van verachting: 'Men zegt dat de Maanschijners veel verhalen vertellen die je niet allemaal moet geloven.'

'Dat klopt,' gaf Ruadh vreedzaam toe. 'Maar het vraagt wijsheid om te besluiten welke verhalen waar zijn en welke niet, en ik geloof niet dat je veel wijsheid bezit. In elk geval zou je niet ver komen als ik er niet was om jullie te beschermen.'

Toen hij dit zei, viel het Kaira op dat hij zichtbaar geen wapen bij zich droeg behalve het mes waarmee hij de stekelzwam had geschild, en dat was te klein en te smal om zich hiermee doeltreffend te verdedigen. Ze had gedacht dat een man die op zulke gevaarlijke wegen onderweg was stijf van de wapens moest staan.

Thilmo had op hetzelfde ogenblik wel hetzelfde gedacht, want hij vroeg: 'Zeg eens, Vuurvos, als jij bent gestuurd om ons te beschermen, hoe komt het dan dat je geen hellebaard en geen sabel bij je hebt?'

Ruadh glimlachte en schudde zijn hoofd. 'Wij Maanschijners dragen nooit wapens.'

'Maar,' kwam Kaira tussenbeide, 'als wij een monster zouden tegenkomen zoals de Geitenman, wat zou je dan doen?'

'Hem uit de weg gaan.'

'En als hij je achterna komt?'

Ruadh lachte hardop. 'Harder lopen dan hij.'

Thilmo vond zijn antwoord niet grappig. Hij zei verachtend: 'Je bent geen vechter.'

In de nachtelijke schemering kon Kaira het gezicht van Ruadh slechts onduidelijk herkennen, maar ze hoorde de ergernis in zijn stem toen hij zei: 'Je kunt op verschillende manieren vechten, jonker, dat moet je eerst nog leren.' Hij bukte zich en tilde een vuistgrote steen op. 'Zie je die stekelzwam daar verderop?' Het manshoge gewas waarop hij wees stond vrij ver weg en was in het bleke maanlicht slecht te herkennen. Ruadh woog de steen in zijn hand en richtte zorgvuldig, waarna hij de steen wegslingerde. Het bovenste vlezige blad van de stekelzwam brak af toen het projectiel ertegen knalde.

Tataika klapte van bewondering, en Kaira zei: 'Je moet goede ogen hebben dat je van die afstand nog iets raakt.' Thilmo gaf geen commentaar, maar slenterde met zijn handen in de omslagen van zijn mouwen verder.

Korte tijd later staken ze een pad over waar ze hun eerste ontmoeting met een van de vreemde bewoners van de woestijn hadden. Kaira had zojuist nog gedacht hoe stil en vredig de nacht was, toen hun gids hen aanstootte en zijn vinger op zijn lippen legde. 'Maak dat je weg komt!' siste hij. 'Van het pad af! En plat op de grond gaan liggen!'

Alle vier renden ze toen ze een paar rotsblokken hadden bereikt die ongeveer twintig passen van het pad verwijderd lagen. Ze gooiden zich hierachter op hun buik op de grond en waagden het niet zich te bewegen. Kaira was tussen twee lage blokken geland en kon, als ze over haar gebogen armen heen keek, de door de maan verlichte straat zien.

Ruadh moest zeer goede oren hebben, dat hij de nadering van het wezen gehoord had, want het liep op geluidloze kattepoten. Of misschien had hij het niet gehoord, maar met andere zintuigen opgemerkt?

Kaira hield haar adem in. Het wezen dat in het maanlicht opdook, was tegelijkertijd schrikwekkend en mooi, en ze had het eerder gezien, maar slechts in een droom. Een reusachtige rode leeuw met een mensengezicht kwam aan over de straat. De stekels op zijn staart staken alle kanten uit. De glans van zijn scharlakenkleurige vel vermengde zich met de glinstering van de in het maanlicht badende zandvlakten. Eenzaamheid en een grote waardigheid omgaven het prachtige, angstaanjagende dier. Vreemd, dat het zich in haar droom in een klein kind had veranderd... of was het kind zijn echte gedaante en de leeuw alleen een omhulsel?

Plotseling hield de Martichoras stil en stootte een lange, vreemd klinkende roep uit. Ruadh sprong op en antwoordde met dezelfde roep. Het gedrocht kwam direct dichterbij en bleef voor hem staan.

De Accumulator hief beide geopende handen. 'Ik ben Ruadh, een dienaar van de Maandraak, en dit zijn mijn begeleiders. Wie ben jij? Je kent de roep van de vrienden, maar ik heb je nog nooit gezien.'

De leeuw boog zijn geweldige hoofd, spuwde iets in het zand en het volgende ogenblik viel zijn rode stekelhuid in elkaar als een gevouwen deken en verschrompelde tot een stuk doek. In plaats van het angst inboezemende monster stond een tenger, naakt kind van ongeveer twaalf jaar voor hen, dat met het stuk doek de naaktheid bedekte. Kaira zag dat dit hetzelfde kind was dat ze in de glaskogel had gezien. Het was onmogelijk te zeggen of het een jongen of meisje was. Het lichaam was vergroeid en breekbaar, het zwarte haar lang en sprietig, en de ogen omfloerst door bruine schaduwen.

'Dochterzoon!' riep Ruadh. 'Ik wist niet dat je in deze gedaante onderweg bent.' Hij boog zich en legde zijn pij, die hij opgerold op zijn rug droeg, om het kind, wier zwakke ledematen trilden in de koude woestijnnacht.

Dochterzoon glimlachte. 'In mijn eigen gedaante zou ik niet ver komen, Vuurvos.'

'Wees gegroet! Reis je met ons mee?'

'Nee. Ik heb mijn eigen begeleiders, magister Ninian en de jonge Jajn uit Thurazim, en met een grote groep zouden we te veel opvallen. Het is beter gescheiden wegen te gaan, tot we ons bij Kulabac treffen.'

De Accumulator lachte verlegen. 'Ja, je hebt gelijk. Ik had je alleen graag nader leren kennen. Ik heb zoveel over je gehoord, en je nu in eigen persoon te ontmoeten...'

Het kind onderbrak hem. 'We hebben geen tijd om te kletsen, Vuurvos, hoewel ik heb gehoord dat je een goede verhalenverteller bent. Vele vijanden zitten ons achterna. De zombies van de Kadavervorst trekken door de woestijn, en de Sundaris sturen patrouilles langs de hoofdwegen en naar de eenzame forten. In Thurazim zijn vreselijke dingen gebeurd, de keizer en de keizerin zijn dood, in Chiritai heeft een ridder zichzelf tot koning gekroond...'

Ruadh kromp zo heftig samen dat hij zijn vlakke hand tegen zijn borst drukte. Tranen kwamen in zijn ogen, en hij schreeuwde bijna gekweld: 'In Chiritai, zeg je? De stad van het vervloekte goud? Wat heeft deze ongelukkige op dit idee gebracht, een boze geest?'

'Ja, een droomgeest, die de Kadavervorst hem heeft gestuurd. Maar dat is nu niet belangrijk. Jullie moeten op jezelf passen. Zarzunabas stuurt zijn geesten de woestijn in om iedereen gevangen te nemen die deze doorsteekt.'

'We hebben een dorp van zijn volgelingen gezien, maar het was verlaten.'

Dochterzoon knikte. 'Ze zijn op bevel van hun meester naar het westen getrokken om het leger van de ridder aan te vallen, maar slechts weinigen hebben deze strijd overleefd. Maar er zijn er genoeg overgebleven om jullie te vervolgen en te doden. Waar ben je nu naar op weg?'

'Ik ga een vriend afhalen die tot de geroepenen hoort, Beck, die in het dorp Kuhm woont.'

'Goed. Maar ik kan niet langer met jullie praten. Jullie moeten je haasten voor Phuram zijn gezicht heft, en ik wil niet met jullie gezien worden, dat zou ons alleen maar verdacht maken.'

Het kind slipte uit de warme pij, pakte het plaatje dat hij in het zand had laten vallen en schoof het tussen zijn tanden. Meteen stond de stekelleeuw weer voor hen. Hij schudde nog een keer kort zijn manen, draaide zich om en draafde weg.

'Wat was dat?' fluisterde Tataika gefascineerd, toen het dier allang aan de verre horizon was verdwenen en de nacht weer leeg en stil was.

Thilmo's stem beefde van opwinding toen hij uitstootte: 'Dat was een woestijndemoon – een leugenachtige geest... Hoe kon hij zeggen dat de keizer dood is! De keizer is onsterfelijk!'

Ruadh lachte zachtjes. 'Jonker, als je evenzoveel keizers hebt zien sterven als ik... ik wou daarmee zeggen, ook een keizer moet eens sterven. Als het je troost: er komt beslist een nieuwe. Een troon blijft nooit lang onbezet.'

Tataika, die de dood van de verre keizer en zijn gemalin niet interesseerde, voegde er nog aan toe: 'Maar wat was dat voor een dier, en wie was dat kind, dat jij Dochterzoon noemde? Je was zo beleefd tegen hem, alsof het een belangrijke persoonlijkheid was, maar hij zag er zo mager en ziek uit als een bedelkind!'

'Ik vertel jullie daarover meer als we in veiligheid zijn.'

Hij spoorde hen aan zo snel ze konden verder te lopen. 'We moeten ons haasten, het is nog ver, en we moeten voor zonsopgang bij de nederzetting zijn. Overdag is het onmogelijk in de woestijn rond te lopen. Jullie zouden al spoedig geen huid en ogen meer hebben.'

De dag brak verrassend snel aan. Alles bij elkaar duurde het nog geen half uur tot de hemel van het diepste zwart tot een teer lavendelblauw en roze verkleurde. Hoe lichter het werd, des te sterker voelde Kaira haar moeheid, en al snel begon ze een misselijkheid te voelen die ze niet thuis kon brengen. Deze kwam niet uit haar maag en ook niet uit haar hoofd. Het voelde meer alsof ze te lang in de zon had gelegen, hoewel van de zon nog geen spoor te zien was. Haar armen, handen en gezicht waren merkwaardig dof en gevoelloos. En beeldde ze zich dat in, of waren haar handen en polsen werkelijk opgezwollen?

Even later viel haar blik op Thilmo, die naast haar liep, en bijna had ze het uitgeschreeuwd. Zijn gezicht was zo opgeblazen dat het bijna op een brei leek, met rode en opgezwollen ogen. Hij liep met loden schreden voort, een ongewoon gezicht voor een jonker, die anders geen ogenblik rust. En Tataika... wel, Tataika was zo sterk als een paard, ze hield veel uit, maar haar ronde gezicht zag heel bleek, en Kaira zag aan haar dat ook zij zich niet goed voelde. Het zweet stond in dikke druppels op haar voorhoofd, en haar normaal rozige huid zag eruit als natte aarde.

Ruadh bleef nu ook staan. Hij keek onderzoekend omhoog naar de hemel, daarna naar zijn begeleiders en knikte hen toe. 'Jullie voelen de Vreter. We hebben het net nog op tijd gehaald. Zo meteen kunnen jullie uitrusten.' En met een zekere grimmige bevrediging voegde hij hieraan toe: 'Nu zien jullie het ware gezicht van Phuram. Hij kent geen genade met hen die zijn vijanden zijn of wie hij voor zijn vijanden houdt. Zijn gouden pijlen doden allen die niet sneller en slimmer zijn dan hij.' Hij glimlachte. 'Dit keer waren wij sneller. Daar zijn de huizen van het dorp Kuhm,' verklaarde hij. 'Ik moet daar iemand afhalen, en we kunnen er ook slapen. We zullen zien dat we morgennacht iemand vinden die met zijn kar de Blauwe Woestijn inrijdt, waar Umbra woont. Op die manier komen we snel verder – en bovenal comfortabeler.'

'Wie is Umbra?' vroeg Kaira. Ze voelde een zeldzame kleine steek van ergernis bij de gedachte dat Umbra een vrouwennaam was.

'Een heel wijze en machtige vrouw.'

'Komt ze met ons mee?' vroeg Kaira. De hele kleine gifpijl die in haar hart stak brandde heftiger.

'Nee, zij zelf waarschijnlijk niet, hoewel ze ook een geroepene is,' antwoordde Ruadh tot haar verlichting. 'Maar bij haar wacht iemand die op mijn lijst staat. Maar eerst moeten we nu naar het dorp.'

Daarna gaf hij hen een groot aantal aanwijzingen hoe ze zich gedragen moesten. 'Vergeet niet dat jullie nu geen Gevlekten meer zijn. Wees dus voorzichtig! Hoofd omlaag, niemand aankijken, steeds dicht langs de muur lopen. Spreek met niemand die jullie niet aanspreekt, en dan zo kort mogelijk. Als iemand iets van jullie vraagt, doe het.'

Kaira liep met gebogen hoofd verder. De Accumulator ging door met zijn aanwijzingen. 'Jullie weten dat ik door de Sundaris niet als Accumulator mag worden herkend, en dus heb ik een goede vermomming aangenomen. De mensen langs mijn route kennen me als sleper, die in de woestijndorpen arbeiders voor de hoofdstad werft. Onthoudt dat, voor het geval ze het je vragen. Jullie kunnen rustig jullie voornamen noemen, maar als ze willen weten waar jullie vandaan komen dan zeg je: uit de dorpen ver in het oosten. Geen mens zal nakijken of dat inderdaad klopt.'

Toen ze dichter bij het dorp kwamen, zag Kaira dat het om een typische woestijnnederzetting ging. Lage, vensterloze gebouwen van grijze en okergele baksteen stonden dicht tegen elkaar aan. Een hoge muur, waarin zich slechts een enkele poort bevond, beschermde de nederzetting. Kaira was weliswaar bang in Ruadhs gevaarlijke gezelschap een dorp binnen te gaan, maar tegelijk overviel haar een huiselijk gevoel. Het leek erg op Fort Timlach. Daar waren de mensen er ook van overtuigd dat het rondom hun dorp wemelde van verscheurende dieren en gewapende roverbenden, om van woestijngeesten maar niet te spreken. En hoewel ze tot dusver in de woestijn niets kwaadaardigs waren tegengekomen, zat ook in haar de angst diep.

Spoedig kwamen ze bij de ingang van het dorp aan. Tegen de paal leunden in het licht van felle fakkels twee zwaar bewapende mannen – geen soldaten of landrijders, maar zo te zien voor deze taak uitgezochte dorpsbewoners. Ze droegen helmen, borstpantsers en zware laarzen, maar verder verschilden hun uniformen niet veel van de kleding van Ruadh. Ze waren nauwelijks minder vaal van het wassen en haveloos. Beide mannen droegen grote hellebaarden en hadden sabels om hun buik gegespt.

Ruadh waarschuwde ze nog een keer, voor ze op gehoorsafstand van de wachters kwamen. 'Denk aan alles wat ik jullie gezegd heb, vooral jij, Thilmo. Laat me praten en hou je mond.'

Zodra de wachters in de poort zagen dat er iemand aan kwam sprongen ze naar voren en richtten hun zware wapens op de nieuwkomelingen. Een van hen kwam zo dichtbij dat hij de punt van zijn hellebaard in Kaira's buik drukte, en ze van angst dat hij bij een verkeerde beweging zou kunnen toesteken nauwelijks adem durfde te halen. De kerel lachte dom van plezier toen hij zag dat ze bang was. Hij wendde zich tot hun gids. 'Wat wil je hier, maangezicht?'

Ruadh stond met gebogen hoofd voor hem. Zijn houding had zich volledig veranderd, met hangende armen en knikkende knieën, zijn blik op de grond gericht, bood hij een beeld van diepe onderworpenheid. 'Slapen, water halen, inkopen,' antwoordde hij gedempt.

'En wat willen deze halfklaren?'

'Hetzelfde.'

De norse aarzelde ze binnen te laten, maar zijn kameraad riep: 'Ach, dat is Vuurvos, die ken ik. Laat hem binnen.' Hij keek naar de twee meisjes en lachte, waarbij hij een mond vol verrotte bruine tandstompjes liet zien. 'Pas op met deze Maanschijner, halfklaren, dat hij jullie niet in je hals bijt. Hebben jullie ouders je niet gewaarschuwd dat de Donkere Mensen bloed zuipen?'

De tweede wachter beval: 'Laat eens zien wat je in je tas meesleept, maangezicht.'

Ruadh zette gehoorzaam de tas neer en deed een stap achteruit terwijl de poortwachter erin rondwoelde. Grote hoeveelheden linnen zakken kwamen te voorschijn, de theeketel, de honingpot, lepels en zakmessen.

De man bromde iets. Hij gaf de uitgehaalde tas een schop. 'Pak je vuile spul weer in en verdwijn.'

Ze mochten door de poort, maar voor ze er allemaal onderdoor waren gaf de slechtgehumeurde wachter Ruadh van achteren een zo harde schop dat hij struikelde en voorwaarts op zijn handen en knieën viel. De twee mannen lachten van leedvermaak toen hij opkrabbelde en het zand van zijn handpalmen wreef.

Ruadh deed er het zwijgen toe.

Beck

Het felle licht van de fakkels had Kaira's ogen zo gehinderd dat ze een tijdlang alleen flitsen en dansende schaduwen zag. Pas later merkte ze dat het dorp, hoewel het grootste deel van de korte nacht voorbij was, helemaal niet in slaap was. Uit alle hoeken kwam gefluister. Evenals in Fort Timlach versliep men wellicht ook hier de hete dag in de schaduw van het huis en kwam pas 's avonds tot leven.

Direct achter het hek verhief zich een witgeverfd huis met twee verdiepingen, waarbij boven de deur het zonnesymbool was geschilderd. Ruadh fluisterde hen toe dat dit het huis van de plaatselijke Sundaris was. 'Wees snel, ik wil niet dat ze ons zien. De Sundaris die in de woestijndorpen leven, zijn weliswaar meestal nutteloze mensen, die men uit Thurazim weg wilde hebben, maar ze zouden ons aan de keizerlijke garde kunnen verraden.'

Met gebogen hoofden slopen ze onopgemerkt aan het witte huis voorbij.

De huizen waren allemaal zo gebouwd dat ze de vijandige buitenwereld hun vensterloze gevels toekeerden, terwijl binnen de beschutting van hun muren een gewelfde doolhof van overdekte straatjes, galerijen en binnenplaatsen lag. Hierbinnen was het meestal stikdonker, maar hier en daar brandden fakkels die hun gouden licht wierpen op de bewoners die pratend, onder het kauwen van Kondawortels en het drinken van honingvalolie, tegen de stenen muren zaten. Evenals de wachters waren ook zij in verbleekte en verlopen kleren gehuld. De meesten hadden lelijke moedervlekken in hun gezicht, en als ze lachten zagen hun monden eruit als zwarte gaten waarin een enkele tandstomp blinkte. Ze leken allemaal verdoofd of aangeschoten. Velen zaten te slapen met hun hoofd op de knieën geleund, anderen voerden met een dikke tong onsamenhangende gesprekken.

Toen de bezoekers een van de binnenplaatsen betraden, kwam onverwachts vanuit een opening in de schaduw een hond te voorschijn, een geelbruin dier dat tegen hen bromde. Kaira bleef geschrokken staan. Ze was bang voor honden, zelfs voor de allerkleinste, en deze was zo groot als een kalf en liet tussen zijn vechtlustige opgetrokken lippen snijtanden zien die haar even lang leken als haar pink. Ook Thilmo sprong een pas achteruit, en zelfs Tataika keek ongerust. Alleen Ruadh was niet onder de indruk van het reusachtige tandenflitsende dier dat zijn weg versperde.

'Hond!' riep hij op een toon als berispte hij een slecht opgevoed kind. 'Goeie hond! Wat doe je daar? Laat me er langs.'

Kaira kon het nauwelijks geloven, maar toen de hond dit hoorde, liet hij zijn lippen zakken en ontspande zich. Het grommen verstomde. Hij liet een kort 'woef' horen, liep naar Ruadh toe en snuffelde aan zijn hand.

De woestijnloper krauwelde in het dichte, gekrulde vel. 'Goeie hond,' herhaalde hij. 'Een goeie hond ben je.'

Het dier ging opzij en verdween in de schaduw.

'Hé!' riep Tataika onder de indruk. 'Hoe doe je dat? Ik dacht dat hij ons wilde verscheuren.'

'Het is een goede hond,' antwoordde Ruadh. 'En die doet me niets. De meeste dieren zijn goed. Sommige zijn humeurig en onvriendelijk, maar slechts enkele zijn werkelijk kwaadaardig.'

Het 'gat', zoals de schuilkamer van de Maanschijners verachtelijk genoemd werd, bevond zich aan het eind van een achterstraatje waar het zo donker was dat ze tastend langs de muur moesten lopen. Ze kwamen bij een muf ruikende poort en daalden een steile, spaarzaam verlichte trap af. Een muurboog voerde naar een andere, lage en heel lange onderaardse ruimte met brandende fakkels langs de wanden. De drie halfklaren zagen verrast dat de ruimte op een enorme afvalbak leek. Bijna tot aan het grijs geschilderde plafond lagen torenhoog kleren, schoenen, tassen, werktuigen, pannen en schalen en nog veel meer spul. Een half dozijn mensen, allemaal met grote tassen aan de schouders, kroop rond over de rommel en verzamelde ijverig de meest uiteenlopende voorwerpen.

Ruadh woelde in een stapel kleren en gaf zijn begeleiders drie haveloze pijen en drie paar stevige halfhoge laarzen zoals hijzelf droeg. 'Hier, die zullen jullie nodig hebben als jullie verder door de woestijn lopen. Met jullie pantoffeltjes en zijden slippers komen jullie niet ver.'

Thilmo keek met weerzin naar het schoeisel. 'Moet ik dat aantrekken?'

'Je moet niets,' zei Ruadh schouderophalend. 'Als het je niets uitmaakt met je open sandalen op een schorpioen, waarvan een steek dodelijk is, of op een boorworm, die zich in je voet nestelt en daar eieren legt, of op een van die kleine stekelharige spinnen, te trappen...'

'Oke, ik heb het begrepen,' bromde de jongen. 'Bij Phuram, wat een walgelijk haveloos spul! En wie ook voor mij deze schoenen droeg, had zweetvoeten. Ze stinken nog steeds.'

Ruadh grijnsde alleen maar.

Aan de ingang van de ruimte hurkte onder een tafel een ontzettend dikke jongen in een met zweetvlekken bedekte pij, die de inhoud van de tassen goedkeurde en berekende wat ervoor moest worden betaald. Hij vroeg tweeëneenhalve gouden munten, maar Ruadh zei alleen: 'Dat betaalt Beck.'

De dikke wees met zijn hoofd nauwelijks merkbaar naar achteren. 'Is al goed, Vuurvos, ik weet dat je geen geld aanraakt. Beck wacht al op je.'

De drie halfklaren liepen achter de Accumulator aan, toen hij een deur opendeed en een andere onderaardse ruimte inliep. Ze bevonden zich in een zwakverlicht, bescheiden ingericht café met een bar en slechts enkele tafels die in diepe, donkere nissen stonden. Een dozijn mannen en vrouwen, met hun gezonde tanden en vale huid herkenbaar als Maanschijners, zaten op krukken en kletsten en dronken. Ruadh schoof de jongen en de meisjes voor zich uit naar een tafel en gaf aan dat ze moesten gaan zitten, terwijl hij naar de bar liep en bestelde.

Kaira zag hoe hij met gedempte stem met een vrouw en een man sprak, blijkbaar de eigenaren van het café. Ze waren rond de veertig, de vrouw klein en gespierd, met een knap gezicht en een mopsneus. De man was lang en mager, met diepe gelaatstrekken en grijs haar. Zijn zorgelijke, ontredderde verschijning verried dat hij geen makkelijk leven achter zich had. Hoewel hij glimlachte, toen hij Ruadh begroette, bleef de melancholieke blik in zijn ogen onveranderd.

Blijkbaar had Ruadh hem de nieuwtjes verteld die hij van Dochterzoon had gehoord, want plotseling sloeg de man de handen ineen en riep uit: 'Keizer Hugues! Zo heeft hem de straf voor zijn dwaasheid en het onrecht dat hij zijn rechtmatige vrouw heeft aangedaan ingehaald!' Zijn stem klonk echter meer verrast dan getroffen, en hij schudde heftig zijn hoofd.

Direct daarop keerden beiden terug naar de tafel, en Ruadh stelde zijn begeleiders voor. Hij zei: 'Dit is Beck, die evenals jullie geroepen is en ons zal vergezellen.'

Beck sprak hem tegen. 'Maar niet meteen, Vuurvos. Je weet dat ik niet bij jullie wil zijn als jullie naar de tovervrouw gaan. Wijt het maar aan mijn verleden, dat ik het niet uithou bij een tovervrouw, vooral niet een waarvan men zegt dat ze een mensenvreter is. We zien elkaar zodra jullie bezoek ten einde is. Maar kom mee, jouw halfklaren zien eruit alsof ze iets te eten kunnen gebruiken. En jij ook, mijn vriend.'

Ze volgden de waard in een vensterloze achterkamer, waarin de schijn van een fakkel op zware, ouderwetse meubels viel. Beck gebaarde dat ze aan de tafel moesten gaan zitten, waarop hij verdween en al spoedig terugkeerde met een plateau waarop een grote, nog pruttelende pan met ham en eieren stond. Verder waren er boterhammen en vruchtetaart. Beck ging bij hen zitten, terwijl ze aten. Daar waren ze dan ook lang druk mee.

De beide meisjes voelden zich prima, maar Thilmo mompelde en bromde in zijn bord en was zo zichtbaar ontevreden dat Ruadh al snel opmerkte: 'Thilmo is er niet gelukkig mee dat Vauvenal en de oude dame hem bij me hebben gebracht. Hij was veel liever in het gezelschap van Sundaris.'

'Is dat zo?' vroeg de man en richtte zijn melancholieke blik op Thilmo. 'En waarom dan wel?'

Thilmo keek op. 'Ook al zit ik hier midden tussen Maanschijners zeg ik hardop: ik mag ze niet. Ik ben er al ongelukkig over dat ik een Scheck ben. In geen enkel geval wil ik tot de nachtschaduwen horen. Als dat ook maar enigszins mogelijk was, zou ik een Sundar willen zijn. Maar dat begrijpen jullie toch niet.'

'Dat begrijp ik best wel,' antwoordde Beck. 'Want ik was het grootste deel van mijn leven een Sundar, en niet alleen dat, ik was een van de hoogste keizerlijke rechters in Thurazim.' Hij haalde diep adem en legde uit: 'Jij denkt dat de Sundaris er het best van af zijn – maar kijk eens hoe

jammerlijk ze leven. Er zijn voortdurend 'zuiveringen', die met uitgebreide schijnprocessen en openlijke afstraffingen gepaard gaan. Ze leven voortdurend in de angst dat ze van hun bed worden gehaald en
voor een rechtbank worden gesleept, waar de aanklager tegelijk de rechter is. Het maakt niet uit hoe loyaal en hoe ijverig ze zijn, en hoe hoog
hun positie is, hoe verdienstelijk ze zich hebben gemaakt, ze kunnen elk
moment worden gearresteerd en veroordeeld. Onder de strafarbeiders
op de plantages zijn meer Sundaris dan Maanschijners. Overigens zijn
niet weinig Maanschijners voormalige Sundaris.' Hij wendde zich tot de
Accumulator en zei: 'Het zou beter zijn als ik de halfklaren vertelde wie
ik ben en waarom ik hier ben, en om welke reden ik met jullie mee ga
en bereid ben me tegen Phuram, die ik een groot deel van mijn leven
trouw gediend heb, te keren.'

Ruadh hief met een ruk zijn hoofd en keek zijn vriend aan, en legde
snel een hand op zijn arm. 'Niet nu, Beck. Ze zijn moe en moeten gaan
slapen. Vertel het hen onderweg maar.'

Kaira was nieuwsgierig geworden wat de afvallige hen wilde vertellen,
maar ze was inderdaad erg moe en was dus blij toe Beck slechts knikte:
'Slaap wel.'

De verblijven van de maanschijners bevonden zich in de bunkers, waar
de kinderen van de nacht veilig waren voor elke zonnestraal. De vier
betraden een keldergang met links en rechts deuropeningen. Daarachter bevond zich steeds een vensterloze ruimte, niet groter dan een ker-
kercel, met een ruwe zandbodem waarop stromatten waren gelegd. De
inrichting, die zichtbaar werd in het licht van zwak brandende fakkels,
bestond uit dunne, doorgelegen matrassen en dekens die ook een lang
leven achter zich hadden.

Tataika vroeg: 'Als Beck een afvallige Sundar is, is hij dan niet bang
ontdekt te worden als hij hier onder zijn eigen naam leeft, in een dorp
waarin Sundaris wonen?'

Ruadh haalde zijn schouders op. 'Gevaar dreigt overal. Maar de Sundaris hier zijn zo verslaafd aan de honingvalolie dat ze allang vergeten
zijn wie de inquisiteur Beck was en zelfs niet in hun dromen op de idee
zouden komen dat de waard Beck in de kelder van de Maanschijners
een van hen was, en al veel minder omdat Beck een veel voorkomende

naam is. En wat jullie betreft. Hij vertrouwt jullie, omdat jullie bij mij horen en geroepenen zijn.'

Even later lag Kaira naast de luid snurkende Tataika op een van de dunne matten en probeerde vergeefs de slaap te vatten. Ze was moe na de lange nachtelijke wandeling, en haar lichaam schreeuwde ernaar zich op te rollen en in een verfrissende slaap te verzinken. Maar ze raakte de gedachte niet kwijt dat twee etages boven haar het dorp in een gloeiende schijn lag. Ze meende de 'ster met de tanden' door de muren van de schuilkelder te voelen en te horen. In haar hoofd siste het als de vlam van een fakkel die zoekend over de muren zweefde. Waar is Kaira, waar zijn de anderen? Waar is iets te eten? Hij zocht naar zwakke plekken, niet alleen in de muren, maar ook in Kaira zelf. Hij wilde diep in haar hart binnendringen en het kritisch doorzoeken.

Witte vlammende vingers zochten naar barsten in het metselwerk, naar een lichtzinnig open gelaten spleet, een kier in een deur. Het licht trommelde letterlijk op de muren, woedend en teleurgesteld, omdat het niet bij de mensen kon komen die diep in de buik van het gebouw lagen te slapen. Kaira voelde de kwade bedoelingen van het licht, voelde hoe het naar haar zocht, een wit roofdier met vlammende tanden. Vreten, snoof het, vreten. Dit licht wilde haar doordringen, en genadeloos tot in de laatste hoek van haar ziel kijken. Het wilde zijn vingers in haar borst boren, tussen de bogen van haar ribben, door haar spieren en zenuwen heen tot in haar hart, en daar wilde het laaien tot het haar tot as verbrand had.

Het duurde lang tot ze van pure uitputting insliep.

Onderweg

Ruadh wekte de jongeren zodra de ster met de tanden was ondergegaan. 'Opstaan, mensen. We hebben nog het een en ander voor de boeg.' Ze waren alle drie nog lang niet uitgeslapen, maar hun gids was onverbiddelijk. 'Hoe langer we op één plek blijven, des te eerder worden we ontdekt. Wie weet of er onder de dorpelingen niet een spion is die ons aan de Sundaris verraadt! We moeten verder.' In ieder geval bracht hij het goede nieuws dat Beck hen met zijn hagedissenkar naar de Blauwe Woestijn, waar Umbra woonde, zou brengen. Kaira haalde opgelucht adem toen ze dit hoorde. Na de lange nachtwandeling en de veel te korte nachtrust voelde ze al haar botten. Haar spieren deden pijn bij elke beweging, en ze moest opeens diep geeuwen.

'Is er in elk geval nog iets te eten voor we vertrekken?' morde Tataika, die in haar rode ogen wreef.

'Straks, als we onderweg zijn.'

'En hoe zit het met wassen?' protesteerde Thilmo, die het in dit soort dingen zeer nauw nam.

'We zijn hier in de woestijn, jongen!' ging Ruadh tegen hem in en verliet de kamer.

Thilmo staarde hem woedend na. 'Ik vertrouw hem niet,' siste hij. 'Hij is een Accumulator, zijn jullie dat vergeten? Iedereen weet dat het vreselijke boeven zijn, dat ze in alle zwarte kunsten thuis zijn, gifmengers en kindermoordenaars zijn, en wij moeten deze kerel geloven, als hij de trouwe vriend speelt?'

Kaira wierp tegen: 'Ik geloof niet dat Vuurvos ons bedriegt. Ik vertrouw hem.'

Tataika was het met haar eens. 'Ik ook. Hij is oke.'

Thilmo snoof verachtelijk.

Toen ze op de zwakverlichte binnenplaats kwamen, zagen ze een kar staan met ervoor twee zwaargebouwde trekhagedissen. Het waren logge, roodbruin geschubde dieren met domme ogen. De verkommerde vleugels op hun ruggen bewogen in de nachtwind als dorre palmbladeren. Ruadh stond ernaast en praatte met Beck, die in zijn geplooide, erwtengroene mantel nauwelijks te herkennen was. Toen de halfklaren dichterbij kwamen wees hij op de laadbak. 'Voorop is geen plaats voor jullie, jullie moeten achterin. Ik heb een paar dekens neergelegd, voor het geval jullie het koud krijgen.'

Ze klommen gehoorzaam in de laadbak, die voor het grootste deel met zakken was bedekt. Nauwelijks hadden ze een plek gevonden of de kar zette zich met een ruk in beweging. Het felle licht van poortfakkels viel over hen heen toen ze de poort met de twee wachters passeerden. Meteen daarna verzonk de omgeving om hen heen in de schaduw van de schemering. Slechts een gele lichtvlek ijlde voor hen uit, waar de aan de wagen schommelende lantaarn het stenen wegdek van de brede straat verlichtte.

Een tijdlang zwegen ze, tot Tataika plotseling opmerkte: 'Vuurvos, je bent heel anders dan ik me een Maanschijner voorstelde.'

De man, die Kaira slechts als donkere omtrek kon herkennen, antwoordde: 'Hoe had je je die dan voorgesteld?' Toen Tataika verlegen weigerde haar vooroordelen onder woorden te brengen zei hij: 'De meeste Sundaris en Gevlekten verachten ons, maar is Datura minder dan Phuram? Ze werden als tweelingen geschapen, even groot en sterk. Het is Phuram die zijn oorspronkelijke karakter verraden heeft, niet Datura! Daarom is zij de edelere, en ze is goedmoedig, terwijl hij hard en hoogmoedig is. De Maangodin kan men aanschouwen zonder verblind te raken, de zielenvreter niet. De vretende ster is puur licht, de Maangodin heeft lichte en donkere vlekken. De Maangodin wisselt voortdurend van gestalte, ze kan zwak of sterk zijn, verborgen of heersend over de hemel, terwijl de Zonnevorst onbeweeglijk is. Phuram doordringt alles met zijn licht, de Maangodin laat barmhartig schaduwen bestaan. De vretende ster kent geen medelijden, de Maangodin is genadig. Datura verzilvert het onaanzienlijke, verbergt het misvormde en herschept het alledaagse.' Hij zuchtte diep, zoals een man zucht die zich in de armen van zijn geliefde laat vallen.

In het schemerdonker kon Kaira zijn gezicht niet zien, maar ze hoorde de warme toon van geluk in zijn stem. Ze dacht eraan hoe hij biddend in het zand had geknield en een gezicht had getrokken als streelden hem onzichtbare, tedere vingers. Met zachte stem praatte hij door, op een toon alsof hij uit een heilig perkament voorlas: 'Vroeger had ik het voor het hoogst bereikbare gehouden in alles zo volmaakt mogelijk te zijn. Nu weet ik dat er maar een enkele volmaaktheid is, namelijk het onvolmaakte te accepteren zoals het is en het lief te hebben.'

Kaira leunde in haar hoek van de laadbak tegen een zak vol oude kleren en luisterde naar de diepe warme stem in de nachtelijke schaduw. Ze kon zich niet meer herinneren wanneer ze zich voor het laatst zo goed en geborgen had gevoeld. De gedachte kwam bij haar op dat Ruadh zonder twijfel een gelukkig mens was, ondanks zijn harde en gevaarlijke leven en de vele vernederingen die hij moest ondergaan. Op hetzelfde moment overviel haar het verlangen ook zo te worden als hij, gelaten en gelukkig tegenover alle conflicten, waaronder het leven, lastig en opdringerig als het was, haar begroef. Maar hoe zou ze dat ooit klaarspelen?

Thilmo toonde zich niet onder de indruk. Met kille stem merkte hij op: 'De Sundaris zien dat anders.'

Ruadh haalde zijn schouders op en antwoordde: 'En al is dat zo, wat interesseert mij dat?' Het klonk nors, en Kaira nam aan dat hij geen zin had zich over de meningen van zijn doodsvijanden uit te laten. 'De Sundaris zijn van mening dat alles wat niet volmaakt is geen recht op leven heeft. Daarom offeren ze aan de zon alles wat niet volmaakt is, en leveren het aan haar uit zodat het vernietigd kan worden. Ze zijn zelf als goud, trots, onbarmhartig, gevoelloos. En meer wil ik daarover niet zeggen.'

Maar Thilmo liet zich niet afwimpelen. Hij boorde en drong verder aan en verweet Ruadh te beperkt te denken. 'De Sundaris,' verklaarde hij, 'zijn de edelere, want ze zien Phurams glans en majesteit als de belichaming van al het lichte en het streven naar het goede. Terecht is haar symbool het pure goud, dat in de vurige oven werd getest, want er is niets edeler dan goud.'

Ruadh vloog zo heftig op dat de meisjes ervan schrokken. 'Goud! Goud! Dat vervloekte goud!' schreeuwde hij tegen de jongen. 'Wat is het waard? Kun je het eten? Kun je het drinken, als je in de woestijn bent verdwaald en je tong van dorst in je mond opzwelt? Verwarmt het je als je in de koude nacht in de bergen slaapt? Troost het je, als je huilt? En wat heeft de glans van Phuram gebracht? Hij heeft een vruchtbare wereld in een woestijn veranderd, in zijn vurige oven is alles verbrand wat in Chatundra lieflijk, levendig en vriendelijk was. Vervloekt goud! Wat heeft het me gebracht?'

Met een gebaar van wilde vertwijfeling sloeg hij zijn handen voor zijn gezicht. Maar nog voor iemand hierop in kon gaan, haalde hij diep adem en rechtte zijn schouders. 'Goud is niets,' zei hij met rauwe stem, die rustig moest klinken maar nog steeds licht beefde. 'Het is alleen waardevol omdat iemand zegt dat het dat is. En de glans van Phuram is tot een vloek geworden, toen hij in zijn trots en honger naar macht tot het dubbele aanzwelde. Praat niet over dingen, jongen, waarvan je niets begrijpt.' Daarna zweeg hij op een manier die Kaira en haar beide metgezellen aangaf dat ook zij beter konden zwijgen.

Kaira steunde met haar arm op de borden die de laadbak aan alle kanten afschermde, en keek nadenkend naar de woestijn. Eén keer schrok ze, want vlak langs de weg lag in de vaalblauwe maneschijn het akelige, ruige skelet van een vogel, zo groot als een adelaar, die tijdens zijn leven een angstaanjagend dier moest zijn geweest. Zijn snavel was even lang als haar onderarm en zo spits als een spijker. De ronde oogkassen staarden leeg in het niets.

Na een tijdje sprak Ruadh weer. Zijn boze opwinding was over, en hij wilde zichtbaar weer vrede sluiten toen hij zei: 'Het wordt langzaamaan tijd dat ik jullie alles vertel wat jullie moeten weten en nog niet weten.'

En daarmee begon hij te praten en vertelde hen van het grote Rijk van de Draken, van Wyvern en Luind en diens verre nazaat Dochterzoon, van Drydds verontwaardiging tegenover zijn Zusters en de valsheid van Zarzunabas, die vergiftigde zwaarden smeedde, van de strijd tussen de Zonnevorst en de Drie Zusters en de vloek waarmee de Almoeder de boosdoeners en de rebellen had bestraft. Hij vertelde van de edele draken, waarvan er nog maar een paar over waren, van de Helbedwingers in het zuiden en de huilende sneeuwgeesten in het noorden, van de listen van de boze keizerin Iwara en van de grote opdracht die aan de Dertien was gegeven.

Kaira luisterde oplettend, maar alles wat hij vertelde leek haar even onwerkelijk als het bonte weefsel van een wandtapijt, en ze kon zich niet voorstellen dat haar eigen leven hiermee verweven zou zijn.

De bijeenkomst van de Maanschijners

Ze waren korte tijd verder gereden toen Beck onverwachts van de hoofdweg afboog en over een rijbaan hotste die als een in de maneschijn nauwelijks zichtbaar dubbel karrespoor door de woestijn voerde. Kaira ging verontrust rechtop zitten. 'Waar rijden we heen, Vuurvos?'

'Naar een bijeenkomst van de Maanschijners,' antwoordde hij. 'Het zal ons goed doen daar wat kracht op te doen voor we verder trekken.'

De kar van Beck hield stil in een u-vormig dal, dat aan drie zijden omgeven was door steile, brokkelige rotsmuren. Zo te zien waren hier ooit stenen gehouwen, want onder de ingekerfde rotswanden stonden nog enkele houten gebouwen, goed genoeg om bescherming tegen de Zonnevorst te bieden. Vanuit de laadbak ontdekte Kaira dat er al enige hagedissenkarren stonden. De mensen die hiermee gekomen waren stonden en zaten in een kring rondom een vuur waarboven een enorme zwartgeblakerde pan dampte. Doffe, eentonige muziek zweefde door de nachtelijke lucht en Kaira zag dat muzikanten bliezen op brompijpen, manshoge holle bamboestammen.

Verschillende feestgangers kwamen aangelopen toen ze Becks kar zagen. Ze omhelsden hem en klopten hem op de rug, en hij beantwoordde deze stormachtige begroeting met een hartstochtelijke tederheid die Kaira nog niet eerder bij de man had gezien. De mensen waren allemaal in lompen gekleed en hadden zich vermoedelijk dagenlang niet gewassen, maar ze zagen er vriendelijk uit en Kaira voelde hoe het angstige kloppen van haar hart ophield. Echt prettig voelde ze zich niet bij een dergelijke geheime nachtelijke bijeenkomst, maar omdat de mensen vrienden van Ruadh waren kon ze ze wel vertrouwen. Ze lachte verlegen.

'Wat heb je voor knappe meisjes bij je, Vuurvos?' merkte een vrouw op en streek bewonderend over de lange haren van Tataika. 'Moge de oude dame hen behoeden, dat ze veilig door alle poorten komen! Maar kom, het eten is klaar. Jullie zijn de laatsten, we wachten op jullie.'

Toen ze het vuur naderden, rook Kaira de geur die uit de enorme pan opsteeg. Het aroma van een stevige vleessoep, die zeer exotisch gekruid moest zijn, want ze meende kardamom en jeneverbes te ruiken. Aarzelend nam ze de schotel aan, die men haar gaf. Het was inderdaad vlees in een scherp en zoetig smakende saus. Iemand anders deelde dunne, pannekoekachtige schijven van een lichtgekleurd brood rond, dat klaarblijkelijk zelf was gebakken. De mensen gebruikten het als lepel, ze rolden de schijven op tot een zakje en schepten daarmee het vlees en de saus uit de schotels die ze in plaats van borden gebruikten.

De soep was roodbruin en smaakte pittig en zo kruidig dat ze zweetdruppels op haar gezicht kreeg en er rillingen over haar rug liepen, en bij iedere hap doken beelden en visioenen voor haar ogen op, merkwaardige beelden. De sterke kruiden in het vleesgerecht verwarmden haar van binnenuit, vervulden haar met een kracht en een energie dat ze de neiging voelde op te springen en zich luid schreeuwed om haar as te draaien, alleen om deze innerlijke drang kwijt te raken. Ze werd bang, maar tegelijkertijd hoopte ze dat er nog een tweede portie zou zijn als ze deze op had. Nog nooit in haar leven had ze zich zo sterk en moedig gevoeld.

Ruadh klopte op haar schouder. 'En, smaakt het je? Je hebt hele glanzende ogen gekregen.'

Kaira wist niet hoe ze onder woorden moest brengen wat het eten in haar losmaakte, en ze stotterde: 'Het is heel scherp. Mijn buik kriebelt ervan.'

Hij lachte. 'Ja, de mijne ook, en ook mijn hoofd en mijn hart. We noemen het dan ook vuurvlees. En het brood heet vijf-dagen-brood, omdat het je vijf dagen lang sterk en vrolijk maakt.'

De vrouw met het ruige blonde haar mengde zich in het gesprek. 'Er zijn enkele kruiden en specerijen bij die een bijzondere uitwerking hebben.' Ze wendde zich tot Kaira. 'Wat we eten wekt verborgen krachten in je op, het duikt tot op de grond van je ziel en opent lang gesloten deuren. Het kan je niets geven wat je niet hebt, maar wanneer dat waarover je beschikt achter slot en grendel ligt, kan het deze grendels bewegen en wegschuiven. Je begrijpt wat ik bedoel, nietwaar meisje?'

'Ja.' Nog voor Kaira kon nadenken was het eruit geglipt. En ze kon niet eens verklaren wat ze nu werkelijk begrepen had. Het maakte haar sterk en bedachtzaam. De vele bijzondere specerijen maakten nieuwe en onbekende ervaringen in haar wakker, zodat ze dingen dacht die ze niet eerder had gedacht. Ook met het brood was dat zo. Het wekte een kracht in haar op die haar de overtuiging gaf dat ze werkelijk vijf dagen lang sterk en vrolijk zou zijn.

Tussendoor luisterde Kaira ook naar andere gesprekken. Ze hoorde hoe een woest uitziende jongen aan de andere kant van de kring degene naast hem aansprak. 'Hé, ik durf te wedden dat ik je al eens eerder heb gezien. Je was toch een Sundar en leider van de dievenvangers in Burnach, niet waar? Je was een harde jongen, als ik me goed herinner.'

De vroegere Sundar keek betrapt naar de grond. 'Ik heb jullie veel kwaad gedaan. Maar dat was voordat de Maangodin wisselde. Ik wil het in de toekomst beslist beter doen.'

'Ieder van ons maakt fouten,' troostte zijn buurman hem. 'Er bestaat geen leven zonder fouten.' Hij legde zijn arm om de schouders van de overloper en reikte hem een tinnen beker aan. 'Kom, drink. Wat je gedaan hebt was voor de nieuwe maan. Vandaag schijnt een andere maan.'

Tataika fluisterde de Accumulator toe: 'Jullie nemen zulke mensen daadwerkelijk op, na alles wat ze jullie hebben aangedaan?'

Ruadh haalde zijn schouders op en richtte zijn aandacht weer op het eten. 'Allen hebben fouten begaan. Of die fouten nu hebben bestaan uit het ons vervolgen of uit iets anders doet er niet toe.'

'Maar worden ze eerst niet gecontroleerd? Moeten ze zich niet eerst bewijzen?'

'Niet door ons, en niet voor ons. De oude dame aan de hemel schijnt voor allemaal. Je moet niet denken dat wij de Sundaris haten, Tataika. We ontwijken hen om geen schade van ze te ondervinden, en zolang ze ons als vijanden tegemoet blijven treden zijn wij voor hen op onze hoede. Maar als ze niet meer onze vijanden willen zijn nemen we ze op, want we hebben eerder medelijden met ze dan dat we bang voor hen zijn.'

De gasten van de nachtelijke ronde namen de tijd voor het eten, tot ook de langzaamste zat was. Tussendoor werden waterplanten met een drankje rondgereikt, en ook dit was uitzonderlijk. Het schuimde als bier, als men het in een schaal of tinnen beker goot, het had een roodbruine kleur als thee en smaakte bitter. Toen Kaira ervan dronk had ze het gevoel dat het zich gloeiend heet door haar lichaam verspreidde, van haar keel tot in haar tenen en haar vingertoppen.

De blonde vrouw boog zich over naar Ruadh en stelde hem met zachte stem een vraag. Hij aarzelde even, knikte dan en stond op. Met lange passen liep hij naar een vlak steenblok, klom erop en nam een houding aan als wilde hij een rede houden.

Meteen verspreidde zich over de aanwezigen een verwachtingsvol stilzwijgen. Alle gesprekken verstomden, de mensen draaiden zich om zodat ze hem beter konden zien, en wachtten oplettend. Kaira dacht dat hij iets zou zeggen. In plaats daarvan begon hij zich uit te kleden.

Tataika giechelde gedempt, toen ze begreep wat hij aan het doen was, maar alle anderen bleven in een feestelijke rust als woonden ze een godsdienst bij. Ruadh deed omslachtig een dozijn zandkleurige omhulsels uit, waaronder een potsierlijke knielange onderbroek. Toen hij het onderste hemd over zijn hoofd trok stootte Kaira een schreeuw van verrassing uit.

Behalve zijn gezicht, zijn handen, voeten en geslachtsdelen was iedere centimeter van zijn huid met fantasievolle veelkleurige versieringen bedekt. En de versieringen waren voortdurend levendig in beweging! Eerst dacht Kaira dat het flakkerende schijnsel van het vuur haar bedroog maar meteen daarna zag ze dat de patronen zich werkelijk veranderden. Als vliegende wolken die over een heldere nachthemel joegen, trokken ze over zijn huid, namen steeds een andere vorm aan maar vertelden hetzelfde verhaal. Ze kon hiet herkennen wat de enkele beelden voorstelden, daarvoor waren ze te klein en te gecompliceerd en wisselden ze te snel om ze te kunnen volgen. Maar de Maneschijners zagen eruit alsof ze het wisten. Ze knikten en glimlachten en wierpen de naakte man vrolijk deelnemende blikken toe, blikken die hem omarmden en vasthielden, kusten en streelden.

Ruadh stond roerloos. Zijn handen had hij met de handpalmen naar boven toe naar beide zijden uitgestrekt, zijn hoofd in zijn nek gelegd en zijn blik gericht naar de hemel, waaraan majesteitelijk en in volle gloed het slangenei stond. De mensen zaten stil, nauwelijks iemand bewoog zich. Het zwijgen was zo diep dat Kaira het knakken en knisteren van de brandende takken hoorde. Allen waren diep in gedachten verzonken. Gelukkige gedachten, want hun gezichten waren helder en rustig.

Allengs stond hier en daar in de ronde een man of een vrouw op, liep naar de vlakke steen en kleedde zich ook uit. Op het ene lichaam na het andere werden de versieringen met de wonderlijke ornamenten zichtbaar. Ze stonden allemaal in stilzwijgen, het hoofd geheven, de handen uitgestrekt.

Kaira kon niet zeggen hoe lang het duurde. Het vuur ging uit, en nu stond Ruadh in het heldere maanlicht. Kaira had verwacht dat de tatoeëringen al hun kleur zouden verliezen zodra het vuur doofde, maar in tegendeel! In de maneschijn lichtten ze op alsof ze getekend waren met vloeiend vuur. Elke gecompliceerde arabesk vlamde uit zichzelf op, terwijl ze zich met ademberovende snelheid verder vervormde. Kaira had het gevoel dat ze probeerde de vonken van een vuurwerk met de ogen te volgen. Ze was ervan overtuigd dat de beelden een verhaal vertelden. Een verhaal dat ze graag had gelezen, maar voor haar verborgen bleef.

Even later merkte ze dat de nachtelijke hemel niet meer zo was als daarvoor. Aan de randen van het diepe zwart tekende zich een zweem van violet af. De Maanschijners zagen allemaal het naderende morgenlicht. Ruadh keerde met een ruk terug uit zijn extase, bukte zich en wierp zich in zijn kleren, terwijl anderen opsprongen en hun jassen, tassen en eetgerei verzamelden. In korte tijd had zich de feestelijke gemeente in een onrustige menigte veranderd die zich in alle haast naar de beschutting van de barakken bewoog. Ruadh kwam aangelopen en knoopte lopend nog de laatste sluitingen aan zijn jas en broek dicht. 'Kom!' riep hij hen toe, en wees op de barakken. 'We moeten opschieten, als we voor zonsopgang onder dak willen zijn.'

Kaira vluchtte samen met de anderen in de beschutting van de barak, die van binnenuit een enkele lange ruimte bestond. Wat zich hier ook aan meubels en andere inrichting had bevonden, was volledig verdwenen. De twee smalle vensterspleten waren van binnenuit afgedekt met houten planken. Het rook dof en muf naar door de zon verbrand hout en gedroogd vuilnis. De laatste, die zich door de deur drong, sloot en vergrendelde deze achter zich. Er ging een zucht van opluchting door de ruimte toen allen veilig waren voor het bijtende licht. Iemand stak een fakkel aan. In het zwakke roodgele schijnsel krioelden ze door elkaar, om een comfortabele slaapplek te vinden. Kaira werd van alle kanten geduwd, tot Ruadh er eindelijk in geslaagd was voor hem en zijn begeleiders een hoek te veroveren. Kaira werd zo dicht tegen de man aangeduwd, dat haar hoofd op zijn schouder lag. Tataika had het geregeld de plek aan zijn andere zijde te bezetten, door kortweg twee of vier Maanschijners, die daar ook heen wilden, weg te duwen.

Kaira voelde opnieuw een steek van jaloezie. Ze probeerde – wat maar moeilijk lukte – zo dicht mogelijk bij Ruadh in de buurt te komen maar tegelijkertijd zo te doen alsof het haar in het geheel niet interesseerde waar ze sliep. Ze had niets pijnlijker gevonden als wanneer de woestijnloper gemerkt had, dat ze aan zijn zijde wilde liggen. Het zou de indruk gewekt hebben dat ze naar hem verlangde, en dat was het laatste, wat hij van haar mocht denken.

Ook als hij haar opdringen gemerkt had, gaf hij er geen commentaar op. Hij draaide en woelde tot hij op de harde stoffige houten bodem een enigszins comfortabele houding had gevonden en was in slaap gevallen, nog voor iemand aan de andere kant van de ruimte de fakkel had gedoofd. Kaira lag in het donker, haar neus dicht tegen zijn mouwen, en genoot van de warme, zoete geur van gedroogd hout en loof, die uit de versleten plooien opsteeg. In haar binnenste woedden haar gevoelens. Ze strekte voorzichtig een hand uit en legde die op de mouwen van de slapende man. Onder de dikke lagen van de verschillende kledingstukken kon ze duidelijk de krachtige spieren van zijn bovenarm voelen.

Ze had niet echt veel ervaring met het andere geslacht, maar genoeg om te weten dat ze zich nog nooit zo had gevoeld. Veel van de jongens die ze tot nog toe had leren kennen hadden haar weliswaar bevallen, maar haar zowel met angst als afkeer vervuld. Ruadh naast haar te voelen betekende warmte en zekerheid. Hoe raadselachtig en ongewoon hij op het eerste gezicht ook leek, ze ervoer hem toch als een eiland van vertrouwdheid. Opnieuw kwam de zwakke geur van zijn kleding in haar neus, een geur, die herinneringen aan haar kindheid opriep. Warm hout, appels in een koele kelder. Ze vroeg zich af of Tataika aan de andere kant dit ook rook.

Ruadh, die al diep en vast in slaap was, mompelde iets onverstaanbaars en draaide zich half om. Bij deze beweging gebeurde het dat opeens zijn hand in Kaira's hand lag. Ze schrok daar zo heftig van, dat ze zich eerst niet eens bewoog. Voorzichtig sloot ze haar vingers. De hand in de hare was stevig en warm en een beetje ruw. Ze rolde zich dicht op, legde haar wang stevig tegen de vreemde hand en sloot haar ogen.

Buiten streken de eerste tastende lichtvingers langs de muren, verhitten de oude gele pleisterlaag en de stenen eronder en zochten een weg naar binnen, maar dit keer voelde Kaira geen angst. Ze sliep in. Het enige wat haar geluk verstoorde, was de gedachte, dat Tataika aan de andere kant misschien ook een ruwwarme mannenhand vasthield.

De geschiedenis van Beck

Kaira werd wakker doordat rondom de ene na de andere slapende onrustig werd, zich ongegeneerd uitrekten en met gedempte stemmen door elkaar praatten. Ze deed haar ogen open en zag dat er een fakkel brandde. Overal op de muren dansten schaduwen toen de Maanschijners hun kleren en tassen bij elkaar zochten. Meteen daarop vloog de deur open, en samen met een wolk koude nachtlucht drong de schijn van de nachtzon binnen, zacht en vriendelijk.

Ontbijt was er niet, alleen een slok water uit de waterplant, dat inmiddels verschaald en lauwwarm was. De Maanschijners namen met veel kussen en omarmingen afscheid van elkaar en wuifden naar elkaar terwijl ze op hun hagedissenkarren klommen. De vier klommen in de laadbak van Becks kar, en het voertuig hotste weg op het woestijnspoor.

Kaira zocht zich een comfortabele plek tussen de zakken. Ze sloot de ogen en voelde hoe de koude nachtwind over haar gezicht streek. Ze had veel dingen in haar hoofd die die ze graag had gevraagd, maar ze durfde niet. Het was allemaal zo ongewoon en wonderlijk, dat ze liever zweeg.

Tataika was minder verlegen en vroeg: 'Hoe ben je aan deze prachtige tatoeages gekomen, Vuurvos? En hoe komen ze zo levendig?'

De man aarzelde even voor hij antwoordde. Het was duidelijk dat hij het niet makkelijk vond erover te praten. Met merkbare zelfoverwinning legde hij daarna uit: 'Van de Maanschijners heb ik geleerd dat zwakke en sterke punten niet bestaan. De Maangodin is klein noch groot. Als ze vol is, verschrompelt ze al snel tot een sikkel, en als ze volledig verdwenen lijkt, duikt ze al spoedig weer op en wordt groter. Ik begreep dat het niet belangrijk is wat anderen van me denken. Maar deze onderkenning werd hard op de proef gesteld toen op een dag de oude dame me vroeg: "Om je werk te doen moet je je hart op je huid dragen, alles wat in je zit moet ook naar buiten op je te zien zijn." Het was de moeilijkste proef die me ooit werd opgelegd.'

Tataika stootte een instemmend gebrom uit. Kaira zei niets, maar ze kon Ruadh heel goed begrijpen. Ze werd angstig en bang bij de gedachte dat ze alles wat in haar was naar buiten toe op zich moest dragen. Alle domme ideeën waarvoor ze zo vaak was uitgelachen en bekritiseerd... als iedereen die nu kon zien!

'Iedere gedachte,' ging de Accumulator verder, 'die in mijn hart opkwam werd op deze manier vereeuwigd. De Maanschijners noemen het 'een zielehuid dragen'. Ze is niet altijd te zien. Ze verschijnt alleen bij nacht, en dan nog alleen in het gezelschap van vrienden, die ons liefhebben, en in het licht van het gesternte dat ons behoedt. Alleen als wij mildheid en vergiffenis te verwachten hebben, wagen wij het ons volledig naakt te laten zien. In het zonlicht zijn het niets dan vreemde krassen en schrammen die hier en daar mijn huid te zien zijn.'

Thilmo's schrille stem klonk duidelijk opgewonden. 'Je noemt het mildheid, maar ik zou zeggen dat jullie elkaar met je fouten vrijuit laten gaan, terwijl ieder van jullie genoeg te verbergen heeft.'

'Nee,' sprak de woestijnloper tegen. 'Niet omdat we iets te verbergen zouden hebben, maar omdat we weten dat het niet aan ons is om over anderen te oordelen. Ik zie de versieringen op de huid van een ander mens en zwijg over dat wat ik zie, omdat ik weet dat hij of zij mij ook zo kan zien.'

Een tijdlang zaten ze en luisterden naar de gelijkmatige stap van de hagedissen en het ruisen van de nachtwind. Uiteindelijk gaf Ruadh met zachte stem toe: 'Toen ik voor het eerst naar een bijeenkomst van Maanschijners ging, was ik erg bang. Ik verwachtte niet anders dan dat de anderen me zouden aangapen en kwade opmerkingen over me zouden maken. Al hadden ze vast zelf ook allerlei fouten, dacht ik, zou er onder hen vast niemand zijn, die zo slecht was als ik. Ze zouden me verafschuwen en verachten, zoals ik me zelf verafschuwde en verachtte. Toen ik op de vlakke steen klom, liepen me van schaamte de tranen over de wangen. Ik kleedde me uit en stond daar naakt onder vreemde blikken als een tentoongestelde misdadiger.

Ik zag de kring van Nachtmensen in het schijnsel van het vuur voor me zitten en zocht met mijn ogen naar de eerste vrouw, die me met haat zou aankijken, naar de eerste man die me een vloek zou toeroepen of een steen naar me zou gooien. Maar ze zaten daar alleen maar en knikten en glimlachten, en iedere man, iedere vrouw, die ik aankeek, beantwoordde mijn blik vol sympathie en begrip. Ik kon het niet geloven. Lange tijd dacht ik, dat ze niet begrepen hadden wat de tatoeages onthulden, dat ze niet gezien hadden hoe schuldig ik was. Pas veel later begreep ik dat ze het allemaal gezien en begrepen hadden. En dat ze me allemaal liefhadden.'

Tataika mompelde: 'Ik kan me niet voorstellen dat jij ooit iets kwaads hebt gedaan. Ik bedoel, je bent een mens die... die men kan vertrouwen. En laat het je gezegd zijn, ik vertrouw niet snel een man!'

'Je bekijkt me met liefdevolle, maar geflatteerde ogen, Tataika,' antwoordde de Accumulator. Toen zweeg hij, en Kaira had het gevoel dat hij in donkere en kwellende gedachten was verzonken.

Korte tijd later voer het voertuig een heuvel op, en toen het er aan de andere kant weer afrolde, zag Kaira een groep huizen voor zich. Ze waren allemaal van donker basalt en aanzienlijk hoger en massiever dan de bakstenen huizen in de woestijndorpen. Ze leken volledig verlaten te zijn, want er brandde geen enkel licht.

'Wat is dat?' vroeg Thilmo.

'Fort Zurram. Een voorpost van de Sundaris, maar een die ze allang hebben opgegeven,' legde Ruadh uit. 'We gebruiken het fort als beschutting tegen de zon. Maar we slapen niet graag in de ruïnes – men zegt dat je er boze dromen droomt.'

'Die droom ik ergens anders ook,' mompelde Tataika, terwijl ze met stijve benen van de laadbak klom. 'Maar je hebt gelijk, echt gemoedelijk ziet het er niet uit.'

Kaira moest haar helemaal gelijk geven. Tussen de huizen verhieven zich vier hoge, trapsgewijs oprijzende torens, die er nog onvriendelijker uitzagen dan de kastvormige huizen. Ze raakte de indruk niet kwijt, dat in deze torens, ondanks de algemene verlatenheid van de plek nog iets leefde. Iets waarmee ze niet nader kennis wilde maken.

Ruadh knikte, gaf verder geen commentaar, maar duwde haar snel door de voormalige poort, waarvan slechts nog een wirwar van scheefhangende ijzeren stangen over was gebleven. De opgave bleek moeilijker dan gedacht, moest Kaira snel vaststellen. Waar zich deuren of houten vensterbanken hadden bevonden, gaapten alleen nog openingen, waarin de wind het woestijnzand tot kniehoge er overheen hangende massa's had opgehoopt, want hout was kostbaar in de woestijn. Wat de bewoners uit de omliggende dorpen niet voor eigen gebruik hadden weggesleept, hadden de Maanschijners, die voor hen in de ruïnes hadden gekampeerd, als brandhout gebruikt. Ze woelden alle vijf vlijtig met hun laarzen in het zand, zochten in half ingestorte barakken en onbehaaglijke, holenachtige ingangen en staken in hopen afval, maar het duurde een goed uur tot ze een arm vol hout – alles spaanders en splinters – bijeen hadden gesprokkeld. De barakken hadden blijkbaar al sinds een eeuwigheid niet meer als militaire basis gediend, want in de hoeken lag naar beneden gevallen muurpleister opgehoopt, en midden in een kamer lag het geraamte van een haasachtig dier, waarvan de witte botten blank als ivoor waren geworden.

Aan de erachter liggende nederzetting was te zien dat het ging om een klein woestijnfort. Geen enkel huis had ook maar enige versiering. Toen ze echter verschillende doorgangen waren gepasseerd, kwamen ze in een ruime, door de maan verlichte binnenplaats, in het midden waarvan een standbeeld oprees. Het beeld, van een vijftien passen hoge, beklemmend levensecht uitziende Duizendtand met een gouden geschubd pantser.

Kaira bleef onwillekeurig staan, toen ze tegenover het monster stond, dat haar uit zijn valse, metaalglanzende ogen leek aan te kijken.

Ruadh was ook blijven staan. Hij wees met uitgestrekte hand op de goudglanzende schedel met de starre tanden die dreigend boven hen hing. 'Dat is het wapendier van de Sundaris, want evenals de vretende ster verteert ook hij al het kleine en zwakke en vernietigt alles wat zich niet staande kan houden tegen zijn kracht en woede. Kijk, daarginds.' Met een handbeweging wendde hij hun aandacht naar een stenen pilaar midden op het plein, waaraan aan ver vooruitstekende dwarsdragers een manshoge kooi hing. 'Als de Sundaris een misdadiger – of iemand, die zij daarvoor hielden – vastnemen, sluiten ze hem in zo'n kooi op en laten hem over aan de wrakende zon, die hem verteert... eerst laat verdorsten en daarna volledig uitdroogt. Als ze haar werk heeft gedaan, is er nog slechts een bruine verdorde mummie over.'

Hij trok ze snel verder in de schaduw tussen de huizen, maar Kaira kon niet nalaten een blik naar achteren op de kooi te werpen en stelde zich voor hoe het zou zijn, omsloten door tralies tussen hemel en aarde te zweven en te voelen hoe het afschuwelijke zonnelicht al het water in haar lichaam liet verdampen. En wie garandeerde haar dat het niet juist dit vreselijke noodlot was dat haar – en de anderen - wachtte?

Ruadh leidde hen een van de huizen binnen. Er hing een klamme vochtige schaduw. Weer had Kaira het gevoel dat in het donker onzichtbare, geluidloze dingen als waterlopers huisden, die uit duizelingwekkende hoogte op haar toekeken en met dunne stemmetjes onder elkaar fluisterden. Ze haalde opgelucht adem toen Ruadh zijn fakkel hief en voor hen uit een nauwe, steile trap afdaalde.

Groteske schaduwen dansten op de muren toen ze met moeizame stappen verderliepen. Het licht, dat de fakkels verspreidden, schemerde vaal en zwak als moeraslicht. Het werkte absoluut niet geruststellend. Integendeel, het maakte het gewelf nog akeliger en dreigender. Kaira beeldde zich in, dat buiten de hunne nog andere schaduwen opdoken, bleek en onduidelijk zichtbaar, die in de hoeken hurkten en in de lucht zweefden, maar ze was er niet zeker van, of ze zich deze spoken slechts inbeeldde. Sinds Ruadh hen al die oude verhalen had verteld, zat Kaira's hoofd barstensvol beelden van draken, ridders, monsters en vreemde gestalten, en dus leek het haar niet verwonderlijk als enige daarvan uit haar gedachten ontsnapten en om haar heen zweefden.

Ruadh bracht hen naar een kamer waaraan duidelijk te zien was dat hier al talrijke Maanschijners gekampeerd hadden. In een hoek waren de resten te zien van een open vuur, waarvan de rook een lang, vlamvormig spoor op de muur had achtergelaten. Langs de muur lagen verschillende matten van dezelfde soort als die Kaira in de schuilkelder van het woestijndorp had gezien, en op elke mat lag een versleten deken. In het midden van de kamer verhief zich een kniehoge, ronde muur waarvan de opening met een zwaar houten deksel was afgesloten. Op het deksel stond een emmer, die met een samengerold touw aan de rand van de schacht was gebonden.

Het duurde niet lang, tot een nieuw vuur in de hoek brandde en Ruadh en Beck probeerden het massieve brondeksel weg te schuiven. Een vlaag vochtig koude lucht sloeg uit de schacht omhoog, toen het stuk hout opzij gleed. Kaira hoorde, hoe de emmer hier en daar tegen de wand botste, toen Ruadh het touw langzaam naar beneden liet glijden. Korte tijd later plonsde het, en meteen daarna kwam de emmer weer langzaam naar boven. Ruadh speurde er eerst in, schepte er wat water uit en proefde het voorzichtig. Zijn gezicht ontspande zich. 'Het is in orde,' verklaarde hij.

Toen ze een tijdje later zaten te eten zei Thilmo: 'Je wilde ons je geschiedenis vertellen, Beck. Ben je dat nog steeds van plan?'

Het was Beck aan te zien dat de toon van de jongen hem niet beviel, maar hij knikte slechts.

Ruadh legde zijn hand op diens arm. 'Het zal je pijn doen,' waarschuwde hij met zachte stem.

Beck sloot een ogenblik zijn ogen, als moest hij een scherpe pijn onderdrukken. 'Ik weet het,' zei hij, 'maar toch wil ik hem vertellen.'

Ruadh knikte zonder iets te zeggen en de voormalige Sundar begon te vertellen.

'Tot een aantal jaren geleden was ik een keizerlijke ondervrager van hoge rang. Keizer Hugues, die mijn trouw en inzet voor de Zonnevorst kende, gaf mij de bijzondere opdracht om de meest geheime misdaden van de Maanschijners te onderzoeken en daarover te berichten. Ik begon met grote ijver aan dit werk. Er was niemand die zoveel gevangenen verhoorde, zovele getuigen ondervraagde, zoveel dokumenten bestudeerde als ik. Met de dag groeiden mijn boosheid en afschuw over dit luchtschuwe volk, dat zulke vreselijke misdaden beging. Maar toen, in een nacht bij volle maan, gebeurde iets merkwaardigs.'

Hij sloot zijn ogen en leek in gedachten naar deze nacht terug te keren. Niemand stoorde hem. De beide meisjes zwegen en wachtten, Thilmo keek met een donkere blik naar de grond. Het was op zijn gezicht te zien hoezeer hij de afvallige verafschuwde, maar hij durfde niets in die richting te zeggen. Beck was, als Sundar zowel als Maanschijner, een man die vrees inboezemde.

Het duurde een hele tijd voor Beck weer begon te praten. 'Zoals alle Sundaris was ik ervoor gewaarschuwd om 's nachts te werken, en al helemaal niet in een nacht waarin de maan enorm groot aan de hemel stond. Men zei me ook later dat ik door een vloek was getroffen, toen ik dit gebod overtrad... Maar ik had nog een hele stapel getuigenverklaringen door te werken en vergat de tijd. Toen ik op een gegeven moment opkeek, zag ik dat het allang nacht was geworden en de Maangodin door mijn raam keek. Mij overviel een angst, maar ook een vreemde betovering. Ik deed het licht uit en bleef in de maneschijn zitten, met mijn blik op de machtige bal, die langzaam over de nachtelijke hemel rolde, gericht. Mijn gedachten zweefden naar de meest vreemde plekken. Toen schoot plotseling door mijn hoofd dat ik weliswaar vele getuigenverklaringen gehoord had die de slechtheid van de Nachtmensen leken te bevestigen, maar dat nooit ook maar het minste tastbare bewijs was gevonden. Honderden mensen, evenveel Sundaris als Gevlekten, hadden me verteld dat de kinderen van de nacht halfklaren roofden en vele andere zware misdaden begingen, dat het allemaal moordenaars en gifmengers waren. Plotseling leek het me vreemd dat zoveel mensen slechts op grond van getuigenverklaringen veroordeeld waren, zonder enig steekhoudend bewijs. Jullie zullen het niet geloven, maar daarvoor was mij dat nooit opgevallen. Voor mij stond onomstotelijk vast, dat de Nachtmensen zware misdaden begingen. Het was voor mij bewijs genoeg dat de hele wereld erover praatte, dat getuigen verklaringen afgaven en de honingvalplantages vol met veroordeelde Maanschijners zaten. Waar rook is, moet ook vuur zijn, had ik steeds tegen mezelf gezegd. Nu, voor de eerste keer, twijfelde ik hieraan.'

Opnieuw onderbrak hij zichzelf en bleef lang stil zitten voor hij verder vertelde. Kaira meende hem voor zich te zien hoe hij in zijn glazen toren zat en naar de glanzende bal van de Maangodin staarde. Ze voelde met hem mee hoe hij piekerde en op nieuwe, onbekende gedachten kwam... en hoe hij steeds meer betoverd werd door het glanzende gesternte.

Hij praatte langzaam en met zware stem verder.

'Ik onderzocht, en hoe langer ik zocht, des te duidelijker werd het me dat er weliswaar vele bewijzen voor kleine wetsovertredingen waren, maar geen enkele voor gifmengerij, ontvoeringen of menselijke offers. Ik wendde me tot mijn chef, een van de hoogste keizerlijke ondervragers. Met al mijn dokumenten ging ik naar hem toe en vroeg hem, hoe het mogelijk was, dat ondanks ijverige naspeuringen geen enkel spoor van deze afschuwelijke misdaden was te ontdekken. Hij antwoordde me, dat de Nachtmensen meesters zijn in het bedriegen. Ze zouden duizenden middelen hebben om hun sporen uit te wissen. Ja, juist het feit dat ik geen enkel bewijs kon vinden was het meest zwaarwegende bewijs. Was daaruit niet juist te zien, hoe gemeen en boosaardig ze waren? Hoe gevaarlijk moesten deze mensen wel niet zijn, die het moeiteloos lukte talloze gruwelijke misdaden te verbergen!

Toen vroeg hij mij, hoe en wanneer ik op de gedachte was gekomen naar bewijzen te zoeken. Hij merkte wel aan me, dat ik verlegen werd, want ik herinnerde me, dat ikzelf een gebod had overtreden, toen ik tot diep in de nacht op was gebleven en bovendien naar de volle maan had gekeken. Hoe het ook zij, hij vroeg en onderzocht, en omdat ik bang was geworden gaf ik alles toe. Hij gaf me een berisping, maar leek zich verder geen zorgen te maken. Hoewel, al snel daarna merkte ik dat er op me werd gelet. En het duurde niet lang of ik werd gearresteerd. Ik kon me niet voorstellen, wat ze me allemaal naar mijn hoofd gooiden. Een dozijn mensen, die ik nauwelijks van gezicht kende, legden verklaringen tegen me af en beschuldigden me van de meest ongelofelijke misdaden. Ze noemden me een gifmenger, een vampier, een kinderdief en een zwarte magiër. Ze bezworen dat ze me bij al deze misdaden hadden gezien. Het werd me duidelijk dat het voor mij was gebeurd. Ze zouden me schuldig verklaren en aan het gerechtsdier voeren, want mijn misdaad heette niet alleen belediging van het gezag, maar hoogverraad.'

Tataika, die niet kon wachten om te horen hoe het verhaal afliep, onderbrak: 'Maar hoe komt het dan, dat je hier zit?'

'Dat heb ik te danken aan mijn vrouw Nevla,' antwoordde Beck, en een ogenblik lang gleed een uidrukking van roerende liefde en tederheid over zijn gezicht. 'Ze was meesteres in de onderaardse kerker waarin ik in voorarrest zat, en ze werd verliefd op me. Ze hielp me te vluchten en vluchtte met me mee. We verborgen ons in de catakomben. Eerst waren we als twee angstige dieren, want hoewel ik niet meer aan de duivelse misdaden van de nachtmensen geloofde, voelde ik ook geen sympathie voor ze en nam niet aan dat ze me met genegenheid zouden benaderen. Als ik Vuurvos niet was tegengekomen, had ik nu niet meer geleefd. Hij wist wie ik was, en toch reikte hij me de hand.'

Een ogenblik lang leunde hij zijn hoofd tegen de schouder van de Accumulator, en Ruadh legde zijn arm om hem heen en drukte hem dicht tegen zich aan. Kaira, die zo'n gebaar onder mannen nog nooit had gezien, voelde zich dodelijk verlegen. Ze was blij dat het rondom donker was en niemand kon zien dat ze bloosde.

Thilmo wilde iets zeggen, maar Ruadh bracht hem met een bruusk gebaar tot zwijgen. 'Ik wil nu niets van je horen, jongen. Jullie halfklaren gaan liggen en slapen, tot ik jullie kom wekken.'

Bephza

Buiten op de hoge paal waaraan de kooi hing, hurkte Bephza en wachtte ongeduldig. Hij was in een heel slecht humeur. De vervolging van de ridder had hij moeten opgeven toen die in Chiritai binnentrok, want daar beschutte hem 's nachts een huis en dag en nacht was hij omgeven door zijn getrouwen. Zijn grijsgebaarde wapendrager sliep aan het voeteneinde van zijn bed, en voor de deur lagen de honden met hun meesteres. Intussen had de Kadaverdraak vastgesteld dat ook de tweede buit, die hij op het oog had, niet zo makkelijk te pakken was. In de woestijn had hij zich al voorbereid om toe te slaan – de drie ongewapende kinderen te doden zou niet moeilijk zijn geweest – toen plotseling de Martichoras was opgedoken. In het dorp waren teveel mensen en op de bijeenkomst van de Maanschijners had een sfeer gehangen, die de Kadaverdraak grote problemen had bezorgd. Hij had daar niet eens de kracht gehad om zich te materialiseren.

Maar hier in Fort Zurram was hij in zijn element. Hij was ervan overtuigd, dat hij dit keer succes zou hebben. Hij kende de merkwaardige gewoonte van de mensen, dat ze niet gezien wilden worden als ze hun behoeften moesten doen, en wist dat de man vroeg of laat alleen uit de ruïnes zou komen. Dan hoefde hij hem alleen nog te grijpen. En als ze hem te lang zouden missen, zouden ook de anderen natuurlijk naar buiten komen en hem gaan zoeken, maar in deze doolhof zou het niet makkelijk zijn het lijk te vinden. Bephza was ervan overtuigd, dat hij genoeg tijd zou hebben, om zijn huid van hem af te trekken en zijn hoofd af te snijden. Hij gromde voor zich heen bij het denkbeeld wat voor gezichten ze zouden trekken, als ze in plaats van hun vriend een ontveld kadaver zonder hoofd zouden vinden.

Maar opeens ging hij rechtop zitten. Zijn gevoelige zintuigen namen in de verte een beweging waar. Hij voelde, dat er mensen naderden. Veel mensen, die vechthonden bij zich hadden. Met een woedend gesis vloog hij op en maakte zich onzichtbaar. Kon dat? Uitgerekend hier, in de diepste eenzaamheid, trok een menigte zwaar bewapende Sundaris door de nacht!

Verraden en verkocht

Kaira had onrustig naast het vuur gedoezeld. Ze schrok op, toen ze merkte hoe Ruadh plotseling rechtop ging zitten en luisterde. Meteen daarna deed Beck hetzelfde. De beide mannen keken elkaar aan. Beck fluisterde bedrukt: 'Moge de Maangodin ons bijstaan! Ik had niet gedacht dat ze dit fort nog controleren na al die jaren. Is het toeval, of heeft iemand ons verraden?'

Ruadh ging niet op zijn vraag in. Hij stond met een ruk op en stootte eerst de slapende Tataika, en daarna Thilmo grof met zijn voet aan. 'Wakker worden!' siste hij. 'We krijgen bezoek.'

Kaira hoorde het nu ook zelf. Op een verdieping boven hen klonken zware stappen. Een hond blafte. Ze schoot omhoog, met een gevoel in haar borst, alsof daar een ijspegel in stak. 'Wie is het?' stamelde ze.

'Sundaris. Een patrouille.' Ruadh was zijn ongemak aan te zien. 'Houd absoluut jullie mond, Oke! Als ze jullie iets vragen weten jullie wat te zeggen. Drie kleine Gevlekten, onderweg naar de hoofdstad om naar werk te zoeken. Hij hier heet Drumm en is een handelaar. Dan laten ze ons hoogstwaarschijnlijk met rust.'

'Kunnen we niet meer vluchten?' fluisterde Tataika.

'Nee, te laat. Laat mij praten. Hoe dommer jullie je voordoen hoe beter.'

Terwijl hij hen deze raadgevingen toefluisterde, werd het gedreun van de zware stappen luider. Een hond blafte opgewonden.

Kaira drukte zich tegen de muur. Ze probeerde zich te beheersen en dapper te zijn, maar haar lichaam speelde niet mee. Ze bibberde van haar hoofd tot haar voeten en moest opeens heftig slikken. Ze dacht aan de afschuwelijke kooi aan de pilaar op de binnenplaats. Als ze nu iets verkeerd deed, namen de Sundaris haar mee. En ze zou zeker iets verkeerds doen!

Op de muur scheen een zwak licht, eerst veraf en schemerig, daarna steeds duidelijker, tot een grote gele lichtvlek de ruimte binnenkwam en een stem uitriep: 'Stop! Hier is het gespuis, Thainach!'

Er klonk een enorm lawaai, toen in de donkere gangen een dozijn mannen het op een lopen zette. De patrouillemannen – die verschillende gevaarlijk uitziende honden aan de lijn meevoerden – stortten zich in de ruimte. Fakkels laaiden op, zo schel, dat de vijf hulpeloos met de ogen knipperden. De punten van glanzende stalen wapens werden op hen gericht. De nauwe ruimte was meteen vol met mannen met borstpantsers en helmen, waar voorop het zonnesymbool blinkte. Ze verspreidden zich langs alle muren, zodat Kaira en de vier anderen plotseling in een kring van dreigende hellebaardpunten stonden.

'Allemaal tegen de muur. Gezicht naar de muur, handen boven het hoofd!' brulde een militaire basstem. 'Kijk of ze goud hebben gestolen!'

Kaira was zo buiten zichzelf van schrik, dat ze zich waggelend omdraaide als een kip zonder kop. Met uitgestrekte armen liet ze zich met haar gezicht tegen de muur vallen, zette zich af met haar handen en spreidde haar benen. Een lawaaiig gewemel van mannen omringde haar. Met de rookzwarte muur voor haar neus kon ze niet zien wat er gebeurde, maar het klonk alsof Ruadhs tas en al het andere wat ze bij zich hadden, werden geleegd en de inhoud ervan pijnlijk nauwkeurig onderzocht. Twee grote handen pakten haar beet en klopten haar grondig van boven tot onderen af.

Blijkbaar had de eigenaar van de handen eerst gedacht, dat onder de vormeloze lagen kleding een jongen stak, want hij klopte heel gelijkmatig. Hij merkte echter, dat hij met een meisje te doen had. Kaira verstijfde, toen hij van achteren haar borsten beet pakte en er stevig in kneep. Zij voelde hoe haar maag naar boven kwam.

Op hetzelfde moment floot een snijdend scherp geluid door het lawaai. De lustende handen lieten Kaira los, en er klonk een schrille schreeuw van pijn. Achter haar rug klonken onheilspellende geluiden, het leek alsof een reuzenkever zich kletterend op zijn rugpantser draaide, terwijl zijn benen hulpeloos in de lucht staken. Heel voorzichtig gluurde ze naar achteren. De kerel, die haar gegrepen had, lag op de grond en spartelde met zijn benen, terwijl hij zich probeerde te beschermen tegen het striemen van een zweep. De zweep werd vastgehouden door een mens in een witte uitrusting, wiens gezicht verborgen was achter een bronzen halfmasker. Dit was het kenmerk van een soldaat in hoge rang, waarschijnlijk van de man, die ze Thainach genoemd hadden.

Het zwiepen hield opeens op. 'Opstaan. Eruit! Na terugkeer op de post een week strafdienst!' beval een stem achter het masker. Die klonk streng en militair, maar het was zonder twijfel de stem van een vrouw. De bestrafte soldaat krabbelde met een van pijn vertrokken gezicht op en hinkte naar buiten. Niet zonder Kaira een hatelijke blik toe te werpen, als was zij de schuld van zijn week strafdienst!

Een andere soldaat liep op Kaira toe, greep haar koperen halsketting en bekeek die zorgvuldig, waarna hij hetzelfde deed met haar ring. Zijn kameraden onderzochten de anderen. Hun tassen werden omgekeerd, hun armringen gecontroleerd, zelfs hun oorlapjes werden onderzocht op gouden sieraden. Uiteindelijk meldden de mannen eenstemmig dat ze bij niemand van de verdachten goud hadden gevonden.

De aanvoerster van de patrouille – die door haar ondergeschikten met Thainach Katanja aangesproken werd – draaide zich om naar de gevangenen. 'Neerknielen en handen op de rug,' beval ze. Toen allen gehoorzaamden fonkelden haar ogen door de spleet in het bronzen masker hen aan. 'Jij, wie ben je?' vroeg ze en schoof de handgreep van haar zweep onder de kin van Beck, zodat hij krampachtig zijn hoofd oprekte. Zijn ogen waren star van angst in het van zweet glanzende gezicht.

'Drumm is mijn naam. Ik ben slechts een lompenkoopman, excellentie.' Hij grijnsde vleiend. 'Ik was juist op weg door de woestijn en heb deze mensen hier in mijn kar meegenomen, omdat ze dezelfde kant uitgingen… met de arme halfklaren had ik medelijden omdat ze zoveel moesten lopen. De man daar wilde met hen naar de gouden stad, en toen ik ze zag, zei ik tegen mezelf, ach lieve zon, die zullen vast doodmoe zijn en blaren op hun voeten hebben, als ze aankomen, en dan moeten ze ook nog gaan werken en…'

'Klets niet zoveel, nachtschaduw.' Katanja wendde zich met afschuw van hem af en richtte de zweep op Ruadh. 'Wie ben jij? Wat wil je met de halfklaren?'

De geknielde man antwoordde, zonder zijn blik te verheffen. 'Men noemt me Ruadh, ook wel Vuurvos, al naar gelang. De halfklaren hier zijn uit de dorpen in het zuidoosten. Ik help hen om naar de gouden stad te komen. Ze willen in de stad werk zoeken en hebben iemand nodig, die hen onderweg een beetje helpt.'

'Je bent een sleper, zeg dat toch meteen.' IJzige verachting klonk in de stem van de vrouw. 'En? Aan wie verkoop je ze? Wie zal ze laten werken, zeven dagen in de week, voor niet meer dan slecht eten en een slaapplaats in de kelder? Wie zal je daarvoor betalen, dat je de domoren vangt? Verdomde schaduwman, heb je dan helemaal geen geweten?'

Ruadh zweeg, zijn blik stevig op de grond gericht.

De vrouw beval: 'Steek je handen uit. Handpalmen naar boven.'

Toen Ruadh met samengeknepen tanden gehoorzaamde, haalde ze ver uit en sloeg met de zweep verschillende keren in iedere handpalm, zo gruwelijk bijtend dat hij een schreeuw van pijn niet kon onderdrukken.

Met een van afschuw druipende stem vroeg ze: 'En? Was je vlijtig, schaduwman? Heb je de halfklaren al bijgebracht 's nachts door de woestijn te sluipen en de verderfelijke planten te verzamelen, om daaruit gif te mengen? Heb je hun bloed gedronken? Heb je ze meegesleept naar de vervloekte feesten, die jullie bij volle maan op de plekken van boze machten vieren?'

Ruadh hief zijn hoofd op. In zijn trekken was de pijn van de slagen zichtbaar. Hij zag heel bleek en zijn ogen traanden. 'Niets van dat al, Thainach,' antwoordde hij deemoedig, maar met vaste stem. 'We zijn geen bedervers en geen misdadigers.'

Katanja keerde zich met een gesnuif van afschuw af. Het was duidelijk dat ze geen woord geloofde van wat hij zei. Ze keerde zich naar de halfklaren. Haar stem klonk vriendelijk. 'Pas goed op wie jullie vertrouwen, halfklaren. Jullie zijn heel onnozel, dat jullie met een Maanschijner zijn meegegaan. Hebben jullie ouders je dan niet gewaarschuwd? Als jullie tot nu toe niets ernstigs is overkomen, heeft jullie de glans en majesteit van Phuram beschermd. De Nachtmensen zijn een duivels volk, verdorven tot in de grond en vol boze plannen. En nu verdwijn, en laat je de volgende keer niet zo makkelijk vangen.'

Ze wenkte haar soldaten. 'Laat dit vuile gespuis lopen. Jullie kennen de nieuwe wetten. Ze hebben geen goud gestolen, dus zijn we hier klaar, kom.' Ze liep met lange passen naar de deur en was bijna buiten, toen Thilmo met bevende stem riep: 'Thainach, luister naar me!' Thainach Katanja keerde zich om. 'Wat wil je nu nog, kleine engerling?' vroeg ze geïrriteerd. Thilmo ging staan. Hij was sneeuwwit van opwinding, maar hield zich staande. In zijn waterblauwe ogen brandde een vuur, dat Kaira nog nooit eerder had gezien. Helder en duidelijk verklaarde hij: 'Ik zou bij jullie willen blijven, Thainach. Ik wil niet meer met deze mannen hier mee. Het zijn geen gewone Maanschijners! Vuurvos is een Accumulator en werkt voor de Maanheks, en de ander is de afvallige rechter Beck!'

Achteraf had Kaira het gevoel, dat ze op dat moment een zelfde gevoel van wurgende misselijkheid had ervaren, als de nabijheid van de opgaande zon bij haar had opgewekt. Ze zag als door een mist de witte, met borstpantsers en helmen uitgeruste gedaanten van de soldaten, die allen hun wapens op Ruadh en Beck hadden gericht. Er heerste doodse stilte, de een staarde de ander aan. Kaira hoorde duidelijk het zachte geknister van de fakkels.

Toen brak de hel los. Terwijl een deel van de soldaten de punten van hun wapens in hun vlees staken, waren anderen al bezig Ruadh en Beck met leren riemen de handen op de rug vast te maken en de ogen te verbinden. Steeds namen twee soldaten een van de gevangenen in hun midden en hielden hem bij de armen vast. Tataika en Kaira verwachtten al dat hen hetzelfde lot beschoren was, maar ze bleven vrij – zover het vrijheid genoemd kon worden, door een dozijn tot de tanden bewapende Sundaris te worden vergezeld.

Thilmo had zich aan de kant van Katanja gedrongen. Kaira keek hem aan of hij zich bewust was, wat hij had aangericht. Dat het zijn schuld was wanneer Ruadh en Beck (en misschien ook Tataika en Kaira) een gruwelijke dood zouden sterven. Maar zijn smal samengeknepen lippen en zijn koud vonkende ogen bevestigden, dat hij hiermee had gerekend. Hem beheerste slechts één gedachte. Als hij een Accumulator en een afvallige uitleverde, gaven ze hem misschien de gelegenheid een Sundar te worden.

Ze werden door de lange nachtzwarte gangen van het onderaardse complex gedreven, de trap op en naar buiten in de steeg, waarin kniehoog het rode woestijnzand lag. Kaira was zich eerst de schok nog niet echt bewust geworden, maar nu begon ze opeens te trillen, haar knieën werden slap, en ze moest zich aan Tataika's arm vastklampen. Haar vriendin ondersteunde haar zonder iets te zeggen. Kaira had het liefst hard geschreeuwd uit pijn en medelijden, toen ze Ruadh en Beck blind en vastgebonden tussen de soldaten zag struikelen.

Ze kwamen op de plaats van het gouden hagedisstandbeeld en de kooi. Kaira krampte van ontzetting ineen bij de gedachte, dat ze Ruadh ter plekke in de kooi zouden dwingen en aan de mast omhoogtrekken, maar ze deden niets van dit alles. Natuurlijk, ze moesten hem eerst nog uitvoerig verhoren! Ze zouden hem ondervragen en folteren en opnieuw ondervragen, tot ze alles uit hem hadden geperst, en hem daarna doden...

De soldaat naast haar duwde haar heftig, zodat ze bijna haar enkel verstuikte. Ze merkte het nauwelijks, zo opgelucht was ze, toen Katanja haar troep voorbij de oude berechtingsplaats voerde. Ze werden uit het vervallen fort naar buiten gebracht, daar, waar de kar van Beck geparkeerd stond. Onder strenge bewaking moesten ze toezien, hoe soldaten het voertuig onderzochten. Kaira wenste vertwijfeld, dat ze iets kon doen of zeggen om Ruadh en Beck te redden, maar wat? Wat konden zij en Tataika tegen een dozijn tot de tanden bewapende mannen uitrichten?

Katanja wenkte naar Thilmo, dat hij voor haar moest gaan staan. 'Nou?' beval ze. 'Vertel. Heeft hij iets ongehoords met jullie gedaan?'

Thilmo knikte ijverig. 'Ja, Thainach, direct de eerste nacht. Hij heeft mij bevolen met hem naar buiten te gaan in de woestijn. Daar heeft hij in mijn hals gebeten en mijn bloed gezogen, zoveel dat ik er duizelig van werd. Pas toen hij bang was dat ik bewusteloos zou raken, hield hij op. Dat deed hij bij ons allemaal, steeds afwisselend, zodat we tussendoor bij konden komen.'

Kaira staarde hem sprakeloos aan. Hoewel haar mond van angst zo droog was, dat haar tong aanvoelde als een rasp, schreeuwde ze: 'Je liegt! Dat is niet waar! Zoiets heeft hij nog nooit gedaan!' Ze brak af, toen de soldaat, die naast haar stond haar ruw bij haar arm greep. Maar nu schreeuwde ook Tataika: 'Je liegt!'

'Stil!' beval Katanja streng. Ze wendde zich tot Thilmo. Haar ogen flitsten achter de gaten in het masker. 'Waarom beweren deze meisjes dat je liegt, jongen?'

Thilmo liet zich door haar blik niet van zijn stuk brengen. Brutaal antwoordde hij: 'Waarom? Omdat ze het wel prettig vonden wat hij met hen deed. Ze konden er geen genoeg van krijgen. Behalve dat heeft hij tegen hen gezegd dat het goed was om boosaardig te zijn, dat heeft ze ook bevallen.'

'Jij vies klein varken,' knorde Tataika.

Dit keer wees Katanja met de zweep op haar, en een hoofdbeweging gaf de soldaat, die naast haar stond het teken haar te straffen voor deze onderbreking. De kerel stootte de steel van zijn hellebaard tussen haar ribben. Tataika gromde boosaardig, maar was slim genoeg om te bedenken, dat deze hellebaard ook een puntige kant had.

'En jij, jongen,' ging de aanvoerster van de troep verder, 'Leg me precies uit wat hij heeft gezegd – dat het goed is om boosaardig te zijn.'

Thilmo gehoorzaamde ijverig. 'Hij was trots op zijn fouten. Hij zei dat de Maandraak hem had bijgebracht alles lief te hebben wat gebrekkig, onvolmaakt en slecht is. Bij het feest toonden ze elkaar trots hun slechte gedachten, die ze zelfs op hun huid laten tatoeëren, om zich er altijd bewust van te zijn.'

De vrouw met het bronzen masker liep naar Ruadh toe en beval de soldaat die hem bewaakte, zijn kleren tot op zijn heupen omlaag te doen. Ze draaide de gevangene – die de procedure zonder enige weerstand over zich heen liet gaan – om en bekeek zijn rug, waarop verder ook niets te ontdekken was dan een paar krassen en schrammen. 'Er zijn geen tatoeages,' stelde ze met een wantrouwende blik op Thilmo vast.

Deze glimlachte gelaten, zoals hij altijd deed als hem een vraag gesteld werd, waarop hij een antwoord klaar had. 'Ze zijn niet altijd te zien, maar alleen als hij zijn hekserij uitoefent.'

Katanja bekeek Ruadh, die daar heel geduldig stond. 'Wat zeg je hier zelf van. maangezicht?' vroeg ze heel streng. 'Klopt het, wat de jongen zegt. Dat je je boze gedachten op je huid hebt laten tatoeëren, om ze altijd voor ogen te hebben?'

'De boze en goede gedachten, Thainach,' antwoordde de Accumulator. 'Want beiden zijn in me.'

'En ze worden alleen door hekserij zichtbaar?'

'Niet door hekserij, Thainach. Maar we laten ze alleen zien in de kring van mensen, die elkaar liefhebben en aan wie we ons kunnen toevertrouwen. We zijn…'

'Je praat onzin,' onderbrak de vrouw hem bars en wendde zich weer tot Thilmo. 'Wat heb je bij dit schandelijke feest gezien? Hebben ze daar gif gemengd?'

'O ja. Ze hadden een enorme ketel boven het vuur, waarin een giftige soep werd gekookt. Daar hebben ze allemaal van gegeten, zodat het gif hen zelf niet schaadt als ze het aan anderen geven.'

'En waren er kleine kinderen bij om aan de Maanheks te offeren?'

Thilmo aarzelde. Blijkbaar vond hij het slimmer om het er niet te dik bovenop te leggen. 'Bij dit feest niet, maar ik ben er zeker van dat het bij andere feesten wel zo was. In ieder geval vertelde hij me dat.' Hij wisselde snel van onderwerp. 'Hij vertelde ons dat de Maanheks graag ziet dat ze slecht zijn. Ze pronken daarmee naar elkaar, een ieder verheugt zich des te meer, hoe slechter hij en de anderen zijn.'

Katanja verklaarde met koude stem: 'De twee schurken zullen nog uitgebreid de kans hebben over hun boze gedachten en daden te praten, zodra we in Chiritai zijn. Onze foltermeesters kunnen niet genoeg van dit soort dingen horen.'

Kaira voelde zich ellendig. Het liefst had ze zich op Thilmo gestort, hem aan zijn haren getrokken, in het gezicht gekrabt en in zijn ogen gespuugd, maar ze was ontzettend bang voor de stalen punt die dicht bij haar heup loerde. Ze werd van alle kanten bedreigd, dodelijk bedreigd. Kaira hoefde maar naar Ruadh te kijken om te weten, dat ze allemaal verloren waren. De doodse bleekheid van zijn gezicht en de uitdrukking in zijn ogen gaven aan dat hij er nu meer mee bezig was, zich op een waardige dood voor te bereiden. Ze begon bitter te huilen. Tataika lukte het weliswaar haar tranen te bedwingen, maar snoot luid in haar mouwen.

Katanja ergerde zich hierover. Ze zei scherp: 'Jullie zijn meer dan onnozel, meisjes, dat jullie om hem huilen. Of zijn jullie al zo verdorven?'

Op hetzelfde moment mengde Ruadh zich in het gesprek. Hij sprak hoffelijk, maar niemand in de ruimte ontging de hartstochtelijke woede, die in zijn stem doorklonk. 'Thainach, deze halfklaren zijn niet verdorven en ik evenmin, wat ik ook verder aan fouten mag hebben. Dat wij Nachtmensen meesters in alle zonden zouden zijn, Thainach, is een uitvinding van de Sundaris, die ons onze waarde ontnemen en onze schaamtegevoel kwetsen, en dit verzinsel dient slechts daartoe hun gemeenheid te rechtvaardigen, want als ze ons schande en geweld aandoen, kunnen ze beweren dat ze dit deden, omdat wij van schande en geweld houden.'

Zijn blauwgrijze ogen flitsten naar de vrouw, en een boos rood steeg naar zijn bleke, door de brandende zon geruwde wangen. 'Thainach, ik ben meer dan één keer door keizerlijke ruiters gearresteerd, om geen andere reden dan dat ik een volgeling van Datura ben, en meer dan eens heeft men mij vernederd op een manier dat ik de schaamte daarover niet kan vergeten en steeds heeft men mij gezegd, dat de schuld daarvan bij mij lag. Maar kijk deze halfklaren toch eens aan! Als ik ze in hun hals had gebeten, zodat het bloed eruit opwelde, zou men dan geen sporen van een dergelijke mishandeling zien? Zouden ze niet blauw met beetafdrukken moeten zijn? Kijk naar ze! Ze zijn ongeschaad. De jongen noch de meisjes dragen de sporen van mijn tanden! U ziet...'

Katanja knikte naar de soldaat die naast de gevangene stond en de man sloeg Ruadh met de rug van zijn hand in het gezicht, zo hard dat het bloed uit zijn opengebarsten lip welde. Met zijn op de rug gebonden handen kon hij het niet wegvegen, en het drupte in een dik rood spoor over zijn kin en op zijn kleren.

Kaira had opgelucht adem gehaald toen Ruadh de vrouwelijke soldaat het bewijs van zijn onschuld had aangeboden, en ze greep ijverig naar de kraag van haar jas om de vrouw haar ongeschonden hals te laten zien. Maar deze wendde zich geringschattend af.

Haar stem klonk ruw toen ze zei: 'Bespaar me je bewijzen van onschuld, schaduwman! We weten maar al te goed dat jullie boze kunst eruit bestaat dat jullie geen sporen achterlaten. Ik heb bewijzen genoeg! Niet alleen hebben gevangengenomen nachtschaduwen alles toegegeven wat ze in het geheim doen, er zijn ook overlopers die openlijk hun misdaden hebben verklaard.'

Thilmo nam opnieuw ijverig het woord. 'Thainach, jullie moeten zijn tas nauwkeurig onderzoeken, want hij kan er met tovenarij alles uithalen wat hij wil, goud zowel als gif. Het is een cadeau van de Maanheks. Ik heb zelf gezien hoe hij er handen vol keizermunten en nog vele andere dingen uithaalde.'

Katanja kneep argwanend haar ogen samen. 'We hebben de tas al on-derzocht. Er zat niets anders in dan een ingedeukte theeketel en vuile rommel, zoals een landloper met zich meesleept.' Maar ze wenkte toch een van de soldaten. 'Breng ze hierheen, ik wil nog een keer precies kij-ken.' Ze zette de grote tas voor zich neer en deed die open en op dat moment kwam er iets uit.

Eerst zag het eruit alsof een zilveren kluwen garen uit de opening rol-de, maar die werd van het ene ogenblik op het andere groter en dichter, en breidde zich uit tot een zilveren net dat over de soldaten, hun aan-voerster en Thilmo viel en hen gevangenhield.

Katanja schreeuwde furieus en stortte zich op Ruadh, als wilde ze hem met haar blote handen wurgen. 'Helbedwinger! Vervloekte draak!' riep ze schril. Haar handen graaiden naar hem, maar het net had haar reeds gevangen.

Kaira hoorde hoe ze allemaal in paniek riepen en door elkaar wankel-den. Waar ze ook heen renden, het net was sneller, sneed hen de weg af en omwikkelde hen van alle kanten. Een koor van wilde vloeken, gebe-den en verward angstgeschreeuw steeg uit hen op.

Tataika was ook een ogenblik lang verbluft, maar pakte toen de sa-mengebonden handen van eerst Ruadh en daarna Beck, en maakte met soepele vingers de leren riemen los.

'Loop, loop!' siste ze Kaira toe, terwijl ze met één hand de tas optilde – waaruit nog steeds de zilveren draden vlogen als van de hand van een on-zichtbare spinster. Met de andere hand ondersteunde ze de Accumulator, die over zijn door de riemen gezwollen handen wreef. Met zijn vieren ren-den ze weg, terwijl de patrouille van de Sundaris achter hen in het magi-sche net hingen als vliegen op lijm en geen uitweg uit de val vonden.

Ze haastten zich weg zo snel ze konden, want niemand van hen wist hoe lang de toverkracht zou aanhouden. Ze moesten bovenal echter be-scherming tegen het zonlicht vinden, want het onyxzwart van de nacht-hemel verbleekte al, en de sterren doofden. De oude dame zonk achter de bergen, en in het oosten kondigde een ademzachte groene streep het aanbreken van de schemering aan. Ze hadden nauwelijks nog tijd om onderdak te vinden. Als ze niet snel in zekerheid waren, zouden de Sun-daris weinig moeite hebben ze te vangen.

Kaira snakte naar adem. Met iedere verdere stap brandden haar longen, en haar hart klopte wild. Haar adem was al lang uit zijn ritme, ze hoestte en snakte nog slechts naar adem. Een dodelijke uitputting kroop in haar omhoog. Rode vonken schemerden voor haar ogen.

Ruadh bleef zo onverwachts staan dat ze tegen hem op botste. Ze wilde vragen wat er was, maar had daar allang niet meer genoeg adem voor. Haar zwevende blik wendde zich naar alle kanten. Nergens was iets te zien dat verklaarde waarom de woestijnloper zijn vlucht zo plotseling had onderbroken. Toen hoorde ze opeens een licht gefluit, en meteen suisde iets uit de verwarde, inktblauwe schaduwen van de rotsen en woestijnplanten op hen af. Het was een van de pelsdiertjes, die aardkatten worden genoemd. Het klom pijlsnel langs Ruadhs voorkant omhoog, waarbij het zijn klauwen in zijn kleren hing, sprong op zijn schouder en woelde met zijn snuit in zijn haar. Dit keer was er geen twijfel meer dat hij hem iets in het oor fluisterde. Toen het weer naar beneden sprong, rende de Accumulator hem achterna waarbij hij de richting verliet waarin ze tot dusver gelopen waren. Over zijn schouder wenkte hij naar de anderen hem te volgen.

Het aardkatje rende voor hen uit, waarbij het zichtbaar in een heftige tweestrijd was gewikkeld tussen zijn natuurlijke neiging pijlsnel en onzichtbaar van de ene in de andere schaduw te duiken, en de opgave voor de mensen achter hem zichtbaar te blijven. Het rende een stuk vooruit, hupte nerveus op de achterpoten, ging rechtop zitten, keek hen met zijn gloeiende, gele fosforiserende ogen aan en rende verder. Zonder een moment te aarzelen haastte Ruadh zich achter het dier aan. Beck, Kaira en Tataika volgden hem blindelings.

Kaira voelde het naderen van het zonlicht. De hemel in het oosten was niet langer een turquoise-groene streep, maar had de kleur van een schelp aangenomen. Het trekken aan haar huid begon. Spoedig zouden haar polsen en enkels opzwellen.

Steeds meer levendige schaduwen vulden de verdwijnende nacht om hen heen. Terwijl het aardkatje voor hen uit joeg, streken watervogels met zachtgevederde vleugels over hen heen en dansten zo dicht om hen heen dat Kaira af en toe knipperend terugdeinsde.

De grijze schemering beefde onder de dreiging van de zonsopgang. Het licht zwelde aan. Met iedere minuut werd het harder en giftiger.

Kaira kon het landschap om haar heen al duidelijk herkennen. De bodem onder haar voeten was grijsblauw, steenhard en als gedroogde modder schots en scheef met diepe barsten doortrokken. Aan de horizon dreigde nog steeds het ijslandschap van de bergketen, maar daarvoor verhief zich uit het schemerlicht een oneindig aantal koepelvormige heuvels. Tussen de heuvels bevonden zich smalle kloven, vaak slechts zo breed dat de vluchtenden achter elkaar moesten lopen. Deze kloven slingerden en kromden zich en vormden spoedig een onoverzichtelijke doolhof, waar op de steenharde bodem geen voetafdruk achterbleef.

Plotseling stootte het aardkatje een schril gefluit uit, draaide zich om, keek hen met een bijna menselijke uitdrukking aan en verdween met een flits in de struiken. Een vogel boven hun hoofd twinkelde, sloeg met de vleugels en vloog weg.

'We zijn er.' Uit Ruadh's stem klonk verlichting. 'Kijk! Hier is de ingang naar een grot!'

Kaira stormde als een gek op hem toe.

En bevond zich opeens in het duister.

Haar stuitje deed jammerlijk pijn, maar verder was ze niet gewond, zoals ze na de eerste schrik vaststelde. Ze was ook niet diep gevallen. Onder haar viel een met zware rotsblokken bezaaide afgrond steeds verder de aarde in, als een gedraaide wenteltrap en blijkbaar heel diep, want uit de schacht waaide een vochtig koude wind omhoog. Kaira riep luid om haar begeleiders.

Ze kwamen naar beneden geklommen, diep opgelucht en volledig uitgeput. Nu ze de reddende grot hadden bereikt, voelden ze alle vier pas hoe doodmoe en verzwakt ze waren. Bijna waren ze van pure uitputting aan het begin van de trap blijven zitten, hoewel het dodelijke licht hen dan zeker had bereikt. Met hun laatste krachten struikelden ze over de rotsblokken, steeds dieper en dieper. Uiteindelijk bereikten ze een door rotsblokken omgeven bocht, waarvan de bodem vlak en alleen door zand was bedekt. De ingang van de grot was nog net als een helder luik in een stenen dak, ver boven hen, te herkennen.

Beck, Tataika en Ruadh vielen als een steen die in een bron valt in slaap. Kaira, die naast Ruadh lag, had ook gedaan of ze sliep, maar in werkelijkheid luisterde ze naar de zware, regelmatige ademhaling van de man aan haar zijde en ging haar gedachten na.

In elk geval was het haar duidelijk dat ze verliefd was. Ze wist nu dat ze zich vanaf het eerste moment door deze geheimzinnige man aangetrokken had gevoeld, direct bij hun eerste ontmoeting op de klip, en daarna steeds meer, steeds inniger. Ze was hem nader en nader gekomen, toen ze zich niet meer van hem kon bevrijden.

Eerst had ze geprobeerd zich over haar gedachten heen te zetten. Ze had zich ingepraat dat ze hem gewoon sympathiek vond, ze hem mocht en hem dankbaar was. De afgelopen nacht, toen ze geloofd had hem te verliezen, had ze de definitieve stap gezet en zichzelf toegegeven dat ze van hem hield. Te gek! Dat hij zich ook maar met een Kaira zou afgeven, had er alleen maar mee te maken dat hij een opdracht moest vervullen.

Ze voelde zich ellendig. Vond hij haar inderdaad aardig? Of was ze alleen een drukkende last voor hem, die hij op bevel van zijn godin door het land moest slepen?

Al deze vragen gingen Kaira voortdurend door het hoofd, vermengd met de herinnering aan haar dromen in de barak, waar ze na het feest van de Maanschijners had geslapen, en de aanblik van de naakte man die in extase verzonken op het stenen plateau had gestaan. Ze had de blik van zijn lichaam afgewend. Ze hield van hem als een lichaamsloze goede geest, een geslachtsloze beschermengel, die haar door de dodelijke woestijn voerde. Al het andere was gevaarlijk, was weer een van de duizend gelegenheden waarbij ze iets verkeerd kon doen.

Maar toch trok zijn lichaam hier ongewoon aan. Ze draaide zich op haar andere zijde, en als bij toeval schoof ze dichter tegen de man aan, zo dicht dat ze haar tong maar hoefde uit te steken om zijn jas (de bovenste van zijn jassen) tussen de schouderbladen aan te raken. Ze snoof de reeds vertrouwde geur op, de geur van een warm, droog en gezond lichaam, dat ondanks de weinige baden aangenaam rook. Ze richtte de blik op de handlange, koperrode paardestaart die bijna tot op haar neus hing. Ruadh droomde wel zeer levendig, want hij ademde diep en zuchtend, rolde heen en weer en schoof toen een stukje terug, waarbij hij met zijn gehandschoende hand over zijn gezicht wreef alsof hij muggen moest verjagen. Kaira stelde zich voor dat ze het zou wagen zich dicht tegen hem aan te drukken en met de punt van haar neus door zijn haar te woelen, dicht bij zijn oor, zoals het aardkatje eerder had gedaan. Bij deze gedachte ging een hete schok door haar schoot, wat haar bang maakte. Ze schokte heftig samen toen de man luid, maar onverstaanbaar in zijn slaap begon te praten en zich daarbij met zo'n zwaai op zijn rug rolde dat zijn uitgestrekte arm dwars over haar borst landde. De arm was zwaar, en ze wurmde zich eronder uit, hoewel ze het jammer vond dat ze de opwindende aanraking niet langer kon genieten.

De maansteen

$\mathcal{B}$ephza was de razernij nabij. Dat de buit naar vers bloed rook, maakte hem dol van begeerte, en de nieuwe mislukking had hem tot een woede gebracht die hij nauwelijks nog kon beheersen. Slechts een enkele gedachte stelde hem gerust: omdat het genoeg was als hij de hoofd en de huid naar Thamaz bracht, kon hij het vlees en bloed in alle rust verorberen. Misschien was het zelfs heel goed dat hij de buit nu zou vangen, nu de mensen moe, verschrikt en gewond waren, dat zou de strijd verkorten en verhinderen dat de anderen hem te hulp zouden komen.

Heel zeker zou hij na korte tijd naar buiten komen – de mensen bevuilen nooit de plek waar ze slapen – en Bephza wist ook al waar hij naartoe zou gaan om ver van zijn nest en zoveel mogelijk beschut tegen de zon te zijn. Direct naast het gat, dat in de diepte voerde, bevond zich een grotopening in de rotskoepel van de heuvel, diep genoeg zodat de zonnestralen er niet binnendrongen.

Daarbinnen ging Bephza op de loer liggen en maakte zich onzichtbaar.

En inderdaad, na een tijdje verscheen een van hoofd tot voeten verhulde gestalte, haastte zich door het zonlicht en hurkte in een hoek van de grot. Bephza wilde al toeslaan, toen hij op het laatste moment zag dat het de verkeerde man was, de grote. Woedend trok hij zich weer terug en wachtte verder.

Uiteindelijk verscheen de juiste. Hij stelde zich met zijn gezicht tegen de wand van de grot, en dit moment gebruikte de Kadaverdraak, barstend van ongeduld en opgewonden door de geur van bloed, om hem aan te vallen. Sissend vloog hij op zijn slachtoffer af, waarbij hij zich zichtbaar maakte. Dat was niet nodig geweest, maar Bephza genoot iedere keer van de uitdrukking van grote ontzetting op de gezichten van zijn slachtoffers als ze zagen welk muf gedrocht zijn klauwen in hun hals boorde.

De man moest fijnere zintuigen hebben dan de meeste mensen, want hij draaide zich om nog voor Bephza hem had bereikt. Zijn ogen werden groot van schrik. Hij wankelde terug – blijkbaar was hij nog heel zwak na de kwellingen die hij had doorstaan – en hief de linkerhand om de grijpende drakelauwen af te weren. Bephza zag dat hij geen wapen droeg en snapte met zijn snavel en klauwen tegelijk naar hem. Maar de man trok haastig de grijze handschoen van zijn linkerhand af.

Bephza zou nooit weten wat hem gedood had. Hij zag slechts een straal glijdend licht van de hand uit schieten, alsof de man plotseling een gloeiende speer vasthield. Een pijnstoot, die zijn zintuigen doofde, verscheurde zijn zombieachtige lijf. Het gemummificeerde lichaam sprong in stukken, die rokend op de grond uiteen vielen. En de lichtstraal verscheurde het weefsel van de door magie bezielde geest en reduceerde Bephza tot slot tot damp. Een stinkende wolk, die zich nooit meer samen zou voegen, waaide naar alle kanten weg. De brokken die op de grond waren gevallen versmoorden en vervielen na enige ademtellen tot een fijn, afstotend hoopje stof.

De man trok zijn handschoen weer aan en verliet met zwaarmoedige stappen de grot.

Door de Blauwe Woestijn

Was toen de zonnester de westelijke horizon al raakte, werd Kaira wakker. Ze deed haar ogen open en keek omhoog naar de verre heldere plek die de toegang tot de bovenwereld was.

Ruadh was ook wakker geworden. Hij stond op en pakte de lantaarn. 'Kom,' fluisterde hij tegen haar, 'we laten Tataika en Beck nog een ronde slapen en gaan op zoek naar water. Met ontbijt, vrees ik, wordt het niks.'

Ze klommen traag en moeizaam door de wendingen in de schacht naar beneden, zo ver als het licht reikte. De kou en duisternis van de grot sloegen hen van beneden uit tegemoet, maar ze hoorden ook het geklater van een bron. Het water was zo koud dat Kaira's lippen en tong gevoelloos werden, maar het was fris. Ze merkte dat de pijn van de schrammen minder werd toen ze deze in de bron hield. Ruadh zat op een steen en koelde zijn gesprongen lip met het ijzige bergwater door de natte katoenen handschoen er tegenaan te drukken.

Terwijl ze zich klaar maakten om weer omhoog te klimmen zei Kaira: 'Toen ik wakker werd dacht ik dat ik alles maar gedroomd had, dat de dieren ons hierheen hebben gevoerd. Heb je zulke dingen al vaker beleefd?'

'Soms. We helpen hen waar we kunnen, en zij helpen ons. We zijn vrienden.'

Hij zweeg, want het omhoog klimmen tussen de blokken was moeizaam, en Kaira hoorde dat hij zwaar ademde. Beck en Tataika waren ook wakker, toen ze terugkwamen, en toen ze van de bron hoorden gingen ze naar beneden om hun schrammen te koelen, te drinken en zich te wassen.

Kaira ging dicht naast Ruadh zitten. Ze was blij dat ze hem voor zich alleen had. Met zachte stem zei ze: 'Het spijt me dat het een van ons was die jullie verraden heeft, jou en Beck. Het moet vreselijk voor je zijn geweest.'

De man staarde voor zich uit. 'Ja, dat was het,' antwoordde hij. 'Als ik niet de maan in mijn buik had gehad, zou ik van angst hebben geschreeuwd en gehuild.'

'De maan in je buik? Wat bedoel je?'

'We gaan de woestijn in om een ritueel uit te voeren op een plek, die de 'stad van de stilte' genoemd wordt. Daar leren we herkennen wie we werkelijk zijn. Daarna kan niemand ons meer innerlijk kapot maken, ook de Sundaris niet, ook al doen ze daar nog zo veel moeite voor.'

Een uitdrukking van bitterheid gleed over zijn door het harde leven getekende gezicht. 'Dat betekent niet dat ik het licht neem. Ik lijd ook als ze me met spot, verwijten en onvervulbare eisen overladen. Als ze boosaardige grappen en mij belachelijk maken, als ze me bedreigen en bang maken. Maar het is hen nog niet gelukt mijn hart te breken. Begrijp je? Ik heb gehuild van schaamte en smart, toen ze me mishandelden, en gisteren dacht ik dat ik de angst niet meer kon verdragen, maar nog nooit hebben ze me ertoe gebracht mezelf door de modder te halen.'

De bitterheid verdween, hij glimlachte weer; een trotse en stralende glimlach.

Ze wilde hem nog verder uitvragen, maar onderbrak zichzelf midden in een zin want Tataika, die in de koude bron haar schrammen had gekoeld, kwam terug. Snuivend door de steile klim, en plofte naast haar op de grond.

'Zo, nu gaat het me weer beter,' verkondigde ze. 'Nu zou ik alleen nog die kleine stinkende zak Thilmo in mijn vingers willen krijgen en hem een pak slaag geven. Jij niet, Vuurvos?'

De woestijnloper maakte met beide handen een gebaar dat zei: stop, geen woord meer. 'Laten we het over ons hebben, Tataika. Het heeft geen zin over anderen te praten. Thilmo gaat zijn weg, en wij gaan de onze. We zullen vannacht proberen om naar Umbra te komen.'

Tataika zei met gedempte stem: 'Beck is bang voor haar.'

'Veel mensen zijn bang voor haar. Ze brengt haar leven door in de woestijn, en als je daar lang genoeg leeft verlies je hetzij je verstand – dat is al met veel mensen gebeurd – of je wordt een bijzonder mens. Je leert met de dieren te praten en zelfs met planten en stenen, je hoort het water in de diepte onder het zand klateren en raakt met je haar verward in de sterren. Umbra is een heel ongewone vrouw,' besloot hij, en Kaira voelde hoe een donkere wolk van jaloezie door haar hart trok.

De Vuurvreter was nauwelijks achter de horizon verzonken toen ze door de rotsige bochten omhoog klommen en hun hoofd uit het gat staken waarin Kaira 's morgens was gevallen. De doolhof van kloven aan de voet van de heuvel lag al in een violette schaduw, maar de gebarsten bodem straalde nog de enorme hitte van de dag af. Toen Kaira uit het gat klom meende ze door waaiende hittevlagen te kruipen. Elke steen, elk brok aarde gloeide. Het was heel stil. Geen vogel krijste, geen kruimel aarde ritselde onder haastige voeten. Kaira haalde diep adem en moest hoesten toen de hete lucht in haar longen drong.

Ruadh duwde hen voort. 'Maak voort! Hoe eerder we bij Umbra's huis zijn des te eerder is er wat te eten.'

Ze hadden nauwelijks een kilometer door de woestijn gelopen toen Ruadh plotseling zijn hoofd ophief en luisterde. Het volgende ogenblik had hij de beide meisjes al gepakt en wierp zich samen met hem op de grond, waar ze zich in het zand drukten. Beck wierp zich ook vlak op zijn buik. Direct daarna hoorde ook Kaira het geluid dat uit het noordoosten naderde: het ruisen van geweldige vleugels. Ze wierp een blik over haar schouder en zag hoe een schaduw de hemel verduisterde. Tegelijkertijd vervulde een geur van verrotting, die haar de adem afsneed, de lucht. Wat ze rook was erger dan gewone rottende materie, het was een vuilheid van geest en wezen, die alles besmette wat ze bereiken kon. In de weinige tellen voor Kaira haar gezicht in het zand drukte en haar ogen dichtkneep, herkende ze de naderende omtrekken van een enorm wezen, zonder twijfel een Purperdraak, maar van een enorme omvang.

Hij was tot op enkele delen, die als een stevig bottenstelsel uit een rottende massa voor hem uit staken, vormeloos. Waren het haakvormig gebogen benen? Waren het stekels, of de graten van een stevige ribbekast? Ze had alleen duidelijk de schedel gezien, die op de kop van een monsterlijke, rottende vis leek, en zijn ogen – blauwige gelatine-ogen, enorm opgezwollen – die in de avondschemering fosforiseerden.

In de directe omgeving was geen enkele schuilplaats, zelfs niet een struik, waarvan ze in de schaduw hadden kunnen hurken. Maar het zand hier boven op de heuvel was diep en los. 'Snel!' siste Ruadh, alsof het naderbij fladderende monster hen kon horen. 'Graaf je in!' Hijzelf slingerde zichzelf heen en weer, zodat zijn lichaam steeds dieper onder het zand raakte, en schoof met beide handen zand over zijn benen. Beck, Tataika en Kaira deden hem zo goed als ze konden na. Gelukkig bood het zand geen weerstand, zodat ze er met elke beweging dieper wegzakten, tot van alle vier alleen nog de schouders en hoofden te zien waren.

'Hoofd naar beneden en niet bewegen!' beval de Accumulator.

Kaira hoorde het bloed in haar slapen hameren. Met haar voorhoofd stevig op haar handen gedrukt lag ze daar en durfde nauwelijks adem te halen. Haar borst voelde hol aan, volledig hol tot op haar ademberovende hamerende hart. Het kloppen van haar hart dreunde in haar oren. Hij heeft ons ontdekt, dacht Kaira, hij heeft ons ontdekt! Elk ogenblik zou deze huiveringwekkende massa van levende verrotting op hen neerstorten en ze onder een berg van as begraven. Ze stikte haast van de stank en voelde de slag van de geweldige vleugels. En opeens begreep ze dat het gedrocht zelf ertoe bijdroeg ze te verbergen. Het zand dat zijn vleugels deed opwarrelen daalde als een zachte deken op ze neer en omhulde ze tot ze niet meer van de blauwgrijze bodem waren te onderscheiden.

Daarna verwijderde het zich gaandeweg. Kaira, die stokstijf van angst onder haar deken van zand lag, keek hem met samengeknepen ogen na toen hij over de dorre heuvels weggleed en daarna aan de horizon verdween.

Van de vliegende verschrikking was nauwelijks meer iets te zien toen Ruadh opsprong en zich schudde als een mus die een stofbad had genomen. De anderen kropen ook uit hun schuilplaats tevoorschijn. Beck fluisterde: 'De Maangodin sta ons bij! Wat was dat?'

'Een Kadaverdraak,' antwoordde Ruadh. 'Hij vloog naar het noorden. Waarschijnlijk heeft Zarzunabas hem bij zich geroepen om verslag uit te brengen. Kom! Bij Umbra zijn we veilig.' Hij liep met grote stappen weg, de helling omlaag in de zwartblauwe schaduw van de kloof, waar rotsblokken en hoge stekelzwammen meer beschutting tegen blikken vanuit de hemel boden.

Toen het werkelijk donker was geworden en de Maangodin was opgekomen, kregen ze weer gezelschap. Een zwerm waterlopers dook uit de schaduw van de nacht op en wervelde zo dicht om hen heen dat Kaira bang werd dat ze tegen haar gezicht zouden vliegen. Ruadh strekte een arm uit, en de dieren zetten zich als vogels op zijn uitgestrekte wijsvinger, zijn hand en zijn mouwen. Een paar passen lang lieten ze zich dragen, toen zwermden ze weer uit.

De Maangodin scheen helder genoeg om te kunnen zien waarheen hun voeten liepen. Kaira kon weliswaar geen weg ontdekken, maar Ruadh liep zelfverzekerd voorop, als een jachthond die een onzichtbaar spoor volgt. Hij was in vertrouwd gebied aangekomen.

Kaira ontdekte in een van de heuvels een opening. Het was een kunstmatig aangebrachte opening, die eruitzag als de toegang tot een mijn. Hij was vierhoekig en rondom ingemetseld.

Tataika had hem ook gezien, want ze vroeg: 'Dat gat daar verderop, Vuurvos, wat is dat? Woont daar de vrouw die wij bezoeken?'

De Accumulator schudde heftig zijn hoofd. 'Nee. Umbra woont in een huis. Dat daar is de dodengrot.'

De meisjes wilden alle twee weten waarom het gat de dodengrot werd genoemd, maar Ruadh schudde slechts korzelig zijn hoofd toen ze hem ernaar vroegen, en haastte zich de plek te verlaten.

Ze waren zojuist een van de gladde duinen opgeklommen, toen Ruadh hen toefluisterde dat ze plat moesten gaan liggen. Kaira was al bang dat het vliegende gedrocht terugkwam, maar toen begreep ze waarom ze alle vier op hun buik lagen. Onderaan de voet van de duinen bewoog zich een zwakke gele schijn, die zonder twijfel van een lantaarn afkomstig was. Degene die daar onderweg was zocht iets, dat was duidelijk. Maar het was geen vluchteling, want de lantaarn zonk herhaardelijk naar de grond en steeg dan weer. Het leek eerder op iemand die iets verzamelde.

Ruadh liet Kaira's schouder los en stootte een lange melodische roep uit, de 'roep van de vrienden', die ze al een keer had gehoord toen ze de Martichoras tegen waren gekomen.

Het huis van de tovenares

Ze klauterden de naakte helling zo snel als ze dat in het maanlicht konden omlaag, en liepen op het licht toe. De persoon die de lantaarn vasthield, leek eerst niet meer dan een lange, zwart glanzende zuil, die Kaira verwarde. Toen werd het zicht helderder, en ze stelde vast dat de zuil een hele grote vrouw in een mantel met een capuchon was.

Ruadh sloot de vrouw – die een hoofd groter was dan hij – in de armen, kuste haar liefdevol eerst op de linker- en toen op de rechterwang en deed een stap terug om haar te bekijken. De vrouw beantwoordde de kussen. Het vreemde, op een reuzenhagedis lijkende dier aan haar zijde keek naar haar met mensachtige wijsheid. Toen het de vreemdelingen opmerkte, kwam het op Kaira af en bevoelde haar neerhangende hand met een lange gevorkte tong, zoals honden vreemde mensen besnuffelen. Daarna deed het datzelfde bij Tataika, Beck (waarbij het voortdurend nieste) en als laatste bij Ruadh.

De man hief zijn hand en streelde de gladde reptielenschedel. 'Ari!' begroette hij het dier. 'Hoe gaat het met mijn kleintje?'

De blik van de vrouw gleed nadenkend over Beck, Tataika en Kaira. 'Zei je niet dat je twee meisjes en een jongen mee zou brengen? Ik zie hier echter een volwassen kerel. Is er iets fout gegaan? En wie is dat dan wel?'

'Dat is Beck, mijn vriend,' stelde Ruadh de voormalige rechter, die zich zichtbaar onbehaaglijk voelde, voor. 'En ik heb dringend je hulp nodig. Weet je niet wat er gebeurd is? Was de keizerlijke ruiterij niet bij je? De toverkracht heeft ze zeker nauwelijks langer vast gehouden dan nodig was om ons een voorsprong te geven, en je weet hoe hardnekkig ze zijn. Ik dacht dat ze elke steen in de omgeving zouden hebben omgedraaid.'

'Het is mogelijk dat ze bij mijn hut waren, maar ik was de laatste twee dagen niet thuis. Ik was de hele tijd in de dodengrot beneden.'

'Twee dagen in dat vervloekte gat!' barstte Ruadh geschrokken uit. 'Je bent gek!'

De vrouw lachte spottend en hief een houten emmer op, die naast haar voeten had gestaan. Daarin lagen handen vol van een roodachtig gestreepte steen, die blijkbaar zeer kostbaar was. 'Ik was dieper beneden dan alle anderen voor mij. Het is maar een kwestie van moed. Als iemand al op het eerste niveau de moed verliest, mag hij niet verwonderd zijn dat hij met lege handen terugkomt.'

Ruadh schudde als een zachte terechtwijzing zijn hoofd. 'Je weet niet wat daar beneden is, Umbra. Het moet iets angstaanjagends zijn. Ik had op het eerste niveau al genoeg, en niet vanwege de giftige gassen. Geen tien paarden krijgen me meer naar beneden. Het gat stinkt naar dood en geesten.'

De vrouw klopte hem op de schouder. 'Ach, wat een lafaard ben je, zoals alle mannen. Maar vertel eens, wat is er gebeurd? We kunnen onderweg praten.' Ze tilde de lantaarn op en zette zich in beweging.

Terwijl ze liepen, vertelde Ruadh haar in weinig woorden wat er gebeurd was. 'Ze zitten ons zeker achterna. Vandaag overdag hebben de dieren ons gered, maar de Sundaris zullen het niet zo snel opgeven om ons te zoeken. Je weet hoe hardnekkig ze zijn als het erom gaat een afvallige te vangen en daarnaast ook nog een Accumulator. Ik ben ten einde raad.'

'Is al goed, Vuurvos, je weet, ik help je waar ik kan. Maar deze mens daar – ze wees met een geringschattend gebaar op Beck – komt niet bij mij in huis, die moet in de stal bij de anderen.'

'Dan heb ik je boodschap goed begrepen?' vroeg Ruadh. 'Je hebt een van de geroepenen gevonden?'

'Gevonden en gekocht,' antwoordde Umbra en lachte. 'Ze vroegen op de slavenmarkt het onbeschaamde bedrag van twee keizermunten voor hem, omdat hij kan lezen en schrijven, dus heb ik de handelaar geld gegeven dat hij de volgende morgen als dorre bladeren heeft aangetroffen. Je kunt hem meteen zien, maar ik geloof niet dat hij van veel nut zal zijn.

Het is een armzalige kerel, hoewel ik hem goed te eten heb gegeven.' Ze wisselde van onderwerp. 'Weet je al wat er in Thurazim is gebeurd?'

'Ja, we hebben ervan gehoord.'

Umbra vertelde dat een ridder zich in Chiritai had ingekwartierd en tot koning uitgeroepen had. Ruadh nam dit verbazingwekkend heftig op. Hij viel om alsof hij een stoot had gekregen van een onzichtbare vuist, hapte naar lucht en duwde de knokkels van zijn vingers tegen zijn mond om een schreeuw van vertwijfeling te onderdrukken. Beck keek verrast naar hem, maar Umbra leek te weten wat hem bewoog. Ze fluisterde hem met gebiedende stem toe: 'Stil! Beheers je!' Ruadh vond inderdaad zijn evenwicht weer terug.

Hij mompelde: 'Ik haat het goud!' Kaira herinnerde zich dat hij dit ook in een gesprek met Thilmo had gezegd, even heftig en boos. Hij maakte verder geen opmerking meer, maar liep zwijgend door, zijn rug gebogen als door een zware last.

Korte tijd later dook in het schijnsel van de fakkel een huisje op dat eerder op een heel groot konijnenhok leek dan op een menselijke behuizing. Het begin was waarschijnlijk een eenvoudige blokhut geweest, maar deze was nauwelijks nog te herkennen in de chaos van aanbouwsels die er aan alle kanten uitsprongen. Deels waren ze gebouwd van ongepleisterde grijze bakstenen, deels uit hout, en hier en daar waren dwars over de muren en daken lange latten gespijkerd om de verschillende materialen bij elkaar te houden. Het had zo te zien geen ramen en – wat nog vreemder was – ook geen deuren.

'Umbra's huis is heel bijzonder,' verklaarde Ruadh. 'Ik herinner me dat ik hier eens kwam en, hoewel de Maangodin heel helder scheen, ik helemaal geen huis zag, maar alleen een hoop stenen. Pas toen Umbra de ban ophief zag ik het opeens voor me.'

'We gaan eerst eens naar de stal,' beval de vrouw. In het vriendelijke roodgele licht van de lantaarn naderden ze een veranda aan de achterkant van het huis, waarvan het dak deels was ingestort. De veranda was propvol met de meest ongelofelijke voorwerpen. Tot in de achtertuin verspreidde zich een stroom van oude rommel die door de onbarmhartige zon gebleekt en verroest was. Het leek, dacht Kaira, alsof het huis niet aflatend voorwerpen uitspuwde, die dan in de omgeving verspreid bleven liggen.

De achtertuin was overigens geen aangename verblijfplaats, want in een kooi liepen vier zwart en roze gevlekte varkens rond die een akelige lucht uitwasemden. Vier stevige beren waren het, met kromme, ivoorgele slagtanden en een borstige haarkam op de rug. Zelfs voor varkens waren ze ongewoon lelijk, ze hadden abnormaal lange snuiten en benen als stokjes, waartussen de vette hangbuiken bijna over de zandbodem sleepten.

Umbra beval met duister genoegen: 'Vertel je vrienden het verhaal van mijn varkentjes, Vuurvos. Het is zeer leerzaam.'

Dus vertelde de Accumulator dat men fluisterde dat Umbra vier mannen, die met boze bedoelingen het huis van de inwoonster waren genaderd, in deze varkens had veranderd, die nu voor de vuurketel werden gemest. Zodat ze niet zouden vergeten welk lot hen was toebedacht hing achter aan de wand van de kooi het slachtmes, dat lang en scherp als een kromsabel was.

Kaira wierp een twijfelende blik op de vier beren, die zich knorrend en snurkend in hun verblijf verdrongen en de bezoekers met boosaardig glinsterende, bloeddoorlopen oogjes bekeken. Waren ze werkelijk betoverd? In ieder geval leken ze erg op boze, wellustige mannen.

'En worden ze werkelijk geslacht? Al gauw?' vroeg Tataika, die veel genoegen aan dit denkbeeld beleefde.

Alsof ze het verstaan hadden renden de misvormde zwijnen plotseling wild door elkaar, woelden met hun hoeven de bodem op en stootten daarbij ijselijk snerpende geluiden uit.

Ruadh gaf niet precies antwoord. Hij gaf alleen te kennen: 'Umbra is een vrouw die men respect moet bewijzen. Verstandige mensen begrijpen dat vanzelf. Onverstandige moeten het leren.'

Kaira wierp een lange blik op de varkens. Ik zou ook graag een vrouw willen zijn die men respect moet bewijzen, dacht ze en voelde, hoe haar van innerlijke opwinding tranen in de ogen kwamen.

Beck was blijkbaar al bang geweest dat hij bij de afschuwelijke zwijnen zou worden opgesloten, want hij was erg opgelucht toen Umbra de deur van een schuur opendeed en deze met haar lantaarn van binnen belichtte. Een gedempte schreeuw van schrik verried dat zich in de schuur iets levends bevond, en er volgde een haastig geritsel als van een dier dat onder het stro wegkroop.

Kaira tuurde nieuwsgierig naar binnen, maar zag verder niets dan een brede baal stro waarop een hoop dekens lag en een lage tafel ervoor, waarop verschillende schotels en bekers op een rij stonden. Umbra wierp een blik op de schotels en zei: 'Hij heeft in elk geval gegeten en gedronken.' Ze wendde zich tot Beck. 'Ik heb niets tegen je persoonlijk,' zei ze, 'maar ik houd er niet van als mannen in mijn huis komen. Zelfs Vuurvos laat ik alleen binnen als hij schoon is. Dus moet je de tijd van je verblijf hier doorbrengen. Het stro is vers, de dekens zijn warm en schoon, Vuurvos zal jullie later wat vers eten brengen en je kunt de tijd doorbrengen met Jannis gerust te stellen en hem moed in te praten. Misschien gelooft hij van jou eerder dan van mij dat ik hem heb gekocht zodat hij zijn plicht jegens Mandura vervult, en niet om hem tot soep te koken.'

Beck antwoordde beleefd: 'Ik dank u voor uw bescherming, Umbra, en zal me naar behoren gedragen.' Hij liep op de strobaal toe en ging zitten.

Umbra sloot de deur weer af en bracht de anderen terug naar het hoofdhuis. Daar hield ze stil en wendde zich tot Ruadh. 'Je kent de procedure.'

'Ik weet het, ik weet het. Haast je, deze woestijnnachten zijn ijzig, en ik heb het vreselijk koud.' Ruadh frommelde aan de knopen van zijn jas. Kaira en Tataika keken verbaasd toe hoe hij zich uitkleedde en, toen hij eenmaal naakt was, met gespreide armen en benen tegen de gammele gevel van het huisje leunde.

Umbra nam een kleine rijstbezem, die aan een haak tegen de houten wand hing, en veegde de man daarmee van boven tot beneden af, als moest ze stof en vuil van zijn huid afhalen. Ruadh bibberde hevig in de ijzige kou van de woestijnnacht en vertrok pijnlijk toen de scherpe borstel over zijn huid kraste, maar hij hield geduldig stil. Toen Umbra hem dit beval, draaide hij haar eerst de voorkant en daarna de achterkant toe. De vrouw mompelde iets voor zich heen dat Kaira niet verstond. Misschien was het een toverspreuk. Daarna glimlachte ze tegen hem. 'Je mag naar binnen.'

Ruadh, wiens tanden klapperden van de kou, stortte zich op zijn kleren.

Pas nu zag Kaira – en ze gaf een zachte schreeuw van verrassing – dat het huisje plotseling een deur had, een heel normale deur uit stevige houten planken.

Umbra deed de deur open en schoof haar bezoekers naar binnen. Ze volgde met de lantaarn, die ze op een kist zette.

Kaira keek benauwd om zich heen. Het binnenste van de hut rook stoffig en verstikt, zoals huizen ruiken waar de ramen nooit opengaan. De kamer waarin ze stond was van de vloer tot het plafond vol met oude rommel. Om van het ene einde naar het andere te komen moest men zich langs zuilen en stapels van deze rommel wringen. Maar het was een vriendelijke, gemoedelijke chaos, zoals in het huis van Kaira's grootouders had geheerst, waarin meubels en herinneringen aan vier generaties in een hele kleine ruimte waren samengeperst.

'Ik heb nog nooit een dier als Ari gezien,' bekende Tataika. 'Hij ziet eruit als een enorme hagedis, maar hij is veel slimmer, nietwaar?'

'Ja. Veel slimmer en onvergelijkbaar vriendelijker. Het is ook geen hagedis. Men noemt deze soort Mesri's. Ze wonen ver weg in de woestijn en zijn heel moeilijk te vangen, maar als ze tam worden zijn ze heel aanhankelijk. Ik heb Ari als jong dier in de woestijn gevonden toen hij door een roofvogel was gewond, en heb hem weer gezond gemaakt. Sindsdien is hij mijn trouwste metgezel.'

Ruadh vroeg op de achtergrond: ' Mogen we in je badkamer, Umbra? Ons laatste warme bad dateert van zes weken geleden.'

'Dan is het hoog tijd, begrijp ik. Maar je moet het water zelf uit de bron halen. Ik doe dat niet voor je.'

Ruadh liet opnieuw een diepe zucht horen. 'Umbra, ik zou niet alleen het water halen, ik zou zelfs je laarzen poetsen en de keukenvloer schrobben, als ik daarvoor een bad mag nemen.'

Er was een enorme houten badkuip, zo groot, dat zelfs een man tot aan zijn oksels in het water kon zitten. Toen hij tot bovenaan met heet water was gevuld zette Umbra twee gekurkte kristallen flesjes op de rand. 'Laat eerst de meisjes baden, Vuurvos. Ik heb hier iets waarmee jullie je haar kunt wassen, en iets, dat jullie na alle schrik en opwinding goed zal doen.'

Ze ontkurkte een van de flesjes en goot een steenrode vloeistof in het hete water. Meteen steeg een scherpe, hete geur op, die bij Kaira het zweet naar haar voorhoofd bracht. Het spul rook als rode peper, maar met iets zoets erdoorheen dat aan vanille en nootmuskaat deed denken. Het was een akelig gezicht zoals de donkerrode soep in de kuip heen-en-weer bewoog, het leek wel bloed. Toen schoot het door Kaira's hoofd dat niemand haar in zo'n soep naakt kon zien! Haastig kleedde ze zich uit, terwijl ze Ruadh haar rug toekeerde. Ze nam niet de moeite haar kleren op te pakken, maar liet ze op de bodem van de kelder liggen en slipte moedig, als een aardkatje, in de kuip. Een diepe, ontspannende zucht welde op uit haar borst toen ze tot aan de schouders in het rode water zonk. Er was niets meer te zien dan haar knieën, die wit en spits als krijtwitte klippen uit een bloedig meer omhoog staken. De heet-zoete peper-vanillegeur steeg scherp in haar neus omhoog, liet haar ogen tranen en kriebelde heftig zodat ze bijna moest niesen. Het prikkelen hield op en een diep, bedwelmend gevoel vervulde haar. Het was alsof al haar organen apart schoongemaakt, verwarmd en daarna weer op hun plek werden gelegd. Ze leunde naar achteren, sloot de ogen en gaf zich met al haar zintuigen over aan het behagen van een vol warm bad.

Intussen was de tovenares bezig de woestijnloper, die zich had uitgekleed, van boven tot onder met een lantaarn te belichten en zijn schrammen te verplegen.

'Wat zien je handen eruit!' riep ze vol medelijden. 'Dat zijn de sneden van een soldatenzweep. Barmhartige maan! Deze zwijnen! Zijn je tanden in orde? Ik geef je iets om te kauwen, dat houdt ze gezond. Hef je arm op. O, dat ziet er lelijk uit. Wie heeft je daar gebeten? Een duizendpoot? Laat je oren eens zien.' Uit haar commentaar maakte Kaira op dat zich in de woestijndorpen een mijtachtig ongedierte bevond dat zich graag in deze lichaamsopeningen nestelde en daar etterige ontstekingen veroorzaakte. 'Je hebt geluk gehad, Vuurvos. Je bent schoon. Ik geef je nog iets mee, dat de mijten ook in de toekomst ver van je houdt, als je het voor het slapen gaan op je gezicht smeert.'

Ruadh lachte hardop, een lachen waaraan men merkte hoe prettig hij zich voelde. 'Het laatste wondermiddel wat je me hebt aangepraat heeft vooral de andere gasten ver van me gehouden! Het stonk zo vreselijk dat ze dreigden me in de tuin te gooien als ik het niet afwaste.'

Kaira knipperde met haar ogen. Ze zag dat Ruadh onbekommerd naakt op de kruk zat en het zichtbaar genoot dat de tovenares hem zo liefdevol verzorgde. De beide ouderen plaagden elkaar met de vertrouwelijkheid van oude vrienden. 'Jij oude ongewassen bok, nu is mijn zalf er de schuld van dat je slecht ruikt?' Ze streek teder met gespreide vingers door zijn lange koperrode haar.

Kaira schrok omhoog toen de diepe stem van Tataika bij haar oor klonk. 'Hé, blijf je je nog lang in de badkuip wentelen? Ik wil er ook in.'

'Je kunt er toch in.' Kaira dook haastig met haar hoofd onder water om haar haren uit te spoelen. Gelukkig was de kamer bijna helemaal in de schaduw gehuld, want Kaira had het pijnlijk gevonden naakt gezien te worden. Ze slipte uit de badkuip en trok haar kleren aan zonder zich af te drogen. Tataika verdween even snel en beschaamd als Kaira in de rode vloed.

Kaira verkondigde verlegen: 'Ik ga intussen maar eens naar de keuken.'

Niemand had daar wat tegen, en dus vluchtte ze naar de keuken (ze nam aan dat deze wirwar de keuken was, omdat de oven daar stond). Tenminste was Ari daar, die meteen voor haar op zijn achterpoten ging staan en zijn kleine tere handen op haar onderarmen legde. Ze streelde hem voorzichtig, en hij likte met zijn gespleten tong haar hand. Toen ze ging zitten klom hij op haar schoot, drukte zich tegen haar borst en gaf te kennen dat hij verder geliefkoosd wilde worden. Daarbij liet hij een zacht, muzikaal zoemen horen, dat deed denken aan de trillende klank van een zingende zaag en wel het tegendeel was van het spinnen van een kat.

Kaira liefkoosde hem afwezig, terwijl ze aan Ruadh en de tovenares dacht. De woestijnloper was hier zeker al vaak te gast geweest, en er was geen twijfel aan dat hij de wonderlijke vrouw graag mocht. Misschien hield hij zelfs van haar. Waarom ook niet? Ze was heel statig en vriendelijk tegen hem. Hij had een gezicht getrokken als wenste hij dat zij hem kuste. Zou hij dat hebben gedaan als zij hem al niet eerder gekust had? En toen hij hier in de hut overnacht had, zou hij in haar bed hebben geslapen? Vast en zeker!

Elke gedachte die door het hoofd van Kaira ging, was als een stekel die zich in haar boorde. Ze voelde hoe bij haar wrok opkwam. Nee, Vuurvos de Accumulator was geen goedige engel, geen vriendelijke geest. Hij was slechts een hele gewone man. Nou ja, misschien niet heel gewoon. Maar toch een die wilde wat ze allemaal wilden. En de tovenares, die eenzaam in de woestijn woonde, met geen ander gezelschap dan deze dwergdraak met de spinnevingers, had met zekerheid geen nee gezegd.

Ze zou hem toch nooit zo vertrouwd hebben aangeraakt, als ze hem niet al heel goed gekend had, toch?

Bij deze gedachte werd Kaira zo kwaad dat ze, zonder het te willen, Ari pijnlijk hard tegen zich aan drukte. Hij blies geschrokken en gekwetst tegen haar en rukte zich van haar los.

Zijn fijngevoeligheid maakte haar nog bozer en ze had hem bijna een trap gegegeven. Niemand mocht haar, niet eens deze hagedis! 'Verdwijn!' riep ze beledigd. 'Lelijke steenkruiper!'

Bij dit scheldwoord draaide de Mesri zich om en wierp haar met zijn barnsteengele amandelogen – die geen zichtbare pupillen hadden – zo'n doordringende blik toe dat ze hevig schrok. Hij kon toch niet begrepen hebben wat ze gezegd had?

Korte tijd later kwamen de drie anderen de kamer in. De vrouw tilde de Mesri op en nam hem als een kind op de arm. Hij drukte zich stevig tegen haar aan en sloeg zijn handjes om haar hals. Kaira kon aan niets merken dat hij haar iets had meegedeeld, maar plotseling vroeg Umbra, terwijl ze dreigend haar hoofd fronste: 'Heb je hem pijn gedaan, meisje?'

Kaira schrok zo heftig dat ze rood aanliep. 'Niet... niet opzettelijk,' stotterde ze. 'Hij wilde op mijn schoot, en toen heb ik hem wellicht te hard beetgepakt. Het spijt me.'

'Ze was alleen maar onhandig, zegt ze – het spijt haar,' herhaalde de vrouw en keek diep in de ogen van de Mesri. Het griezelige dier beantwoordde de blik lang en indringend en ontspande zich toen, legde zijn wang tegen haar haar en hief met een gelaten beweging de voorpoten, om zich op de smalle borst te laten kroelen.

'Je moet voorzichtig met hem omgaan!' maande Umbra, die nog steeds heel nijdig leek. 'Doe hem nooit pijn! Heb je dat begrepen? Doe hem nooit pijn!' Ze zette het dier op een sofa en gebaarde Kaira haar te volgen. 'Neem die blauwe emailleschaal daar en kom mee. Jullie zien er half verhongerd uit... ik zal eten voor jullie maken.' Ze ging met een tweede, kleinere lantaarn in de hand de kamer uit, en Kaira volgde haar.

Nog nooit had ze zo'n wankel en samengeraapt huis gezien als dit. Overal waren smalle doorgangen naar schuren en bijgebouwen, die even vol met rommel stonden als de hoofdruimte. Umbra stootte een getraliede deur open en glipte een bijgebouw met een schuin aflopende wand binnen.

Toen ze de ruimte betraden en het licht van de lantaarn er binnen viel, begon plotseling een gekakel als in een hoenderhok. Kaira keek om zich heen naar de bron van dit lawaai, maar kon nergens kippen of andere dieren ontdekken. Op een lange tafel stonden weliswaar kooien, maar die waren gevuld met groen spul. Het waren dikbladerige, diepgroene planten, die zich heen-en-weer bewogen, als waaide er een krachtige wind door de ruimte.

Ze bewogen zich werkelijk! En het ijle gesnater kwam van hen af!

Meteen moest Kaira denken aan de honingvallen, en ze week geschrokken achteruit. Umbra legde geruststellend een hand op haar arm. 'Niet bang zijn, meisje. Ze doen niets. We noemen ze tronten. Ze maken veel lawaai, maar ze bijten niet.'

Kaira greep de fakkel en kwam voorzichtig een stap dichterbij. Op de bodem van elke kooi stond een diepe, met aarde en zand gevulde schaal waarin het dikke kruid wortelde. De planten – zo groot als een kool – moesten wel erg buigzame en beweeglijke wortels bezitten, want ze slingerden met de breedte van een hand naar alle kanten zonder de wortels uit de aarde los te trekken. Het meest vreemde aan ze was echter een stengel met de lengte van een arm, bleek en met een huid als van een geplukte kippehals, die uit de bladrozet groeide. Bovenaan droeg deze een vorm die op de kop van een kip leek, maar waarin geen ogen of een snavel waren te herkennen. Uit deze vorm klonken stemmen. Daarnaast knikte deze vrolijk op en neer, als mensen die elkaar met een buiging begroeten.

Umbra opende de deur van een kooi, pakte een van de vette planten en trok deze naar buiten. Het groene spul trappelde protesterend in haar hand en stootte geschreeuw uit dat klonk als 'Kwek! Kwek!'

'Kom hier, ik heb de schaal nodig.' Umbra hield de schreeuwende plant met de ene hand vast op de tafel, met de andere greep ze een scherp keukenhakmes dat aan een paal hing. Kaira had niet eens meer tijd om haar ogen dicht te knijpen, toen er een dof tsjak! klonk en het gekakel van de tronte plotseling verstomde. Het artisjokachtige lijf hing slap aan de koploze kippenhals, die Umbra met haar vuist omklemd hield. Bleekroze sap drupte op de tafel. Kaira moest kokhalzen toen ze zag hoe de zojuist nog kalkoenrode, afgehakte kop tot een zachtblauwe kleur verbleekte.

Een half dozijn andere tronten deelden het lot van de eerste. Umbra wierp de koppen in een emmer, hakte de halzen af en gooide die weg. Ze sneed de bladeren weg, verdeelde de stronk in kleine stukken en schoof alles in de aangeslagen blauwe emaille schaal. Toen ze de afgesneden stukken schilde, zag Kaira dat het binnenste werkelijk uit zachtroze, heel mals vlees bestond dat er appetijtelijk uitzag. Toch slikte ze bij de gedachte dat deze hapjes nu op tafel kwamen. Ze wilde niet graag iets eten dat zojuist nog geleefd had, ook al was het maar een groente.

Ari trappelde al van ongeduld toen ze terugkwamen. Hij liep meteen Umbra achterna toen deze zich tussen stapels rommel doordrong en aan de gang ging met een vuurhaard die al heel lang niet meer was gepoetst. Het rooster waarop de pannen stonden was smerig zwart en dik met oude vetkorsten bedekt. Umbra zette een pan op de haard en stak het vuur aan, wierp een deel van de vleesbrokken in de ketel en de rest in een enorme stoofpan.

Al snel stegen uit de ketel en de pan geuren op die Kaira het water in de mond deden lopen. Ze vergat de trieste aanblik van de vers geslachte tronten en concentreerde zich op de geur van de borrelende soep en de stukken vlees die in het rijkelijke vet bruin werden.

Umbra beval: 'Vuurvos, jij kunt de varkens voeren, Kaira helpt je daarbij. Tataika kan de tafel dekken.'

Toen ze in de koude, door enorme sterren verlichte woestijnnacht naar buiten liepen volgde Ari hen, maar hield zich op afstand.

Ruadh fluisterde het meisje toe: 'Pas ervoor op hem nog eens zo ruw aan te pakken! Je wekt daarmee Umbra's woede op, en je weet waar ze toe in staat is.' Terwijl ze bezig waren de weerzinwekkende varkens in de achtertuin te voederen legde hij haar uit: 'Ik denk dat er geen ander wezen is dat zo gevoelig en aanhankelijk is als een Mesri. In de dorpen vertelt men de meest vreemde verhalen over hen. Veel mensen beweren dat een vrouw die een Mesri lief heeft gehad zich daarna nooit meer met mensenmannen afgeeft, zo betoverend zijn de tederheden van dit schepsel.'

Kaira wierp een twijfelachtige blik op Ari, die in de blauwe schaduw op de achterste veranda van het huis lag, de voorpoten onder de kin gekruist, en hen vanuit zijn ondoorgrondelijke ogen gadesloeg.

'Men vertelt,' ging Ruadh verder, 'dat de Mesri's een verborgen giftand hebben waarmee ze dodelijk kunnen toebijten, maar slechts een enkele keer. Als een vrouw zich met een Mesri inlaat en hij voelt dat zijn dood nadert dient hij zijn partner met een beet dit dodelijke gif toe, om haar niet eenzaam achter te laten, maar ook omdat hij haar aan geen ander gunt. Het zijn zeer bijzondere wezens.'

Kaira voelde hoe ze in de koude schemering huiverde. Opeens leek alles om haar heen griezelig, het kromme huis, de gulzig ringende varkens, het tedere, halfmenselijke wezen in de donkere opening van de achterdeur. Ze wist nauwelijks wat ze deed toen ze bescherming zoekend tegen Ruadh aan kroop. Hij zette de emmer neer en sloeg beide armen om haar schouders. Zijn ruwe hand met de vingerloze katoenen handschoen streek teder over haar haar.

'Kom,' fluisterde hij haar toe. 'Je moet alleen goed opletten, dan hoef je nergens bang voor te zijn.'

Ze keerden terug naar het behaaglijk warme huis. Terwijl Umbra kookte, slipte de hongerige Ari tussen hen heen-en-weer en stelde zich – wat er zeer potsierlijk uitzag – herhaald op zijn achterpoten bij de haard om na te gaan of het eten bijna klaar was. Toen eindelijk werd opgeschept spinde hij van genoegen. Umbra droeg hem naar de tafel – waarbij ze een dik kussen onder hem schoof, zodat hij makkelijk bij het tafelblad kon – en zette hem hetzelfde voor wat de bezoekers kregen: een vettige, kruidige soep en een enorme schotel vlees, waarop zich dikke brokken en sneden rauw, gekookt en goudbruin gebraden vlees ophoopten, omgeven door een kring van dampende goudgele aardappels in de schil. Een sterke geur van geroosterd vlees en rook van vuur hing in de verstikkende lucht. Vuurvos werd opgedragen de beide mannen in de schuur hun eten te brengen, waarna ze aan tafel gingen.

Ze hadden allemaal zo'n honger dat een tijd lang niets anders te horen was dan de geluiden die ze bij het eten maakten. Bestek was er niet, ze pakten de vleesbrokken met de vingers beet en veegden hun vettige handen af aan de sneden van een licht brood, dat eruitzag als het vijfdagen-brood van de Maanschijners. Ruadh moest de inhoud van zijn bord verdedigen tegen Ari, die mee wilde proeven. Herhaaldelijk stak hij zijn tong in diens bord en greep met zijn spookachtige viervingerige handen naar de rand om dit naar zich toe te trekken.

Voor de rest at Ari als een mens, hij nam iedere hap in zijn sierlijke handen en voerde deze naar de smalle, van voren afgeplatte snuit, zonder te morsen. Hij kauwde echter niet, maar slikte als een slang elke hap, hoe groot deze ook was, in zijn geheel naar beneden. Kaira zag hoe zijn buikje steeds ronder en vooruitstekender werd, tot hij eruitzag of hij een bal had ingeslikt. Na de laatste hap liet hij zich zwaar van zijn zitplaats neerploffen, waggelde naar het bed waarop Ruadh had gelegen, en rolde zich daar op voor een uitvoerig verteringsslaapje.

Hoe vreemd was het leven, dacht Kaira. Er waren planten die bijna dieren waren, en nu een dier dat bijna een mens was, maar alleen niet kon praten. Ze moest denken aan de geitenman, wiens verdroogde skelet ze in de woestijn had ontdekt. Was dat een dier of een mens geweest? En wat was het verschil? Wie waren ze zelf? Ze zaten aan de tafel van de roofdiervrouw, drie zwetende, begerige schepsels in het helle licht van fakkels, en verslonden het vlees van wezens die kort daarvoor nog hadden geleefd. Ze wisten zich het vet van de lippen en dipten met de stukjes witbrood de bloedige braadjus van de half doorgebakken stukken op. Voor het eerst was Kaira zich er duidelijk van bewust dat ze vleesvreters waren. Roofdieren die hun buit verslonden. Wilde dieren, die het vlees van zwakkere soortgenoten tussen hun moordende tanden vermaalden. Het verschil bestond slechts daarin dat hun voedervlees eerst in een pan had gelegen, in plaats van dat ze vers verscheurde, bloedige brokken in het woestijnzand heen en weer sleepten.

Vroeger, als haar iets dergelijks in gedachten was gekomen, had ze gegiecheld, maar hier smaakte haar het trontenvlees. Ze vond er opeens niets slechts meer aan, een dier te zijn dat andere dieren at. Een vreemde warmte doorstroomde haar buik, en ze voelde duidelijk haar eigen vlees, haar warme darmen, haar kloppende hart. Alles had iets smerigs aan zich, een bijtende roofdiergeur, waarvoor ze terugschrok, maar toen herinnerde ze zich iets wat Ruadh had gezegd: wie het leven wil aanpakken, moet zijn handen vuil maken.

Toen ze allemaal genoeg hadden gegeten, vertelde Ruadh in alle details wat hem overkomen was en vroeg toen: 'Heb je nog nieuws? Mijn lijst houdt hier op.'

'Ik heb nieuws,' antwoordde de tovenares. 'De koningin van de Ka-Ne – je weet, ze is bij mij in de zusterschap – heeft me laten weten dat zich in haar volk een geroepene bevindt, een vrouw met de naam Lulalume, jullie moeten haar afhalen. De koningin zal jullie dan de weg naar Kulabac wijzen.'

'En jij? Ga je niet met ons mee?' Uit Ruadh's stem klonk verlangen. Hij was duidelijk teleurgesteld toen Umbra haar hoofd schudde. 'Nee. Ik ga met Ari mijn eigen weg, maar we zien elkaar bij Kulabac terug. En ik kan jullie meenemen tot Dundris, om jullie moeite te besparen en de Sundaris van jullie spoor af te brengen.'

Voor het slapen bracht Umbra hen naar een onderaardse ruimte die van muur tot muur met een dikke matras was belegd. Deze was met bonte tapijten bedekt, waarop een grote hoeveelheid kussens en bont geweven dekens lag. Een zware, zoetige geur hing in de lucht, vermengd met de geur van brandende olie in een lamp van purper glas die boven de slaapplaats hing.

Ari volgde hen in dit schimmig verlichte slaapvertrek, en Kaira stelde tevreden vast dat hij ongewoon jaloers was. Hij legde zich meteen met de benen wijd op Umbra's borst en buik, schoof zijn snuitje onder haar dikke, wild krullende haar en snuffelde aan haar oor, terwijl hij met zijn slanke vingers haar gezicht betastte. Daarbij stootte hij het merkwaardige hoge zoemen uit, maar siste dreigend naar Ruadh toen deze ook maar een enkele beweging maakte. De man moest zich uiteindelijk naar de tegenoverliggende hoek verplaatsen om niet aangevallen te worden. Tegenover de meisjes toonde de Mesri zich veel minder fijngevoelig, hij wist dus precies het verschil te maken wat een man en wat een vrouw was en van welke van de twee geslachten hij concurrentie te vrezen had.

Kaira was blij toen ze zijn jaloezie zag. De kleine gevlekte duivel zou nooit hebben toegestaan dat Ruadh naast de vrouw ging liggen, dus had ze zich voor niets opgewonden. Hier had ze althans geen concurrentie te vrezen. Ze was op slag zo goed gehumeurd dat ze zich nog eens bij de Mesri verontschuldigde.

'Wees alsjeblieft niet boos voor daarstraks. Ik wilde je werkelijk geen pijn doen. Het spijt me.'

Ari strekte zijn lange gespleten tong uit en likte, als teken dat hij haar vergeven had, vluchtig de uitgestrekte hand.

Kaira rolde zich op onder een deken. Ze hoorde Tataika vragen: 'Wat gebeurt er als de Sundaris overdag nog een keer hier langs komen? Zullen ze ons niet in onze slaap verrassen?'

De vrouw schudde haar hoofd. 'Nee, wees maar niet bang. Ik heb wachters opgesteld.'

'Wachters? Zijn er behalve ons nog andere mensen in het huis?'

'Nee. Maar als de Sundaris in de buurt van mijn hut komen zullen ze 's nachts vier grijze gestalten zien die op elke hoek op wacht staan en overdag honderden giftige, vurig gloeiende otters die rondom mijn huis door het zand kruipen.'

De beide meisjes vroegen niet verder. Kaira wist niet precies of ze de woorden van de vrouw als geruststellend of als beangstigend moest zien. Aan de ene kant was het een opluchting te weten dat afschrikkende fantomen de Sundaris zouden verhinderen hen overdag van hun bed te halen. Maar wie zei haar dat Umbra niet van plan was hen te betoveren?

Het vertrek

In de avondschemering stonden ze op en ontbeten rijkelijk. Daarna liepen ze naar de schuur om Beck en Jannis te halen. De ster met de tanden was net gedaald. De gescheurde bodem gloeide nog na, waardoor het onmogelijk zou zijn deze met blote voeten te betreden. Zelfs door hun haveloze kleding heen voelde Kaira de uit de aarde opstijgende gloeiende sluier. Aan de westelijke horizon stond een vuurrode streep in het turquoise van de avondhemel. Het was als een waarschuwing dat de dodelijke zon niet voor altijd was verdwenen, maar al snel weer uit de onderwereld zou opstijgen, om het Aarde-Wind-Vuur-Land opnieuw met haar gruwelijke licht te verbranden.

Beck was opgelucht toen de deur geopend werd en hij weer frisse lucht ademde. 'Kom, Jannis!' riep hij vrolijk. 'De nacht is koel en fris, en we gaan naar Luifinlas! We hebben een reden om blij te zijn.'

De man die achter hem uit de schuur kwam, leek dat niet zo te zien. Hij was een mager, verkommerd en ziekelijk uitziend mens van ongeveer dertig jaar, met een kuif donker haar en een zo sterk ingevallen gezicht dat zijn neus uitzonderlijk lang en spits leek. Hij droeg de vervallen, donkerblauwe broek en kaftan van een man die voor straf vanwege een misdaad als slaaf was verkocht, en zijn uitdrukking was zo vertwijfeld droefgeestig als daarbij hoorde. Hoewel Umbra hem echter vrij had gekocht. Ook al had hij lang en diep geslapen, leek hij moe en zo zorgwekkend krachteloos dat Kaira zich afvroeg, of hij hen niet tot last zou zijn. Hij zag eruit als een man, die men met liefde voor zich kon winnen, maar ook als iemand die geen bescherming bood, maar zelf beschermd wilde worden.

Kaira voelde een zekere sympathie voor hem. Ondanks zijn verval had hij geen onaangenaam uiterlijk, en hij had zwemmende, hazelnootbruine ogen die haar hart raakten. Umbra had hen verteld dat hij volgens zijn eigen woorden een van de geleerden was die verbannen waren omdat ze dingen te weten waren gekomen die de keizer niet bevielen. Hugues had allen gewantrouwd die teveel in oude boeken snuffelden.

Beck had hem verteld dat de keizer en keizerin dood waren en in Thurazim heftige gevechten om de troonsopvolging woedden, maar zoals hij zei, had Jannis vastbesloten geweigerd het te geloven en het nieuws als leugenpropaganda van de Maanschijners afgedaan. Misschien, dacht Kaira, kon hij het gewoon niet geloven dat niet alleen zijn eigen leven geruïneerd was, maar ook de grondvesten van de samenleving van de Sundaris vielen. Van een nieuwe koning had hij niets willen horen. Er waren geen koningen in Chatundrai, er was slechts een keizer. Alle anderen waren bedriegers en clowns.

Umbra haalde uit een van de wankele bijgebouwen een vliegende transporthagedis die gezadeld was als een paard en plaats genoeg voor alle reizigers bood. Kaira aarzelde toen de tovenares hen beviel op te stijgen, zich aan de riemen vast te houden die over de rug waren gespannen en zo min mogelijk te bewegen om het dier niet uit zijn evenwicht te brengen. Ze was bang dat de hagedis heel hoog zou vliegen. Wat als ze nu van zijn rug viel, terwijl ze tussen de sterren door suisden?

Haar bezorgdheid was echter ongegrond. Het machtige dier vloog laag boven de grond weg, zodat ze bij elke onevenheid zijn stijgen en dalen voelde. Het licht van de lantaarn gleed over grote steenmassa's, zandduinen en blauw of rood gekleurde rotsblokken, die de wind in duizenden jaren tot fantasievolle vormen had geslepen.

Het werd donkerder en donkerder om hen heen, terwijl de hagedis door de woestijn zweefde en een route volgde die alleen Umbra kon ontdekken.

Derde deel

De versluiering van Phuram

De machten van de duisternis

De vuurbaak van Mesquit

Aan de kade van de kleine havenstad Mesquit, hoog in het noorden, stonden de moeders en vrouwen van de vissers en keken bezorgd naar de ochtendhemel. In de schemering waren de vissersboten zoals gewoonlijk uitgevaren om kreeften en langoesten uit de ijzige diepte van de Diamantzee te halen, en toen had de wereld er nog uitgezien zoals altijd, maar nu gebeurde er iets wat niet meer in orde was. De vrouwen trokken hun wollen mantels met capuchon dicht om zich heen en keken afwisselend omhoog naar de Bergen van Luris, waarvandaan een ijzig koude wind boosaardig naar beneden waaide en naar de aan de oostelijke horizon opstijgende zonnester.

'Het zijn alleen maar onweerswolken, denken jullie ook niet?' vroeg een jonge vrouw opgewekt, in de hoop dat de anderen het met haar eens zouden zijn.

Maar die schudden unaniem het hoofd. 'Dat zijn geen onweerswolken,' antwoordde de dorpsoudste, een bijna honderdjarige vrouw, die nog steeds scherpe ogen en een helder verstand had. 'Kijk toch! Het lijkt of er een zak met as wordt leeggemaakt!'

En het zag er werkelijk zo uit. De wolken waren zwarter dan bij onweer het geval was, en als uit een reusachtige zak die omgekeerd en geleegd wordt, welde uit hen een sneeuw van zwarte vlokken op die in een handomdraai de zon bedekten. De vrouwen schreeuwden het allen gelijktijdig uit toen de griezelige sluier Phurams aangezicht verborg en alle licht op aarde op slag doofde. Een grijsgroen halfduister breidde zich uit over Chatundra, waarin het dodenmasker van de gestorven zon nog slechts een zwakke glans uitstraalde.

'De schepen! De schepen op zee!' schreeuwde de dorpsoudste. 'Zonder een vuur dat hen leidt, vinden ze de haven niet!'

En de vrouwen gingen snel hout verzamelen. Ze renden naar het gemeenschapshuis, dat direct aan de ingang van de haven stond, staken fakkels aan met het haardvuur en liepen door het hele huis waarbij ze alles in brand staken wat ze vonden, tafels en stoelen, vensterbanken en trappen, kasten en dakbalken, alles laaide op, aangewakkerd door de woedende valwinden die van de bergtoppen omlaag stortten. De vrouwen hadden juist nog tijd zich in zekerheid te brengen toen het huis al tot een geweldige vuurbaak opvlamde.

Buiten op zee jubelden de mannen toen ze in de zo plotseling ingevallen duisternis het schijnsel van de vlammen zagen, en elk schip wendde de boeg naar de reddende vlammen. Omdat de wind van het land naar de zee waaide hielpen de zeilen hen niet, en de mannen zetten zich met al hun kracht aan de riemen. Het ene schip na het andere bereikte de veilige haven, waar ze werden ontvangen door de vrouwen die tegelijkertijd lachten en huilden. Ze hadden hun mannen gezond weer terug, maar bedreigde hen niet allemaal het einde van de wereld?

Toen ze opkeken hoorden ze een gruwelijk geraas aan de hemel. De sneeuwvlagen aan het uiterste einde van de Toarch kin Mur aan de kant van de zee, waar ze aan de Bergen van Luris grensden, namen de vorm van vliegende draken aan. Ze stroomden zuidwaarts, waarbij ze een zo vreselijke kou uitstootten dat de mensen beneden zelfs in de nabijheid van het brandende huis leken te verstijven. Bliksemsnel verspreidden ze zich over de hemel en namen hun plaatsen in op de toppen van de Huilende Bergen, om het Rijk van Zarzunabas tegen het dreigende gevaar uit het zuiden te verdedigen en gelijktijdig hun eigen slagrijen te formeren.

De dodengrot

Thainach Katanja was woest, zo woest als ze nog maar zelden in haar leven was geweest. Deze twee ontaarde misdadigers waren haar niet alleen door de vingers waren geglipt, ze hadden haar en haar mannen ook nog voor gek gezet. Allemaal hadden ze geschreeuwd en gesmeekt, gevloekt en gejammerd, verward door hun gevangenschap in de zilveren valstrik waarin ze duidelijk het net van de Maandraak herkenden.

Maar ze zou ze krijgen, ze wou ze allebei krijgen en dan zou ze pas echt persoonlijk met ze afrekenen als zij ze geketend naar koning Viborg in Chiritai stuurde.

Ze had Thilmo onder bewaking naar de stad gestuurd, maar zijzelf en haar troepen trokken naar de woestijn en zochten naar sporen van de voortvluchtige. Helaas had de betovering ook een heftige uitwerking op de honden gehad, die verward rondkijkend en met de staart tussen de poten naast hun bazin slopen en zo verdwaasd waren, dat ze nog geen verse haring hadden geroken als die onder hun neus zou zijn gehouden. Maar op een gegeven moment lukte het ze dan toch om het spoor te pakken te krijgen. Ze vonden zelfs de holen waarin de voortvluchtigen zich overdag hadden verstopt.

Katanja was teleurgesteld toen bleek dat er niemand meer was, maar ze kreeg weer hoop toen ze na een paar uur ronddolen een gemetselde ingang van een schacht ontdekte in de duinen. Zij rekende het na: tot hier zouden de misdadigers gekomen kunnen zijn toen de dag ontbrak en dat betekende dat ze heel dichtbij verstopt moesten zijn. Het lag dus voor de hand dat ze in de tunnel waren. Was Katanja niet zo wraakzuchtig geweest, dan had ze zich wel tweemaal bedacht voordat ze er ook maar een voet in zou zetten. Maar ze verwachtte niet dat ze er allebei waren, en haar mannen dachten er net zo over. Buiko, haar adjudant, bood aan om als eerste naar binnen te gaan.

'Wij gaan samen,' besloot Katanja, 'Vooruit, eropaf!'

Zij staken de fakkels aan en gingen de tunnel in. Het werd meteen duidelijk dat ze zich in het voorportaal bevonden van een groot hol, want tocht trok de lucht naar alle kanten. De wind floot en zoemde als insecten tussen de stenen, op een hoge, nijdige toon die Katanja deed denken aan een verstoord wespennest. Zij waren nog maar net een klein stukje van de ingang vandaan, toen het ineens ijzig koud werd. De soldaten trokken hun jassen hoger dicht en zetten hun mutsen op. Onwillekeurig gingen ze dichter naar elkaar toe.

Zonder enige twijfel was het een natuurlijk hol, maar zoals zovaak bij deze holle ruimtes leek het erop alsof het een bouwwerk was dat door mensenhanden was gemaakt. Er waren gangen en openingen die te regelmatig leken om vanzelf te kunnen zijn ontstaan, druipstenen zuilen van filigraan en zo zonderling versierd, dat de meest gedurfde steenhouwer dit niet bedacht en gemaakt zou kunnen hebben. In het licht van de fakkels klauterden de troepen van Katanja over de puinhelling, die van de langzaam afbrokkelende rotswanden omlaag leken te kruipen, wrongen zich door halfverstopte openingen en haastten zich door eeuwenoude hallen en zalen.

Een onbestemde klemmende angst hield hen allen in de greep, die ze aan niets tastbaars konden toekennen. Vanaf de ingang en bij de oversteek van het hele eerste niveau hadden ze geen enkel teken van leven gezien of gehoord, behalve het geheimzinnige fluisteren van de wind.

Plotseling bleef Buiko, die voorop ging, staan en gaf met uitstrekte arm aan degenen die na hem kwamen te kennen, dat ze hetzelfde moesten doen. Hij luisterde en richtte zich met gedempte stem tot Katanja. 'Hoort je dat? Iemand volgt ons.'

De Thainach luisterde en zei: 'Ik hoor niets. Misschien vergis je je? De wind en het water ruisen.'

'Maar ik weet het heel zeker. Voetstappen. Ze komen achter ons aan.'

'De voortvluchtigen zouden bij ons vandaan lopen. Of bedoel je dat ze een hinderlaag leggen?'

Hij schudde zijn hoofd. 'Dit zijn geen opgejaagden, Thainach, dit zijn jagers.' Hij fluisterde in haar oor: 'Het zijn Tarasken.'

Katanja legde haar hand op haar borst om haar op hol geslagen hart tot bedaren te brengen. Met kalme stem beval ze: 'Maak je gereed, soldaten!' Het donker greep haar meer aan dan een vijandelijk leger had kunnen doen. En nu ging het niet meer alleen om de duisternis, maar om dit spookachtige gevaar dat ze tot dusver alleen uit haar ergste dromen kende. Gespannen spitste ze haar oren, maar kon niets horen van het geruis dat de scherp oren van de adjudant wel had bereikt.

Buiko zette zijn fakkel op de grond en keek om zich heen. Het zwakke schijnsel verlichtte een ruimte van waaruit diverse openingen aan verschillende kanten naar volslagen donkere mijnschachten voerden. Kille wind trok door onzichtbare kieren en streek langs de verhitte gezichten van de soldaten. Hij zei zacht: 'Als de misdadigers deze holen in zijn gevlucht, dan hoeven we geen moeite meer te doen om ze te zoeken. Dit hier is dodelijker dan de ondergrondse waterbekkens van het rechtsbeest.'

Katanja had een besluit genomen. 'We gaan terug. Haast je, maar let goed op waar je gaat. Een verstuikte enkel is het laatste wat we er nu nog bij kunnen hebben.'

Met nauwelijks verholen opluchting luisterden de mannen toe. In het donker op misdadigers jagen was een ding, maar daarbij ook nog op wezens uit de onderwereld stuiten, was meer dan van hen kon worden gevraagd. Ze maakten rechtsomkeert en haastten zich terug door de tunnel.

Katanja wenste dat ze hierbij maar niet zo veel lawaai hadden gemaakt. Als de Tarasken in de buurt waren, dan kon het niet anders dan dat die hen zouden horen. Ze had geen enkel idee hoe groot deze beesten konden zijn. Waren ze even groot als mensen? Of groter? Of kleiner, zodat ze met gemak tussen de kieren in de rotswand door konden sluipen? In alle verhalen die haar ter ore waren gekomen, was nooit ter sprake gekomen hoe de basilisken er eigenlijk uitzagen, alleen dat ze weerzinwekkend lelijk waren. Buiko had het erover dat hij stappen had gehoord, dus liepen ze waarschijnlijk op twee benen en waren – wat toch een opluchting was – geen reusachtige insecten of manshoge wormen.

Ze waren net een plek gepasseerd waar de gang eerst omhoogging en dan aan de andere kant van de welving steil omlaag voerde, toen Buiko zich met een ruk draaide en de fakkel omhoogstak terwijl hij een luide kreet uitstootte. Katanja liep om hem heen. Gedurende een paar hartslagen zag ze in het flikkerende licht een gezicht loeren in de bocht van de ondergrondse gang. Een groot, ongezond bleek en pafferig gezicht met een varkensbek met twee rimpelige, snuivende neusgaten. Het kwam haar voor alsof ze in de schittering van een plotselinge lichtflits iets gezien had, want de Tarask verdween meteen weer, waarbij hij een walgelijk ronkend geluid liet horen. Katanja hoorde schaven en schrapen toen hij zich op de vlucht door de rotsgang wrong, daarna was alles weer stil.

Ze waren allemaal blijven staan en keken Buiko aan. Het was hem aan te zien dat het hart hem in de keel klopte. Hij haperde tweemaal voordat hij deze woorden kon uitbrengen: 'Steek alle fakkels aan, ook die in de voorraad. Het licht is ons beste wapen tegen hen.'

'Alles goed met jou?' vroeg Katanja.

Buiko knikte, maar Katanja merkte dat helemaal niet goed was. De Tarasken moesten veel, veel erger zijn dan in de verhalen van de Maanschijners werd verteld, want Buiko was zich doodgeschrokken toen hij het gedrocht goed had kunnen zien in het licht van zijn fakkel. Zijn bleke gezicht glom van het zweet en zijn ogen waren groot en keken wild. Hij strekte zijn arm uit naar Katanja's fakkel en greep die, terwijl hij zijn eigen fakkel in de hand hield. Het had er alle schijn van dat hij zelf niet volledig op de bescherming van het licht durfde te vertrouwen, want zijn gezicht sprak eerder van vertwijfeld doorzettingsvermogen dan van echte moed.

Katanja vroeg zich af wat hij – die het ondier als enige goed had kunnen zien – voor ogen had gekregen. Maar ze kreeg de kans niet om er lang over te piekeren want Buiko had zich alweer in beweging gezet. Hij klauterde, zo snel als mogelijk was bij deze hobbelige en glibberige ondergrond, omlaag over het steil pad tussen de rotsen.

Ze hijgden allemaal, maar de hoop gaf ze vleugels. Hoe steiler de weg omhoog voerde, des te sneller konden ze dit kille labyrint zonder licht achter zich laten. Katanja verzamelde al haar krachten en ging met grote stappen omhoog van het ene naar het volgende rotsblok. De vele uitstekende punten boden houvast, maar waren ook zo scherp dat haar handen zeer deden, ondanks haar leren handschoenen. Als snel had ze het gevoel dat ze zich aan scheermessen omhoog moest trekken. Maar ze

waagde het niet om ook maar een moment uit te blazen of haar ge-
schaafde handen te wrijven, want inmiddels hoorden ze allemaal wat
eerst alleen Buiko had gehoord: iemand zat hen op de hielen.

De vochtige lucht vulde zich gestaag met lispelend geruis, het rollen
van stenen, het schaven van vaste delen langs de ruwe rotswanden, het
verre gefluister van stemmen. De stemmen waren de meest onaangename
die Katanja ooit ter ore waren gekomen. Zij spraken in een taal met
smakkende en knarsende geluiden, als wezens die onder het praten kauwden en slikten. Geen enkel woord was verstaanbaar, maar Katanja kon er
niet uit opmaken of de Tarasken in een onverstaanbare taal spraken of
gewoon te ver weg waren om te kunnen verstaan. Ze hoopte het laatste.

Toen kreeg ze – ze schrok zo onverhoeds dat haar hart bijna bleef stil-
staan – een ander schepsel van de Cloacadieren te zien. Ze was net om
een enorme rotspilaar heen geklommen en stond op een plek vanwaar ze,
als in een trapportaal, uitzicht had over het ondergelegen pad. Weer was
het gezicht dat achter een rots vandaan loerde – een groot, glad, vaal roze
gezicht – maar kort zichtbaar in het flikkerende licht, echter ditmaal herkende Katanja duidelijk zijn gerimpelde slurf en de hangende kaken. Ze
zag ook dat hij misvormde, aan het diepst van de nacht aangepaste ogen
had, die leken op de ogen van een inktvis, zo vlak en kleurloos waren ze.
En weer verdween het gedrocht in een flits, toen het getroffen werd door
het schijnsel van het licht. Toen klonk er een luid getier uit de gang eronder, alsof het door het licht opgeschrikte ondier wild en gehaast over een
hele groep soortgenoten heen klauterde.

Ze waren over een puinhelling omhoog geklommen, die alsmaar onder
hun schoenzolen vandaan gleden en hun toch al uitgeputte krachten tot
het uiterste op de proef stelde. Toen bereikten ze de rug van de helling en
ineens opende de mond van de grot zich voor hen. Buiten was het nacht,
wat Katanja verraste. Ze moesten vele malen langer in de dodengrot zijn
geweest dan ze had gedacht. Maar op dat moment telde alleen dat ze aan
deze zieke diepte konden ontkomen.

Ze strompelden allemaal van de tegenovergelegen helling af, zo snel ze
konden. Toen stonden ze naast elkaar in de ingang van de grot en staarden omhoog naar de hemel, sprakeloos van ontzetting. Waar eerst het gezicht van Phuram had opgelicht, hing nu een groenige schijf in olijfkleurige nevel, als het gezicht van iemand die verdronken is in vervuild water.

Katanja had niet veel tijd om zich te verbazen over de ongewone aanblik van de zon. Achter hen kwam een menigte uit de dodengrot tevoorschijn, die eerder maar zelden de oppervlakte van Chatundra had betreden. Wat Katanja echter het meest verbijsterde, was dat er twee jonge Mokabiters in adellijke dracht voor hen uitstormden, beiden welgevormd en met mooie gezichten, die hun degens trokken onder het schreeuwen van wilde strijdkreten.

Deze aanblik rukte de soldaat los uit haar verstijving. Mannen die bloeddorstig op haar af stormden, waren voor haar een vertrouwde aanblik. 'Buiko!' schreeuwde ze. 'Dat zijn de aanvoerders! Die doden we het eerst!'

Allebei hoorden ze de schreeuw, herkenden Katanja als de aanvoerster van de vijandelijke troepen en kwamen razend op haar af.

Katanja ging achteruit, week uit naar opzij en met een geweldige sprong stootte ze haar speer in de borst van de donkerharige man, zodat hij op de grond stortte. Ze boog zich voorover om zijn hoofd af te hakken met een kapmes, toen zijn kameraad haar van achteren aanviel, en met al zijn krachten stak hij zijn degen onder haar borstpantser door in haar lichaam. Katanja verloor het bewustzijn, rode nevels golfden voor haar ogen en zonder een geluid stortte ze in elkaar. Ze zag niet meer hoe Buiko wraak nam voor de verraderlijke aanval en de man het hoofd van het lijf sloeg, dat van de helling afrolde. De dood drukte zwaar op haar oogleden en ze stierf zoals ze altijd gehoopt had te zullen sterven. In het heetst van de strijd.

Drakenstrijd om Thurazim

De mooie jonge freule Philanis was een van de weinige rijke vrouwen die in Thurazim waren achtergebleven. Ze had er niet toe kunnen besluiten om haar huis met de bloeiende tuin op te geven en te vluchten naar het platteland. Doorlopend bedacht ze – net zo gierig als rijk – hoe de plunderende en onheilbrengende dieren zouden binnendringen en alle kostbaarheden zouden wegslepen als het huis leeg zou staan. Dus had ze haar slaven gedwongen om met haar in de stad te blijven, hoewel ze klaagden en jammerden en duister onheil voorspelden.

Philanis werd wakker, omdat haar kamermeisje over haar heen gebogen stond en aan haar schudde, terwijl ze telkens weer haar naam krijste en tussendoor uitriep: 'Oh kijk dan toch, kijk!'

'Ben je gek geworden, domme trien?' schold de zo onzacht uit haar slaap gewekte jonkvrouw. 'Ik laat je zweepslagen geven!'

Maar het kamermeisje hoorde de dreigementen niet meer. Ze was al op de vlucht geslagen, net als alle andere slaven. Krijsend en jammerend renden zij het huis uit, met haastig dichtgebonden bundels met hun hoogstnoodzakelijke bezittingen over de schouder en op het hoofd. Philanis – die nu ook begreep dat er iets ongewoons aan de hand moest zijn – sprong uit haar bed en zag hen nog net om de hoek van de straat verdwijnen.

Eerst dacht ze dat er storm op komst was, maar toen begreep ze wat er was gebeurd, en een lange, galmende schreeuw van ontzetting klonk uit haar keel. Zo was het dus echt gegaan, en het gezicht van Phuram was verhuld! Wat moest ze nu doen? En vooral, wat zou er worden van haar schatten die ze in de kelder had verstopt voor de plunderaars? Waren ze daar veilig genoeg? In de verwarring van het eerste moment rende ze halfnaakt trap op, trap af door het huis. Schreeuwde naar de slaven en dreigde hen met de meest meedogenloze straffen als ze niet heel snel zouden komen. Toen kwam ze bij zinnen.

De slaven waren weg en de ergste bedreigingen zouden ze niet terugbrengen. Maar een paar tuinen verder op stond de villa van haar vriendin Aniz, daar zou ze naartoe lopen en om een paar slaven vragen, die haar schatkisten naar een nog veiliger schuilplaats zouden brengen. In vliegende vaart trok ze een jurk en een jas aan, schoot in haar sandalen en zette een muts over het nog niet gevlochten en ongekamde haar. Zo stormde ze de straat op.

Ze was niet de enige. Niet alleen in de volkswijken heerste Tidha tan Techta, zelfs hier in de chique villawijk renden de mensen door elkaar als kippen die zojuist de kop is afgehakt. Slaven en meesters kwamen in dezelfde aantallen uit de huizen gelopen en staarden omhoog naar de verschrikkelijk veranderde hemel. De ene bad tot Phuram om weer zichtbaar te worden, anderen grepen naar hun wapens, weer anderen renden gewoon weg zonder na te denken waar ze heen wilden.

In de tijd van keizer Hugues, voordat hij met de Mokabiterse trouwde en zichzelf en zijn rijk aan het verval prijsgaf, was Thurazim een goed versterkte stad geweest. Maar nu was de keizer dood, waren de aristocraten op de vlucht geslagen en de ridders en priesters in onderlinge machtsstrijd verwikkeld. Verwarring en willekeur hadden hun intrede gedaan. Toen de zwarte sluier over het gezicht van Phuram viel en de loden schemer zich uitbreidde over de hele wereld, was er niemand die wist wat te doen. De meeste Sundaris vluchtten de tempel van Phuram in, terwijl de beesten radeloos door elkaar renden en de achtergebleven Maanschijners diep in hun catacomben wegkropen.

Philanis bereikte het huis van haar vriendin maar zag meteen, dat van Aniz geen hulp te verwachten was. Op het tuinpad lag een spoor van spullen die de vluchtende slaven hadden verloren, en uit een open raam op de bovenverdieping klonk het hysterische, woedende geschreeuw van de vrouw des huizes, die – zoals eerder ook Philanis – tevergeefs probeerde om de ontrouwe slaven tegen te houden. Toen Philanis haar riep, kwam ze naar het raam en liep meteen daarna, nog steeds scheldend, de trap af om zich in de armen van haar vriendin te werpen.

'Wat moeten we doen? Wat moeten we doen?' riep ze. Haar woorden gingen op in een afgrijselijk geruis. Het licht van Phuram was nog niet eens gedoofd, toen vanuit het zuiden een lang voortslepend geloei weerklonk alsof er afschrikwekkende storm in aantocht was. De strijdkrachten van de Rachmanzai stormden, van hun ketenen bevrijd, brullend van woede hun aartsvijanden, de IJshoorns, tegemoet. Er vormde zich een reusachtige wolk aan de horizon, zwart als de nacht, vol met flikkerende bliksemflitsen, en die joeg tegen de wind op de verdoemde stad af. Een golf van hitte ging aan de wolk vooraf met fijn, brandend stof dat zich in mond en neus nestelde. De gloed was zo afschrikwekkend, dat Thurazim met al zijn bewoners helemaal in vlammen zou zijn opgegaan, als niet vanuit het noorden een tweede gevechtslinie naderbij zou zijn gekomen.

Krijsend en gierend stormden de IJshoorns binnen op witte wolken, gehuld in sneeuw en kou, terwijl ze zilveren bliksems in het rond smeten.

Hoog boven de hoofden van de ontstelde mensen sloegen de twee legers op elkaar in, onder enorm gebulder en luide strijdkreten. Vuur en sneeuw stormden op elkaar in, de lucht trilde van vuurvonken en ijskristallen. Dat veel inwoners van Thurazim de zwarte dag overleefden, hadden ze alleen te danken aan de woede van de Purperdraken, die de aanwezige mensen vergaten en aan niets anders konden denken dan zich op elkaar te storten en elkaar tot op de laatste schub en klauw uiteen te rijten. De hemel dreunde als een stalen gong, de lucht siste, kokend water droop naar beneden en bevroor voordat het de aarde bereikte.

De twee vrouwen staarden met wijd open mond naar de hemel. Toen viel er plotseling een enorm zwart gevaarte vlammend en wel naar beneden en viel met een doffe klap voor hen op het gras. Het was de afgereten voorpoot van een Muden Gamul, nog bloedend en brandend van de vuuradem van de zegevierende Rachmanzai.

Philanis en Aniz vluchtten bij deze aanblik de tuin in en bereikten het huis van Philanis, waar ze alle deuren achter zich dichttrokken en de kelder instormden. De met brons beslagen deur van de schatkamer viel achter hen in het slot en ze schoven allebei tegelijk de grendel ervoor, voor ze hijgend het zweet van hun voorhoofd wisten en elkaar aankeken.

'Phuram is gedoofd! De wereld vergaat!' riep Aniz handenwrijvend.

Maar Philanis kon zelfs op dit ogenblik aan niets anders denken dan hoe ze haar schatten in veiligheid kon brengen. Ze lagen daar op een hoop zoals haar personeel ze in de onheilspellende afgelopen dagen de schatkamer in had gesleept, koffers en kisten vol juwelen, bergen kostbare wandkleden, schoenen, tassen en hoeden, zakken vol munten uit de tijd van de keizer... zou het allemaal verloren gaan?

Met wilde kreet wierp Philanis zich op een berg met haar beste jurken en trok de mooiste ertussenuit om die naar een andere plek te brengen, die haar veiliger leek. Maar de jurk die ze beetpakte, was ongewoon zwaar. Ze trok en schudde eraan, in de veronderstelling dat de jurk ergens achter was blijven haken. Toen bewoog de jurk zich - en het ding dat erin zat, staarde haar aan met zwartomrande inktvissenogen en siste dreigend met zijn slurf. Philanis sprong achteruit en wilde vluchten. Te laat! De hele berg met jurken ging bewegen, over de puntkraag grijnsden brede smoelen vol met scherpe slagtanden, onder het puntmutsje kwamen roodachtig glinsterende ogen tevoorschijn, en waggelend, hopsend, knorrend, smakkend en tandenknarsend omringden de basilisken de twee waanzinnig geworden vrouwen van alle kanten.

Overheersing van de basilisken

Terwijl de inwoners van Thurazim nog vol ontzetting omhoog staarden naar de vechtende draken, kroop er een nieuw gevaar op uit de kelders en catacomben. De eersten die het in de gaten kregen, waren de Maanschijners, die ineens een wemelende menigte Tarasken tegenover zich zagen en gillend op de vlucht sloegen. Verblufte Sundaris en beesten waren er getuige van hoe mensenzwermen uit de toren van de benedenstad stroomden die zich in wilde vlucht door de schemerig verlicht steegjes uit de voeten maakten. Maar die verbazing duurde niet lang. Al snel zagen ze ook wat er van de trappen kwam en net zo vervuld van weerzin en afgrijzen, renden zij achter de op de vlucht geslagen Maanschijners aan. Verder, alleen maar verder, weg uit de vervloekte stad, waar vuur en ijs en de onderkruipsels uit het binnenste van de aarde over waren uitgestort!

Het was de hebzucht van de basilisken die het leven redde van veel inwoners van Thurazim, want die wezens konden niet ophouden met het plunderen van alle schatkisten, juwelenkistjes en kleedkamers waar ze op stuitten. Dat weerhield ze ervan om de vluchtende massa over grote afstanden te achtervolgen. Maar het waren vooral de standbeelden van Phuram die het moesten ontgelden. Omdat hun pafferige ledematen te zwak waren om de reusachtige beelden om te gooien, forceerden ze de toegang tot de tempels en priesterhuizen en brachten veel tijd door met het bevuilen en verminken van de kleinere beelden van de goden.

Nadat ze de Gouden Tempel op een onbeschrijfelijke manier vuil hadden gemaakt, sleepten ze uit een van hun diepe onderaardse holen een imposant beeldhouwwerk tevoorschijn en zetten het op het altaar. Het stond daar in de schemering, ijzingwekkend om te zien, met zes schubbige poten onder een schild als van een reuzenschildpad, maar dan met stekelige punten, aan de achterkant een gekrulde drakenstaart, maar van voren was het een driekoppige bebaarde man: Tarask, zoon van de Drydd en van de Athahatis. Nu stond zijn versteende kadaver triomfantelijk op het altaar van Phuram.

Zijn afstammelingen dansten om hem te eren en hieven gezangen aan, zoals geen mens ooit had gehoord, terwijl boven de torens van de tempel het razende afslachten voortwoedde van de vijandelijke drakenlegers.

Het was een angstwekkende oorlog. De mensen doken weg onder afdaken, om maar niet geraakt te hoeven worden door de regen van bebloede stukken vlees en bevroren ledematen, die uit de in duisternis gehulde hemel naar beneden kletterde. Vuurslingers en ijsbrokken vielen op de huizen en in de straten, zetten de houten bouwsels in de voorsteden in vuur en vlam en vermorzelden de glazen torens. Overal dromden schreeuwende mensen samen die niet wisten waar ze heen zouden kunnen vluchten. Toen de eerste van de zeven verschrikkelijke nachten boven Thurazim aanbrak, werd de stad omgeven door een ring van vuur, en de woestenij eromheen was vol met vertwijfelde mensen. Zij hoorden het getier aan de hemel, maar toen Datura stralend opsteeg, was er van de drakenlegers geen spoor meer te bekennen. Alleen de twaalf Fallum Fey zweefden aan de hemel en droegen het zilveren spinnenweb waarin hun meesteres rustte.

In het zuiden hadden de Helbedwingers vanaf de bovenste etage van het Huis van de Duizend Torens net zo ingespannen gekeken naar op de elkaar botsende Purperdraken, toen in het noorden de Kadaverkoning op de kantelen van zijn ijspaleis stond en zijn magisch blik over het Keizerrijk liet gaan. Ieder was er van overtuigd dat zijn leger zou zegevieren en de aartsvijand zou vernietigen, en beide waren stomheid geslagen toen duidelijk werd wat er werkelijk was gebeurd.

In de zinloze woede van de strijd had elk van beide drakenlegers gedacht het andere leger te hebben overwonnen, en in de overwinningsroes stormden ze aan elkaar voorbij om ook nog de opperbevelhebber van het vijandelijke leger te vernietigen. En zo kwam het, dat de Helbedwingers schreeuwend van de wenteltrappen af renden, toen zij de ijzige massa van Muden Gamul op Thamaz zagen afstormen, ijs en bliksem in het rond gooiend, gehuld in een wolk brullende sneeuwstorm, terwijl op hetzelfde moment Zarzunabas, gevolgd door zijn hofhouding, in wilde haast uit vluchtte voor de vuurspuwende horden, die over de passen van de Toarch kin Mur daverden. Aan beide zijde waren de verwoestingen gruwelijk. Thamaz, dat al sinds vele honderden jaren geen winter meer had meegemaakt, lag kniediep begraven onder de sneeuw, terwijl in het noorden de ijzige kantelen van het Slot van Albast smolten en ineen zakten. Maar vele Rachmanzai verstijfden in de ijzige kou, vielen uit de hemel en zonken weg in de sneeuw. De Muden Gamul kwamen op hun beurt te dicht bij de vulkanen, werden steeds zwaarder en natter en vielen in de vuurkraters, waaruit kilometershoge sissende stoomwolken opstegen.

Toen de morgen aanbrak – die nauwelijks lichter was dan de nacht – was heel Chatundra bezaaid met kadavers van reusachtige draken die in hun razernij zichzelf hadden uitgeroeid.

Ontzetting alom. In Thamaz waren veel bewoners in de sneeuw doodgevroren of buitgemaakt door de basilisken, die ook daar uit hun madenholen tevoorschijn waren gekropen toen ze hadden gezien dat de mensen zwak en hulpeloos waren. De burgers van Thamaz die de verschrikkelijke nacht hadden overleefd, vluchtten naar het Rijk van de Makakau en smeekten de koning om hulp in deze tijden van nood. Hij gaf hen ook te kennen dat de eenvoudige burgers mochten blijven, maar alle verwanten van het geslacht van de Mokabiter liet hij verbannen naar het eiland Macrecourt en verbood hen het ooit nog te verlaten. Ze hadden er genoeg water en vruchten om te overleven en de koning van de Makakau liet er per schip brood, rijst en zoete aardappelen heenbrengen. Maar geen van de genotzuchtige en verwende dames en heren had er vrede mee dat ze water moesten dragen en hout moesten klieven voor het vuur en daarom brachten zij een groot deel van hun tijd door met klagen tegen elkaar en elkaar de schuld geven van het onheil.

De geesten en spoken die Zarzunabas dienden, had de aanval van de draken geen schade berokkend, en ook hij, de Onsterfelijke, had de aanval heelhuids doorstaan, maar met geesten kon hij geen oorlog voeren. Zij waren hem goed van dienst geweest, als het ging om het bewaken van de passen van de Toarch kin Mur en om de schrik er bij de bewoners van het eenzame land in te houden, maar ze waren niet inzetbaar bij het aanvallen van de Chiritai. Ridder Viborg en zijn krijgers waren geen lieden die zich door spoken lieten afschrikken.

Maar de Tarasken zegevierden. Ze namen Thurazim in bezit en noemden het in hun taal Durlaloch, 'veroverde stad'. De kadavers van de draken en de lijken van de mensen, die overal in de straten en in de ruïnes van de huizen rondslingerden, gaven hen zo'n overvloed aan voedsel als ze in lange tijd niet meer hadden gehad. Zij wemelden in het rond als maden, scheurden met hun scherpe tanden stukken uit het snel wegrottende vlees en kauwden erop, afschrikwekkend smakkend en kwijlend. Zodra de sneeuw smolt in Thamaz, gaven ze ook deze stad een nieuwe naam: Knulaloch, 'verwoeste stad'. Ze plunderden elk gebouw, van het Huis van de Duizend Torens tot het armzaligste hutje in de beruchte Slangenkuil, en ze doodden al wat leefde en niet tot hun eigen soort behoorde. De stad was zo smerig dat zelfs de ratten eruit wegvluchtten om deze over te laten aan de afstammelingen van Drydd.

De weg naar Luifinlas

De ruïnes van Dundris

Op een bepaald moment was Kaira in slaap gevallen en ze werd pas wakker toen de hagedis zacht de grond raakte. Ze schrok op en zag dat de nacht bijna voorbij was. In het oosten had de horizon al een gouden gloed – het zou niet lang meer duren voordat de Zonnekoning zou opkomen.

'Verder kan ik jullie niet brengen, anders komen jullie in de zon.' Umbra gebaarde haar om af te stappen en zich bij de anderen te voegen die al waren afgestegen en hun bagage op de rug bonden. Ze riep hen toe: 'Let op waar je loopt! We zien elkaar weer in Luifinlas!' Meteen daarop ging de hagedis weer de lucht in.

Kaira rilde. Ze keek om zich heen, nog suf door het diepe slapen. 'Maakt het Umbra dan niet uit om in de zon te reizen?' vroeg ze.

'In haar eigen gedaante zou ze het niet kunnen, maar ze past haar uiterlijk zo aan dat het wel mogelijk wordt,' antwoordde Ruadh. 'Maar wij moeten nu zelf zien, hoe we verder komen.'

Om hen heen verrezen, nog half verscholen in de sluiers van de nacht, de ruïnes van een kolossale stad, destijds waarschijnlijk van een majesteitelijke pracht, waarvan nauwelijks meer was overgebleven dan de reusachtige gewelven die toegang gaven tot niets, en gescheurde zuilen die gevaarlijk scheef op hun sokkels stonden.

Kaira kon zien dat ze vlak bij de rand van een hoogvlakte waren, die uitkwam op steil neergaande klippen, maar ze was niet dicht genoeg bij de rand om te zien hoe ze te voet verder zou kunnen over de klippen. De lucht was droog en erg koud. Het ruïneveld strekte zich uit zo ver als het oog reikte. Rondom de zuilen uit rood marmer hoopten de overblijfselen van daken en muren zich op. Ingestorte gevels met de glanzende, met goud ingelegde ornamenten er nog op, lagen te midden van de in-eengezakte muren. De ijzige wind streek over verweerde fundamenten.

De maat van de bouwwerken was zo enorm groot, dat ze beslist niet voor mensen waren gebouwd, en de bouwstijl was bijzonder vreemdsoortig. Puntige patronen en gebroken lijnen die aan runentekens herinnerden, voerden de boventoon. Aan sommige overblijfselen van bouwwerken was te zien dat de muren niet loodrecht waren gebouwd, maar trapezevormig naar elkaar toe stonden. In de verte zagen ze piramides die beter waren onderhouden maar een donkere en dreigende indruk maakten, alsof er boze geesten in huisden. Daar weer achter verhieven zich de scherpgepunte toppen van met sneeuw bedekte bergen.

Kaira wendde zich tot Ruadh, Tataika en Beck. De Accumulator liep al in de richting van de dichtstbijzijnde ruïnes. 'Kom! We moeten de weg vinden die langs de klippen naar de woestijn voert. Als we niet levend willen verbranden hebben we een schuilplaats nodig, en wel snel.'

Met deze woorden sloeg Jannis de handen voor het gezicht en probeerde tevergeefs om niet in tranen uit te barsten, toen hem duidelijk werd dat de eens zo geliefde en aanbeden zon hem genadeloos tot as zou branden als hij zich niet tijdig voor de zon verstopte. Beck, die zich het beste in zijn verdriet kon verplaatsen, greep hem bij de arm en hield hem vast. Met zachte stem troostte hij zijn lotgenoot. 'Het is erg, ik weet het. Maar je zult er aan wennen. Ik heb het ook overleefd.'

Jannis haalde zijn handen van zijn gezicht en wrong met een vertwijfeld gebaar zijn magere handen. 'Ik heb zo mijn best gedaan,' stamelde hij. 'Ik ben echt van goede wil, maar alles wat ik deed ging fout. Het was alsof ik op een glijbaan wilde lopen. Elke nieuwe dag was erger dan de vorige. En nu…' Hij keek met een troosteloze blik in de ogen naar de zonsopgang. 'Nu zal de heilige zon mij doden als ik niet me niet uit de voeten maak.'

Kaira voelde een dikke prop in haar keel, toen hij dat hij zei. In het oosten verscheen een dunnen rode streep boven de horizon, zo glad en precies zoals de bloedende snee die een dolk achterlaat.

Ruadh wendde zich ongeduldig tot zijn begeleiders. 'Haast je, vrienden! Kletsen kunnen we later. Ieder van ons loopt in een andere richting en zoekt een ingang tot het binnenste van de ruïnes.'

Kaira haastte zich om te doen wat hij zei, hoewel ze angstig werd bij de gedachte dat ze zich uit de beschermende nabijheid van haar begeleiders zou moeten losmaken. Al vanaf het eerste ogenblik was het ruïneveld haar niet bevallen, en het beviel haar steeds minder, hoe langer ze er rondliep in de bleke morgenschemer. Ze kroop op handen en voeten over enorme puinhopen, liep om zuilen heen die heel hoog boven haar uit torenden en meed de resten van de trappen die eindigden in de loze lucht. De treden van deze trappen waren verontrustend hoog. Wie ze ooit gebouwd had, was er niet vanuit gegaan dat er mensen op zouden klimmen.

Toen Kaira rondkeek, viel haar op dat de ruïnes helemaal kaal waren. Geen grasspriet, geen woestijnplanten, niet eens mos of een kruipend korstmos was in dit eeuwenoude oord te vinden. Misschien, dacht ze, hing het ontbreken van vegetatie samen met de gele, naar zwavel ruikende korsten, die overal uit de stenige bodem tevoorschijn kwamen en die er zo giftig uitzagen dat Kaira ervoor zorgde dat ze ze beslist niet aanraakte. Dunne dampslierten met de geur van rotting stegen eruit op en vergiftigden de heldere woestijnlucht. De damp benevelde haar. Kaira leerde snel om haar adem in te houden als ze langs de zwavelbloemen moest.

Ineens ontdekte ze de beenderen die overal verspreid lagen in de omgeving, alsof het botten had gehageld over de puinhopen. Sommige waren zo groot als olifantsbeenderen, sommige nietig als muizenskeletjes en weer andere zagen eruit als botten van menselijke wezens. Kriskras door elkaar gesmeten lagen ze tussen de roodgeaderde marmerblokken, tussen stenen en puin. Ze waren allemaal dof, grauwwit van kleur, gebleekt door de onbarmhartige zon en bevroren in de ijzige kou van ontelbare woestijnnachten, tot ze zo breekbaar waren als glas. Onder Kaira's sandalen vielen ze knisperend uit elkaar, het klonk als heimelijk gegniffel.

Het was Jannis die als eerste wenkte en riep dat hij een toegang had gevonden. Ze kwamen van alle kanten naar hem toe rennen en zagen dat hij aan het bovenste uiteinde van een steile afrit stond, die naar die onder de grond gelegen kelder voerde. Het huis dat er ooit bovenop had gestaan was in elkaar gestort tot een vormeloze puinhoop.

Het was hoog tijd. In het oosten schoof de bovenste rand van de zonneschijf gevaarlijk fonkelend boven de horizon. De bittere kou van de nacht vervluchtigde snel. Kaira voelde een klemmende band om haar slapen straktrekken, voelde het branden van het verzengende licht op haar huid. Jannis riep het uit van de pijn en hield beide handen ter bescherming voor zijn gezicht toen de pijlen van de wraakzuchtige zon met genadeloze woede de bannelingen troffen. Hij zakte op zijn knieën en zou verlamd van angst zijn blijven liggen tot de ster vol vraatzucht hem tot pap had gekookt, als Beck hem niet ruw omhoog en achter zich in de beschermende schaduw had getrokken. De anderen gleden en kropen zo snel ze konden de afrit af.

Kaira vroeg zich af of er ratten rondspookten op deze klamme koude diepte. Maar nog erger dan de gedachte aan ratten, was het voorgevoel van naderend onheil dat haar van alle kanten insloot. Deze plek was vervuld van kwaad, dat voelde ze tot in het diepst van haar hart. En wat hier beneden leefde moest dat ook zijn.

Ze hadden bijna de half verscholen opening van een kelder bereikt, toen plotseling een geluid de stilte doorsneed. Het was een gelach dat klonk als blaffen, niet menselijk maar ook niet dierlijk. Een afschuwelijke geur van ontbinding mengde zich plotsklaps met de heldere lucht van het aanbreken van de dag, alsof iemand een graf geopend had. Er gleed een schaduw over de aangevreten stenen, maar toen Kaira omhoog keek, was er niets aan de hemel dat een schaduw kon werpen. Toch voelde ze zich bekeken… bekeken op een wel heel onplezierige manier. Tot haar grote opluchting verdween het spook zo snel als het verschenen was, maar daarna had iedereen heel veel haast om van de plek weg te komen. De Gloeiende Ster was niet het enige gevaar dat hen hier bedreigde, dat was hen wel duidelijk.

Tataika die tijdens het klimmen had rondgekeken, merkte op: 'Het ziet eruit alsof hier nogal grote mensen hebben gewoond.'

Jannis knikte. In gedachten verzonken tekende hij op de muur een van de puntige patronen na, legde hij uit: 'De bewoners van Dundris waren Mlokisai die hier eeuwenlang leefden voordat ze plotseling gegrepen werden door de Blauwe Pokken die Zarzunabas op ze af stuurde, zeggen ze.'

Het bleek dat hij verbazingwekkend goed op de hoogte was. Hij had zich beziggehouden met verschillende oude culturen en overleveringen op Chatundra, hij wist alles van de Indigoleeuwen. Langzaam overwon hij zijn angst en begon zijn omgeving door de ogen van een wetenschapper te bekijken. 'Kijk hier bijvoorbeeld, de puntige lijnen! Dit zijn runen van een taal die tegenwoordig niemand meer kan lezen. Niemand weet hoe lang Dundris al in puin ligt en zijn bewoners al verdwenen zijn van Chatundra. Zelfs de alleroudste geschriften en documenten spreken alleen over de ruïnes van Dundris. Het moet een groot en uitgestrekt rijk geweest zijn, eeuwen voordat de Sundaris hun stad stichtten.' Na nog een nerveuze ademteug voegde hij eraan toe: 'Dat mag je natuurlijk niet hardop zeggen. Officieel waren de Sundaris de eerste en oudsten kolonisten.'

Ruadh grijnsde gemeen. 'Ja, officieel is op Chatundra alles heel anders dan het in werkelijkheid was.'

Kaira herademde toen de koele schaduw van een gebouw zich over haar uitstrekte. In elk geval waren ze beschermd tegen het bijtende licht – ook al gaf de ruimte waarin ze hun toevlucht hadden genomen, bepaald geen vertrouwd gevoel. De muren waren roetzwart, alsof er een enorm groot vuur had gewoed en de atmosfeer was verstikkend en ongezond, wat Kaira herinnerde aan de dreigende piramides aan de horizon van het ruïneveld. De wanden echoden hun woorden met een holle galm. Kaira merkte dat ook de anderen aarzelend bleven staan, heen-en-weer geslingerd tussen de noodzaak om zich voor de zon te verbergen en de weerzin tegen dit onderaardse oord. Vooral Jannis keek met een miserabele blik om zich heen. Kaira herinnerde zich dat de Sundaris vaak bang waren voor gewone kelders. Ze kon zich voorstellen hoe bedrukkend dit hol voor de geleerde moest zijn. Ook al had de Gloeiende Ster hen verstoten en wilde die hen op dezelfde manieren vernietigen als de ooit zo geliefde Maanschijners, het was toch niet makkelijk om de gewoontes en routines van een heel leven achter je te laten.

Met een trots die voortkwam uit de vertwijfeling van de angst, riep hij plotseling op de gekwelde toon van een kind dat niet langer wil worden meegezeuld: 'Ik wil weer naar huis, ik wil terug naar Thurazim! Ik ben geen aanbidder van Maanheksen of dienaar van de draken van het Rozenvuur. Ze hoeven mij niks te vertellen. Ik ga niet verder mee.'

Ruadh schudde het hoofd bij deze koppige uitspraak. 'Je bent hier en je moet verder, net zoals wij allemaal. Uiteindelijk heb je Umbra beloofd dat je je taak zult vervullen.'

'Maar ik wil het niet. Ik heb alleen ja gezegd, omdat ik geen nee durfde te zeggen. Jullie denken toch niet dat ik wilde dat deze woestijnheks me in een varken zou veranderen? Het was niet eerlijk om mij zo de stuipen op het lijf te jagen. Dus het geldt niet dat ik er mee heb ingestemd.'

'Je hebt ja gezegd, en dat geldt.' Ruadh liep om de geleerde heen en legde een hand op zijn schouder. 'Kom toch, Jannis. We zijn allemaal bang, even bang als jij. Maar eigenlijk weet je heus wel dat je je niet aan een taak kunt onttrekken. Je hebt echt geen andere keus!'

'Ik wil ook geen andere keus!' Met een nukkige ruk schudde hij de hand van Ruadh van zijn schouder. 'Raak me niet aan! Ik ben een Sundar, je hebt niet het recht om mij vast te pakken.'

Beck, die aandachtig had geluisterd, schudde het hoofd – met een medelijdend en tegelijk verwijtend gebaar. 'Je was een Sundar, vriend. Dat is voorbij. Je kunt niet meer terug. Ze zullen je niet meer toelaten, dat weet jij net zo goed als ik.'

Aan de manier waarop Jannis verbleekte, was duidelijk te zien dat hij het heel goed wist maar het niet wilde weten. Eigenwijs hield hij vol: 'Dat zeg je maar omdat je zelf een verrader bent. Je bent onverbeterlijk. Jou hebben ze terecht verstoten. Maar mij zal de keizer weer toelaten. Als ik me voor zijn voeten werp en hem zeg dat ik spijt heb van mij slechte daden – en hem smeek…'

Tataika onderbrak hem met zijn diepe mannenstem. 'Beste man, hou op met jezelf en ons voor de gek te houden. Er is geen keizer meer in Thurazim. Zijn eigen hellehond heeft hem opgevreten.'

Jannis verborg zijn gezicht in zijn gevouwen handen. Bijna onverstaanbaar mompelde hij: 'Ik ben bang. Wat is dat voor een vervloekt oord, Luifinlas? Ik ga er niet heen. Ik wil de draak niet zien en haar al helemaal niet helpen. Ik sterf nog liever hier.'

Ruadh probeerde hem moed in te spreken. 'Ik ben ook bang, net als jij. Maar als we de oude drakendame smeken, dan zal ze ons allemaal beschermen. Heeft zij er niet voor gezorgd dat je niet als slaaf werd verkocht?'

'Wat heb ik daaraan als ze me in plaats daarvan de bergen instuurt waar we allemaal zullen bevriezen?' sputterde Jannis.

Ruadh werd boos toen hij dat hoorde. 'Je spreekt kwaad over de Maangodin!' riep hij uit. 'Zij heeft niets dan goeds voor je gedaan en jij spreekt kwaad over haar!'

Ook Jannis voer uit. 'Wat voor goeds heeft ze mij gebracht? Ze dwingt me om deze huiveringwekkende bergen in te trekken, naar een stad gestold in ijs! Ze heeft…'

Boos legde Ruadh hem het zwijgen op. Hij keek rond, deed een stap in de richting van de oprit en keek naar buiten en haalde vervolgens berustend zijn schouders op. 'Te laat,' mompelde hij. 'De Vuurvreter kan elk ogenblik opgaan. We moeten hier blijven.'

Beck vroeg: 'Wat was dat voor iets, wat daar voorbij glipte? Heb jij zoiets wel eens eerder gezien?'

Ruadh schudde zijn hoofd. 'Nee. En ik hoop dat ik er nooit meer een van die soort zie. Deze plek is vervloekt, Beck. Snap je dat niet? Het ruikt hier naar dood en op de wind rijdt de pest. De schepsels van Zarzunabas hebben hier een sterk fort gebouwd. Dat de oude dame ons allemaal moge behoeden.'

Kaira sloeg haar armen om haar eigen schouders. Ze voelde dat Ruadh bang was, en Beck ook. In het vale schemerlicht dat door de opening naar binnen sijpelde, leek de onderaardse ruimte haar zo huiveringwekkend als een grafkelder.

Waarschijnlijk had de ruimte ooit een vrij onschuldige functie gehad. Ze stonden in een keuken. Er was een vuurplaats, zo hoog als een klein huis, met een verroest rek voor houtblokken en een overdwarse stang zo dik als een balk, waar ooit de ketels aan hadden gehangen. De ketels waren er nog, al zaten ze onder een dikke laag roest en salpeter. Ze waren zo groot dat in elk met gemak een mens zou passen, en zo hoog dat Kaira niet over de dikke rand kon kijken. In een hoek stond een reusachtig hakblok waarop ontelbare keren hout was gekliefd, in een andere hoek stond een stenen kom waarvan de binnenkant donker was verkleurd. In het schemerduister ontwaarde Kaira nog twee andere dingen: roestige strepen over de muur gaven aan waar fakkels de ruimte hadden verlicht, en in een hoek lag een hoopje verroeste rommel waarin kookspullen te herkennen waren, opscheplepels, braadvorken en grilltangen. Heel alledaags kookgerei, maar dan met dit verschil dat de lepels en tangen net zo lang waren als Kaira!

Jannis, in wie de wetenschapper weer ontwaakte, keek om zich heen en wreef nadenkend met zijn vingertoppen over het hoofd. 'Ik kan me niet herinneren dat keukens deel uitmaken van de cultuur van de Mlokisai. Ze waren geen vleeseters. Zij aten de zachte verse vruchten van de cycadee. Hier moet iemand anders gewoond hebben, iemand die de cultuur van het koken en braden van vlees kende.'

Beck had ondertussen zijn fakkel aangestoken en snuffelde in de donkere hoeken van de keuken. Ineens zwaaide hij met de fakkel en riep naar zijn metgezellen dat ze moesten komen kijken. 'Hier is een opening en daarachter nog een andere ruimte!'

Ze liepen met zijn allen en tuurden in een smalle kamer, die ooit waarschijnlijk een voorraadkamer was geweest. Langs de wanden stonden houten rekken en in een hoek lagen een dozijn manshoge stenen kruiken, allemaal afgesloten en verzegeld met in was gedoopte banden. Beck peuterde nieuwsgierig met zijn mes aan een van de proppen. In elkaar gerolde splinters was vielen op de grond. Toen kwam en plotseling iets uit de karaf omhoog... Het was een geluid!

Kaira ging zo verbluft achteruit dat ze zou zijn gevallen als Jannis haar niet had opgevangen. Ze had zich niet vergist, uit de oeroude karaf klonk een geluid, een melodisch gezoem als de klank van een mondharp. Het werd harder en harder, tot het de hele ruimte vulde. De vijf stonden als versteend en luisterden. Het geluid veranderde, dan weer klonk het diep en donker, dan zacht en smeltend, maar steeds vibreerde het zoet en betoverend door de lucht, en ze konden zich niet losrukken van wat ze hoorden.

Pas nadat ze een tijdje hadden staan luisteren, verbrak de rauwe stem van Tataika de betovering. 'Dat is wel heel mooi, maar is dat alles wat er in die karaffen zit: muziek?'

'Ik denk het,' mompelde Jannis die in extase had staan luisteren. 'De Indigoleeuwen hielden van dit soort dingen. Zij konden klanken drinken en verbeelding eten, zo teer waren hun zintuigen.'

Bij de tegenoverliggende muur stond een grote kist die leek op een kolenkist. Beck zette een voet op het ijzeren handvat en trok zich omhoog. Nieuwsgierig schoof hij het deksel opzij en tuurde naar binnen. Op dat moment verstijfde hij en fluisterde ademloos: 'Barmhartige Maangodin!'

Nu renden ze er allemaal heen en wilden de inhoud van de kist bekijken en een voor een ontdekten ze dezelfde verschrikking als Beck. De kist van onder tot boven gevuld met gele verdroogde ledematen!

Kaira moest diep ademhalen om niet te kokhalzen toen ze de gedroogde schedels en een onvoorstelbaar aantal gemummificeerde handen en voeten voor zich zag. Niet allemaal menselijk, maar veel van de schedels hadden een menselijke vorm en veel handen waren onbehaard. Ze waren elk met een keurige gladde snee of houw afgerukt, en huiverend bedacht Kaira dat ze in de keuken een hakblok had zien staan. Er was geen twijfel mogelijk, wat hier in de kist lag opgestapeld waren de lichaamsdelen die ongeschikt waren om te koken, braden of stoven, en de reusachtige keuken hiernaast was van menseneters geweest!

Ze staarde naar de muf ruikende resten en dwong zichzelf om diep en rustig adem te halen. Ze moest denken aan de stenen kom in de keuken met de zwart aangekoekte binnenkant.

Ruadh wenkte Jannis erbij. 'Jij begrijpt meer van deze plek dan wij bij elkaar. Wat denk je van deze kadavers hier?'

'Dat hebben de Mlokisai niet gedaan!' riep Jannis. 'Nooit! Deze mummies zijn hoogstens honderd jaar oud, niet meer. Het is razend interessant. Ik zou denken dat zich hier lang na de ondergang van de oorspronkelijke bevolking andere organismen hebben gevestigd... beesten die zich voedden met grote tweevoeters, met mensapen, misschien zelfs met mensen. Ongelooflijk! Ik zou er wat voor geven als ik deze vondst kon analyseren.'

Hij had zo vol vuur gesproken dat hij een heel ander mens werd. Hij vergat het gevaar waarin zij verkeerden, vergat zelfs zijn eigen ellende, niets hield hem meer bezig dan de sporen van de geheimzinnige kolonisten in de ruïnes van Dundris. 'Onbegrijpelijk!' ging hij door met schittering in zijn ogen van opwinding. 'Daarmee komt de geschiedschrijving van Chatundra in een heel ander licht te staan! De belangrijkste vraag is nu: welke delen van de oude geschriften laten zich uitleggen als aanwijzingen voor deze tweevoeters?'

'Ik zou zeggen,' onderbrak Ruadh hem droogjes, 'dat de belangrijkste vraag vooral is: wonen hier nog steeds wezens die ons slachten en braden als ze ons te pakken krijgen?'

De schriftgeleerde schrok. In gedachten was hij al een opzienbarend wetenschappelijk werk aan het schrijven. Hij veegde zijn mond af met de rug van zijn hand en gleed van zijn plek op de rand van de kist af. 'Ja natuurlijk,' mompelde hij schuldbewust. 'Wat dom van me. Het spijt me.'

Ze stonden in een kring en keken elkaar aan, de een nog radelozer dan de ander. Niemand wilde de dag doorbrengen in dit afgrijselijke slachthuis, maar ze konden er ook niet meer uit. De giftig glinsterende lichtband was al te duidelijk te zien, die kwam de trap afkruipen en stak de vingertoppen al in de keuken van de menseneters, alsof het licht op zoek was naar de verstekelingen. De lucht was voelbaar warmer geworden.

Jannis keek hulpzoekend de twee andere mannen aan. 'Dus? Wat doen we nu?' vroeg hij schuchter. 'We willen geen van allen hier blijven, toch?' Toen kreeg de wetenschapper in hem weer de overhand. 'En misschien vinden we nog meer dat van betekenis is, als we verder binnendringen?'

Ruadh haalde zonder iets te zeggen zijn schouders op, greep naar een fakkel en ging terug naar de keuken. Stap voor stap zocht hij de hele ruimte af. Hij concentreerde zich daarbij vooral op de puinhopen die in alle hoeken en langs de wanden waren opgestapeld.

Beck volgde hem op de voet. 'Wat zoek je, Vuurvos?'

'Een deur, wat anders?' snauwde Ruadh hem toe. Zijn stem klonk ongewoon geprikkeld. Kennelijk werkte de atmosfeer van de plek hem op zijn zenuwen. 'Als dit hier een keuken was, dan stond die vast en zeker niet op zichzelf, maar was verbonden met het hoofdgebouw, dus moet daar een deur naartoe zijn. Help me met zoeken.'

Het duurde niet lang tot ze de juiste plek vonden om te graven. Achter een puinhoop tekende zich duidelijk een deurpost af. Het was een deur voor het Cyclopenvolk dat hier ooit gewoond had, maar voor de vijf mensen nog steeds zo groot als de poort van een kathedraal. Zij zouden nooit sterk genoeg zijn geweest om de deur open te kunnen duwen, maar ze hadden geluk: het gewicht van de neergestorte stenen had de deur ingedrukt en er gaapte een kier waar ze doorheen konden kruipen.

Ruadh sloop vooruit om uit te kijken naar eventuele gevaren. Kaira zag het schijnsel van de fakkel een tijd lang van hot naar her bewegen, toen de Accumulator weer opdook en de wachtenden en toeriep: 'Hier is een gepleisterde gang… misschien leidde die ooit naar een hoofdgebouw. Daar vinden we het snelst een trap die ons naar de voet van de klippen kan brengen. In elk geval zijn we veilig voor de zon.'

Dus persten ze zich een voor een door het gat en gleden aan de andere kant langs een puinhoop omlaag. Toen de ene na de andere fakkel oplichtte, zag Kaira dat ze zich in een sobere, met eenvoudige platen afgewerkte gang bevonden, die enigszins omhoog naar het westen voerde. Het gedeelte bij de deuren was ingestort maar de rest was goed begaanbaar. De lucht was muf, maar aangenaam koel en de Gloeiende Ster kon hen hier niet meer bereiken. Dit zorgde ervoor dat ze allemaal wat beter gehumeurd waren. Ruadh snelde vooruit, en de anderen volgden opgelucht.

Het duurde echter niet lang voor ze weer bleven staan en dicht naar elkaar toe kropen. Het licht van de fakkels viel op een beklemmend schouwspel. De gang verbreedde zich hier tot een cirkelvormige hal met holronde cellen in de muren. Daar lagen roestige ketenen. De grootte van de hals- en voetklemmen lieten zien dat ze gesmeed waren op de maat van mensen. Ongetwijfeld voor de ongelukkigen die op het hakblok in de keuken hun einde hadden gevonden. In een hoek gaapte een diepe kuil waarvan de bodem was bedekt met witte beenderen. Maar het waren andere beenderen die de indringers deden verstijven.

Deze andere beenderen lagen nog keurig geordend op de grond zodat het niet moeilijk was om hierin de vroegere gestalte te herkennen van het wezen aan wie dit skelet had toebehoord. En wat voor gestalte was dat! In het midden lagen twee gewelfde platen van een reuzenschildpad, elk zo groot als een tafelblad. Aan de bovenste zat een platte schedel vast met een benen snavel, die op de bek van een schildpad leek. Rondom dit middengedeelte lagen, voor een deel lang uitgestrekt en voor een deel opgerold, twaalf reusachtige poten of grijparmen, elk met een dozijn dubbele gewrichten, zodat dit wezen naar believen als een spin op haakpoten of als een inktvis alle kanten op kon kronkelen. Elk tentakel eindigde in een stel dunne botten die deden denken aan handen met heel lange vingers.

Maar het ergste aan deze monsterlijke overblijfselen was nog wel, zo dacht Kaira, dat ze hadden toebehoord aan een levend wezen dat kon denken. In elk geval aan een wezen met de menselijke eigenschap van de ijdelheid, want toen de weke delen van de tentakels waren vergaan, waren de talloze ringen en armbanden die het als sieraad droeg, op de grond gevallen. En om de beenderen van de halswervels hing een brede halsband van een gegraveerd metaal.

Kaira werd op huiveringwekkende wijze aan de lachende schaduw herinnerd, die haar buiten op het ruïneveld had opgeschrikt. Was dat dan het onlijfelijke spook van een dergelijk monster geweest? Zou een ondier kunnen spoken?

Ruadh was de eerste die zijn stem terugvond. Hij ging dichter naar het geraamte toe en hield de fakkel erboven. 'Het ziet ernaar uit dat het door een gif of een besmettelijke ziekte aan zijn einde is gekomen,' verklaarde hij. 'Ik zie nergens een verwonding waaraan het gestorven zou kunnen zijn.'

Jannis was op zijn hurken gaan zitten en bekeek de bleke beenderen met grote opmerkzaamheid in het licht van zijn fakkel. 'Dit is fantastisch!' riep hij enthousiast. 'Een veelvoeter... vleeseter. Met denkvermogen. En kennelijk een cultuurwezen.' Hij hield een van de armbanden omhoog, die de botten omringden. Het metaal was zo dik bedekt door een donker patina dat er geen tekening te herkennen was, maar toen Jannis het schoon wreef met zijn hemd kwam er een grof patroon tevoorschijn. De in het metaal gedrukte punten vormden samen eenvoudige versieringen.

Beck, die het skelet van het reuzenwezen met gefronst voorhoofd had bestudeerd, mompelde: 'Cultuurwezen, betekent zeker dat het die arme lieden in de cellen met mes en vork heeft opgegeten, met veel messen en vorken.'

De schriftgeleerde negeerde de tegenwerping. Opgewonden sprak hij verder. 'Ik ben ervan overtuigd dat we er nog meer van zijn soort zullen tegenkomen. Fantastisch! Het bestaan van deze reuzenwezens verklaard zonder twijfel vele passages in oude documenten die tot dusver niet konden worden doorgrond. Dit is een ongekende wetenschappelijke ontdekking. Ik moet hier beslist met de hoogste schriftgeleerden over praten. Maar nee... ze zouden niet eens meer met me willen praten!' Plotseling was hij zich er weer van bewust hoe de zaken ervoor stonden en hij raakte overweldigd door zo'n immense vertwijfeling dat hij zijn hoofd op zijn knieën liet rusten en het heel hard uitschreeuwde. Ruadh kwam naast hem staan en woelde met gespreide vingers door zijn haar.

De man voelde het vriendelijke gebaar en plotseling zakte hij op zijn knieën en sloeg zijn armen om de heupen van de Accumulator. Hij was als een drenkeling die zich vastklampt en hij riep uit: 'Ik heb een ontdekking gedaan waarvoor iedere wetenschapper zijn hand zou laten afhakken, maar niemand zal het ooit van mij horen! Niemand zal mij geloven! Al deze passages in de oude geschriften zullen onverklaard blijven... Ik heb het antwoord, maar ik mag het niet geven…' Toen realiseerde hij zich hoe vreemd hij zich gedroeg en herstelde zich, verlegen snotterend. 'Het spijt me,' verontschuldigde hij zich pijnlijk aangedaan. 'Ik moet me niet zo laten gaan. Maar het is moeilijk te verdragen. Had ik deze beenderen een week eerder ontdekt, dan was ik nu een Thainach onder de schriftgeleerden.'

Beck, die hem vol mededogen had aangehoord, bracht ertegenin: 'Ik geloof eerder dat je in regenput zou worden gegooid als speciale lekkernij voor de Rechtsbeest. Moet ik je eraan herinneren dat Hugues het helemaal niet kon waarderen als zijn inzichten weerlegd werden? Als jij met een bewijs komt dat aantoont dat de Sundaris ernaast zitten, dan sturen ze je met bewijs en al de woestijn in.'

Het was Jannis intussen duidelijk geworden dat Beck hier gelijk in had. Jannis was geen domkop. Verlegen verontschuldigde hij zich ervoor dat hij zijn zelfbeheersing had verloren, en vooral dat hij Ruadh in alle emotie had omhelsd. Het schaamrood stond hem op de kaken. Kaira herinnerde zich dat Sundaris alle soorten lichamelijke aanrakingen heel ongepast vinden. Maar Ruadh verloste hem uit zijn verlegenheid door hem op de been te helpen.

'We moeten hier in deze gang goed om ons heen kijken, anders lopen we het gevaar dat het een of ander ons van achteren bespringt.'

Ze vonden geen ander leven. Na een poos werd de gang opnieuw wijder. In de enorme overkoepelde hal lagen in een afschrikwekkende kluwen wel een dozijn skeletten, in en over elkaar, alsof de veelvoeters in hun doodsstrijd over elkaar heen waren gekropen. Hoeveel het er waren geweest, konden ze afleiden van een aantal schildpadachtige pantsers. De andere beenderen vormden een grauwwitte laag op de rotsige bodem. Ook hier was een deel vermorzeld. Kaira hoopte vurig dat de levende wals die de beenderen had verpulverd, inmiddels was uitgestorven. Ze wilde er niet aan denken hoe een schepsel dat zo'n verwoesting kon aanrichten eruit zou kunnen zien.

Jannis was gefascineerd door hun nieuwe ontdekking. Weer doorliep hij in gedachten alle geschriften die hij ooit had bestudeerd, op zoek naar een of andere aanwijzing op latere bewoners van Dundris. 'Er moeten twee soorten kolonisten zijn geweest die na de Mlokisai zijn gekomen,' zei hij. 'Eerst namen die reusachtige veelvoeters de ruïnen in bezit en toen, nadat die waren uitgestorven, kwam er wat anders… iets dat hier misschien nog steeds leeft.'

'Hou op man,' mopperde Tataika, 'jij weet hoe je iemand moed kunt inpraten.' Maar ze was niet echt boos op hem. Kaira kreeg zelfs de indruk dat Tataika – die mannen meestal niet kon uitstaan – de schuchtere, nerveuze geleerde sympathiek vond, want ze bleef dicht in zijn buurt toen ze verder gingen en greep telkens weer naar zijn arm als ze stopten. Alsof Tataika een man nodig had die haar steunde en beschermde! Maar Jannis wist dat niet en gedroeg zich heel ridderlijk en legde zelfs zijn arm om haar middel, zodat ze niet kon vallen.

Even later kwamen ze bij een wenteltrap. De toegang was versperd met een hek, maar de afmetingen waren berekend op Mlokisai en de vijf mensen konden tussen de verroeste spijlen doorklimmen. Ruadh bleef staan. 'Volgens mij is dit een goede weg.'

Omdat de fakkels zouden kunnen opbranden, kondigde hij aan dat er vanaf nu nog maar één fakkel mocht branden. Hij ging hen vooruit, hield de fakkel zo hoog mogelijk en de rest moest in de bedrieglijke wirwar van licht en schaduwen op de tast de trap af. De traptreden waren onregelmatig, soms zo hoog dat ze moesten gaan zitten en met hun benen van de trap af moesten slingeren en soms zo laag dat ze moeiteloos van de ene naar de andere tree konden komen.

Al snel merkten ze dat ze in een gebouw terechtgekomen waren. De traptreden waren uitgehakt in een zacht gesteente dat op krijt leek. Hier en daar waren tekens in de muur gekrast, die Jannis als letters herkende. Maar de tijden waarin iemand in het Aarde-Wind-Vuur-Land het schrift van de Indigoleeuwen kon lezen, was allang voorbij. De oude woestijncultuur was al eeuwenlang bedekt met het stof van de vergetelheid.

Uiteindelijk kwamen ze in een kamer terecht die gevaarlijk dicht bij het daglicht kwam, en Ruadh stelde voor dat ze hier de nacht zouden afwachten. Ze waren allemaal blij dat ze konden gaan zitten. Ze leunden naast elkaar tegen de muur, strekten hun pijnlijk vermoeide benen en dronken om beurten van de harswijn uit de veldfles die Umbra voor hun vertrek had kunnen vullen. Kaira constateerde dat deze drank behalve de dorst ook de honger stilde, want al was er veel tijd verstreken sinds ze voor het laatst had gegeten, ze had geen honger Het verging de anderen net zo. Ook Tataika hoefde niets te eten, en dat wilde wat zeggen.

Jannis, die meer dan de andere mannen uitgeput was geraakt van de weg die ze hadden afgelegd, leunde gehurkt tegen de muur en liet zijn handen tussen zijn knieën hangen. Hij sloeg zijn vingers in en weer uit elkaar en speelde met zijn zegelring.

Plotseling verzuchtte hij vol verlangen: 'Hoeveel geheimen zouden er nog in de schaduwen van de tijd verborgen liggen? Ik zou de gelukkigste man op Chatundra zijn als ik hier mijn leven kon doorbrengen om ernaar te zoeken, maar dat zal me wel niet gegund zijn.'

Vol zelfmedelijden wreef hij in zijn handen alsof hij er vuil vanaf wilde wrijven, hoewel hij ze net had gewassen. 'Jullie zijn allemaal erg aardig voor me. Echt. Veel aardiger dan ik had verwacht. Ondanks... Als je een Sundar bent en je wordt verstoten, dan stort je wereld in. Iedereen weet dat je gefaald hebt. Dat je het hebt verknoeid. Het is vreselijk om dat te moeten doorstaan.' Hij trok aan zijn dunne vingers tot de knokkels knakten.

Beck knikte. 'Ik weet wat je doormaakt, Jannis,' zei hij op ernstige maar vriendelijke toon. 'Het verging mij precies zoals jou. Maar jij bent niet kwaad. Hugues was degene die boos was, en hij stak alle anderen aan met zijn boosheid. Ze zijn bang en de angst maakt ze bitter.'

Jannis sloeg ontzet de ogen op. 'Zo mag je niet over de keizer spreken, Beck, dan spreek je kwaad over de glans en de waardigheid van Phuram!'

'En wat dan nog!' riep de voormalige officier van de keizerlijke inquisitie in felle woede. 'Wat heb ik dan van de zon gekregen? Ze heeft me voor leugenaar en huichelaar uitgemaakt. Mijn halve leven is in haar gloed tot as vergaan!'

'Dat is niet waar! Zij is groot! Ze is heerlijk!'

Beck wilde er tegenin gaan, maar Ruadh onderbrak hen en meldde dat ze zouden gaan slapen tot de zon onderging, om dan weer fris te zijn. 'We moeten wel de wacht houden – het is hier niet pluis en ik vrees dat daarbinnen nog iets leeft. Jannis, Kaira – jullie houden als eersten de wacht.'

Kaira was er heimelijk van overtuigd dat Ruadh haar en Jannis had gekoppeld omdat hij van mening was dat twee helften samen één maken. Ruadh, Beck, Tataika – zij waren allemaal sterk genoeg om in hun eentje de wacht te houden. Kaira was zwak. Jannis ook.

Ze zaten naast elkaar gehurkt op de traptreden die boven en onder hen in het donker verdwenen. De fakkel stond tussen hen in, maar Ruadh had aangegeven dat de fakkel alleen aangestoken mocht worden als dat echt nodig was. Verder moest het zwakke schemerlicht volstaan, dat door de gaten hoog boven in de muur van de kamer het trappengat insijpelde.

Een tijdje zaten ze zwijgend en ze luisterden naar de stilte die alleen door het diepe ademen van de vier slapenden werd doorbroken. Toen het zwijgen onbehaaglijk werd, vroeg Jannis op gedempte toon: 'Jij en je vriendin, zijn jullie dan niet bang geweest? Hij is een Accumulator, dat moeten jullie toch weten. Accumulators zijn ergste en de wreedste onder de Maanschijners. Ze zuigen bloed en stelen kleine kinderen om heksenzalf te koken van hun vet.'

'Dat is onzin,' sprak Kaira heftig tegen. 'Vuurvos is onze vriend, hij heeft ons bloed niet gezogen en ons verder ook niets ergs aangedaan. Beck trouwens ook niet. De Maanschijners zijn vriendelijk en goed.'

Jannis trok zijn knieën onder zijn kin en sloeg zijn armen om zijn enkels. Hij sprak haar niet tegen, maar Kaira merkte dat hij dat alleen maar naliet omdat hij niet op ruzie wilde aansturen. Hij was niet overtuigd. Nou, dacht ze, dat was misschien een beetje veel gevraagd dat hij in zo korte tijd een zijn hele wereldbeeld overhoop zou gooien. Ook als ze hem verstoten hadden, dan was hij in zijn hart toch nog steeds een Sundar. Ineens viel haar een spreuk in, die ze van Ruadh gehoord had: leven en laten leven. Ze besloot om het strijdpunt te laten rusten. Het was handiger om met Jannis te praten over de dingen waar hij over wilde praten en dan lagen de ruïnes van Dundris het meest voor de hand.

Hij vertelde wat over de Mlokisai tot hij plotseling stokte, midden in een woord, en hij Kaira's arm greep. 'Stil! Hoor je dat ook?'

Ze ging rechtop zitten en luisterde gespannen. Echt, er klonk een geruis! Het klonk eigenlijk onschuldig: getingel als van een klok, zacht en glashelder. Maar het kwam steeds dichterbij, en wat had een klokje in de ruïnes van Dundris te zoeken? Kaira dacht vol ontzetting aan de ringen en halsbanden die de skeletten van de veelvoeters hadden gesierd. Wat als nu een van die ondieren de gedraaide trap opklom? Want het geruis naderde snel, en het kwam zonder enige twijfel van het deel van de trap dat naar buiten voerde.

Jannis sprong op. 'Het komt hierheen! We moeten Ruadh en de anderen wakker maken!'

Meteen daarna stonden ze alle vijf in de deuropening van de kamer en luisterden naar het getingel, dat steeds duidelijker waarneembaar was. Nu waren er ook stappen te horen, zachte stappen als van blote voeten.

Toen – ze hielden allemaal gespannen hun adem in – verscheen een gestalte in de deur, zoals ze nooit eerder hadden gezien.

Lulaluma

Er stond een kleine, gedrongen vrouw voor de kameraden, diepzwart als de nachtelijke hemel boven de woestijn, met lange armen en korte, kromme benen met zichtbaar krachtige spieren en pezen. Het getingel dat de wachters had gealarmeerd, kwam van een dozijn koperen ringen om haar polsen en enkels. Elke ring was bezet met minuscule belletjes.

Sprakeloos staarden de vijf kameraden de vrouw aan. Ze was uit de gloeiende middagzon gekomen, maar ze droeg geen beschermende kleding. Om precies te zijn, droeg ze helemaal geen kleding. In plaats daarvan was haar lichaam van top tot teen beschilderd met ingewikkelde patronen in witte verf, zodat haar oorspronkelijk antracietkleurige huid op maar heel weinig plekken zichtbaar was. Haar haar, dat in dikke vervilte strengen over haar schouders en rug hing, was gepoederd met grauwwit stof, vermoedelijk stof van de krijtrotsen. Het gezicht wees op een vreemdsoortige, leeuwachtige afkomst: een korte brede neus, lippen met een snor erboven en schuine glinsterende geelgevlamde ogen. De overeenkomst met de verdroogde mummieschedels in de kisten was overweldigend. Het stond buiten kijf dat ze hier tegenover iemand stonden, die behoorde tot het ras dat de veelvoeters tot voedsel had gediend.

Jannis had de vrouw eerst geschrokken aangestaard en was steeds verder langs de muur teruggeweken. Maar toen kreeg plotseling de nieuwsgierigheid de overhand en won het van zijn angst. Gespannen tot in zijn tenen naderde hij de bezoeker. Met zijn lege handen wijd uitgestrekt liet hij haar zien dat hij geen wapen droeg en vreedzame bedoelingen had. Zijn stem was hees van opwinding toen hij vroeg: 'Ka-Ne?'

De zonderlinge bezoeker knikte geestdriftig, hief de wijsvinger van haar rechterhand en stootte een stroom van keelklanken uit, zonder meer fraai van klank, waaruit alleen was op te maken dat ze inderdaad een Ka-Ne was en Lulalume werd genoemd. Ongetwijfeld was zij een boodschapper die de vreemden naar de Ka-Ne zou brengen, maar wat ze verder allemaal vertelde bleef onduidelijk.

Jannis gebaarde met handen en voeten dat hij haar taal niet sprak.

De gebaren die de bezoeker als antwoord gaf, zeiden zoiets als: maar dat is toch treurig. Wat moeten we dan nu?

Om haar vreedzame bedoelingen te onderstrepen, haalde ze stukjes knapperig brood tevoorschijn uit het bontgekleurde opgerolde tapijt dat ze over haar schouder droeg, en iets wat eruitzag als gedroogde pruimen, en gaf ieder van de kameraden iets te eten.

Kaira kauwde wantrouwig. Het smaakte zout en rokerig. Het was geen pruim, maar een stuk gerookt en gedroogd vlees.

Beck kon de wantrouwige vraag niet achterhouden, wat voor vlees was dit?

Määääh, was het antwoord.

Daarop vielen ze allemaal onverschrokken op de stukken boord en vlees aan en de vreemdeling deelde gul uit.

Zij vond de vreemde bezoekers hoogst merkwaardig, bleek uit de manier waarop ze hen bestudeerde. Toen ze zag dat Beck zittend zijn benen uitstrekte, begon ze luidkeels te lachen. Uit haar lichaamstaal bleek dat het een heel grappige manier vond om te gaan zitten. Zelf hurkte ze nonchalant tegen de rotsen. De taal van de vreemdelingen vond ze ook grappig. Met handen en voeten gaf ze te kennen dat hun taal in haar oren klonk als vogelgekwetter. Maar het meest was ze onder de indruk van het vuurrode haar van Ruadh. Het was overduidelijk dat ze zoiets nog nooit had gezien. Telkens weer schudde zij haar hoofd en beeldde met haar handen flakkerende vlammen uit. Toen hij zich toevallig bukte en zijn haar dicht bij haar naakte huid in de buurt kwam, week ze geschrokken terug en liet een zonderling woord horen: hulewuwu.

De schriftgeleerde stelde haar vragen over de ruïnes van Dundris die bereidwillig, maar niet altijd begrijpelijk werden beantwoord.

In het begin, zo vertelde Lulalume, hadden er grote mensen in Dundris gewoond – heel grote mensen. Toen, heel lang geleden, had de wind ze weggeblazen. Pffft. Na weer een na lange tijd waren de Hau-Hau gekomen. Die waren ook gestorven. Na de Hau-Hau, die veel Ka-Ne hadden gedood en opgegeten, waren er dieren in Dundris opgedoken, die Schomma werden genoemd. Ze waren zwaar, zo zwaar als rotsen, maar ook heel dom. Ze leken op reusachtige wormen of slangen en bewogen zich voort op een manier waarbij ze om hun eigen as draaiden. Je kon ze eten, ze smaakten goed. Toen tekende ze verschillende kleine piramides in het stof en herhaalde haar opdracht om hen te begeleiden.

Ruadh gebaarde naar haar dat zij niet in de gloeiende hitte van de Zonnekoning naar buiten konden gaan, waarbij hij eerst naar de hemel wees, vervolgens met beide wijsvingers zichzelf aantikte en als laatste de armen over de borst kruiste en met dichte ogen 'dood' in elkaar zakte. De Ka-Ne schudde het hoofd en voegde er een zonderling gebaar aan toe, ze wees naar de zon en herhaalde het gebaar van Ruadh: 'Phuram sterft.'

En de vreemde vrouw verborg haar hoofd in haar handen.

De vijf bezoekers staarden haar aan. Had ze het over de aangekondigde zonsverduistering? Jannis trok zijn blauwe gevangenishemd uit en sloeg deze als een sluier om zijn hoofd. Zo?

Ze knikte heftig en toen volgde er weer een stortvloed van woorden. Hoewel Lulalume inmiddels wist dat ze haar niet verstonden, liet ze zich er niet van weerhouden om haar mening te verkondigen, en wel zeer uitvoerig. Daarbij richtte ze zich bijna uitsluitend tot Jannis, voor wie ze een deskundige voordracht leek te houden.

Toen bezwoer ze de vijf zo nadrukkelijk om haar te volgen, dat ze haar uiteindelijk gehoorzaamden. Ze klommen van de laatste treden af en kwamen in een koepelvormige poort met een traliehek ervoor. Natuurlijk weer een hek met zodanige afmetingen dat ze zo tussen de tralies door konden lopen.

Kaira zag dat ze aan de voet stonden van een klip van krijtrots, die achter hen tot in de hemel leek te reiken. De klip was in elk geval zo hoog dat niets meer te zien was van de gigantische ruïnes die erbovenop stonden. Voor hen lag een uitgestrekte steil aflopende puinhelling, die overging in een woestijnlandschap. Dezelfde roestkleurige heuvels, hetzelfde landschap met gespleten bergen aan de horizon met bizar gevormde rotsen waarboven de nachtzon opkwam. Het landschap was hier niet helemaal onvruchtbaar, het was meer een savanne dan een woestijn. Hier en daar groeide taai gras, of stak een doornenstruik de ineengevlochten takken omhoog naar de hemel. Er waren zelfs bomen, of althans een manshoge struik met doornen, dat qua uiterlijk het midden hield tussen een boom en een stekelzwam.

Ze aarzelden nog om naar buiten te gaan, want het zonlicht gloeide ononderbroken, maar meteen daarop gebeurde het al. Een windstoot kwam over de schrale oase aanzetten, zo snel dat de bomen kreunend ombogen, en toen doofde het licht. De zo even nog onverdraaglijke gloed verkilde, en een grijs-groene, naargeestige schemering breidde zich uit over het dorre land, met een voelbare afkoeling. Ruadh schoof voorzichtig zijn hoofd door de opening en haalde lang en diep adem.

'Het is zo ver,' zei hij. 'Phuram is verduisterd.'

De anderen verdrongen zich achter hem. Jannis liet een lang klaaglijk geluid horen toen hij naar de hemel keek, en de beide meisjes schrokken. Nog nooit had Kaira zoiets gezien. Het was niet echt donker, maar de hele wereld was gehuld in een loden schemering, dat een heel bedrukkende sfeer opleverde, zoals stilte die voorafgaat aan een zware storm. Waar zo net nog de alles verzengende ster had gestaan, was nu alleen nog een ziekelijke, nauwelijks zichtbare schijf met een heel zwak maar weerzinwekkend licht te zien.

Lulalume barstte uit in een melancholisch gezang dat ze begeleidde met langzame vloeiende dansbewegingen. Het klagende refrein was eenduidig:

Mandola eo ey,
Ooh, ooh, Mandola ey...

Zij waren nog niet ver gekomen, toen aan de andere kant van een zandduin het zwakke schijnsel oplichtte van een vuur. Even later al kwam oase in zicht met de nederzetting van de Ka-Ne. Een paar dozijn kleine, raamloze stenen piramides stonden rondom een aanzienlijk grotere piramide, ongetwijfeld het huis van de koningin of de hoofdvrouw. Naast deze bouwwerken was een omheining gemaakt van doorntakken, waarin een kudde langharige geiten werd gehouden. Eerst dacht Kaira dat er alleen maar jonge geitjes rondhuppelden binnen de omheining, zo klein waren de dieren, maar toen zag ze dat ook de volwassen geiten, zelfs de bokken, niet groter waren dan katten!

In een andere omheining rustten twee dozijn gevleugelde hagedissen, de vlerken gevouwen. Het waren zachtaardige onnozele dieren met paardenkoppen, gevlekt als luipaarden, de meeste bruin met wit. Ze knabbelden gezapig aan wat twijgjes.

De woestijnbewoners hadden met spanning gewacht op de terugkeer van de boodschapper, want ze liepen de bezoekers opgewonden pratend tegemoet en omringden hen van alle kanten. De kou van nu leek hen net zo weinig te deren als de dodelijke hitte van de dag. Velen van hen hadden weliswaar zachte, zandkleurige dekens als mantels om de schouders geslagen, maar ze droegen die meer voor de sier dan tegen de kou, want afgezien van die dekens waren zowel de mannen als de vrouwen poedelnaakt. Ze waren allemaal gespierd en gedrongen. Allemaal hadden ze met stof bepoederd haar, dat in lange strengen over hun schouders en rug hing. Ze droegen allemaal witte versieringen en talloze metalen ringen met belletjes, zodat de lucht bezwangerd was van een zacht geklingel. Iedereen droeg zijn eigen patronen op het lijf, geraffineerde combinaties van strepen, stippen hoeken en opgevulde vlakken die oplichtten op de grauwzwarte huid. De kopersmeden van het dorp zouden wel dag en nacht moeten doorwerken om aan de schijnbaar onverzadigbare vraag naar sieraden, hangers, oorringen, belletjes en halskettingen te kunnen voldoen.

Ook de Ka-Ne bekeken het uiterlijk van de vreemdelingen nieuwsgierig. Kledingstukken, uitrusting, haren, armbanden, ringen en halskettingen, alles werd bezichtigd en wekte verbazing. Het enthousiasme was zo groot, dat ze de dragers ervan soms wild heen-en-weer trokken omdat vier verschillende Ka-Ne tegelijk hun sieraden wilden bekijken. Vooral Ruadh baarde veel opzien vanwege zijn haarkleur. Maar niemand pakte hem vast. Ofwel ze dachten dat hij niet mocht worden aangeraakt, of ze vreesden dat iemand bij wie zulke felle vlammen uit het hoofd slaan, wel heel heet moest zijn, want ze weken gillend achteruit als hij een stap in hun richting deed. De manier waarop de Ka-Ne door elkaar praatten, deed vermoeden dat ze verschillende theorieën uitdachten over hoe iemand aan zo'n haarkleur zou kunnen komen. Het hoofdschudden en de verbaasde uitroepen zouden zo misschien nog veel langer zijn doorgegaan, maar plotseling klonk er door de hele nederzetting een diepe toon als van een gong en onmiddellijk verstomden de Ka-Ne, lieten de bezoekers met rust en staarden naar de tegenoverliggende centrale piramide. Lulalume wees met haar wijsvinger en fluisterde eerbiedig: 'Hulewuwu!' voordat ze verdween in de massa.

Kaira had geen idee of ze daarmee de piramide bedoelde of de grijze dame die gebukt uit de lage doorgang tevoorschijn kwam. Pikzwart en knokig, als van ebbenhout stond ze daar, het hoofd omkranst door witgrijze manen, een luipaardvel over de schouders. In het schijnsel van het vuur lichtten haar ogen gloeiend rood op, als waarschuwingslampjes. Haar tanden waren lang en geel, en ze had er zoveel dat het leek of ze een dubbele rij tanden had.

Zij was overduidelijk de aanvoerder van de kleine gemeenschap, hun hoofdvrouw of zelfs hun koningin, want de zo net nog zo praatgrage Ka-Ne zwegen eerbiedig toen zij op de vreemden afliep.

Kaira schrok op toen Ruadh haar aanstootte en haar gebaarde dat ze zijn voorbeeld moest volgen en diep moest buigen voor de grijze dame. Jannis wist nog beter wat gepast leek in aanwezigheid van een koningin. Hij knielde neer voor de vrouw, veegden met een hand het stof van haar voeten en kuste het hoopje stof, een blijk van onderdanigheid die zeer welwillend werd geaccepteerd. De Ka-Ne mompelden goedkeurend. Jannis nam zijn zegelring van zijn vinger. Met zijn hoofd op de grond, de geopende handen geheven, bood hij als gast zijn geschenk aan. Ruadh haastte zich dit gebaar over te nemen en de anderen deden het gelijk met hem, zodat het opperhoofd van de Ka-Ne aan het einde van de ceremonie in het bezit was van vijf armbanden, twee halskettingen en vier ringen. Alleen zijn ring met de maansteen, die hij onder zijn handschoen droeg, gaf Ruadh niet af.

De koningin gaf Jannis te verstaan dat ze de geschenken in dank aanvaardde, maar nog iets anders wilde hebben. Daarbij wees ze op Ruadh en wenkte hem om naar voren te komen. Hij gehoorzaamde en knielde eerbiedig voor haar neer. De koningin boog zich voorover, greep zijn rode paardestaartje en zei dat dat het was wat ze hebben wilde.

Niemand van hen waagde het om de koningin tegen te spreken, en dus stapte een van de vrouwen naar voren en sneed met een bronzen mes het rode haar af. De lokken werden met een reep leer bij elkaar gebonden en in een kastje gelegd. Dit alles gebeurde met een eerbied die een machtige betovering toekomt, terwijl een verwarde Ruadh werd verzocht om terug naar zijn plaats te gaan.

Vervolgens werd de bezoekers met gebaren en vriendelijke maar onverstaanbare woorden gevraagd om in de piramide van de hoofdvrouw te komen. Een aantal Ka-Ne-vrouwen – blijkbaar de meest hoogstaande stamleden – begeleidde hen.

De toegang tot de piramide was zo smal en nauw dat Tataika moeite had om zich erdoorheen te wringen en Beck, de grootste van hen, moest heel diep bukken. Kaira slipte naar binnen en bevond zich in een ruimte waar in het midden een klein vuur brandde in een bemuurde kuil. Ze constateerde dat de schoonheidsbehoefte van de Ka-Ne zich ook uitstrekte tot hun woonruimte. Overal aan de muren glinsterden koperen en gouden versieringen. Kaneelkleurige tapijten bedekten de bodem. De stenen troon van de koningin was heel fraai gemetseld en belegd met dikke bontgekeurde kussens. Daarboven hing een klokkenspel met vijf koperen staven die zacht tegen elkaar tingelden als de lucht in de ruimte in beweging kwam.

Direct achter de troon bedekte een bas-reliëf de stenen wand, dat de Drie Zusters voorstelde, al waren ze weergegeven in de gestalten van drie Ka-Ne-vrouwen. In het beeldhouwwerk troonden de Drie tussen de sterren in een vurige ring van Rozenvuurdraken die hen vereerden en onder hen wemelde het van de draken en mensen die hun handen hadden opgeheven en hen aanbeden.

De Ka-Ne dromden samen achter de gasten en gingen in op hun hurken op de met tapijt bedekte bodem zitten, waarbij de vrouwen zich om de troon heen schaarden terwijl de mannen op de achtergrond bleven. De bezoekers deden hetzelfde, maar toen Jannis naast Ruadh en Beck wilde gaan zitten, werd hij door een vrouw die er streng uitzag – zij leek de ceremoniemeester te zijn – naar de voorste rijen verwezen. Blijkbaar waren de Ka-Ne van mening dat hij bij de vrouwen hoorde.

Kaira begreep niets van deze fout. Jannis was weliswaar dan geen prachtexemplaar van een man, maar toch duidelijk als man herkenbaar. Maar het gebaar van de ceremoniemeester was niet mis te verstaan en dus stapte de Sundar doodgemoedereerd tussen de twee meisje over het tapijt heen.

Zodra de grijze aanvoerster op haar troon zat, verschenen er een paar lieftallige knapen die verfrissingen serveerde: platte bruine plaatkoeken met daarbij gerookt geitenvlees, gezoete geitenmelk en klompjes ingedroogde honing. Na de eerste hap ontdekte Kaira hoe hongerig ze eigenlijk was. Het leek erop dat de Ka-Ne de hongerigste gasten het meest hoffelijk vonden, want ze lachten en knikten welwillend, zo vaak als de gasten naar het voedsel grepen. Vooral Tataika maakte indruk op hen – te oordelen aan hun uitroepen en gebaren – niet alleen met haar opvallend grote lichaam, maar ook met haar eetlust.

Het duurde een tijdje voor ze het er met elkaar over eens waren, maar Jannis bleek er het meest handig in om zich met gebaren kenbaar te maken. Hij maakte duidelijk dat Umbra hen gestuurd had, dat ze op weg waren naar Luifinlas, dat ze een vrouw zochten die met hen mee zou gaan. De grijze dame knikte steeds vaker en iedereen die zich in de ruimte verzameld had, knikte instemmend.

Lulalume was onderweg verdwenen, maar nu keerde ze terug, en het was Kaira meteen duidelijk dat zij de uitverkorene was over wie Umbra had gesproken. Vier vrouwen droegen haar eerbiedig op de schouders en ze was gehuld in een wit, met draken beschilderd gewaad. Nu volgde een langere ceremonie, vermoedelijk een officiële opdracht en zegening door de koningin.

Een gelooide dierenhuid werd neergelegd en daarop werd de route getekend die ze moesten nemen naar het nest van de draak Kulabac diep in de Toarch kin Mur, die zou hen naar Luifinlas brengen.

Kulabac! De draak met de karbonkelogen, waarvan Vauvenal ze had verteld!

Lulalume zat trots en angstig tegelijk op de ereplek waar ze haar hadden neergezet. De koningin staarde donker voor zich uit. Iets scheen haar zorgen te baren. Plotseling gaf ze een bevel, en vier jonge mannen vertrokken. Korte tijd later keerden ze terug met een leren zak zo lang als een mens, die aan de voorkant was vastgesnoerd. De zak moest heel zwaar zijn, want de sterke kerels sleepten hem met moeite met zich mee.

De tolk verklaarde met gebaren wat er gebeurde: we gaan bidden – heel, heel grote mensen – dood – heel, heel veel – dit hier gevonden – het dorp in gedragen. Na deze vertolking volgde een woord, waar de ingespannen luisterende gasten niets van begrepen: 'gurguntai'. Jannis herhaalde het woord op vragende toon en kreeg als uitleg: Gurguntai was de naam van de plek waar veel dode Mlokisai lagen. De zak werd op de grond gelegd, opengemaakt en in een wolk van muffe stank kwam een afschrikwekkend ding tevoorschijn. Onder dikke zoutlagen lag daar een groot naakt mannenlichaam, menselijk qua gestalte, maar met een uiterlijk alsof zijn ledematen door een of andere verschrikkelijk ziekte waren verkort, verbeend en verstijfd. Zijn huid was verdikt, vol korsten en gebarsten als die van een hagedis. Eerst dacht Kaira dat hij een pantser droeg met gouden schubben, maar toen zag ze dat deze schubben – ze waren wel degelijk van goud – over grote delen van het lichaam direct uit de huid groeiden. Waarschijnlijk was het lichaam daarom zo zwaar. Het moest hem bij leven steeds vermoeiender geworden zijn om zich voort te bewegen in dit dikke pantser van hagedissenhuid en goud.

Met een klein gebaar gaf de koningin een van haar hofdames een bevel, en deze hofdame hurkte neer en maakt de band los waarmee de onderkaak van de hagedissenman was vastgebonden. De kaak klapte met een zenuwslopend gekraak open en in de gouden mondholte werd een starre, verstijfde gouden tong zichtbaar!

De toeschouwers weken ontzet achteruit, vooral Ruadh schreeuwde het uit en hield zijn handen voor zijn mond om zijn geschreeuw te onderdrukken. De koningin bezag hun schrik met zichtbaar genoegen en liet hen door de tolk meedelen: lang geleden – koning Kulda – veel machtige mensen – goud, goud, goud (de oude vrouw verbeeldde de hebzucht van deze mensen heel plastisch en ze leek zich goud in de mond te schuiven) – zo zijn ze geworden – alle hju-hju (wat 'betoverd' betekent).

Jannis was vol walging teruggeweken, maar toen wekte plotseling iets zijn nieuwsgierigheid. Behalve het lijk had er nog iets in de zak gezeten, namelijk een in twee stukken gebroken vaas. Het was een amfoor net zo lang als een hand, die aan de binnenkant donker van kleur was, alsof die met as of andere overblijfselen gevuld was geweest. De buitenkant was groen geglazuurd en versierd met een rood-gouden puntig patroon, dat bestond uit een heleboel aaneengesloten gezichten. Ze hadden allemaal vierkante ogen en een vierkant neus.

Jannis stootte bij deze aanblik vol extase een kreet, die klonk als kreunen van ultieme lust. Hij knielde naast het kadaver neer. Zijn handen trilden van opwinding toen hij de gebroken amfoor oppakte en allebei de delen van alle kanten bekeek.

'Dit stamt uit Dundris!' riep hij. 'O, gouden zon! Een urn uit Dundris en ik houd 'm vast!' Deze gedachte wond hem zo op dat hij naar adem moest happen.

Toen vroeg hij met gebaren, of hij de kleigedeelten mocht houden, maar zijn verzoek werd met een nadrukkelijk zwaaien van de wijsvinger afgewezen en kreeg met dit krachtige gebaar de waarschuwing, dat hij uit Gurguntai niets maar dan ook helemaal niets mee mocht nemen, anders zou het hem vergaan als de vervloekte wiens kadaver nu voor hem lag.

'Wij nemen geen goud mee! Wij nemen geen goud mee!' riep Ruadh op de achtergrond, die door een geheel ongewone opwinding bevangen was geraakt. Dit leverde hem een scherpe terechtwijzing van de ceremoniemeester op. Het was blijkbaar niet de bedoeling dat iemand anders dan Jannis het woord nam. Waarom Jannis in zo'n hoog aanzien stond bij de Ka-Ne terwijl de twee andere mannen bijna werden vernederd, was Kaira een raadsel.

Ze zeiden hen dat de gasten moesten gaan slapen en uitrusten, terwijl in het huis van de koningin de uitzending van Lulalume werd gevierd en gezegend met een geheime ceremonie die de hele nacht zou duren.

Kaira had Ruadh een aantal vragen willen stellen, maar toen ze het huis van de koningin verlieten werden ze vriendelijk doch dringend van elkaar gescheiden. Ruadh en Beck werden door een groep kleine, naakte, zwartgrijze mannen naar een armoedige, met dunne twijgen gevlochten hut gebracht, terwijl de twee meisjes en Jannis door een groep vrouwen naar een piramide werden geleid. Zij werden uitgenodigd om plaats te nemen op een bed van bontgekleurde matten en vier van de vrouwen gingen achter hen zitten. Ze moesten op hun rug gaan liggen, met het hoofd in de schoot van een van de vrouwen en met veel toewijding werd hun haar geborsteld en gekamd en werden zij gemasseerd. Vier andere vrouwen trokken hun schoenen uit en kneedden hun voeten. Ondertussen babbelden zij erop los in hun donkere, zachte taal, geheel onbekommerd omdat de bezoekers er geen woord van konden verstaan. Telkens werden hen weer kleine lekkernijen aangeboden, waaronder gedroogde bessen, honingklontjes, gerookt vlees, geitenmelk en kruidenkaas.

Kaira moest toegeven dat ze zich in lange tijd niet meer zo goed had gevoeld, en het verging de anderen net zo. Tataika gromde van genot. Jannis lag in volkomen ontspanning, zijn hoofd in de schoot van de ene en zijn blote voeten in de schoot van een andere vrouw. Terwijl Kaira naar de Sundar lag te kijken, viel haar op dat de grijze vrouw die de ceremonie leidde vanuit haar ooghoeken ook naar Jannis keek op een manier alsof er iets was daar haar niet met rust liet voordat alles haar duidelijk was. Ze schudde herhaaldelijk haar hoofd, wreef zich over de neus en trok een gezicht waarop te lezen was: hier klopt iets niet!

Op het laatst stond ze met een ruk op, liep naar de stapel tapijten toe en boog zich over de man. Met een verontschuldigende handbeweging liet ze hem weten dat hij gerust kon zijn, ze had niets kwaads in de zin. Toen trok ze zijn hemd omhoog tot aan de oksels.

De anderen bleven midden in hun beweging steken. Nieuwsgierig en verbaasd keken ze toe hoe de grijze vrouw de platte borstspieren van Jannis bestudeerde, het hoofd schudden – en plotsklaps met haar hele arm in zijn broek schoot.

De man schreeuwde het uit van schrik en pijn toen hij zo wreed bij zijn edele delen werd gegrepen. De oude vrouw grijnsde toen ze haar hand terugtrok en brulde triomfantelijk: 'La-Lau!'

Dat gaf sensatie. Het volgende moment sprongen alle vrouwen op, staken de koppen bij elkaar en smoesden met elkaar, terwijl ze telkens weer zijdelings blikken van verbazing wierpen op de geschrokken voormalige Sundar. Tataika en Kaira keken elkaar aan. Allebei durfden ze niets te zeggen. Wat was er gebeurd? Waar maakten de vrouwen zich zo druk over? Waren ze boos? Kaira begon zich al zorgen te maken dat ze misschien een taboe hadden doorbroken of een wet hadden overtreden. Uiteindelijk eindigde het hele gedoe ermee dat iedereen haar plaats weer innam en verder borstelde en masseerde. Het was ze duidelijk aan te zien dat ze iets heel verbazingwekkends hadden gezien. Iets wat beslist aan de rest van het dorp moest worden verteld. Telkens doken weer andere Ka-Ne-vrouwen op die hun hoofd door de deuropening staken en vervolgens allemaal vol verbazing weer vertrokken. De oude vrouw die hem ontmaskerd had, stond bij de deur en vertelde aan iedereen die langskwam het hele verhaal van voren af aan. Waarop de vrouwen, de een na de ander, een uitroep lieten horen die maar een ding kon betekenen: dat kan toch niet waar zijn!

Kaira was blij toen ze eindelijk alleen werden gelaten. De Ka-Ne waren zonder twijfel heel aardig, maar ze was doodmoe van alles wat ze op deze dag allemaal had beleefd. Bovendien wilde ze eindelijk weten wat er nu gebeurd was, vooropgesteld dat Jannis haar dat kon vertellen. Ze keek ongeduldig toe hoe de allerlaatste vrouw hen uit voorzorg met een paar warme dekens toedekte, een kleine lantaarn als nachtlicht naast het bed zette en hen met veel vriendelijke gebaren een goede nacht toewenste voordat ze het tapijt dat voor de deuropening hing, achter zich liet vallen.

Ze was nog niet weg of de twee meisjes belaagden de schriftgeleerde. 'Wat was er aan de hand? Waar hadden ze het over? Heb je begrepen wat er is gebeurd?'

Jannis ging rechtop zitten en gooide een van de dekens als een cape om zijn schouders. De Ka-Ne mochten dan misschien niets geven om de ijzige nachtelijke koude, maar de bezoekers voelden het maar al te goed toen het vuur in de kuil was uitgebrand. Ook Kaira en Tataika sloegen een deken om zich heen.

Tataika zei: 'Ze dachten eerst dat je een vrouw was, is het niet? Maar waarom toch?'

De voormalige Sundar streek zich verlegen met beide handen door het haar. 'Ik snap niet helemaal wat er is gebeurd, maar ik kan het wel enigszins begrijpen. Toen Lulalume ons ophaalde, was ik degene die het meeste met haar sprak en de meeste vragen aan haar stelde. Ze heeft gemerkt dat ik een geleerde ben. Bij de Ka-Ne zijn geleerden of andere personen met ook maar enig aanzien altijd vrouwen. Dus de conclusie lag voor de hand, wie een opleiding heeft gedaan moet een vrouw zijn!'

De Ka-Ne-vrouwen,' zo vertelde Jannis de twee meiden, 'zagen de wereld zoals die ooit door de Drie Zusters van de Rozenvuurdraken zou zijn geschapen. Zij daalden uit de hemel neer en legden eieren, waaruit volgens de wil van de hoge vrouwen de mensen kropen. Hun mannen hadden het legsel moeten bewaken en uitbroeden, maar zij waren in de ban van Drydd, en omdat ze dom waren en niet opletten hadden ze zich laten afleiden en slecht voor de kostbare nesten gezorgd. Daardoor waren de meeste eieren te vroeg afgekoeld en in plaats van de mensen die het hadden moeten worden – klein, antracietkleurig en met leeuwengezichten – waren er misvormde halfmensen uitgekomen, die de aarde van het ene uiteinde tot het andere in bezit hebben genomen. Ze waren zo bleek als dode vissen, met vale ogen en lange, dunne neuzen. Als straf kregen de Ka-Ne-mannen de vloek van een nederig en geminacht leven opgelegd, die geldt tot op de dag van vandaag en die altijd zal blijven voortduren, omdat ze in de lange tijd van hun straf niets wijzer zijn geworden.

Tataika giechelde in haar deken. 'Die oma heeft je anders gemeen in je ballen geknepen, toch? Ik wed dat ze dat expres deed.'

Kaira merkte hoe verlegen de man werd en veranderde van onderwerp. 'Wat bedoelen ze met hulewuwu? Ze gebruiken dat woord voortdurend, maar ik kom er maar niet achter wat het zou kunnen betekenen.'

'Dat weet ik ook niet precies,' gaf Jannis toe. 'Ik neem aan dat het iets heiligs is, een taboe, iets bijzonders, magisch, uitverkoren. De koningin van de stam is hulewuwu, de wijze vrouwen zijn het ook. Wat de oude vrouw naar haar vriendinnen riep – hulewuwu La-Lau – betekent zoiets als: de zogenaamde wijze vrouw is een man! Maar ook het lijk dat ze ons lieten zien is taboe. Daarom mocht ik de amfoor niet onderzoeken. Een amfoor uit Dundris, en ik mocht er niet eens goed naar kijken!' Een donkere wolk trok over zijn gezicht.

Tataika keek hem van opzij aan. 'Vergeet het, Jannis. Het kijken naar het lijk was als waarschuwing bedoeld voor ons.'

Jannis voelde zich betrapt, stond op en trok zijn deken om zich heen. 'Ik ben moe. Ik ga daar in de hoek liggen. Welterusten.'

Tataika keek naar hem met een lange, donkere blik, die hem zichtbaar zenuwachtig maakte. Toen gromde ze: 'Wees niet zo kinderachtig! In de hoek bevries je. Je slaapt hier bij ons.'

Jannis raakte in zo'n innerlijke tweestrijd, dat hij letterlijk begon te trappelen. 'Maar de keizer staat niet toe...'

'De keizer is morsdood, begrijp dat nou toch eens,' snauwde Tataika hem toe. Het volgende ogenblik lachte ze. Het was een hartelijke, uitnodigende lach zoals Kaira nog nooit van haar had gezien. 'Kom je nou, of moet ik je halen?'

Jannis deed alsof hij uit eigen vrije wil kwam, maar hij was heel onrustig. Hij had heel lang de hoop gehouden dat de zonnekoning en de keizer hem beschermden, maar nu was hij vogelvrij. Hij hield zijn adem in zodra hij ook maar iets hoorde ritselen.

Kaira was blij toen het lichtje uitging en de piramide alleen nog werd verlicht door het zwakke roodoranje geflakker van het langzaam dovende vuur. Ze gaapte en zei: 'Ik ben doodmoe… welterusten allemaal.' Ze koos haar plek zo dat Tataika tussen haar en de schriftgeleerde in lag. Jannis zag er dan misschien niet heel gevaarlijk uit, maar ze voelde zich toch niet op haar gemak in de nabijheid van de man.

Toen Kaira eindelijk insliep, had ze een vervelende droom.

Net zoals de meeste van haar nachtmerries begon ook deze droom met het gevoel dat ze wakker werd. Ze wist zelfs nog wat haar wakker had gemaakt, namelijk een donsachtige aanraking in haar nek, een voorbijglijden, alsof ze langs een waaiend gordijn was gelopen. Was hier ongedierte? Zij schudde haar lichaam en tastte met haar hand in haar nek, maar voelde niets. Gerustgesteld dat er geen kakkerlakken over haar heen liepen, zag ze dat alleen een zwak rood glinsteren verried waar het vuur had gebrand.

Maar deze glinstering was niet het enige licht. Een tweede schijnsel scheen in het donker, een fosforescerende schim als van rottend hout. Kaira staarde het een tijdje aan, zonder te begrijpen waar deze vijandige schittering vandaan kwam, maar toen begreep ze ineens dat de oorsprong ervan achter haar rug moest zijn. Onopvallend manoeuvreerde ze zich in een houding waarin ze over haar schouder naar achteren kon kijken, draaide zich om en kon nog net een schreeuw van ontzetting inslikken! Want daar lag Tataika, comfortabel op haar buik en blijkbaar in diepe slaap, en over haar rug slingerde en kronkelde een afschuwelijk eng ondier! Het ding, dat van de kop tot aan het puntje van de staart in een donker, zwavelig aura gehuld was, leek op een duizendpoot zo lang als een mens. Het had een ontelbaar aantal lange poten die rondwoelden als een ragebol, en twee scharnierende scharen zo lang als armen. Het ondier hield met de scharen Tataika's nek vast en nu gleed er een sierlijke vlinderachtige slurf tussen de grijpscharen uit. Hij zoog zich vast aan het slapende meisje en zoog iets uit haar, zo gulzig dat de slurf opzwol als het ondier zoog. Het ding rolde zich weer op als het ondier tussendoor op adem kwam. Eerst dacht Kaira dat het ondier bloed zoog, maar het was wat anders, iets onstoffelijks als nevel waar een levend roze schijnsel uitstroomde. Daarbij steunde het duizendvoetige monster met een paar van zijn poten op de schouders en bovenbenen van Tataika steunen, en terwijl hij zo opgekrikt stond, maakte hij een hoge rug en kromde zijn enorme flexibele lijf en wrong zich in allerlei bochten die ongetwijfeld een uiting waren van zijn lust en vervoering. Toen zwaaide het ondier ineens met zijn achterlijf, zodat de zwavelig gloeiende verenboa over Kaira heen wuifde, en haar afgrijzen over deze aanraking deed haar wakker schrikken. Met een ruk ging ze rechtop zitten, snakkend naar adem van de schrik en het plotselinge ontwaken, en staarde in het donker. De piramide was bijna helemaal donker, net als in haar nachtmerrie gaven alleen de uitgebrande kolen van het vuur nog een zwak schijnsel af. Er was niets. Geen duizendpoot, geen scharen, geen roze oplichtende slurf. Naast haar lag Tataika, die was gestoord door de plotse beweging van haar buurvrouw in het bed en zonder wakker te worden dreigend voor zich uit bromde. Een onbestemde schaduw achter haar moest Jannis zijn. Hij lag volkomen stil, maar toch had Kaira het gevoel dat hij net zo wakker was als zij. Ze overwoog al om iets tegen hem te zeggen, maar liet het voor wat het was. Als ze hem haar nachtmerrie zou vertellen dan zou hij – geleerd en goed opgeleid als hij was – haar misschien wel uitlachen. Ze draaide zich op haar zij en probeerde weer in slaap te komen. Telkens opnieuw werd ze opgeschrikt door het gevoel dat iets als een plumeau over haar heen wuifde, ragfijn en toch heel erg dreigend. Half slapend probeerde ze het ding weg te wuiven, maar het kroop halsstarrig keer op keer weer over haar heen. Pas toen de haan begon te kraaien, liet het haar eindelijk met rust.

Kaira opende haar ogen en pas nadat haar hart een paar keer had geslagen, begreep ze waarom ze in de vreemde dekens en tapijten gerold lag. Toen herinnerde ze zich de gebeurtenissen van de vorige dag weer. Ze ging zitten en keek om zich heen. Tataika was in een diepe slaap verzonken, en achter Tataika, dicht tegen haar grote lijf aangekropen, sliep Jannis.

Kaira schoot haar kleren en schoenen aan en tilde een hoek van het tapijt op dat dienst deed als deur. Nog voordat de ochtendschemer zich toonde, kwamen verschillende vrouwen het gastverblijf binnen en serveerden hen een overvloedig ontbijt van gezoete geitenmelk, plaatkoeken en gedroogde bessen. Jannis vond het zeer pijnlijk dat de vrouwen hem in hetzelfde bed aantroffen als de twee meisjes, hij glipte snel onder de dekens uit en trok zijn schoenen aan. Toen hij zat te ontbijten viel het Kaira op hoe uitgerust hij eruitzag, zoveel meer uitgerust dan een lange gezonde slaap had kunnen bewerkstelligen. Zijn huid was een stuk gladder geworden, de scherpe rimpels om zijn mond en de vouwen rond zijn ogen waren bijna verdwenen. Zijn haar glansde. En niet alleen van buiten was hij veranderd, zijn hele wezen leek jonger en krachtiger. Hij tastte met een flinke eetlust toe.

Meteen daarop verschenen er twee mannen die Ruadh en Beck bij hun metgezellen brachten. Het tapijt werd weer voor de deur gehangen en de gasten waren onder elkaar.

Ruadh wierp een blik op de ontbijttafel. 'Hé! Wij hebben alleen brood en geitenmelk gekregen.'

Tataika grijnsde hem onbeschaamd toe. 'Jullie zijn ook maar mannen. Voor jullie is het goedkoopste nog te duur. Maar jullie mogen voor deze gelegenheid aanschuiven als wij gaan smullen.'

Terwijl ze aten, merkte Kaira hoe Jannis onopvallend steeds dichter bij Tataika ging zitten, tot hij tegen haar aan zat. Tataika scheen het in het geheel niet onaangenaam te vinden, want ze legde een arm om zijn schouders en trok hem nog dichter tegen zich aan, wat hij maar al te graag liet gebeuren. Zij had er ook niets tegen dat hij zijn hand op haar blote onderarm legde. Het was verbazingwekkend om te zien. Tataika, die zo'n hekel had aan mannen dat ze nooit wilde trouwen, liet zich liefkozen door een man!

Kaira merkte dat ook Beck bedenkingen had bij vertrouwelijkheid van de schriftgeleerde. Hij zag hem een poosje van de zijkant aan en met een stem die terug deed denken aan de voormalige keizerlijke inquisiteur zei hij plotseling: 'Je hebt ons niet de waarheid verteld, waarom ze je verjaagd hebben, Jannis, nietwaar? Je bent een Vhul.'

De man kromp van schrik in elkaar en verbleekte. Met bevende stem bracht hij uit: 'Dat is niet waar, je beschuldigt me zonder reden. Ik heb niets gedaan.'

Beck schudde zijn hoofd. 'Probeer maar niet te liegen!' sprak hij streng. 'Het helpt je niets, en je voegt alleen nog een leugen toe aan al je zonden. Je hebt de meisjes uitgezogen toen je met hen in een bed lag en ook nu verlang je hevig naar hun kracht. Kijk nou toch!' hij richtte zich nu tot Ruadh en Kaira. 'Hij ziet er tien jaar jonger uit dan gisteren.'

Dat was echt makkelijk te zien. Jannis merkte dat ontkennen en liegen niets zou helpen en Kaira keek hem aan toen een bijna tastbare angst in hem opwelde. Hij keek om zich heen naar alle kanten, alsof hij in paniek het waanzinnige idee overwoog om de woestijn in te vluchten, die alweer gloeide als een oven. Maar voor hij dat – of iets anders dat leek op zelfmoord – kon doen, vroeg Tataika met haar diepe stem: 'Wat bedoel je daarmee, Beck? Wat is een Vhul?'

Beck legde het haar uit. 'Een Vhul is een mens die te weinig eigen levenskracht heeft. Hij moet bij anderen halen wat hijzelf tekortkomt. Hij leeft als een vampier, maar het is geen bloed dat hij opzuigt uit zijn slachtoffers, maar de energie die alle levende wezens in zich dragen. Deze wezens zitten zo in elkaar dat ze de levenskracht van andere mensen via de huid kunnen opnemen als ze hen aanraken. Hoe groter de huidoppervlakken zijn die elkaar raken, hoe meer levenskracht de Vhul opneemt. Sommige geleerden noemen het een afschuwelijke afwijking, anderen die wat milder zijn spreken van een aangeboren ernstige ziekte. Maar hoe ze er ook over denken, niemand wil met zulke mensen iets te maken hebben, want ze trekken alle levenskracht uit hun omgeving naar zich toe.'

'De Vhul – althans de slimsten onder hen – deden de grootste moeite om hun talent of hun ziekte te verbergen,' ging Beck verder. 'Om niet op te vallen hielden zij zich met de kleinst mogelijke porties in leven, maar meestal bereikten zij op zeker moment een stadium waarin zij hun hebzucht niet meer konden beteugelen en zich vol zogen met de levensenergie van anderen zoals een zwam zich vol zuigt met water. Na zulke uitspattingen waren ze het makkelijkst te ontmaskeren, omdat iedereen dan kon zien dat ze in een klap veel jonger waren geworden. Eenmaal betrapt, wachtte ze het lot van bannelingen en verstotenen.'

Terwijl hij hem met een scherpe blik doorboorde, vroeg Beck aan de geleerde, die als een op heterdaad betrapte inbreker naar de grond staarde: 'Zo is het toch, nietwaar?'

Jannis kon de moed niet meer opbrengen om te liegen. Hij knikte halfslachtig. De enige verontschuldiging die hij waagde uit te brengen, was: 'Ik heb echt maar weinig ingenomen… maar net genoeg om te kunnen overleven. Ik was zo erg verzwakt door alle emoties en inspanningen. Het is heus geen kleinigheid als je wordt verstoten en als slaaf wordt verkocht en vervolgens in een stal gevangen wordt gehouden, met voortdurend de angst dat je als slachtvee verkocht gaat worden. Ik wilde maar een klein beetje kracht, om de komende dag door te kunnen komen. Deze jonge vrouw is zo sterk... het heeft haar heus geen kwaad gedaan.' Ruadh had opmerkzaam toegehoord en steeds meewarig het hoofd geschud. Nu richtte hij zich op vriendelijke toon tot de ongelukkige. 'Ik wil je alleen maar zeggen... Ik keer me niet van je af. Het is niet jouw schuld dat je zo geboren bent, altijd afhankelijk van de kracht van andere mensen. Het staat voor mij vast dat het een ziekte is waarvoor nog geen medicijn bestaat. Maar blijf met je handen van de meisjes af! Ik ben zelf sterk en gezond. Dus als je kracht nodig hebt, haal het dan bij mij.' Hij keek met een bemoedigende blik naar Beck tegenover hem. 'Als wij hem elk een beetje kracht geven, hebben wij daar geen last van en het helpt hem. Ik ga als eerste.' Hij stroopte zijn mouwen op tot boven de ellebogen en stak zijn blote onderarmen uit naar de Vhul.

Jannis was zichtbaar opgelucht dat hij zo vriendelijk werd behandeld, maar schaamde zich dieper dan ooit tevoren. Hij antwoordde zacht: 'Ik wil je niet belasten met mijn donkere kanten. Maar ik voel me... zo ziek... als ik zo lang honger moet lijden. In de laatste weken voor ik werd verstoten durfde ik niet meer te zuigen uit angst dat mijn noodlot definitief bezegeld zou zijn. Ik durfde niet eens naar de mensen te gaan die ons voeden in ruil voor geld en net zo veracht worden als wij.'

Tataika had opmerkzaam geluisterd. Zij legde zacht haar beide armen om Jannis heen en beschermde hem met dit gebaar tegen de blikken en woorden van de anderen. 'Maak je geen zorgen,' zei ze zacht. 'Ik heb genoeg kracht voor ons allebei, als dat is wat je nodig hebt. Je mag nemen zoveel je wilt.' Met deze woorden knoopte ze met een hand haar hemd open en ontblootte haar volumineuze, melkwitte borsten.

Jannis' stem sloeg over bij het zien van de overweldigende pracht, die de man en de vampier in hem allebei tegelijk in vervoering bracht. Onmachtig om zich nog langer te beheersen, omhelsde hij Tataika met allebei zijn armen en zoog zich vol met levenskracht.

Tataika zag er na afloop uit als altijd, maar Jannis was op een ongelofelijke en (onder deze omstandigheden) niet heimelijke manier opgebloeid. Van het bleke, stotterende hoopje ellende was hij een man met heldere, levendige ogen met een moedige blik en een fris, allesbehalve onaantrekkelijk gezicht geworden. Zijn haardos was vol en mooi met een fraaie kastanjebruine glans, zijn hele lichaam – terwijl hij nog steeds heel dun was – vertoonde bij elke beweging spierkracht en geestdrift. Toch was aan hem te merken dat hij zich ongekend schaamde voor zijn prachtige verschijning, want iedereen wist aan welke maaltijd hij het danken had. Hij ging verder bij het vuur vandaan zitten en als een klein kind dat stiekem heeft gesnoept, veegde hij zijn mond schoon met zijn vingers.

Ruadh richtte zich tot Jannis. 'Voor dit moment ben je voldaan, dat is goed, want wij zullen allemaal je ondersteuning nodig hebben. Jij bent de enige van ons die iets begrijpt van oude graven. We moeten op jou vertrouwen.'

Het was aandoenlijk om te zien hoe Jannis opbloeide onder deze complimenten voor zijn kwaliteiten als vakman. Hij antwoordde met zachte, onderdanige stem: 'Ik heb altijd geprobeerd om mijn slechte kanten toch weer goed te maken door ijverig te studeren en hard te werken. Ik hoopte dat de mensen me dan zouden vergeven dat ik de zon niet waard ben. Maar het liep anders. Niemand heeft mij ooit vergeven. Ze hebben me verjaagd als een schurftige hond.'

Ruadh zei toen – en het was duidelijk dat hij Jannis wilde laten toehappen: 'De Maangodin vergeeft, Jannis. En meer dan dat. Haar kracht kan je de kracht geven die je door een noodlot onthouden is. Haar kracht kan je tekorten aanvullen en je zo sterk maken als iedere andere man.'

Maar Jannis schudde onwillig zijn hoofd, en Ruadh liet hem verder met rust.

Even later kwamen Lulalume en een paar andere vrouwen binnen en lieten hen weten dat ze mee moesten komen. De gasten werden naar de grote piramide gebracht, waar de opvoering van de vorige dag nog eens werd vertoond. De koningin zat op haar troon en de vrouwen van de stam hurkten babbelend op de voorste rijen, terwijl de mannen schuchter en zwijgend op de achtergrond bleven. Tataika werd met bijzondere eerbied bejegend, wat haar in verlegenheid bracht. Pas toen zij nadrukkelijk op Jannis wees, kon hij verder als woordvoerder optreden, voor zover bij de toch vooral woordeloze dialoog sprake was van spreken.

Toen gaf de hoge vrouw haar adjudant een opdracht, die zij doorgaf aan vier jonge bedienden. De kerels verdwenen en keerden kort erop weer terug, ieder had een leren zak over de schouder. De inhoud van deze zakken werd voor de troon van de hoofdvrouw op het tapijt gelegd. Alles wat nodig was voor een expeditie lag erbij: twee dozijn fakkels met pek, twee warme dekens per persoon, een uitgebreide voorraad gerookt vlees, kaas en gedroogde bessen, twee grote waterzakken van geitenleer en een kleine metalen kruik die met leren linten was omwikkeld, waarvan Kaira eerst niet begreep waar die voor was. Later kwam ze erachter dat die was bedoeld om gloeiende houtskool in mee te nemen. Toen liet de koningin weten dat ze alles tot hun beschikking hadden, en ook nog gebruik konden maken van gevleugelde hagedissen die hun uitrusting zouden dragen.

De Gurguntai

Kaira zou er geen bezwaar tegen hebben gehad om nog wat langer bij de vriendelijke mensen te blijven, maar ze vertrokken meteen na afloop van de ceremonie. Terwijl alle dorpsbewoners nauwlettend toekeken werden de leren zakken op de gevleugelde hagedissen geladen en stegen de reizigers op. Ze werden toegejuicht en met massaal knippen met de vingers wensten de bewoners de expeditieleden een goede reis, toen ze over het piramidendorp vlogen en bij de geitenkooi voorbij de weg de woestijn introkken.

De hagedissen vlogen met gemak vlak boven de grond. De dieren leken wel reusachtige vlotten, ze waren wit met beige en bruine stippen en hadden met een zacht, ragfijn dons bedekte slinger met een spanlengte van niet minder dan twintig passen. Tataika, Jannis en Kaira zaten samen op een van de dieren.

Kaira haalde diep adem in de koude lucht die gekruid was met de rook van de fakkels. De sliert van vuur wierp een geheimzinnig licht op het lege, zonloze land. Achter haar rug hoorde ze Jannis en Tataika die dicht tegen elkaar aan zaten met elkaar fluisteren.

'Zo lang je bij mij bent, zul je nooit meer honger hebben. Ik zal voor je zorgen.'

'Hoe kun je zo goed zijn voor een slecht mens als ik?'

'Doe niet zo dom,' zei Tataika nors. 'Je bent niet slecht. Je hebt alleen meer kracht nodig dan andere mensen, en daarvan heb ik meer dan genoeg.'

Jannis zuchtte. Waarschijnlijk ging hij in gedachten al op in eindeloos smullen, heerlijke dagen waarop hij voldaan en sterk zou zijn en niet hoefde te vrezen voor de verschrikkelijke honger.

Plotseling ging de hagedis wat omlaag, en Kaira merkte geschrokken op dat ze de hoogvlakte hadden verlaten en dat het dier een dal indook. Hier en daar lichtte een bruine rotswand op in het flakkerende licht, waarvan het zachte zandsteen op een heel eigenaardige manier was verweerd, alsof een beeldhouwer het had versierd met ontelbare minuscule zuilen en spitsen. Er heerste diepe stilte, een stilte zoals Kaira nog nooit had meegemaakt. Ze had altijd gedacht dat stilte niet meer was dan de afwezigheid van geluid. Hier was het anders. Het zwijgen dat op het dal drukte, was zo dik en zwaar dat elk geluid moeite moest doen om erin door te dringen. Met elke stap werd duidelijker dat niets was wat het leek het in de kale bruine grafheuvels.

Wat ze nu echt zagen of hoorden was moeilijk te zeggen, maar het gevoel dat ze werden bespied overheerste. Kaira betrapte zich telkens weer op het idee dat er achter haar rug een reusachtig gezicht langzaam boven de horizon kroop, vlak als een masker en met in elkaar overlopende maar overduidelijk onaangename trekken. Precies zo ver dat ze het bovenste gedeelte van een misvormde mond met tanden vol gaten kon zien. Als ze over haar schouder naar achteren keek, verschool het masker zich ogenblikkelijk achter de horizon. Zodra Kaira weer naar voren keek, kwam het weer omhoog, in een gelijkmatig, tergend langzaam tempo alsof er een ster van het kwaad boven de horizon opkwam.

Het werd er niet beter op toen van tijd tot tijd geluiden door de naargeestige wildernis drongen, geluiden die zich in haar oren nestelden en deze opvulden met hardnekkig gezoem en gekerm. Het verschrikkelijkste was nog wel dat het geluid lijfelijk leek te zijn, alsof het oorwurmen waren die eerst in haar oren en vervolgens in haar hersens rond woelden. Na een tijdje voelde ze zich alsof er honderden van zulke ondieren in haar hoofd rond kropen. Ze was dan ook opgelucht toen haar hoofd ineens hard kraakte en de oorwurmen uit haar hoofd waren verdwenen. Op hetzelfde ogenblik dat ze zich ze zich bevrijd voelde, was ze er absoluut zeker van dat er in de verte een gestalte op een grafheuvel stond: zwart als ebbenhout, lang en rechtop, stijf als een hark, gehuld in een lange mantel die met rechte hoeken tot op de grond reikte, alsof er een doodskist rechtop stond met de kop van een jakhals erbovenop. Kaira voelde ijskoude rillingen over haar rug lopen. Ze keek naar Lulalume en zag hoe zij in elkaar gedoken was en haar handen voor haar gezicht hield.

Het pad dat de laagvliegende hagedissen volgden, ging over een diepliggende weg. In het begin waren de aarden wallen aan beide kanten niet hoger dan de stenen muren die in grote delen van Chatundra de velden omsloten, maar al snel werden ze manshoog, en nog iets later was de holle weg veranderd in een kloof met muren die met iedere stap hoger en nog hoger werden. Weer iets later was de onheilspellend geworden hemel alleen nog maar te zien als een smalle streep tussen de klippen aan weerskanten.

Toen ze voorbij een uitstekende rotspunt kwamen, lagen daar de Gurguntai uitgestrekt voor hen, de oudste graven van het Aarde-Wind-Vuur-Land. Ze stegen af en laadden de bagage af. Daarbinnen waren de hagedissen niet bruikbaar en dus draaide Lulalume de dieren om en fluisterde hen een woord toe in hun eigen taal. Ze gingen de lucht in en vlogen de weg die ze hadden afgelegd weer terug.

Beck hield de brandende fakkel vast terwijl ze met z'n allen het portaal bewonderden. De diepe duisternis die de hoge ingang volledig vulde, was op een bedrukkende manier naargeestig. De fakkel brandde nu met een donkerder, rokende vlam. Toch bevatten de stilte en het donker niets kwaads. Wat Kaira voelde was het zwijgen van een plaats die al in eenzaamheid was ondergedompeld toen de stad Dundris nog bruiste van het leven.

Jannis leek dit het meest duidelijk te ervaren. Hij zei zacht: 'Dit is een afschuwelijke plek... en toch zou je hier het liefst neerknielen en bidden.'

Eerbiedig zwegen ze een poos terwijl ze vol verbazing rondkeken in het reusachtige portaal. Toen zei Ruadh met heldere stem: 'De oude dame beschermt ons allen!' Hij gooide een van de leren zakken over zijn schouder en liep met grote stappen het donker in.

De anderen volgden hem, Beck en Tataika met de twee andere zakken, Kaira en Lulalume ieder met een brandende fakkel en Jannis met de voorraad fakkels.

Zodra ze de rotsige deur waren ingegaan, leek het Kaira alsof er een wand achter hen dichtging, zo stevig en ondoordringbaar als een de deur van een burcht. Er klonk nauwelijks geluid, er bewoog niets, maar toch was ze ervan overtuigd dat ze vanaf dit moment niet meer zouden kunnen omkeren.

Het dansende licht van de fakkel verlichtte een hoge gang die was afgewerkt met platen. Het was er koel, maar niet koud. Een luchtstroom verried dat er binnen de grafheuvels sprake was van natuurlijke beluchting. De lucht was dan ook beter dan ze hadden verwacht. De gang was niet versierd en deed op een eigenaardige manier ongerept aan. Hoewel dit voorste gedeelte van de holte overdag in het zonlicht lag, zag Kaira nergens ook maar een spoor van begroeiing.

Na een paar stappen stootten ze op een valhek dat de toegang naar de graven versperde – maar natuurlijk alleen voor de Mlokisai. De zes mensen konden zonder problemen tussen de tralies doorklimmen.

Jannis gaf hen raad: 'Pas op waar je loopt en pak niets onnodig vast. Dit soort oude begraafplaatsen zijn vaak bezaaid met vallen om de grafrovers af te schrikken en ik heb geen zin om samen in een schacht te storten of verpletterd te worden door omlaag stortende stenen.'

Vanaf dat moment gingen ze allemaal heel voorzichtig voorwaarts. Jannis ging door: 'Ik zou willen dat we staf of een stok hadden, om voor ons uit te tasten. De grafrovers hadden gewoonlijk stangen bij zich waarmee ze de vallen konden opsporen.'

Tataika keek Ruadh vragend aan. 'Je had ons toch gezegd dat jij in je tas alles kunt vinden wat je nodig hebt. Waarom kijk je niet even?'

De Accumulator schudde zijn hoofd. 'Nee, daar is niets. Ik kan het voelen wanneer er iets in zit. Misschien vinden we de stangen op een andere manier, of anders hebben we er geen nodig.' Hij bleef dicht bij Kaira en keek aan een stuk door om zich heen of ergens iets verdachts te ontdekken was. Toen de gang op een splitsing uitkwam, nam hij de fakkel van haar over en tuurde eerst voorzichtig in de ene en toen in de andere tunnel. Ze waren elkaars evenbeeld. In elke tunnel voerde een brede trap met heel hoge trede omlaag in de diepte.

Op elke trede stonden dicht bij de muur twee groen geglazuurde urnen. Op de houders was een gestileerd gezicht geschilderd met twee ruitvormige, dreigende spleetogen die de indringers aanstaarden. In het onrustige licht van de fakkels leken ze zo levensecht dat Kaira een rilling van onbehagen moest onderdrukken. Ongetwijfeld waren deze er neergezet met de bedoeling om ongewenste gasten te bedreigen, en het was geen prettige gedacht dat ze de as van krijgers of slaven konden bevatten die de ongestoorde rust van hun heren moesten bewaken.

De treden waren zo hoog dat Kaira er niet in slaagde er vanaf te stappen. Ze moest op elke tree gaan zitten, de benen over de rand laten vallen en zich half glijdend, half vallend op de eerstvolgende lager tree laten zakken – en dat allemaal met een fakkel in haar hand die minstens zoveel rook als licht verspreidde.

Zo hoog als het onrustige licht reikte, was de muur bedekt met beschilderde tegels die met goud waren gevoegd. De basiskleur van de tegels was jadegroen, de schilderingen waren in rood uitgevoerd, allemaal in de karakteristieke stijl met scherpe punten die ze ook al in de ruïnes van Dundris hadden gezien. De Indigoleeuwen werden voorgesteld als getekende poppetjes, met een groot vierkant als kop en vier kleine vierkanten als voor- en achterpoten, ruitvormige vleugels en een lange staart die was opgebouwd uit een heleboel ruiten. Bomen waren weergegeven als vierkanten op loodrechte stelen, dieren als zonderling voorkomende combinaties van vierkanten, rechthoeken en strepen. De schilderingen op de wanden van de hallen vertelden een doorlopend beeldverhaal over het leven van de reusachtig grote bewoners en hoe alles er ooit had uitgezien. Ze zagen ze soms vliegend, maar meestal lopend op vier of twee poten, vaak in groepen die in gewichtige gesprekken verwikkeld leken te zijn, en vaak waren ze afgebeeld tijdens het eten, hoe ze hele palmvarens uitrukten en gezapig lagen te herkauwen. Kaira voelde zich iets beter bij de gedachte dat ze geen vleeseters waren geweest.

Jannis was laaiend enthousiast en ze moesten hem elke paar stappen meetrekken, omdat hij alsmaar bleef staan om de inscripties te ontcijferen. Hij zag zijn theorie bevestigd dat de nu zo verlaten omgeving dicht bebost moest zijn geweest in de tijd dat de Indigoleeuwen leefden, en dat de grote schepsels destijds leefden van nieuwe loten, blad en vruchten van de begroeiing.

Aan het einde van de trap ontdekten ze iets wat Jannis alweer een jubelkreet ontlokte.

'Ik weet het!' riep hij. 'Lijkverbranding! Wat ik altijd al zei, lijkverbranding! Maar die stomkop van Darkanis moest me altijd tegenspreken!'

Wat hij had gevonden was de oven van een crematorium uit de oertijd. Een enorme zwarte stenen constructie rees als een klein huis op in het midden van de hal. Beck verlichtte de vuuropening met zijn fakkel, en ze zagen in het binnenste van de stenen kubus een gigantisch rooster, lang en breed genoeg om wel een dozijn ossen tegelijk op te braden. Daaronder gaapte de kuil waarin het vuur ooit werd aangestoken, zo diep dat in het flakkerende schijnsel van de fakkel geen bodem te zien was.

Beck riep: 'Kijk dan wat daar ligt! Dat kunnen we goed gebruiken!' Wat hij gezien had, was echt iets heel bruikbaars, namelijk een ijzeren pook. Het was een sierlijk exemplaar voor de reuzen, maar voor de mensen een lange stang. Ruadh nam de pook meteen mee.

Ze ontdekten dat de lagere verdiepingen van de Gurguntai veel moeilijker te bereiken waren dan de eerste. Vanuit alle vier de hoeken van de zaal gingen vier trappen omlaag. Ongetwijfeld hadden de sluwe Mlokisai alleen maar onnodig veel trappen aangelegd om de grafrovers om de tuin te leiden.

'Ik weet eigenlijk niet,' vertelde Jannis zijn begeleiders, 'of deze crypten zijn aangelegd volgens hetzelfde schema als de eerder onderzochte begraafplaatsen, maar het zou goed kunnen dat er geen groot verschil is en in dat geval kan ik jullie ongeveer zeggen waar de onaangename verrassingen zijn verstopt. Wees ondanks dat toch heel voorzichtig. Als we ons een keer vergissen, krijgen we geen tweede kans.'

Ze kozen op goed geluk een soort dienstbodentrap die in de achterste hoek van de hal de diepte inging. Het was een smalle trap voor degenen die hem hadden gebouwd, maar ongemakkelijk groot voor de vijf mensen die moeizaam tree voor tree omlaaggingen. Jannis ging als eerste en tastte de route voorzichtig af met de lange ijzeren pook, hij sloeg ermee op de muren en testte de stevigheid van de treden.

Ze stelden opgelucht vast dat er op deze verdieping geen vallen waren. De bodem was vast en stevig, de muren ook, en ook in het duister boven hun hoofd loerde geen gevaar. Ook hier stonden op elke traptree weer de urnen met de boos kijkende ogen, en Kaira die bang was voor maskers en geschilderde gezichten, schoof er benauwd voorbij.

Maar niet alleen Kaira was bang. Lulalume kneep bij iedere gelegenheid haar ogen dicht en omklemde de amulet die om haar nek hing. Allemaal, zelfs Jannis, ervaarden ze een drukkend gevoel van onbehagen door de ogen op hen rustten.

Bovendien ontdekten ze al snel dat de weg naar omlaag helemaal niet zo vrij van moeilijkheden was als de hadden gedacht. De trap kwam uit in een gang die ook weer door een ijzeren hek was afgesloten. Nadat ze erdoorheen waren geklommen constateerden ze dat de gang na een paar dozijn stappen naar twee kanten uiteenging, en toen ze op de gok naar rechts afsloegen, werd de gang al snel weer in tweeën gedeeld. 'Terug!' riep Jannis gealarmeerd. 'Niet verder gaan! Het is een labyrint!'

Ze gingen terug naar de trap. 'Wat moeten we nu?' vroeg Beck radeloos. 'Zullen we teruggaan naar de bovenste hal en een van de andere trappen proberen?'

Jannis schudde het hoofd. 'Nee, die leiden gegarandeerd naar hetzelfde labyrint.' Hij keek om zich heen en haalde hulpeloos zijn schouders op. 'Het spijt me, maar ik heb geen idee hoe dit labyrint is aangelegd. Ik zou net zo hopeloos verdwalen als jullie.'

Ruadh had aandachtig geluisterd. Nu riep hij: 'Stop! Wacht eens!' Hij knielde neer naast zijn tas en zocht erin. Meteen daarna liet hij een jubelkreet horen. 'Ik heb het!' Hij sprong op en liet hen een bol met dik rood garen zien. 'Dat hoeven we hier maar aan de ingang vast te maken en dan kunnen we al niet meer verdwalen!'

Jannis keek hem verbaasd aan. 'Wat heb jij toch allemaal in je tas?'

'Altijd dat wat ik het meest nodig heb,' antwoordde Ruadh. 'Het is een geschenk van de oude dame voor mij. Maar kom, voorwaarts!'

Ze bonden een uiteinde van het garen aan het traliehek en terwijl Jannis hen met de fakkel omhoog voorging, rolde Ruadh de bol garen af. Het was Kaira snel duidelijk dat ze zonder deze bol garen binnen de kortste keren heel erg zou zijn verdwaald, zo geraffineerd zat het labyrint in elkaar. De rode draad behoedde hen ervoor tweemaal dezelfde weg te gaan en na korte tijd hadden ze het middelpunt bereikt, vanwaaruit een nieuwe trap de diepte in voerde.

Bij de onderste traptrede was een opening die naar een hal voerde. Deze was lager dan de hal boven, maar wel heel lang en breed, en daar op de net zo fraai ingelegde mozaïekvloer, stonden de groen geglazuurde urnen in groepen bij elkaar. De afmetingen waren geweldig groot, nauwelijks kleiner dan de muzikale kruiken in Dundris. Jannis zwenkte er tussen heen-en-weer en hield de brandende fakkel dan weer hier en dan weer daar om de schilderingen op de urnen beter te kunnen bestuderen.

Beck keek vol verbazing om zich heen. Hij porde met een vinger hard tegen een urn. De doffe klank verried dat hij vol was. 'Die dingen zijn reusachtig groot, daar moet de as van hele families in zitten!'

Jannis las hem de les, dat dat niet het geval was. 'De as van de overledene werd samen met zijn persoonlijke bezittingen in zulke... Wat was dat dan?'

Ze hadden allemaal dezelfde knal gehoord, die hen had opgeschrikt, en meteen daarna volgde een geluid alsof er grote aardewerken scherven van de trap af rolden. Ruadh hief zijn fakkel en liep naar de deur, de anderen dromden achter hem aan. Ze zagen meteen wat het geluid had veroorzaakt: twee van de wachter-urnen waren gebroken, de scherven waren over de rand van de tree omlaaggevallen. Precies voor Kaira's voeten lag een puntige scherf, uitgerekend het stuk waarop de ogen van de wachter waren geschilderd en in al haar emotie leek het alsof de rode, vierkant ogen haar met een moorddadige blik aanstaarden. De as die erin had gezeten was verdwenen. Vermoedelijk had de tocht die de mensen hadden veroorzaakt toen ze er voorbij renden, de as weggeblazen.

Ruadh hield de fakkel omhoog en bescheen de trap zo ver als het licht reikte. Hij zag er bezorgd uit. 'Misschien een dier,' zei hij. 'De ingang is altijd open, er kan een woestijndier naar binnen geslopen zijn... Desondanks, Beck, zou ik hier niets meer aanraken als ik jou was.'

De bekeerde Sundar nam de raad ter harte, maar Kaira hield het bange gevoel dat het kwaad al was geschied. In de drukkende stilte en het donker van de crypten kwam iets nieuws binnen, iets dreigends. Ineens begonnen ze allemaal merkwaardige dingen te horen, voetstappen en stemmen, gekletter van metaal. Geen van de geluiden was goed hoorbaar. Ze bevonden zich immers aan de rand van wat hoorbaar was. Ze klonken ver genoeg om verward te worden met het ruisen van het eigen bloed in hun oren en met het zachte zingen van de wind in de reusachtige spelonken, maar nog altijd duidelijk genoeg om hen te verontrusten. De kameraden keken aan een stuk door over hun schouder naar achteren, en het gevoel niet meer alleen te zijn, overweldigde ze allemaal.

Op het moment dat Kaira uit de deuropening stapte, voelde ze een weerstand, zacht maar hardnekkig en bovendien koud en klam. Het duurde een hartslag lang tot de onzichtbare versperring meegaf, maar het gevoel dat er in het dikke zwart aan de andere kant van het schijnsel van de fakkel een verontrustend groot aantal van dat soort dingen ontstond, liet haar niet meer los. Ze zweefden door het duister zoals een zwerm doorzichtige kwallen in een zwarte zee ronddrijft. Net als eerder de geluiden, waren ook de dingen alleen waarneembaar aan de rand van haar zintuigen, en wel omdat het rokerige, rode schijnsel van de fakkels bizarre schaduwen op de muren toverde en zelfs vaste voorwerpen in dit onrustige licht onheilspellend levend leken.

Beck fluisterde: 'Er zijn spoken om ons heen, Vuurvos.'

De Accumulator knikte. 'Ik weet het. Ik voel ze ook. Ik wed dat het de wachters zijn die in de urnen zaten... we hebben ze gestoord toen we de urnen aanraakten.' Hij sprak er niet over dat Beck als enige tegen de aardewerken kruk had gepord, en Kaira vond dat dat bijzonder aardig van hem was. Ze klommen een paar treden verder omlaag, waarbij Jannis extra voorzichtig de veiligheid van de treden testte met de ijzeren stang, want hij stond op het standpunt dat in de hogere grafkamers de urnen stonden van de minder belangrijke mensen, en hoe dieper de kamers, hoe hoger de rang van de overledenen. Des te waarschijnlijker was het ook dat de kamers bezaaid lagen met voetangels en klemmen.

Beck merkte op: 'Ik denk dat zij heel grote magiërs geweest moeten zijn, want dat wat ons begeleidt kwam uit de urnen.'

Jannis knikte. Ja, zo stond het ook te lezen in de oude manuscripten. De Sundaris hadden daar om gelachen, in hun ogen waren dat spookverhalen van onderontwikkelde stammen die zouden vervliegen als ochtendnevel in het licht van de zon. Maar deze verlichte Sundaris waren nooit afgedaald in de dicht geweven, inktzwarte duisternis van de onderaardse grafkamers, en ze waren ook nooit begeleid door onzichtbare wachters.

Jannis gaf toe dat ook hij vroeger had gelachen om het idee dat dit oeroude volk over magische krachten beschikte. Maar hij was toch niet zo'n stomkop dat hij er nu nog steeds om kon lachen. Hij maakte er geen geheim van dat de spookachtige begeleiders hem zorgen baarden. 'Kan jij niet iets bedenken om te doen?' richtte hij zich tot Ruadh. 'Ik begrijp helemaal niets van dit soort dingen.'

De Accumulator aarzelde. 'Eerlijk gezegd is het ook de eerste keer dat ik met zoiets dergelijks te maken heb. Het ergste wat mij tot dusver is overkomen, was in de dodengrotten in de Blauwe Woestijn, en dat kan je niet vergelijken met dit hier. Maar we kunnen het proberen.' Hij richtte zich tot de anderen. 'Kom hier, kom eens bij mij staan.'

Zodra ze aan zijn verzoek hadden voldaan, verhief hij zijn stem en sprak hij op plechtige toon tot de duisternis. 'Eerwaarde rustenden! Wij zijn niet gekomen om uw rust te verstoren. Wij komen niet voor goud. Wij komen alleen om de draak Kulabac te bezoeken. Wij vragen u, ons de taak te laten volbrengen die ons is opgedragen, en ons niet tegen te houden. Accepteer alstublieft onze verontschuldiging voor het betreden van uw rustplaats.'

Ze luisterden allemaal of er een antwoord zou komen, niets roerde zich. De duisternis hing om hen heen als verroeste spinnenwebben en te midden van die netten bevonden zich, half zichtbaar, half onzichtbaar, de vormeloze, nog het meest op kwallen lijkende schaduwen. Kaira beeldde zich in dat ze nu en dan ogen zag oplichten in een rode gloed, maar misschien waren het maar gewoon de vonken die van de fakkels afsprongen.

Ruadh zuchtte en haalde zijn schouders op. 'Ik weet niet of het iets heeft uitgehaald. Laten we verder gaan.'

Even later bereikten ze – na een serie ingewikkelde manoevres, omdat de traptreden steeds smaller en hoger werden – de volgende verdieping. Jannis legde uit dat ze hier heel voorzichtig moesten zijn, want dicht bij de ingang van een grafkamer was het gevaar van valkuilen het allergrootst. De bouwers waren ervanuit gegaan, vertelde hij, dat grafrovers op zulke plekken – in het zicht van de verwachte schatten – alle voorzichtigheid laten varen en uit blinde hebzucht vooruit rennen, een makkelijke prooi voor de geheime machinerie die daar in de muren was verstopt.

Wat hij daarmee bedoelde, werd ze snel duidelijk. Hij hield stil op de laatste tree boven een overloop. Aan de rechterkant van de overloop bevond de deur naar de volgende urnenzaal. Met zo lang mogelijk uitgestrekte armen porde hij met de grote pook her en der op de muren en luisterde aandachtig of een weerklank op een holte duidde. En dat was inderdaad zo. De muur aan de rechterkant klonk hol!

'Achteruit!' riep Jannis en sprong naar achteren.

Op hetzelfde ogenblik klonk er een geluid alsof er kabel door ijzeren ringen gleed. Er kwam een stenen plaat in de muur omhoog en over de gehele breedte van de tree vloog iets heel groots, iets dat zwart glansde, zo bliksemsnel dat geen van hen kon uitmaken wat het was. Het daverde en denderde als de uitbarsting van een vulkaan, toen het voorwerp tegen de muur aan sloeg. Een hagel van steensplinters spatte alle kanten uit, en ondertussen volgde een nieuwe inslag, die met doffe echo's door alle kelders heen trok. Het ding kantelde door de kracht van de inslag en viel om met een grote dreun.

Ze hadden er rekening mee gehouden dat er iets zou gebeuren, maar door de brute kracht van de werpende arm waren ze allemaal zo ontzettend geschrokken, dat ze met knikkende knieën stonden en met wijd open ogen naar het projectiel keken dat plat op de overloop terecht was gekomen. Wat ze zagen was een ijzeren kogel, bijna twee passen lang en een pas breed, gesmeed naar het evenbeeld van een man. Als ze een voet op de overloop hadden gezet, dan zouden ze door een spies zijn doorboord.

Bijna nog erger dan dit duivelse ding waren de gedragingen van de wachters. Ze suisden voorbij alsof ze werden aangezogen door een wervelwind, zonder twijfel in de blije hoop de indringers verpletterd en gespietst aan te treffen. Toen dat niet het geval bleek te zijn, fladderden ze weer uit elkaar in een kwaadaardige rondedans die schaduwen wierp in alle hoeken en kieren buiten bereik van het licht van de fakkel. Ze wachtten tot de vreemdelingen bij de volgende val minder geluk zouden hebben.

Jannis was ook hevig geschrokken, maar was tegelijk ook triomfantelijk dat hij de val bijtijds ontdekt had. Hij wees met de pook op de omgevallen kolos. 'Ik had gelijk… en dat betekent dat de andere vallen waarschijnlijk ook op de gebruikelijke plekken te vinden zijn. Maar zoals gezegd, wees toch voorzichtig.'

Onwillekeurig liepen ze op hun tenen toen ze de met brokstukken bezaaide overloop betraden en om de ijzeren kolos heen liepen, die hen boos aankeek met een grof gezicht dat aan een trol deed denken. Jannis onderzocht de muren van de ingang en stak de pook door de deuropening. Pas daarna durfde hij hen binnen te laten gaan.

Deze tweede verdieping leek precies op de verdieping erboven en stond net zo vol met urnen. Maar de urnen waren hier veel mooier beschilderd dan op de bovenste etage, een bevestiging van wat de schriftgeleerde had gezegd, dat de as van minder belangwekkende mensen werd bijgezet in de makkelijkst toegankelijke hallen. De urnen van de adel waren versierd als de muren van de hal. Waarschijnlijk waren het necrologieën, die vertelden over het leven en de goede daden van de overledenen. Jannis werd laaiend enthousiast toen hij vaststelde dat het hier ging om beeltenissen met schrift. Niet alleen stonden er onder elke afbeelding een paar zinnen met de puntige runen, ook binnen de afbeeldingen waren rechthoeken met lettertekens te vinden! De stem van de geleerde beefde, toen hij zijn begeleiders uitlegde, dat dit hier de sleutel kon zijn voor het ontcijferen van het schrift van Dundris en dat was lang voor onmogelijk gehouden! Hij was in extase, streek zacht met zijn wijsvinger over de runen en afbeeldingen en fluisterde: 'Stel je voor... er zijn eeuwen voorbijgegaan sinds de laatste die dit schrift kon lezen stierf. En nu wordt het misschien weer mogelijk om het te lezen. Ik zal er achter komen, hoe deze hier' – hij wees op de urn waar hij voor stond, 'geleefd heeft, hoe hij heette, wat zijn beroep was... Het is ongelofelijk, ongelofelijk!' In zijn opwinding klapte hij hard in zijn handen, sloot hij zijn ogen en zuchtte van genot als een minnaar die zijn vriendin omhelst.

Ruadh was het tegengestelde aan te zien, hem liet het leven van de Indigoleeuwen van Dundris volkomen koud. Hij probeerde Jannis ertoe te bewegen om verder te gaan, en uiteindelijk lukte het hem ook omdat hij hem erop wees dat ze in de eerste plaats de toegang tot het drakennest moesten zien te vinden.

Toen ze weer met de fakkel de overloop op gingen, ontdekten ze iets wat het dreunende neerstorten van de ijzeren man voor hen verborgen had gehouden: op de treden onder en boven de val waren verschillende urnen gesprongen, zes in totaal. Het was duidelijk voelbaar dat de inhoud van de urnen een gedaante had aangenomen en wel een heel dreigende. Misschien konden de spookwachters vaker een stoffelijke vorm aannemen naarmate de rust van de doden vaker verstoord wordt (en per keer worden dan meer wachters uit hun urnen bevrijd), want het waren nu niet meer alleen schaduwen. Er zweefden gestalten in het donker aan de andere kant van het rode schijnsel van de fakkels.

Ze waren klein als dwergen, wat Kaira in eerste instantie verbaasde, want ongetwijfeld waren de dienaren en krijgers van het volk van Dundris ook giganten geweest. Was het misschien dat ze hun energie niet wilden verspillen aan het vormen van reusachtige schijnlichamen? Ze waren namelijk allemaal merkwaardig gedrongen, zodat ze er in de breedte vervormd uitzagen, breder dan hoog, met tot een ovale vorm samengedrukte gezichten, met aanzetten voor vleugels en staarten, korte benen en tot op de knieën hangende armen. Ze hadden een koperkleurige huid, schuine, rood oplichtende ogen en ze droegen een rijkversierd harnas, met een opvallende, heel eigenaardige helm – een kegelvormig hoed met een knoop in de punt. Ze droegen speren in hun hand. Bij elke stap die de indringers zetten, sprongen ze hen voor de voeten en staken dreigend hun wapens naar ze toe. Het was lastig om deze wezens alsmaar aan de kant te moeten schuiven en met elke stap nam het gevaar toe. Nu waren ze nog te zwak om de zes echt te verwonden met hun speren, maar hoe lang zou het nog duren tot er meer vallen open klapten en meer urnen zouden springen?

Ze wisten het einde van de trap toch zonder verdere voorvallen te bereiken. Voor hen lag een korte gang, afgewerkt met platen, die naar de diepst gelegen grafkamer toe leidde. Het liet zich raden, dat het hier ging om het voorportaal van een heilige en belangwekkende kamer. De muren waren versierd met bas-reliëfs in de lievelingskleuren van de Mlokisai – rood en groen. Rechts en links van de ingang knielden twee stenen wachters op hoge sokkels, en toonden zo aan dat de oude cultuur niet alleen bouwmeesters maar ook beeldhouwers van hoog niveau had voortgebracht. Jannis raakte volledig buiten zichzelf toe hij de gedetailleerd uitgewerkte figuren zag. Ze leverden namelijk tegelijkertijd het bewijs dat er in Dundris behalve de Indigoleeuwen ook geitachtige wezens hadden geleefd, want de wachters hadden het lijf van een mens met de kop van een geit. Elk wezen hield een korte ijzeren spies in de handen. Ze waren uit steen gehouwen en hadden ogen die waren gemaakt van edelstenen. De schriftgeleerde liet zich zo meeslepen door zijn geestdrift dat hij bijna zijn eigen waarschuwingen vergat en naar de fascinerende beelden toe rende. Op het allerlaatste moment schoot hem te binnen dat de sculpturen er niet alleen voor de sier stonden en een groot gevaar konden zijn. Zij slikte zijn gejubel in en bekeek ze vol argwaan.

'Wat denk je?' vroeg Ruadh hem. 'Wat voor vallen zijn hier verstopt?'

'Dat weet ik niet precies. Er zijn verschillende varianten. Waarschijnlijk zijn de wachters zo uitgebalanceerd dat ze omvallen zodra de tussenliggende stenen platen worden betreden.' Jannis wees met de ijzeren pook op de beide beelden. 'Je moet bedenken dat het op deze verdieping nooit zo druk is geweest als op de hogere verdiepingen waar voortdurend nieuwe urnen werden bijgezet. Als ik het goed heb, ligt hier in het hart van de dodengrot de oervader van de reuzen, misschien wel de stichter van hun stad of van een godsdienst. Zijn graf is waarschijnlijk beschermd met een mechanisme dat het onmogelijk maak om er binnen te komen.'

Ruadh zuchtte en wierp een blik op de geitenwezens die hen vanuit de hoeken van hun fonkelende ogen priemend aankeken. 'Maar we moeten ernaar binnen. Bedenk iets.'

Jannis had meestal wel goede invallen. Hij wees op de hagedissenleren tas van Ruadh. 'We proberen het eens daarmee. Geef me jouw touw, Beck.' Hij rolde het touw op en bond een uiteinde met een ingewikkelde knoop aan de schouderriem van de tas vast. Toen gebaarde hij zijn begeleiders om zover mogelijk naar achteren te gaan. Met de ijzeren pook schoof hij de zware tas naar voren, steeds dichter naar de twee beelden toe.

Kaira moest slikken, zo hard bonsde haar hart. Ze haatte plotselinge bewegingen en geluiden, en beide stonden nu te gebeuren. De ijzeren man die uit de muur was komen zetten, deed haar het ergste vermoeden. Wat als de hele gang instortte zodra het gewicht van de tas het verborgen mechanisme in werking zette?

Jannis bestudeerde de wachters vol spanning, in afwachting van wat dan ook voor minuscule beweging die duidde op een val die dichtklapte. Centimeter voor centimeter schoof hij de tas vooruit tot deze de ruimte tussen beide wachters in kwam, steeds klaar om zich in een beweging in veiligheid te brengen.

Toen gebeurde het. Hetzelfde geluid klonk dat aan de komst van de ijzeren man was voorafgegaan: een hees gesnor en meteen daarop het kraken van een verborgen mechanisme. De bodemplaat midden tussen de twee beelden verdween in de diepte, terwijl de wachters naar voren vielen tot de geitenhorens aan stukken vielen. Tegelijkertijd vlogen in de sokkels verborgen deurtjes open. Maar het mechanisme had schade opgelopen in de lange tijd die was verstreken sinds de bouw ervan, want de plaat bleef steken. In plaats van in een hoek van vijfenveertig graden te vallen zoals ongetwijfeld de bedoeling was, bleef de plaat aan de scharnieren hangen als een scheef aflopende verdieping.

De vier mannen pakten het touw en trokken eraan totdat ze de tas weer bij zich hadden. Het gewicht was nog niet van de plaat verdwenen, of de beelden richtten zich langzaam weer op en de bodemplaat zwaaide terug. Maar het klemmende mechanisme kwam niet helemaal in zijn oorspronkelijke positie terug. De wachters verstarden in hun voorwaartse beweging. Kaira zag dat er maar een deel van de bodemplaat stabiel lag. Langs de sokkel liep een smalle stenen strook waarover ze veilig de grafkamer konden bereiken.

Jannis pakte een fakkel en ging voorop, om de val beter te bekijken. De val bestond uit twee delen die met duivelse precisie op elkaar pasten. Als een indringer een voet op de bodemplaat zette, dan viel deze onder hem omlaag, terwijl tegelijkertijd de spiesen van de wachters zijn hoofd of borstkas doorboorden. Maar de val was bemeten op gigantisch grote wezens, wat Jannis opnieuw een uitroep ontlokte.

'Zien jullie, wat dat betekent? Toen de Indigoleeuwen van Dundris dit hier bouwden, waren er in het westen nog geen mensen! En de geitenwezens waren in een ontwikkelingsstadium, waarin het niet waarschijnlijk was dat ze graven zouden plunderen. Anders hadden deze zo zorgvuldige bouwmeesters zeker een val gebouwd waarin ze ook kleinere wezens konden vangen. Verder kunnen we hieruit concluderen dat de cultuur al weer over het hoogtepunt was, omdat de bouwers van de graven er rekening mee moesten houden dat iemand uit de eigen gelederen de heilige plaats zou schenden. Daarmee is de theorie van Darkanis ondubbelzinnig weerlegd, we zien...'

'Loop door, Jannis, en bespaar ons je voordrachten!' riep Beck ongeduldig. 'Kunnen we nu de grafkamer binnengaan?'

'Wacht nog een ogenblik,' zei de schriftgeleerde tegen hem. 'Ik wil nog controleren of hier een verrassing is.'

Nieuwsgierig inspecteerde hij de deurtjes in de sokkels die open waren gegaan toen de val in werking ging. Toen stootte hij een luide kreet uit. 'Moeten jullie eens kijken! Dit is ongelofelijk!' Hij ging met de haardpook in de holte van de sokkel en hengelde er iets uit, dat er bij de eerste aanblik uitzag als een grauwe zandzak met vier uiteinden. Bij nader inzien was het een vette, afstotelijke en lelijke waakslang van ongelofelijke grootte.

Jannis sloeg ertegen met de pook. Het gaf een merkwaardig dof geluid, alsof hij op hout had geslagen.

Beck staarde naar het weerzinwekkende kadaver. 'Hoe is die hier verzeild geraakt? Is die verdwaald?'

Jannis schudde zijn hoofd, ging naar het andere deurtje en trok een tweede kadaver naar buiten. 'Deze slangen waren de wachters van de grafkamers. Hier konden ze stokoud worden. Ongetwijfeld stonden ze te boek als dieren met magische krachten. Toen ze aan het einde waren gekomen, mummificeerden ze in de droge, koele grottenlucht. Er zijn vergelijkbare... Hé, wacht op mij!'

Dat was bedoeld voor Ruadh, die zich ongeduldig langs hem heen had gedrongen en nu de grafkamer binnenging.

VIERDE DEEL

De hoop van de Barnsteendraken

In het vuurschijnsel van de vulkaan

De adellijke heer Kulabac

Nooit in zijn leven had de jonge Maanschijner Jajn durven dromen dat hij ooit een levende draak zou ontmoeten – en nu kende hij er ineens twee! Vauvenal zag hij weliswaar bijna altijd in zijn menselijke gedaante, maar Kulabac veranderde zichzelf niet hoewel hij het wel had gekund. Hij was lui en traag en kwam nog maar zelden aan de oppervlakte. In zijn behaaglijke nest diep, diep onder de grond voelde hij zich vele malen prettiger.

'Wilt u dan nooit opstijgen en iets aan lichaamsbeweging doen?' vroeg Jajn die zelf een springerige jongen was en zich niet kon voorstellen dat hij dag in dag uit op een grote hoop goud en juwelen zou liggen luieren, zonder ook maar een vleugel uit te strekken.

'Dwerg,' antwoordde de draak, 'als ik lichaamsbeweging nodig heb, dan heb ik duizenden kilometers tunnel tot mijn beschikking waar ik kan rondkruipen, vliegen, glijden, slingeren en zwemmen. Waarom zou ik de moeite nemen om naar boven te klimmen?'

De Dochterzoon, Jajn en Ninian hadden het nest van de draak bereikt na ettelijke halsbrekende toeren en de houten kist veilig naar de plaats van bestemming gebracht. Kulabac was compleet verrast toen Ninian de kist openmaakte en er iele schim tevoorschijn kwam, die groeide en groeide en steeds meer de gestalte aannam van een mens.

'Vauvenal, mijn edele vriend!' riep hij uit. 'zo is het je gelukt om de woestijn te doorkruisen ondanks alle listen en valstrikken van de Kadaverkoning?'

'Zoals je ziet!' antwoordde Vauvenal, die heel trots was op het plan dat hij zojuist tot een goed einde had gebracht. 'Maar denk niet dat het comfortabel was om mezelf zo lang in het lichaam van een schim te wringen en in een dichtgeschroefde kist te zitten.'

Terwijl ze wachtten op de anderen, zorgde Jajn ervoor dat de drakenkoning, die zo belangrijk was voor hen allemaal, niets tekortkwam, en hij had het er druk mee. De hele dag door stuurde de koning hem van hot naar her, om dan weer dit, dan weer dat deel van zijn schatten te halen en aan Jajn te vertellen welke vooraanstaande persoonlijkheden hem deze kostbaarheden in zijn jeugd hadden geschonken. Tussendoor wilde hij de spiegel hebben om zichzelf van voor tot achter te kunnen bekijken en dan ontwaarde met zijn karbonkeloog hier een vlekje en daar een stofje dat hij weggepoetst wilde hebben.

Hij was echt zo onvoorstelbaar mooi als in de oude verhalen wordt verteld en hij vergrootte zijn natuurlijke schoonheid van zijn roze, lichtgroen en abrikooskleurig oplichtende schubbendracht met parelkettingen en sieraden die hij om zijn lijf wond. Zoals de meeste draken was hij niet vrij van ijdelheid en hij luisterde graag hoe de jongen om hem heen liep en hem van zijn neus tot aan de punt van zijn het staart bewonderde.

'Ik dacht altijd dat draken helemaal rood zouden zijn, of groen,' zei Jajn, terwijl hij ijverig de schubben van een van de voorste klauwen opwreef. 'Wie had ooit gedacht dat jullie zulke mooie kleuren kunnen hebben! En nog veren ook!'

Kulabc was namelijk absoluut geen gewoon geschubd dier. Hij leek eerder op een ridder in een fantastisch harnas, want aan zijn kop, kin en het uiteinde van zijn staart groeide goud. Geen gewone veren, zoals Jajn dacht, maar veren en lang haar tegelijk, lang haar als een paardenstaart en een wonderbaarlijk zachte donspluim. Jajn kon niet nalaten die aan te raken, zo zacht voelde het. En het allerfijnste was nog wel dat de draak van binnenuit warm was, zodat de jongen het in zijn nabijheid nooit koud had en zich comfortabel in zijn bonte, veren kwaststaart kon nestelen om te slapen.

'Tja,' antwoordde Kulabac gevleid, 'ons werkelijke uiterlijk overstijgt het voorstellingsvermogen van de mensen. Kijk hier eens, ik geloof dat er hier wat stof ligt.' Daarbij strekte hij zijn klauwen uit, die stuk voor stuk zo lang waren als Jajn, van top tot teen zo glanzend als parelmoer en tegelijk zo scherp als een Nurdimer sabel.

Jajn vond hem buitengewoon interessant, want hij kende meer raadsels, griezelverhalen, legenden en spotdichten dan alle Maanschijners van Chatundra bij elkaar en verstond de kunst van het vertellen als beste. En op de spannendste momenten spuwde hij telkens wat vuur of bracht een grom ten gehore, waar de onderaardse kamers van meetrilden.

Door de afgronden van de duisternis

Kaira wist niet meer of ze wakker was of dat ze droomde, toen ze in de door rode schemer verlichte hoge hal in de rotsen stonden, waar de draak op zijn gouden bed lag. Ze was bang, dat hij vuur kon spuwen en hen daarmee in brand zou zetten, maar tegelijkertijd was ze buiten zichzelf uit bewondering voor zijn schoonheid. Net als Jajn had ze altijd gedacht dat draken hoogstens rood of vaalgroen zouden zijn, en ze geloofde haar ogen niet toen ze de glinsterende gouden manen zag en de lange, spitse baard, de gedraaide horens met het gloeiende karbonkeloog ertussen en de abrikooskleurige, rode en appelgroene schubben. De draak was zo schitterend versierd! Hij had een parelkroon op zijn kop, zijn lijf was omwikkeld met parelsnoeren en alle ledematen glinsterden door de sieraden. Aan elke klauw zaten talloze ringen zo groot als armbanden voor mensen.

Umbra en Ari waren er al en behalve zij ook nog een jongen die een dienaar van de draak leek te zijn, en een vreemde man die gekleed ging als een geleerde. Jannis en Beck herkenden hen allebei tegelijk en spraken hem aan als 'magister Ninian'.

In een hoek van de grafkamer zat de geheimzinnige verhalenverteller op een hoop goud en hij begroette hen lachend. 'Kijk!' riep hij, 'daar komt de Dochterzoon!'

Hij maakte een beweging in de richting van de schaduwrijke arcadeboog van de kamer en meteen daarop stapte het kind naar voren. Het was gekleed in een doek die om zijn hele lichaam was gewikkeld, maar toch was duidelijk te zien dat zijn armen en benen nog veel dunner waren dan bij hun vorige ontmoeting. Zijn bleke, ingevallen gezicht was getekend door ziekte en verzwakking, het zag er naar uit dat hij niet meer lang te leven zou hebben. Maar zijn blik was helder en vriendelijk. 'Welkom,' zei hij. 'Ik ben blij dat jullie er zijn, er is weinig tijd.' Toen zweeg iedereen, want Kulabac wilde iets zeggen.

'Nou,' begon hij, 'ik had niet gedacht dat ik hier nog eens zoveel mensen zou ontvangen die ik helemaal niet ken… behalve jou natuurlijk.' Dit laatste was bestemd voor Ruadh, die zichtbaar verlegen werd onder de blik van het karbonkeloog. 'Je bent veel veranderd sinds ik je voor het laatst zag, koning Kurda.'

Iedereen – behalve Umbra, Ari en Vauvenal – draaide zich verbaasd om bij het horen van deze aanspreektitel en staarde de Accumulator aan, die rood was aangelopen. Met zachte, hese stem antwoordde hij: 'Majesteit, ik had gehoopt te kunnen vergeten dat ik deze naam ooit gehad heb.'

'Een draak vergeet nooit,' reageerde Kulabac zelfingenomen. 'Ook niet wanneer het lang geleden is… hoe lang ook weer? Het is al weer een paar honderd jaar geleden, nietwaar?' Omdat Ruadh geen antwoord gaf, ging hij door: 'Ik twijfelde eraan of Datura je zou kunnen bevrijden van de vloek, maar ik heb het idee dat het gelukt is. Maar nu over tot de dringende zaken!'

Kaira luisterde maar met een half oor hoe de draak hen de geheime weg naar Luifinlas uitlegde. Ze kon niet geloven wat ze zojuist gehoord had. Koning Kurda was voor haar altijd – zelfs als hij alleen maar een personage uit een legende was – iemand uit lang vervlogen tijden geweest, zo verstoft als de Indigoleeuwen van Dundris, en nu gaf Kulabac deze naam aan haar vriend, haar Ruadh, haar Vuurvos!

Naast haar fluisterde Tataika: 'Dat kan toch niet waar zijn? Hij is nog geen veertig jaar oud en de draak heeft het over eeuwen.'

Maar toen was Kulabac aan het einde van zijn uitleg aangeland en beval: 'Allemaal opstappen – dat wil zeggen niet allemaal, de andere helft draagt Vauvenal. Ik neem de twee meisjes, de dunne man daar, Jajn, Umbra en Ari – Vauvenal de rest.' En meteen strekte hij zich uit tot zijn volle lengte en liet ze opstappen. 'Wees niet bang, ik laat niemand vallen!' riep hij. 'Maar houd je tuch goed vast, ik heb genoeg punten.'

Kaira stapte op en ging tussen de vele als horens gekromde punten op zijn rug zitten. Grote angst borrelde in haar op. Hij zou toch niet tot het eind met hen op de rug over de Huilende Bergen heen vliegen? Hoe moest ze zich in de gevreesde stormen daarboven op zijn rug vasthouden?

Maar toen haar zorgen aan Tataika vertelde, siste die haar toe: 'Heb je geluisterd of heb je zitten dromen? Hij vliegt niet over de bergen maar eronderdoor!'

Daar zette de machtige draak zich al in beweging. Als een schip dat te water wordt gelaten, gleed hij van zijn gouden bed af. Krassend schraapten zijn klauwen en schubben over de ruwe rotsbodem. Het rode licht van het karbonkeloog wierp een zwak schijnsel in de onderaardse nacht. Achter haar hoorde Kaira een machtig snuiven en harde geluiden die ze niet kon plaatsen. Pas later begreep ze dat het Vauvenal moest zijn, die zijn drakengestalte aannam en de rest van de passagiers liet opstappen. En meteen daarop ging Kulabac sneller en sneller zodat ze zich – ondanks zijn belofte haar niet te laten vallen – met armen en benen aan de hoorn moest vastklampen en haar hoofd in trok om nergens tegen het plafond aan te stoten. Toen suisde hij er met een snelheid vandoor die horen en zien deed vergaan, in een ruisend, galmend en zwak rood schemerend donker.

Kaira had alleen vage herinneringen aan de weg die ze aflegden. Geleidelijk aan werd het heet, maar ze wist niet of de draak zo warm werd van de lichamelijke inspanningen of dat de tunnels om haar heen heet waren. De damp sloeg haar in het gezicht en bevochtigde haar haar. Ze kon niets zien behalve de hoorn waaraan ze zich vastklampte en de vonken die om haar om de oren vlogen. In haar oren galmde het snuiven en het klapwieken van de twee vliegende draken, en soms klonk het zo dat Kaira eruit kon opmaken dat ze over afschrikwekkende afgronden heen vlogen. Dan kneep ze haar ogen stijf dicht, om maar vooral niet per ongeluk in de diepte te kijken en omdat ze bang was om flauw te vallen.

Uiteindelijk ging Kulabac langzamer vliegen en daarna hield hij stil. Kaira voelde zich half verdoofd en hervond zich bij de uitgang van een tunnel, verlicht door schemerlicht en gevuld met frisse, zeer vochtige lucht.

'We zijn er,' zei de draak.

Het laatste gebod van Zarzunabas

In zijn ijspaleis rees Zarzunabas op van zijn troon en stootte een schelle kreet uit in uitzinnige woede, toen hij erachter kwam dat ze hem te slim af waren geweest en dat de reisgezellen via geheime, onderaardse wegen naar Luifinlas waren gekomen terwijl zijn wachters op de passen en in de kloven van de Toarch kin Mur op de loer lagen. Vanuit zijn paleis daalde een storm neer, die alle ondoden en spoken op een hoop veegde in de reusachtige audiëntiezaal met de spiegelgladde vloer en de zuilen van gedraaid ijs. Opgeschrikt door de woede van hun heer krioelden ze door elkaar tot zijn scherpe bevel hen tot rust bracht.

'Ze zijn ontkomen,' riep Zarzunabas. 'Kulabac – een geest in zijn opgesmukte oude geraamte! – heeft ze door de darmen van de duisternis gedragen en nu zijn ze in Luifinlas! Op je voeten, werkschuw tuig! Doe alles wat je maar kan om ze bij Toar Kadenach en Mandora's graf weg te houden, jaag ze de stuipen op het lijf met alles wat je hebt en doodt ze als je kan! En nu wegwezen!'

Een snijdende sneeuwstorm floot uit alle hoeken en gaten van het paleis en raasde als een witte muur over de Bergen van Carrachon naar de stad Luifinlas. Zarzunabas staarde de storm knarsetandend na, zijn lijkwitte vingers drukten in zijn handpalmen tot er waterig bloed uit kwam. Hij was zijn IJshoorns in de strijd verloren en hij wist dat de spoken niet zoveel konden uitrichten. Er hadden zich al teveel draken in Luifinlas verzameld om het graf van de Moedermaagden te beschermen. Maar de spoken waren alles wat hij nog had.

Met een van razernij vertrokken gezicht, met ontblote tanden en groen uitslaande ogen stormde hij de trap op die naar de hoogste, allerhoogste torenspits voerde, een naald van louter ijs die maar ruimte bood aan een persoon tegelijk. Daar stond hij voor het raam met uitzicht op Luifinlas en staarde naar buiten. Hij zag zijn afschrikwekkende leger op de sneeuwstorm rijden, hoorde het janken en fluiten toen het zich tussen de bergtoppen van Carachon door wrong. De toppen stonden zo dichtbij elkaar als de stekels van een egel en hij zag zijn leger als reusachtige, sneeuwwitte wolken in het dal van Luifinlas neerdalen.

De drakenstad

Kaira bleef in de opening staan, helemaal overweldigd door de aanblik die deze op de stad bood. Na alles wat ze had gehoord, had ze zich alleen onduidelijke voorstellingen kunnen maken van Luifinlas. En geen van die voorstellingen leek ook maar in de verste verte op wat nu voor haar lag.

De toppen van de Huilende Bergen torenden zo hoog boven hen uit, dat ze alleen nu nog maar meer schrik aanjoegen. Voor haar lag een dal onder een door rode nevelslierten verhulde hemel, bedekt met een dampende begroeiing, te midden waarvan de Toar Kadenach zich verhief in zijn majestueuze schoonheid. Uit het kasteel op de bergtop steeg een vuurzuil op, die het verborgen dal verlichtte en verwarmde. Waar Kaira ook maar keek zag ze groen, van het oplichtende smaragd van varens tot het blauwgroen van cycadeeën en paardenstaarten die overal buitengewoon hoog en weelderig waren opgeschoten. Het vuurschijnsel van de vulkaan zette alles in een geheimzinnig en even betoverend als verontrustend licht, zodat sommige van de opwellende gewassen purper en weer andere violet leken te zijn.

Half verslonden door het alles overwoekerende groen zag ze de ruïnes van de stad. Vanwaar ze stond, kon ze maar een paar witte stenen zien, brokstukken van een geweldig grote koepel die te pletter was gevallen bij het instorten van het gebouw. Die paar brokstukken maakten haar duidelijk hoe vreemdsoortig de stad eruitgezien moest hebben. De stad leek nog het meest op de groothoofdige zeemossel die een soldaat van een verre reis ooit mee naar Fort Timlach had meegenomen en aan de kinderen had laten zien, zo wonderlijk gedraaid en gebogen waren de puinresten.

De anderen stonden er net zo verbaasd bij, tot Kulabac zich liet horen. 'Nou, jullie zijn waar jullie heen wilden. Ik ga weer terug.' Jajn, die de oude heer echt dierbaar was, riep bedroefd: 'Wilt u dan echt niet hier blijven?' Daarbij sloeg hij zijn armen om de nek en begroef zijn gezicht in de gouden baard van Kulabac.

Kulabac leek geroerd te zijn door zoveel aanhankelijkheid, want hij bromde: 'Nou ja... ik ben nogal gehecht aan mijn eigen huis, het is daar zo behaaglijk... Maar ik zal op bezoek komen, dat zal ik zeker doen. Laat me los, dwerg, en hou op met in mijn baard te snotteren.'

Met die woorden ging hij terug de tunnel in en Vauvenal, die zijn menselijke gedaante weer had aangenomen, beval de groep om hem te volgen. 'Ik weet het, Luifinlas is wonderbaarlijk,' zei hij, 'maar jullie moeten je verwondering bewaren tot later, want jullie taak is nog niet volbracht. Dus kom.'

Kaira volgde hem gehoorzaam, maar geheel verward. Niet eerder in haar leven had ze zoveel groen bij elkaar gezien. Het beangstigde haar bijna, maar aan de andere kant was het ook heel mooi. Het pad voerde onder een druppend bladerdak door, waarbij een enkel blad groot genoeg was om haar in de volle lengte te omwikkelen. Overal kabbelde water, steeg damp op en Vauvenal waarschuwde om je handen er niet in te steken, want sommige beken en bronnen waren heel heet.

Toen zag ze de eerste dieren: een roedel bontgevlekte Grolmen die als jonge honden op een wei speelden en met elkaar stoeiden. Toen Kaira van verrukking een kreet slaakte, moest Vauvenal lachen. 'Ze zijn potsierlijk, ja, maar dit is nog niets vergeleken met wat jullie nog aan draken zullen zien. De edelste exemplaren onder hen hebben zich hier verzameld, om dicht bij hun gevallen Godin te zijn.'

Het duurde ook niet lang tot een van deze edelen zich aan de hemel liet zien. Met afgemeten slagen van zijn roodgouden glimmende vleugels kwam hij dichterbij, een slanke Luchtdraak met zachte ledematen, een lange snuit en een sierlijke staart.

'De draken die hier wonen,' legde hun leider uit, 'hebben zich niet in het verderf gestort dat hun verwanten de buitenwereld in heeft doen trekken. Zij bleven zoals ze ontstaan waren, of ze nu Aard-, Lucht- of Vuurdraken waren. Zien jullie daar die salamanders, die in de vuurzuil op de top dansen?'

Hij wees omhoog, maar de ogen van de mensen waren te zwak om te zien wat hij hen aanwees. Kaira zag alleen een onbestemde werveling van rode slierten die zich in een streng draaiden en vonken sproeiden naar alle kanten.

Hoe verder ze het pad volgden door het roodachtige schemerlicht van het regenwoud, hoe vaker ze stuitten op puinhopen van de stad. Het waren allemaal marmerachtige, witte en roze stenen, die er helemaal niet verweerd uitzagen, ze waren zo glad alsof ze pas gisteren uitgehouwen waren.

Ninian was buiten zichzelf van opwinding over al deze wonderen en vroeg of het grootste deel van de stad nu onder de grond bedolven lag en Vauvenal bevestigde dit. 'Jullie kunnen complete gebouwen vinden die ongeschonden onder de grond liggen.' Met een lachje voegde hij eraan toe: 'Maar nu nog niet, heer magister – eerst hiernaartoe.'

Onwillekeurig richtten ze allemaal hun blik op de Toar Kadenach. De berg verhief zich met een zachte welving uit het midden van het geheime dal, met gladde, barnsteenbruine flanken waarover hier en daar gloeiende stroompjes naar beneden stroomden.

'Hoe komen we daarbinnen?' vroeg Tataika fronsend.

'Er is een ingang. Ik zal jullie erheen brengen, maar verder dan daar mogen alleen diegenen gaan die geroepen zijn. De anderen wachten hier met mij: Ari, Ruadh.'

Het trof Kaira als een felle steek toen ze merkte dat Ruadh hen niet verder mocht begeleiden. Ze had erop vertrouwd dat hij altijd bij hen zou zijn en hen zou helpen, dat ze zich in nood aan hem vast zou kunnen houden. 'Vuurvos...' begon ze en ze voelde haar tranen branden.

Maar hij schudde zijn hoofd en wendde zich af.

Ari leek er ook heel verdrietig over te zijn dat hij Umbra niet verder mocht begeleiden.

Koude lucht

Op hetzelfde ogenblik dat ze opbraken, trad er plotseling een verandering in. De lucht werd op slag koud en de warme damp die boven het regenwoud hing, bevroor tot hagelstenen die met groot geweld naar beneden kletterden. Bladeren werden aan flarden gescheurd en van de takken gereten, de spelende Grolmen sloegen krijsend op de vlucht naar hun holen onder de grond, terwijl de in de lucht zwevende draken in paniek de grond opzochten om te landen toen het ijzige spookleger op ze afstormde. In het begin was iedereen in verwarring, want de macht van de verblinding was een van de gevaarlijkste krachten waarover Zarzunabas beschikte, en zowel de draken als de mensen zagen afgrijselijke schrikbeelden in de sneeuw en de storm.

Het leek Kaira alsof de in witte sluiers geklede skeletten tegen haar op stormden met kronen die oplichtten als vuren voor Sint Elmo, zwaarden uit levensechte bliksem in de vingers die niet meer waren dan botten. Ze wierp zich blindelings op de grond, in de verwachting dat de holle hoeven van de paardenkadavers ieder moment haar zouden trappen. Stinkende kadavers van draken vlogen vlak over hun hoofden en ze verspreidden rottende wolken, die ieder die ze inademde half bewusteloos ter aarde deden storten. Kaira ging ervanuit dat ze zou sterven, maar geen enkele hoefslag trof haar, geen bliksem bracht haar brandwonden toe. Te midden van de afgrijselijke schrik die bezit van haar had genomen, begreep ze dat het alleen hersenschimmen waren die tegen hen te loop liepen. Toch waagde ze het niet om op te staan en zich te verweren tegen de vals grijnzende skeletten die in wilde horden door het dal galoppeerden en met elke hoefslag vurig oplichtende sporen achterlieten. Ze kroop op handen en voeten onder een plant met reusachtig grote bladeren en hurkte daar neer, trillend over haar hele lichaam, terwijl de lucht om haar heen vervuld was met de hese strijdkreten van de spoken. Ze hoorde fluiten en krassend geschreeuw uit kelen vol gaten en half verrotte kaken.

Een golf van ontzetting en verbijstering rolde door het dal met een verwoesting dat zelfs de machtigste onder de verzamelde draken deed verstijven. Maar het duurde niet lang voor ze het bedrog doorzagen en nu gingen ze met alle macht de verblindende machten van de Kadavervorst te lijf en verstrooiden ze in alle winden. Kaira keek voorzichtig tussen de bladeren door en zag dat de zonet nog zo vriendelijke en gemoedelijke Vauvenal uitgroeide tot een drakengestalte en zijn volle pracht ontvouwde. Een drakenvorst reed in woede op de ondoden in, vuurspuwend en met elke slag van zijn enorme, zilvergerande vleugelscharen liet hij hen in rook en mist opgaan, zodat ze kermend alle kanten op vluchtten. Het zag er fantastisch uit zoals de witte ivoren kroon op zijn hoofd glansde alsof het volle maan was, de bliksems uit zijn ogen schoten en vuurstralen uit zijn wijd opengesperde muil stroomden. Een dozijn andere draken die ook tot een hoge rang behoorden deden hetzelfde, terwijl de weinige edele draken over de berghellingen flitsten en met hun staarten naar de ondoden sloegen om ze te verscheuren tot nevelslierten en met hun klauwen de vormeloze wezens te pakken namen tot ze piepend en krakend in het niets opgingen. Vuurstromen welden op uit gouden muilen en smolten de hagel tot regen die de nevel neersloeg en de laatste spookachtige energieflarden wegspoelde.

Toen Kaira weer tevoorschijn durfde te komen, stapte ze in hete beken waarin nog bijzonder gevormde hagelstenen dreven en schimmen die glommen in de vochtige lucht, die de gestalte aannamen van paarden of spookachtige ridders voordat ze vervlogen.

Vauvenal keerde terug in zijn menselijke gedaante. 'Kom!' riep hij. 'Jullie hoeven je niet langer te verstoppen. Ze zijn verdwenen en nu kunnen jullie je werk doen.'

Mandora's graf

Ze hoefden niet ver meer te gaan. Aan de zijkant van de Toar Kadenach week een hoge zwarte spleet uiteen, waardoor ze een voor een naar binnen stapten.

Ze stonden in een lange ovale ruimte met lage rotsplafonds. Net als de hele berg was ook Mandora's graf gevuld met het een voortdurend mompelen, zingen en beven, zozeer dat muren en bodem meetrilden, en het was er erg heet. In het midden van de ruimte staken, witgloeiend van de hitte, drie zwaarden in de stenen bodem, elk meer dan manshoog, alle drie met gouden handgrepen die versierd waren met het zegel van Phuram. Kaira voelde het zweet langs haar lichaam lopen en duizelingen vernevelden haar gedachten. Het schudden en beven van de vuurberg maakte haar angstig en ze had geen idee wat zij en de anderen eigenlijk moesten doen. De mannen waren net groot genoeg om bij de handgrepen van de zwaarden te kunnen, maar hoe konden ze iets vastpakken dat gloeiend heet was?

Ze merkte dat de anderen ook radeloos waren. Niemand had ze kunnen zeggen wat ze te doen stond om het in drieën gedeelde lichaam tot een geheel te maken. Ieder voor zich stond daar te zweten en te suffen, en wist niet meer dan dat hij het in deze kamer niet lang zou uithouden. Ze zouden als snel moeten vluchten om niet te stikken en ze zouden zeker geen tweede kans krijgen om het binnenste van de berg te betreden.

'Dochterzoon,' fluisterde Ninian, 'jij bent de enige die ons verder kan helpen. Zeg ons wat we moeten doen!'

'Ik heb ook geen antwoord,' reageerde Dochterzoon. 'Maar ik weet een ding: wat we te doen hebben, moeten we samen doen. Met elkaar. Laten we daarom een kring maken en dan de zwaarden en elkaars handen vasthouden, zodat we samen een lichaam vormen. Laat elkaar niet los, wat er ook gebeurt!'

Omdat dit de enige raad was die ze kregen, volgden ze deze op en pakten elkaar bij de klamme, trillende handen. Het bleek een goede raad te zijn, want ze hadden elkaar nog maar nauwelijks vast of ze voelden hoe een nieuwe kracht hen doorspoelde, van de een naar de ander.

'Dichter, dichter op elkaar!' riep Jannis. 'Hoe nauwer wij met elkaar verbonden zijn, des te sterker wordt de kracht!'

Ze gingen dichter bij elkaar staan, maar dat betekende dat ze ook dichter naar de gloeiende zwaarden toe moesten, dat de hitte nog ondraaglijker werd. Kaira voelde hoe haar huid brandde en pijn deed, net zo erg als die morgen in de woestijn toen ze had gedacht dat haar vlees pap zou worden en haar huid draden zou trekken alsof het smeltende kaas was. Ze hielden elkaar nu niet meer alleen aan de handen vast, maar haakten de armen in elkaar en als ze nog een stukje dichterbij gingen – Kaira dacht te voelen hoe haar haar schroeide – konden ze ook hun voeten kruislings over die van de ander zetten. De kracht bleef toenemen. Kaira voelde dat ze versmolt met de anderen in de kring. Had de hitte haar zintuigen versuft, of was hier sprake van toverij? Een paar hartslagen lang dacht ze Jannis te zijn, dan weer Dochterzoon die hurkte aan haar linkerkant. Ze voelde het verlangen van Beck naar zijn vrouw Nevla en de tweestrijd in het hart van de magister Ninian, die half dood ging van angst en tegelijk bedwelmd was door het geluk om te mogen lijden voor de Barnsteendraken. Maar hoeveel langer konden ze dit nog uithouden? Ze voelde al hoe de huid van haar gezicht strak trok en pijn deed. Het kon niet lang meer duren voordat ze bedekt zouden zijn met brandwonden, voordat ze moesten vluchten of zouden sterven!

Toen stootte Lulalume plotseling een lange, zonderling klinkende schreeuw uit, gebaarde naar haar buren dat ze de kring weer achter haar moesten sluiten, en sprong ineens op. Gehuld in haar witte ceremoniegewaad begon ze te dansen, naar voren en achteren springend terwijl ze in haar handen klapte en tegelijk binnen de kring bewoog. Ze zong er een lied bij dat eerst niemand kon verstaan en dat ze hielden voor een bezwering in de taal van de Ka-Ne, maar een enkele strofe kwam Kaira plotseling bekend voor, en ineens hoorde ze dat Umbra meezong:

Bobus phatunzilam
Murmaros echti,
glumus aburzolos
kebit! Agloi!

Het was het dwaze lied dat het lichaamloze hoofd in het huis van de oude dame had gezongen, en nu merkte Kaira hoezeer ze zich vergist had, toen ze het voor onzinnig gebrabbel had gehouden. Want de eerste strofen waren nog niet uitgezongen toen de drie zwaarden begonnen te vibreren en de witte gloed langzaam rood werd. Haastig vielen ook Kaira en Tataika in:

Bunchtan marbubilos
Nubule pampa
Kor pisztum sangrabus
Ude kabbalo.

Kaira had geen idee wat de betekenis was van deze woorden, maar magister Ninian herkende ze, want hij riep uit: 'Het lied van de Bûl, het eerste lied dat ooit op Chatundra werd gezongen!' En meteen zong ook hij het lied mee, dat steeds krachtiger klonk, want toen de magister deze woorden sprak, wist ook Jannis zich te herinneren hoe de verzen luidden en na de tweede herhaling wist Beck het ook.

De zwaarden snerpten en beefden. Ze zaten niet meer heel vast, maar leken door onzichtbare handen heen en weer gesjord te worden. De gaten in de grond waarin hun uiteinden wegzonken, werden breder en breder. Er gaapte al een vurige kloof. Lulalume danste nog steeds, maar onder het dansen tilde ze haar witte jurk op en plotseling trok ze hem met een harde uitroep omhoog over haar hoofd en gooide hem over de zwaarden heen.

Er klonk een oorverdovend gerammel. De drie zwaarden vlogen uit de kloven waarin ze vast hadden gezeten en wilden de hoogte in gaan, ongetwijfeld om de hoofden af te slaan van degenen die geroepen waren, maar het gewaad ving ze op en trok ze mee omlaag in de vuurkolk, waaruit nu duidelijk een enorme hartslag opdreunde.

We hebben het gered, dacht Kaira, we hebben het gered! Want de zwaarden waren verzwolgen. Vanuit de ingang van de groeve kwam Vuurvos op haar toegelopen, bleek maar glimlachend. Met open armen liep hij op haar af. Op het moment dat Kaira wat tegen hem wilde gaan zeggen, sprong hij met zijn armen wijd in de brandende afgrond.

Ze schreeuwden allemaal door elkaar. Kaira zou zich in haar verbijstering en haar pijn hebben losgerukt, als de anderen haar niet zo goed hadden vastgehouden. Het gezang leek haar tegen de grond te drukken. Maar ze voelde zich alsof de zwaarden in haar hart waren gestoken. Heel in de verte zag ze dat het grafmonument een enorme verandering onderging. Het beven van de grond ging over in een beweging die leek op het uitrekken van een gigantisch groot lichaam. Ritsen knarsten tegen elkaar, damp welde op uit de kloof waar zonet nog vuur was opgevlamd. Toen kwam er een barst in de wereld, die ze allemaal als een lichaam voelden. In een tel ging de oude tijd onder in de oneindige nacht en een nieuwe tijd brak aan. Op heel Chatundra trilde de aarde, de bomen ruisten en de dieren schreeuwden. Dan verstomde de machtige hartslag en tegelijk ook het gezang en de dans. Alles ging op in een geweldig ruisen toen vanaf Luifinlas naar beneden tot aan het Rijk van de Makakau een zware, zoete regen viel die alle woestijnen vruchtbaar maakte.

De kring loste zich op, toen zij die geroepen waren langzaamaan aarzelend opstonden. Ze tuimelden uit de dichte damp die de holte vulde – die nu geen graf meer was – naar buiten in de regen en voelden hoe die hun verbrande gezichten, handen en voeten verkoelde en heelde. Kaira lag in het gras en huilde om Vuurvos en Tataika huilde met haar mee, tot Umbra bij hen kwam zitten.

'Treur om hem, maar treur niet te lang,' zei de tovenares. 'Want vandaag heeft hij de verlossing gevonden, waarnaar hij meer verlangde dan naar al het andere.'

'Ik had hem zo lief,' zuchtte Kaira.

'Ik ook,' antwoordde Umbra. 'Maar ik wist ook hoe zeer hij geleden had. Ik kende hem al die honderden jaren al toen hij pelgrimstochten maakte over Chatundra en wachtte en bad dat het goud waar zijn lichaam in veranderd was, weer terug zou veranderen in vlees.'

Tataika droogde haar tranen en kwam overeind. 'Was hij dan echt die koning?'

'Ja, en alle verhalen die over hem werden verteld, zijn waar. Toen hij helemaal was verstijfd en er alleen nog maar een minuscuul deel van zijn hart in leven was, toen pas erkende hij zijn dwaasheid en smeekte om erbarmen en het was Datura die het hem schonk. Maar zij kon alleen verhinderen dat hij volledig ten onder zou gaan. Zij had niet de macht om hem zijn menselijkheid terug te geven. Die moest hij zelf terugvinden, hoewel de Maandraak hem wel de kracht gaf voor zijn zoektocht.' De tovenares legde haar armen om de schouders van de twee meisjes en trok ze tegen zich aan. 'Huil niet te lang om iemand wiens gelukkigste uur vandaag geslagen heeft. Niets is mooier dan te mogen sterven als je te lang hebt geleefd. Kom! Kijk wat er allemaal is gebeurd!'

Nog steeds in verwarring volgden Kaira en Tataika de vrouw.

De terugkeer van de Zusters

Iarwain en Gilline namen hun werk voor de vrouw van de drakenvorst zeer serieus. Elke dag vervulden zij hun plichten. Ze zaten aan
het bed van de betoverde vrouw, vertelden haar de verhalen die in
Mesquit 's avonds bij het haardvuur de ronde deden, en Gilline – die
een mooie stem had – zong liederen voor haar. Ze lieten haar nooit alleen en nacht na nacht hielden zij getrouw de wacht bij haar bed, hoewel ze het soms griezelig vonden want onzichtbare wezens probeerden
er binnen te komen. Balor, de huismeester, vertelde hen dat het boze
dromen waren, die de zielen van de arme slapenden in hun macht probeerden te krijgen om ze te kunnen kwellen.

Van hem hoorden ze ook, dat het de intens gemene Zarzunabas was
geweest die deze ongelukkige zo had vervloekt en dat alle toverkracht
van haar machtige gemaal nog niet genoeg was om haar te wekken.

De twee dienstboden waren bevriend geraakt met Balor, nadat ze in
het begin eerst heel bang voor hem waren geweest. Hij was weliswaar
kribbig en bits als een oude nukkige kat, maar als je eerbiedig met hem
omging en hem niet boos maakte, dan was hij geen slechte vent.

Op een namiddag zaten de twee weer aan het bed van de zieke. Gilline
kamde haar haar, terwijl Iarwain aan het voeteneinden van het bed
hurkte en de blote voeten, zacht en bleek als leliebloesem, masseerde
met vaardige handen.

Buiten waren donkere wolken op komen zetten en een gerommel en
gebulder trok over de toppen van de schubbenboom als voorbode van
naderend onweer.

Afgezien van het dreigende slechte weer was het een vredige stille namiddag, en Iarwain en Gilline werden dan ook volkomen verrast door het verschrikkelijke kabaal dat losbarstte. Het was een gekrijs alsof er iets taais met angstaanjagend geweld uit elkaar werd gescheurd. De grond onder het paleis trilde zo hard dat de glazen en bekers rinkelend omvielen en de bloemen die de zieke moesten opfleuren, op de grond vielen. Een paar hartslagen lang was de wereld gehuld in volledige duisternis, daarna steeg een drievoudige rode lichtzuil op naar de hemel en dompelde het hele land onder in een zwavelig schijnsel als van een vulkaanuitbarsting. Vallende sterren vlogen langs de hemel, dicht op elkaar als sneeuwvlokken en allemaal rood van kleur. Het volgende ogenblik stortte de vuurzuil in elkaar en tegelijk schitterden er drie reusachtige barnsteenkleurige sterren boven aan de hemel. Het vuurrood veranderde in een helder licht, bijna daglicht, dat heel anders van kleur was dan de verduisterde zon, de maan en de nachtzon. Het had een kleur als het goudbruine water van de bergbeken in de Toarch kin Luris, dat een weg zocht door mossen en rotsen, en er ging dezelfde levenskracht van uit. De cycadeeën en de palmen voor de ramen stonden op knappen van al het vocht dat ze opzogen. Gilline zag hoe Balos – doorgaans de waardigheid in hoogsteigen persoon – tussen de palmen heen-en-weer rende en over de stenen muren sprong als een dolle kat, en zelf voelde ze een onverhoeds, overweldigend verlangen zodat ze ineens Iarwain vastpakte en tegen zich aan drukte. De jongeman was er net zo aan toe en onder alle andere omstandigheden zouden ze elkaar in de armen zijn gevallen, maar wat er gebeurde was zo zonderling en verontrustend... Want toen het honingkleurige licht steeds meer aan kracht won, kreunde plotseling de roerloze slaapster in haar bed, draaide zich op haar zij en voelde slaperig om zich heen.

'Grote genade, oh, grote genade!' riep Gilline en sprong op om de dame te ondersteunen die met haar onzekere bewegingen uit bed dreigde te vallen. Iarwain volgde haar. En zo hielden ze allebei een vrouw in hun armen, die rechtop ging zitten, verward om zich heen keek en mompelde: 'Mijn gemaal, waar is hij? Ik heb zo naar en verschrikkelijk gedroomd... Ach, ik ben toch weer wakker! Nu komt alles goed.'

Mensen en basilisken in Thamaz

In het besneeuwde Thamaz waren ongeveer vijftig bewoners een klokkentoren van het paleis ingevlucht en ze hadden de zware plankendeur achter zich vergrendeld om niet ten prooi te vallen aan de overal rondkrioelende basilisken. Toen ze door een kier van het raam loerden, zagen ze een afgrijselijk schouwspel. De hemel drukte op de stad als een loden dak. De verwoeste huizen en straten lagen onder een dikke sneeuwlaag in het rond, maar de sneeuw was niet wit maar rood van het bloed van de draken en de mensen. Overal lagen verstijfde lijken met blauwige gezichten en de gigantische, door basilisken aangevreten kadavers van de Rachmanzai en IJshoorns zij aan zij.

De Tarasken zelf glipten en slipten alleen in het schemerlicht van de ene schuilplaats naar de andere aan de oppervlakte. Als het niet zo gruwelijk was geweest, dan hadden de ingesloten mensen moeten lachen bij de aanblik van de gestalten met uitpuilende ogen, platvoeten, bochels en vuilgrijze gezichten, die van top tot teen waren gehuld in kostbare kleding en behangen met geroofde sieraden. Ze trokken fluwelen slepen achter zich aan, kegelvormige kappen met voile op het hoofd, gesprongen en gescheurde handschoenen aan de misvormde klauwen, en schuifelden rinkelend en rammelend van de sieraden door het halfdonker en speurden met hun bloeddoorlopen vissenogen naar nieuwe buit. Ze zagen er belachelijk en verachtelijk uit, maar de bewoners van Thamaz hadden triest genoeg al moeten ervaren hoe scherp hun tanden waren. Wat ze aan lichaamskracht tekortkwamen, compenseerden ze door in hordes aan te vallen en hun slachtoffers van alle kanten tegelijk vanuit een hinderlaag te bespringen. Geen van de bewoners in de toren wist hoeveel er van hen in de ruïnes rondwaarden. Ze wisten alleen dat het hun dood zou zijn als ze de toren zouden verlaten. Maar hoe lang zou het nog duren tot in de toren blijven ook hun dood zou betekenen? Ze hadden niets meer te eten en ze hadden alleen de sneeuw te drinken, die zich ophoopte op de kozijnen en de vensterbanken. De basilisken wisten dat er buit verborgen zat in de toren, die hen niet meer kon ontkomen en ze wachtten in de beschutting van het poortgewelf en de puinhopen geduldig op het moment dat de honger deze ongelukkigen uit hun schuilplaats zou verdrijven. Verschillende van hen zaten ineengedoken op de treden, gromden en smakten en kluifden op botten waarvan niemand wist of ze van een mens of van een dier afkomstig waren.

Ook de ingesloten mensen hoorden een dof, afschrikwekkend lawaai en voelden het bouwwerk trillen onder hun voeten. Gillend sprongen de door de honger uitgeputte mensen weer op hun voeten in de hoeken waar ze waren neergezakt. Was het hoop dat door dit geluid werd aangekondigd, of een nieuwe verschrikking?

Daar sloeg voor de luiken een flits in als heet vloeibaar metaal, waardoor de toren van binnen ineens gevuld was met gloeiende stenen. Onder verschrikt geschreeuw weken de mensen achteruit, in de veronderstelling dat de bliksem was ingeslagen en dat de toren in brand stond. Maar toen was het vuurrood alweer verdwenen en in plaats daarvan kwam er een zacht, barnsteenkleurig licht over de stad gerold, zoals de mensen nog nooit hadden gezien. Tegelijkertijd was er een overweldigende warme wolkbreuk die de sneeuw van de daken en de muren in de goten spoelde en vandaar naar de onderaardse gebieden van de stad.

De verspieders die de voor de toren postende basilisken in de gaten hadden gehouden, stootten vreugdekreten uit. Het licht en de opflitsende regen bevielen de ondieren helemaal niet. Ze sprongen weg, waarbij ze op de buitengewoon lange jurken stapten en verstrikt raakten in de parelsnoeren, en hun woedende gekakel echode door de straten. Waar ze zich gingen verstoppen voor het licht, konden de vijftig bewoners niet zien en ze deden ook geen moeite om het te weten te komen. Uitgehongerd als ze waren, stootten ze de torendeur open en renden zo snel hun verzwakte benen ze konden dragen.

Velen hadden gedacht dat ze niet meer de kracht zouden hebben om te vluchten als er zich al een mogelijkheid zou voordoen om hun toevluchtsoord te verlaten, maar nu voelden ze zich op een wonderbaarlijke manier gesterkt. Na een poos begrepen de slimmeriken onder hen dat deze kracht te maken had met de warme, zelfs hete regen, die uit de lichte hemel naar beneden stroomde. Hoe natter ze werden, des te beter voelden ze zich. Het lukte zelfs de ouden en zieken om de vervloekte ruïnes achter zich te laten en zich naar het vrije land te spoeden.

En daar wachtte hen een nieuw wonder. De zonovergote woestijnen bloeiden onder de regen als nooit tevoren. Ze hadden weliswaar in Thamaz al eerder de woestijn met verbazingwekkende snelheid zien opleven als het regende, maar dit sloeg alles. Degenen die liepen, voelden hoe het gras om hun enkels omhoogschoot, ze zagen blad uit de verdorde bomen uitbotten en de stekelzwammen opzwellen tot groene kogels. Toen de mensen zagen dat de woestijnvruchten geen zinsbegoocheling waren, vielen velen van hen op de knieën en dankten voor hun redding, en omdat er geen Rachmanzai meer waren – of bijna geen – dankten ze de drie zacht stralende sterren aan de hemel. In het midden van deze sterren glansde de Slangendochter.

Koning Viborg beleefde de terugkeer van de Zusters op het moment dat hij in stille toorn op het lijk van de dappere Katanja neerkeek dat de overlevenden van het slagveld hadden weggedragen. De harde krijgsman kende geen rouw, noch had hij ooit warme gevoelens gekoesterd voor Katanja, maar het griefde hem dat hij een zo heldhaftige strijder had verloren en zijn toorn zinde op wraak.

'Voort!' beval hij zijn mannen. 'We rijden naar de dodengrot en verwoesten alles wat er nog van het gebroed is overgebleven.'

Maar het bevel kwam niet tot uitvoering, want juist toen beefde Chiterai van het ene einde tot het andere, zodat vele van de toch al wankele ruïnes helemaal instortten en er klonk een lange, onmenselijke schreeuw door de lucht, begeleid door lawaai dat leek op steenslag. De loodgrijze blinde hemel kleurde gloeiend rood, alsof alle vulkanen van de Toarch kin Luris tegelijk waren uitgebarsten en meteen daarna stroomde er een barnsteenkleurig licht omlaag waarin de versluierde zon opging.

'Wat is dat?' schreeuwde de koning en greep naar zijn zwaard, hoewel hij wist dat zijn sabel hem niets zou helpen.

De oude Tersan antwoordde hem: 'De profetie is in vervulling gegaan, mijn koning, Phuram is gevallen en in zijn plaats heersen nu de Drie Zusters weer.'

Al snel konden ze zien dat dit inderdaad het geval was. Toen de avond viel, verdween het geheimzinnige licht langzaam en kwam de naar de horizon zinkende schijf van Phuram weer tevoorschijn. Vol verbazing zagen de mensen dat die nu nog maar half zo groot was als tevoren, niet groter dan Datura die net verschenen was. De kleine nachtzon was bleek geworden, zodat die nu alleen zichtbaar was als een messingkleurig glimmend schijfje. Toen Phuram onderging, verscheen er een nieuw sterrenbeeld aan de hemel: drie grote gelig oplichtende sterren vormden een gelijkbenige driehoek en in het midden ervan blonk de minuscule Slangendochter.

Toen de warme regen begon te vallen waren de mensen in Chiterai net zo verbaasd als in Thamaz. Deze zonderlinge regen had de eeuwenoude vulkaanas waaruit de bodem bestond nog nauwelijks geraakt of de grond werd al vruchtbaar. Paardenstaarten en varens schoten omhoog en vulden de stad met de geur van fris loof. Niet alleen het gras en de struiken groeiden, maar ook die gewassen die onder de heerschappij van koning Kurdas waren verbouwd. Boerderijen die lang verlaten waren geweest, waren weer vol van het gesnater van tronten, overal bloeiden bloemen die leken op zeeanemonen en hun gezang in het rond schalden, en de pomerans- en granaatappelbomen liepen uit. Alles schoot zo snel omhoog dat soldaten en bewoners heen-en-weer renden en elkaar toeriepen: 'Kijk! Kijk daar!' Ze sprongen terug alsof er onder hun voeten iets kriebelde en er bij het omkijken een plantje omhoog bleek te schieten dat bevrijd naar het licht reikte. De hele nacht stonden ze daar met lantaarns en fakkels in de hand en staarden ze naar de grond waaruit onophoudelijk omhoogkwam wat zo lang door Phuram in de groei belemmerd was. Voor het eerst mocht een ieder eten zoveel hij wilde en de mensen stopten zich vol met vers gebraden tronten, zandgurken en de eerste vruchten, tot ze barstten.

's Morgens leek het koning Viborg na een overvloedig en buitengewoon heerlijk ontbijt raadzaam om een dienst ter ere van de drie goddelijke Moedermaagden te laten houden, waaraan hij in hoogsteigen persoon deelnam. Daarbij werd ook de eerste steen gelegd voor een enorme tempel en vele Sundaris die teleurgesteld waren in Phuram, schaarden zich om de steen.

Het loon van de Zusters

Er was niet veel meer over van de kolossale tempels en woonhuizen die de onbekende bouwers ooit in Luifinlas hadden neergezet, maar er was een mooi zaal en daar hield Dochterzoon, door de Drie Zusters tot hun hogepriesteres benoemd, de eerste eredienst.

Het was geen ziek kind meer dat op het imposante steenblok klom dat diende als troon en altaar tegelijk, en daar onmiddellijk ineen trance raakte. Die nacht was Dochterzoon opgestegen in de gloed van de lavastromen en Mandora's kracht had haar een gezond lichaam en een stralende geest geschonken. Nog altijd teer als een mensenvis maar van binnen verlicht, zat ze daar en sprak wat de geest van de Drie Zusters aan haar doorgaf.

Het was een bijzonder indrukwekkende eredienst, want alle draken in Luifinlas waren erbij. Natuurlijk paste niet iedereen in de ruïnehal, hoe uitgestrekt die ook was, en velen moesten buiten op het plein en aan de flanken van de Toar Kadenach een plek zoeken. Daar glommen en glinsterden hun schubbenhuiden als bergen goud en juwelen, en het vuur uit hun neusgaten danste half doorzichtig in de barnsteenkleurige lucht.

Kaira keek om zich heen. Vauvenal was in zijn menselijke gestalte gekomen met zijn mooie vrouw aan zijn zij. Ze werd liefdevol werd ondersteund door een knecht en een dienstmaagd. Veel andere dienaren en dienstmaagden van draken waren ook in allerijl naar Luifinlas gekomen, en nu was het niet meer nodig om de weg door de darmen van de duisternis te nemen. De terugkeer van de Zusters had het gespuis dat Zarzunabas diende, uit de Toarch kin Mur verdreven, en de Hemelbestormers konden de passen overvliegen, wat een nogal moeizame reis was, want stormen gierden als vanouds om de kale toppen en lawinen raasden van de steilwanden omlaag. De oude Suramal verscheen en huilde vreugdetranen toen hij zijn leerling weerzag.

Toen sprak er een vreemde stem uit Dochterzoon, een vrouwenstem maar dan heel anders dan alle aardse stemmen.

Kaira werd zo overweldigd door het hele gebeuren dat ze maar gedeeltelijk meekreeg waarover werd gesproken. Ze hoorde de betekenis van de woorden pas weer toen de stem hen die geroepen waren een voor een vroeg wat ze als loon zouden willen hebben.

Jannis vroeg, zo opgewonden dat hij zich verslikte en stotterde, of hij de cultuur van de Mlokisai van Dundris mocht onderzoeken en Tataika wilde met hem meegaan. Beck vroeg alleen maar om zo snel mogelijk weer naar zijn vrouw te mogen terugkeren en Umbra vroeg om met Ari naar huis te mogen gaan. De magister Ninian smeekt in Luifinlas te mogen blijven en drakenleerling te mogen worden. Lulalume vroeg of ze eerste priesteres van de teruggekeerde Moedermaagden bij de Ka-Ne mocht worden. Jajn wilde gewoon Vauvenals leerling blijven en alle legenden en gezangen van de draken leren van hem en van koning Kulabac.

Ook de twee jonge mensen in Vauvenals gezelschap werd gevraagd wat ze zouden willen voor hun trouwe diensten. Iarwain, de dromer, vroeg om zijn hele leven bij de draken te mogen doorbrengen, maar Gilline fluisterde Dochterzoon nog een extra wens in het oor. Daarop antwoordde deze: 'Hij moet naar de top van de Toar Kadenach klimmen en daar tot over de heupen in de vuurzee van de krater stappen, dan zal hij terugkrijgen wat hem werd afgenomen. Hij hoeft niet bang te zijn, er is geen gevaar voor lijf en leden.'

Iarwain had gespannen toegehoord maar riep ondanks deze belofte geschrokken uit: 'Nee – dan liever niet – ach, Gilline, laat ons gewoon verdergaan als eerst!'

Iedereen glimlachte en Dochterzoon sprak met haar vreemde stem: 'Omdat je bevreesd bent voor het grote geschenk, Iarwain, zal ik je een kleiner geschenk geven. Ga naar buiten en de eerste verse drakenkeutel die je vind, pak je op en leg je op je litteken. Daarmee zal het verleden niet weerkeren en wat verwoest is niet hersteld worden, maar je zult wel genoeg kracht hebben om je vrouw gelukkig te maken.'

Iarwain werd heel rood, maar hij bedankte met de goed gekozen woorden zoals een eenvoudige kerel die kan spreken en ging naar buiten om een drakenkeutel te zoeken.

'En jij, Kaira?' vroeg de spreekstem. 'Wat vraag jij van mij?'

'Ik weet het niet,' antwoordde Kaira zacht. 'Ik heb eigenlijk maar een wens, maar die kan niemand voor mij vervullen. Ik heb zoveel van Vuurvos gehouden dat ik alleen maar kan wensen dat ik hem mijn leven lang bij me zou kunnen houden.'

Dochterzoon schudde afkeurend haar hoofd. 'Het is geen goed wens, Kaira, om iemand uit de dood terug te willen roepen.'

'Ik weet het,' antwoordde Kaira verlegen. Heel even schrok ze van de gedachte dat Vuurvos zou kunnen terugkeren in de gestalte van een verband lijk, als zij zo'n verwerpelijke druk op hem legt. 'Ik wil ook niet dat hij terugkomt... ach, ik weet helemaal niet wat ik wil. Maar het was gewoon zo fijn om bij hem te zijn, hem over zijn geloof in de Maandraak te horen praten, hem te kunnen vertrouwen... Vergeef me mijn dwaze wens.' Ze barstte in tranen uit.

Dat leek Mandora te ontroeren, want de toorn verdween uit de stem toen die zei: 'Ik kan je iets schenken, Kaira. Je kunt een mens worden van het soort dat hij op het laatst was. Je kan leren wat hij geleerd heeft, geloven wat hij geloofd heeft en geven wat hij gegeven heeft. Op die manier zal hij altijd bij je aanwezig zijn en jij zult een met hem zijn.'

Kaira knikte door haar tranen heen.

De toekomstvisioenen van Dochterzoon

Dochterzoon stond op de top van de Toar Kadenach. Ze liet haar door magie gescherpte blik over het Aarde-Wind-Vuur-Land dwalen, van de Vulkaaneilanden in het uiterste zuiden tot aan de pool in het noorden. Haar geest zweefde als een valk over de steden en de landerijen en wat er was veranderd sinds de terugkeer van Mandora.

Lulalume was naar haar volk teruggekeerd en regeerde nu als hogepriesteres samen met de oude koningin over een rijk waar de welvaart van bewoners nog steeds toenam. De woestijn die steeds groener werd, maakte het mogelijk om niet alleen de minuscule geiten te houden maar ook schapen, pony's en – ter versiering en voor de gezelligheid – kleine, glanzende en bontgekleurde Grolmen. Het werd er heel modern, ze droegen er kleine dieren om de nek als boa's of op het hoofd als een tulband. Lulalume bezat honderd geiten, vijftig schapen, vier Grolmen, twee gevleugelde hagedissen en ook twintig mannen en jongens. Ze was na de koningin de vrouw met het meeste aanzien van haar volk, maar ze vergat nooit hoeveel angst ze had moeten doorstaan tijdens haar opdracht.

Umbra was met haar vaste begeleider naar haar hut teruggekeerd, hoewel iedereen haar had gevraagd om in Luifinlas te blijven. Ze wilde alleen zijn met Ari en hij met haar.

Maar niets en niemand had magister Ninian ertoe kunnen bewegen de plaats te verlaten waar hij bij zoveel draken in de buurt kon zijn. Hij had een verzameling aangelegd in een van de beste bewaarde torens en hij was bijna dag en nacht bezig om de wijsheden van Vauvenal en de andere hooggeboren draken te beluisteren en op te schrijven.

Dochterzoon richtte haar blik op de ruïnes van Dundris en de Gurguntai. Ook daar werd de woestijn groen, maar deze plek was zo afgelegen en van oudsher zo omgeven met taboes dat niemand er wilde wonen, behalve de schriftgeleerde Jannis en zijn getrouwe begeleidster Tataika die hem voedde, beschermde, aanmoedigde en op hem mopperde als het nodig was. Voor Jannis voltrok het leven zich in een waas van gelukzaligheid. Hij doorzocht de ruïnes, maakte schetsen van alles wat hij zag, verzamelde en ordende, ontcijferde meer en meer van het schrift van de Indigoleeuwen en bracht vaak halve dagen door met stilzwijgende gesprekken met de as van iemand die lang geleden al was gestorven. Hij was bevriend geraakt met Kulabac, wiens geheugen oneindig ver terugging en die hem veel te vertellen wist. Het was ook Kulabac die de verstoorde zielen en hun wachters geruststelde en hen ervan overtuigde dat de geleerde alleen ter meerdere eer en glorie van hen aan het werk was. Op die manier kon Jannis werken zonder door de wachters bedreigd of achtervolgd te worden. De geesten van de Indigoleeuwen die het langst geleden waren gestorven, hielpen hem zelfs. Zij brachten hem naar plaatsen waar hij de belangrijkste vondsten deed, leidden hem naar de plekken waar de inscripties en relicten uit het verleden onder het puin te vinden waren.

Jannis en Tataika waren graag geziene gasten bij de Ka-Ne, waar natuurlijk officieel alleen Tataika als gast werd gevraagd en Jannis een onduidelijke positie kreeg toebedeeld die het midden hield tussen secretaris en lijfeigene. De Ka-Ne vonden het nog steeds pijnlijk dat ze ooit een man voor een vrouw hadden gehouden.

Maar niet alles was goed in deze nieuwe wereld. De oude vijanden beloonden de Moedermaagden er bepaald niet voor dat ze hen zo genadig behandeld hadden. De Helbedwingers smeedden in hun verbanningsoord op Macrecourt – dat intussen bij de schippers bekendstond als Kibbelaarseiland, omdat de bannelingen elkaar voortdurend luidkeels in de haren vlogen – alsmaar nieuwe plannen om hun ketenen af te schudden en zich weer als heersers op te werpen. Zarzunabas was uit angst voor wraak in de diepste kerkers van zijn slot weggevlucht en zat op de bodem van de Diamantzee in de ijzige, lichtloze vloed, een gevangene in zijn eigen kerker onder de mijlendikke ijskap van de noordpool. Daar wachtte hij met het geduld zoals alleen onsterfelijken dat kennen, op een nieuwe omwenteling. De basilisken die het hadden overleefd waren heel diep onder de grond weggekropen en daar leefden ze van de witte schimmelslierten aan de muren en de blinde vissen in de rivieren van de duisternis. Ze waren nog steeds verlamd van schrik bij de aanblik van licht van de hemel, maar op een dag zouden ze toch weer aan de oppervlakte komen.

Thamaz en Thurazim lagen in puin. In geen van beide steden woonde nog iemand. Alleen de schaduwgeesten van de zielen die aan het goud gekluisterd waren, glipten tussen de puinhopen heen-en-weer. Een van deze creaturen was de rijke dame Philanis, die de dood had gevonden in de wurgende klauwen van de Tarasken. Ze woonde nog steeds in de kelder waarin zij en haar vriendin Aniz gestorven waren en ze bewaakte haar schatten. Niets restte van haar schoonheid, haar trekken waren getekend door de gierigheid en de hebzucht die haar hart overheersten. Klein en vormeloos, zat ze op haar kist en telde haar munten en liet de juwelen door haar spinachtige vingers glijden, terwijl ze keek met haar van gierigheid overlopende ogen.

Chiritai was echter opgebloeid en bracht nieuw, prachtig leven voort. Uit de ruïnes waren nieuwe huizen, straten en bruggen opgerezen. De stad werd geregeerd door een jonge keizer die zich nu al keizer Viborg de Grote noemde. De vertrouwelingen die hem terzijde stonden waren de oude ridder Tersan en een flemende jonge hoveling met de naam Thilmo, die vaak pronkte met zijn edele afkomst en uitstekende manieren.

De voormalige ruïnestad Chiritai was een stad van tuinen en tempels geworden. Er woonden dappere, hardwerkende en welvarende mensen. Er was genoeg voor iedereen en ook de armsten droegen schone kleren.

Maar Dochterzoon zag ook hoe het hart van de jonge keizer begon te veranderen. Onopgemerkt door hemzelf en alle anderen kiemde het koude goud op een minuscule, nog onbeduidende plek.